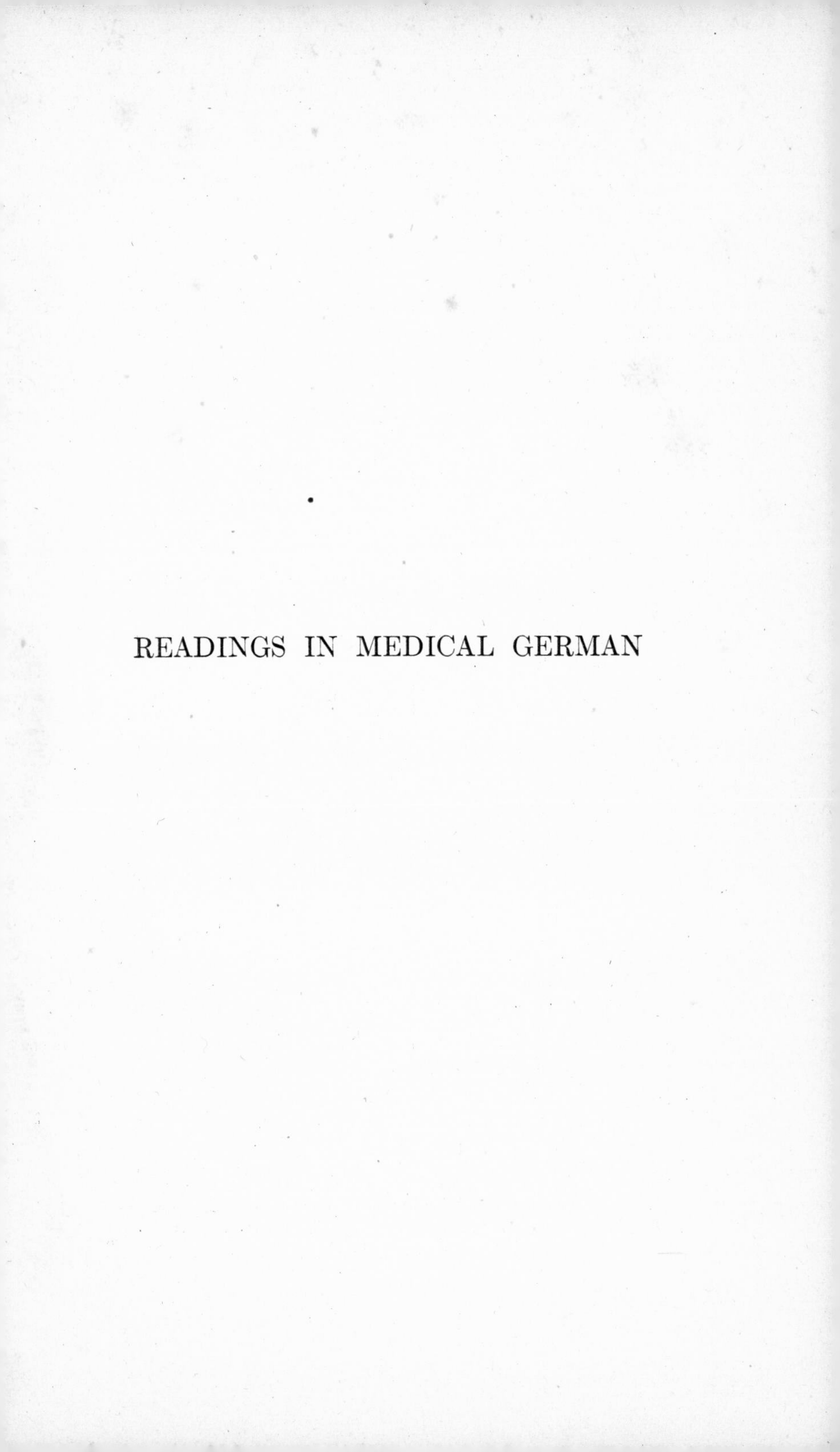

READINGS IN MEDICAL GERMAN

READINGS IN MEDICAL GERMAN

BY

OSCAR BURKHARD

PROFESSOR OF GERMAN
UNIVERSITY OF MINNESOTA

NEW YORK
HENRY HOLT AND COMPANY

June, 1946

PRINTED IN THE
UNITED STATES OF AMERICA

PREFACE

This book of Readings in Medical German contains articles on anatomy, biology, embryology, comparative anatomy, surgery and the history of medicine, graded according to difficulty in vocabulary and style.

The reasons for the publication of these selections may be found in the fact that the existing textbooks on scientific German contain little or no material on the various fields of medicine and in the absence of a satisfactory German-English dictionary of medical terms.

The vocabulary presents a complete list of the words in the text, and the notes offer assistance on the more involved constructions and difficult passages.

To the following authors and publishers who have granted me the privilege of selecting material from their books I wish to make grateful acknowledgment: Unterrichtsbuch für freiwillige Krankenpfleger, Verlag von S. Mittler und Sohn; Schmeils Menschenkunde, Verlag von Quelle und Meyer; W. A. Locy, Die Biologie und ihre Schöpfer, Henry Holt and Co.; W. Leche, Der Mensch; Professor Dr. Schloffer, Aus der allgemeinen Chirurgie; and Professor Dr. Tilman, Krankheiten des Schädels, Verlag von Gustav Fischer.

CONTENTS

INTRODUCTION

Suggestions to the Student

Aim to acquire a reading knowledge of scientific German. In your study regard *the sentence* as the working unit. Always read the whole sentence before you attempt to translate. In analyzing a sentence first find the subject, then the verb. Next add to the noun its modifiers, then complete the predicate by adding the modifiers of the verb. Notice that all dependent clauses are set off by commas.

A systematic study of the words in the first sections of the text is the best preparation for the remaining selections. Keep a record of the words you look up, and make an effort to increase your vocabulary from day to day. When you look up a word pronounce it aloud and repeat it as you write it in your note-book.

Aside from the vocabulary peculiar to the science in which you are especially interested you will find a knowledge of word-composition and of the participial construction most helpful.

Word-Composition

The formation of words with a prefix or a suffix is not uncommon in literary German but occurs more frequently in the scientific language. A knowledge of the most common prefixes and suffixes will help you to recognize words and to increase your vocabulary without constant recourse to the dictionary.

Derivation by Prefix

Many nouns and verbs are formed with the aid of a prefix. Separable prefixes offer little difficulty, as they usually convey a literal meaning; e.g., **auf**bauen, **Auf**bau; **ein**atmen, **Ein**atmung; **mit**wirken, **Mit**wirkung. Of the inseparable prefixes only those occuring most frequently are given here.

be– has usually one of three meanings:

1. It merely intensifies a simple verb: **be**sehen, to look at (carefully); **be**denken, to consider.

2. It means to provide with the thing or quality indicated by the stem of the verb: **be**kleiden, to clothe; **be**fähigen, to enable; **be**reichern, to enrich.

3. It makes intransitive verbs transitive: **be**fragen, to question.

ent– frequently denotes the beginning of an action, the becoming: **ent**stehen, to arise; **ent**brennen, to flame up.

From this idea of transition to another state comes the idea of separation, which is now the commonest meaning: **ent**laufen, to run away; **ent**nehmen, to take from.

er– meant originally: out, to the end (cf. English, tired out). It usually conveys the idea of beginning, attainment, or finality: **er**stehen, to arise; **er**wachen, to awaken; **er**kranken, to fall ill; **er**finden, to invent; **er**reichen, to reach.

ver– originally meant forth, away (cf. English, forgive, forget). It may denote a change to another state: **ver**gehen, to pass away; **ver**brennen, to burn up.

Or it may make negative the root verb: **ver**lernen, to unlearn, forget.

zer– regularly means separation, destruction, to pieces: **zer**brechen, to break to pieces; **zer**reißen, to tear to pieces; **zer**treten, to crush.

Derivation by Suffix

Many nouns are formed by the addition of a suffix. The following list gives only a few of the most important:

–chen is added to nouns to form neuter diminutives. The diminutive usually has umlaut: e.g., Bild**chen**, Bläs**chen**, Körper**chen**, Teil**chen**.

–er added to verb-stems denotes the masculine agent: e.g., Beobacht**er**, Erreg**er**, Fisch**er**, Forsch**er**, Leit**er**, Les**er**.

Added to noun-stems it denotes a resident: e.g., Engländ**er**, Italien**er**, Berlin**er**.

–heit forms feminine abstract nouns from adjectives: e.g., Dunkel**heit**, Klar**heit**, Krank**heit**, Wahr**heit**.

–keit is added to adjectives in *–ich* or *–ig* to form feminine abstract nouns: e.g., Beweglich**keit**, Möglich**keit**, Fähig**keit**, Festig**keit**, Fleißig**keit**.

–ung is added to verb-stems to form feminine nouns that denote the action or its effect: e.g., Anwend**ung,** Atm**ung,** Auffass**ung,** Bedeut**ung,** Beweg**ung,** Bild**ung,** Darstell**ung,** Empfind**ung,** Entsteh**ung,** Entwickl**ung.**

Compound Nouns

Two or more words are frequently combined into one to make a compound noun. The last element is nearly always a noun. It determines the gender of the compound and is the basic element, the preceding word having the quality of a genitive, a modifier, or attribute. The first element may be any part of speech. There are compounds of:

Noun and noun: **Brustbein,** sternum; **Handarbeit,** hand work.

Adjective and noun: **Fremdkörper,** foreign body; **Unterarm,** forearm.

Verb and noun: **Hörorgan,** organ of hearing; **Kriechtier,** reptile (crawling animal).

Particle and noun: **Jetztzeit,** present time; **Fortschritt,** progress.

The most numerous and therefore the most important are the compounds of noun and noun. A careful analysis of the component parts will often give the meaning of the whole, for example: **Aufwärtsbewegung; Blut-druck-schwankung Entwicklungs-erscheinung; Schädel-basis-fraktur.**

Participial Construction

The frequent use of the participial construction makes it a matter of special importance.

Both the present and the perfect participle are employed in this construction.

1. In its simplest form one participle is used as an attributive adjective between the adjective and the noun:
   das fließende Blut, *the flowing blood.*
   die gefärbte Haut, *the colored membrane.*
2. The participle may be modified by an adverb:
   das langsam fließende Blut, *the slowly flowing blood.*
   die verschieden gefärbte Haut, *the variously colored membrane.*
3. A prepositional phrase modifying the participle may be added:

das in den Adern langsam fließende Blut, *the blood flowing slowly in the veins.*

die bei einzelnen Menschen verschieden gefärbte Haut, *the membrane variously colored in individual persons.*

4. One or more adjectives may be inserted before the noun:

das in den Adern langsam fließende, dunkelrote Blut, *the dark red blood flowing slowly in the veins.*

die bei einzelnen Menschen verschieden gefärbte, durchsichtige Haut, *the transparent membrane variously colored in individual persons.*

5. The construction may be introduced by a preposition:

durch das in den Adern langsam fließende Blut, *through the blood flowing slowly in the veins.*

durch die bei einzelnen Menschen verschieden gefärbte Haut, *through the membrane variously colored in individual persons.*

6. Two or more participles may be used:

eine von Knorpel und Knochen gebildete, durch eine Scheidewand in zwei Teile geteilte Höhle, *a cavity formed by cartilage and bones, divided into two parts by a septum.*

7. An adjective with participial value may be used in similar manner:

der in der Haut befindliche Teil, *the part found in the skin.*

von den zu den Röhrenknochen gehörigen Mittelhandknochen, *of the metacarpals belonging to the tubular bones.*

8. The present participle preceded by **zu** is used as a gerundive with a future passive meaning, denoting something to be done:

die zu prüfende Lösung, *the solution to be tested.*

The participial construction is usually introduced by an article or other limiting word or by a preposition. Application of the following rule will usually give a good translation.

Translate, 1. the preposition, if there is one; 2. the article and other modifiers of the noun; 3. the noun; 4. the participle; 5. the modifiers of the participle.

The participial phrase can always be translated by a relative clause and, in some cases, this may be the best solution; for example, the sentence given under number 6 may be rendered: *a cavity which is formed by cartilage and bones, and which is divided —.*

SIGHT READING

Der menschliche Körper

Der Körper des Menschen besteht aus drei Hauptteilen. Diese drei Teile sind der Kopf, der Rumpf und die Glieder.

Der vordere Teil des Kopfes heißt das Gesicht, der hintere Teil heißt der Hinterkopf, und der oberste Teil des Kopfes und des ganzen Körpers heißt der Scheitel. In dem Gesichte sind die Stirn, 5 die Nase, die Augen, die Wangen, der Mund und das Kinn. Zu beiden Seiten des Gesichts sind die Ohren. Die Stirn ist entweder hoch oder niedrig. Die Nase ist entweder gerade oder gebogen. Die Augen sind blau oder grau oder braun oder schwarz. Die Wangen sind rot, wenn man gesund ist. Kranke Leute haben 10 blasse Wangen. Der Mund ist groß oder klein, und die Lippen sind dick oder dünn. In dem Munde befinden sich die Zähne und die Zunge. Der erwachsene Mensch hat zweiunddreißig Zähne. Wir sprechen mit der Zunge und essen mit den Zähnen. Das Kinn ist rund oder spitz oder viereckig. Die Ohren sind klein oder groß. 15

Die Knochen des Kopfes bilden den Schädel. Im Schädel befindet sich das Gehirn. Der Hinterkopf und der Scheitel sind mit Haaren bedeckt. Das Haar des Menschen ist verschieden. Manche Menschen haben helles Haar, andere haben dunkles. Eine hohe, freie Stirn ist ein Zeichen großer Talente. Die Augen 20 sind ein Spiegel der Seele. „In den Augen liegt das Herz,“ sagt ein altes Sprichwort.

Zwischen dem Kopf und dem Rumpf ist der Hals. Die Hauptteile des Rumpfes sind die Schultern, die Brust, der Rücken und der Unterleib. In dem Rumpfe liegen die wichtigsten Organe des 25 ganzen Körpers: das Herz, die Lunge, der Magen und andere Verdauungsorgane. Mit der Lunge atmen wir, im Magen wird die Nahrung verdaut, und das Herz setzt unser Blut in Bewegung.

Die harten Teile des Körpers sind die Knochen, die weichen Teile sind das Fleisch. Die Knochen sind die Stütze des Körpers. 30

Sie bilden das Skelett. In dem Fleisch liegen die Muskeln. Der ganze Körper ist mit einer Haut bedeckt.

Arme und Beine zusammen werden Glieder genannt. Die oberen Glieder, die Arme, hängen an den Schultern; die untern 5 Glieder, die Beine, hängen an den Hüften.

Die drei Teile des Armes heißen der Oberarm, der Unterarm und die Hand. Zwischen dem Oberarm und dem Unterarm ist der Ellbogen. Das Handgelenk verbindet die Hand mit dem Arm. Das Bein hat auch drei Teile. Sie heißen der Oberschenkel, der 10 Unterschenkel und der Fuß. Zwischen dem Oberschenkel und dem Unterschenkel ist das Knie. Das Fußgelenk verbindet den Fuß mit dem Bein.

Der Mensch hat zwei Arme und zwei Beine, zwei Hände und zwei Füße. An jeder Hand sind fünf Finger, und an jedem Fuße 15 sind fünf Zehen. An den Fingern und Zehen sind Nägel. Mit den Händen arbeiten wir. Mit den Füßen gehen wir.

Mit den Augen kann ich sehen,
Mit den Füßen kann ich gehen,
Mit den Händen kann ich greifen,
20 Mit dem Munde kann ich pfeifen,
Mit den Ohren kann ich hören
Gute Sprüche, weise Lehren.

Die fünf Sinne

Der Mensch hat fünf Sinne: das Gesicht, das Gehör, den Geruch, den Geschmack und das Gefühl. Er kann die Dinge auf 25 fünf verschiedene Weisen wahrnehmen: er kann sie entweder sehen, hören, riechen, schmecken oder fühlen. Die Augen sind die Werkzeuge des Gesichts, d.h. wir sehen mit den Augen. Wenn es nicht zu dunkel ist, sehen wir die Dinge, die in unserer Nähe sind. Wir sehen die Farbe der Dinge, ob sie weiß, schwarz, rot, grün, gelb 30 oder blau sind; wir sehen auch ihre Form, ihre Größe und ihre Bewegung. Wer nicht sehen kann, ist blind. Wer nur nahe Dinge sehen kann, ist kurzsichtig; wer nur Dinge sehen kann, die entfernt sind, ist weitsichtig.

Gesundheit heißt gesund sein.
Krankheit heißt krank sein.
Was heißt Faulheit?
Gesundheit ist besser als Krankheit.
Gesundheit ist das höchste Gut. 5

Die Ohren sind die Organe des Gehörs. Mit den Ohren hören wir die Töne, die Geräusche, den Lärm. Wir hören die Töne eines Klaviers, das Geräusch der Wagen auf der Straße, den Lärm der Straßenbahn. Wer nicht hören kann, ist taub. Ein Taubstummer kann weder hören noch sprechen. Wer nicht sprechen kann, ist 10 stumm.

Die Nase ist das Werkzeug des Geruchs. Mit der Nase riechen wir den süßen Duft der Blumen. Manche Dinge sind geruchlos, andere haben einen angenehmen oder unangenehmen Geruch. Mit der Nase bemerken wir, ob etwas angenehm oder schlecht riecht. 15

Die Zunge ist das Werkzeug des Geschmacks. Mit der Zunge bemerken wir, ob etwas süß oder sauer, bitter oder salzig schmeckt. Nicht alle Dinge haben Geschmack, einige sind geschmacklos. Der Zucker schmeckt süß, der Essig sauer, das Salz schmeckt salzig, und die meisten Arzneien schmecken bitter. 20

Das Gefühl hat kein besonderes Werkzeug. Wir fühlen mit allen Teilen unseres Körpers, am bestem aber mit den Fingern. Wir fühlen, ob ein Körper schwer oder leicht, hart oder weich, warm oder kalt ist.

List of 100 Common Anatomical terms

der **Arm,** arm
der **Bauch,** abdomen
der **Darm,** intestine
der **Daumen,** thumb
der **Ellbogen,** elbow
der **Embryo,** the embryo
der **Finger,** finger
der **Fuß,** foot
der **Gaumen,** gum
der **Hals,** neck
der **Kehlkopf,** larynx
der **Kiefer,** jawbone
der **Knöchel,** knuckle, ankle
der **Knochen,** bone
der **Knorpel,** cartilage
der **Kopf,** head
der **Körper,** body
der **Leib,** body
der **Magen,** stomach
der **Mund,** mouth
der **Muskel,** muscle
der **Nacken,** (nape of) neck
der **Nagel,** nail
der **Nerv,** nerve

der **Oberschenkel,** thigh
der **Puls,** pulse
der **Rachen,** throat, pharynx
der **Rücken,** back
der **Rumpf,** trunk
der **Schädel,** skull
der **Scheitel,** crown of the head
der **Unterleib,** abdomen
der **Unterschenkel,** shank
der **Zahn,** tooth

die **Achsel,** shoulder
die **Ader,** vein
die **Backe,** cheek
die **Braue,** brow
die **Brust,** breast
die **Drüse,** gland
die **Faser,** fiber
die **Faust,** fist
die **Ferse,** heel
die **Galle,** gall
die **Gliedmaße,** limb
die **Hand,** hand
die **Haut,** skin
die **Hüfte,** hip
die **Kehle,** throat
die **Leber,** liver
die **Lende,** loin
die **Lunge,** lung
die **Lymphe,** lymph
die **Nase,** nose
die **Niere,** kidney
die **Rippe,** rib
die **Schläfe,** temple
die **Schlagader,** artery
die **Schleimhaut,** mucous membrane
die **Schulter,** shoulder
die **Sehne,** tendon
die **Stirn,** forehead
die **Vene,** vein
die **Wade,** calf
die **Wange,** cheek
die **Wimper,** eyelash
die **Wirbelsäule,** vertebral column
die **Zehe,** toe
die **Zelle,** cell
die **Zunge,** tongue

das **Antlitz,** face
das **Auge,** eye
das **Becken,** pelvis
das **Bein,** leg
das **Bindegewebe,** connective tissue
das **Blut,** blood
das **Blutgefäß,** blood vessel
das **Brustbein,** sternum
das **Fett,** fat
das **Fleisch,** flesh
das **Fußgelenk,** ankle
das **Gehirn,** brain
das **Gelenk,** joint
das **Gesicht,** face
das **Gewebe,** tissue
das **Glied,** limb
das **Haar,** hair
das **Handgelenk,** wrist
das **Haupt,** head
das **Herz,** heart
das **Hirn,** brain
das **Kinn,** chin
das **Knie,** knee
das **Lid,** lid
das **Mark,** marrow
das **Ohr,** ear
das **Organ,** organ
das **Schienbein,** tibia
das **Schulterblatt,** scapula
das **Skelett,** skeleton

Words that are Frequently Misunderstood

allerdings, indeed, to be sure
also, therefore
die **Art,** kind, species
bekommen, to get, obtain
bilden, to form
brav, good, well-behaved
denn, for
fast, almost
fehlen, to be lacking
halten, to hold
die **Hochschule,** college
mehrere, several
der **Rest,** remainder
der **Sinn,** sense
stehen, to stand
vor, in front of
vor Jahren, years ago
eine Zeitlang, for a time

List of Common Abbreviations

Bd.	**Band,** volume
bezw. / bzw.	**beziehungsweise,** respectively
ca.	**circa,** approximately
cbm	**Kubikmeter,** cubic meter
ccm	**Kubikzentimeter,** cubic centimeter
cm	**Zentimeter,** centimeter
dergl. / dgl.	**dergleichen,** such
d.h.	**das heißt,** that is, i.e.
d.i.	**das ist,** that is
d. J.	**dieses Jahres,** of this year
ff.	**folgende,** following
g / gr	**Gramm,** gram
geb.	**geboren,** born
gest.	**gestorben,** died
Kap.	**Kapitel,** chapter
M	**Mark,** mark
m	**Meter,** meter
mm	**Millimeter,** millimeter
m.a.W.	**mit anderen Worten,** in other words
n. Chr.	**nach Christo,** after Christ, A.D.
Nr.	**Nummer,** number
qm	**Quadratmeter,** square meter
resp.	**respektiv,** respectively
S.	**Seite,** page
s.	**siehe,** see, vid.
s.o.	**siehe oben,** see above

sog. sogen.	sogenannt, so-called
s.u.	siehe unten, see below
s.w.u.	siehe weiter unten, see below
u.	und, and
u.a.	unter anderem, among other things unter anderen, among others
u.a.m.	und anderes mehr, and so on und andere mehr, and many others
u.s.f.	und so fort, and so forth
usw. u.s.w.	und so weiter, and so forth, etc.
v. Chr.	vor Christo, before Christ, B.C.
vgl.	vergleiche, compare, cf.
z.B.	zum Beispiel, for example, e.g.
z.T.	zum Teil, partly, in part

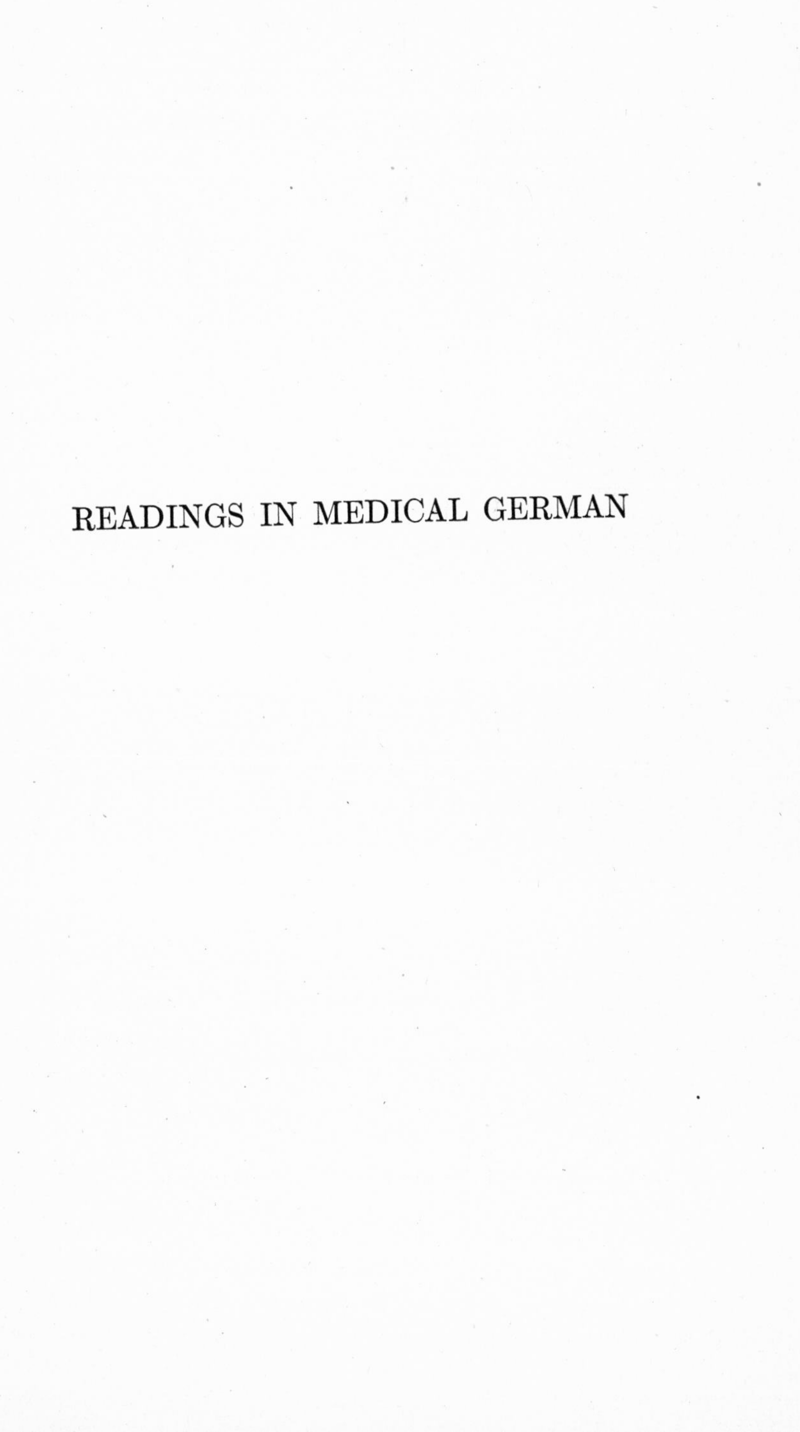

READINGS IN MEDICAL GERMAN

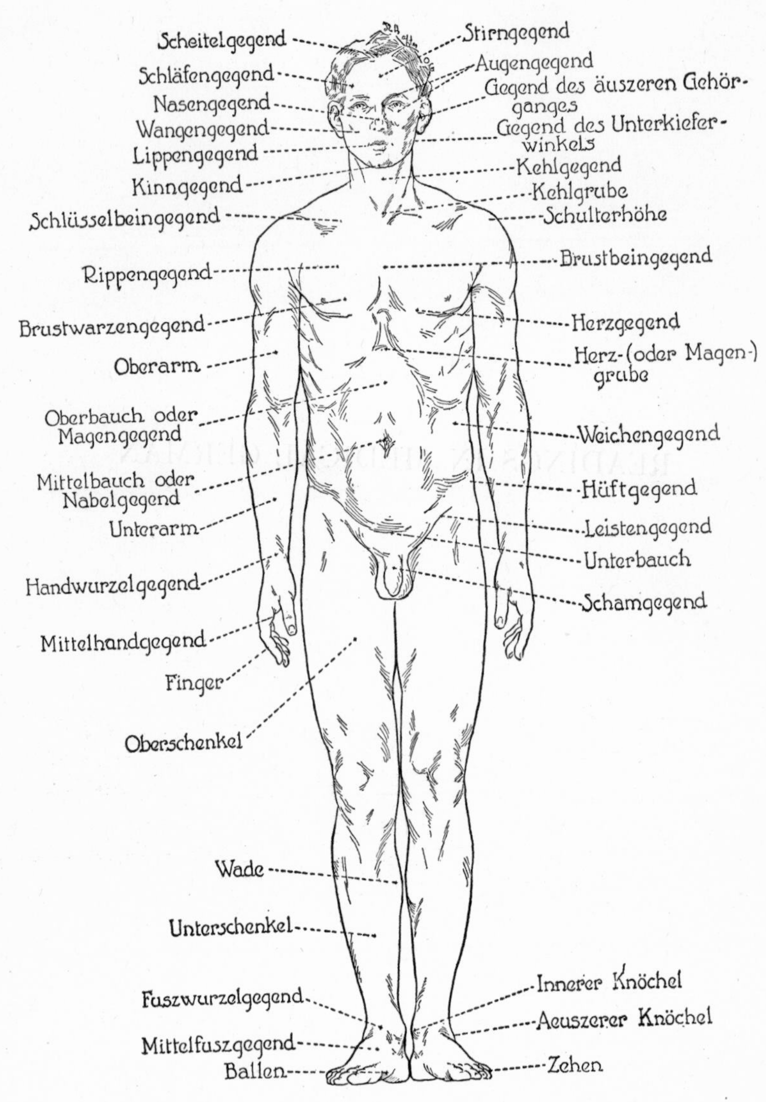

FIG. 1. Körpergegenden. (Vorderansicht.)

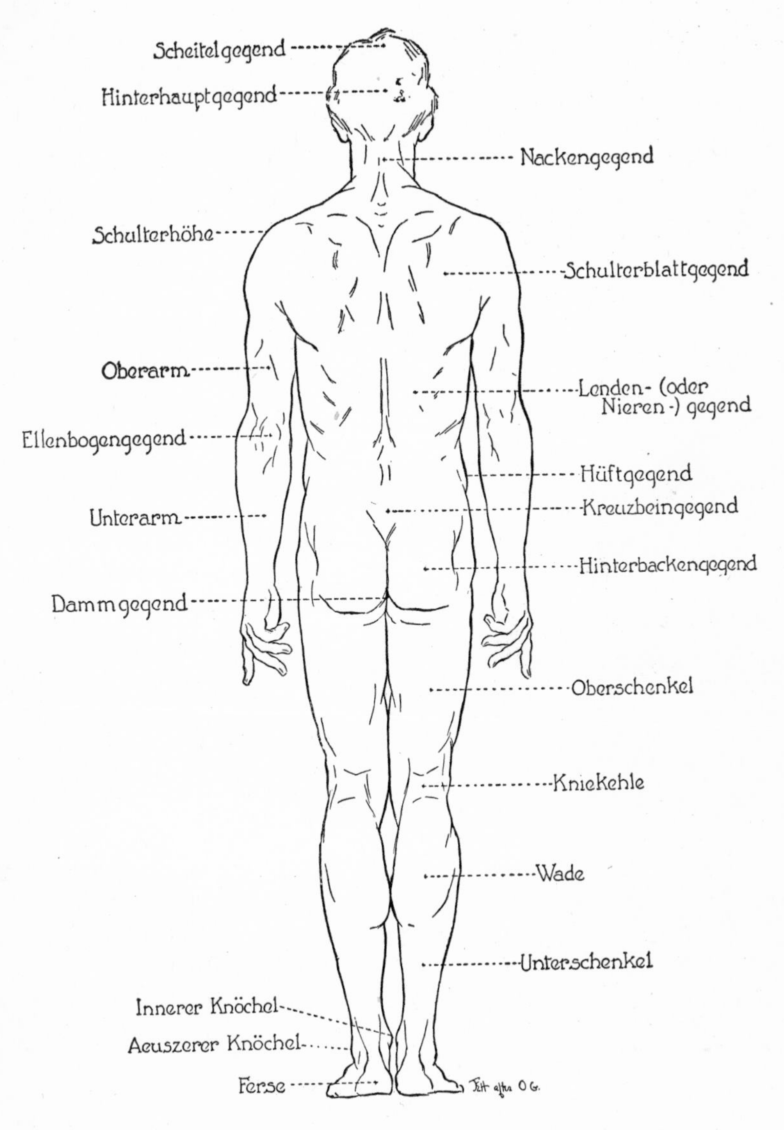

FIG. 2. Körpergegenden. (Hinteransicht.)

DER BAU DES MENSCHLICHEN KÖRPERS UND DESSEN VERRICHTUNGEN*

EINTEILUNG DES KÖRPERS

Der menschliche Körper wird äußerlich in drei Teile (Kopf, Rumpf und Gliedmaßen) eingeteilt.

Kopf

Am Kopf unterscheidet man den Schädel (d. h. den behaarten Teil nebst der Stirn) und das Gesicht.

Am Schädel befinden sich vorn die Stirngegend, oben die 5 Scheitelgegend, hinten die Hinterhauptgegend und seitlich die beiden Schläfengegenden.

Das Gesicht teilt man ein in die Augen-, Nasen-, Wangen- und Lippengegend, die Kinngegend und die Gegend des Unterkieferwinkels. An der Grenze zwischen Schädel und Gesicht befinden 10 sich seitlich die Ohren mit dem äußeren Gehörgange.

Rumpf

Der Rumpf wird eingeteilt in Hals, Brust, Bauch und Becken; den hinteren Teil des Rumpfes nennt man Rücken.

Der Hals, der die Verbindung mit dem Kopfe herstellt, zeigt vorn die Kehlgegend, hinten den Nacken. 15

Die Mitte der vorderen Brustfläche heißt die Brustbeingegend; diese wird oben von der Kehlgrube, unten von der Herz- oder Magengrube begrenzt.

Rechts und links von der Brustbeingegend liegen die Rippengegenden. Den obersten Teil derselben bezeichnet man als 20 Schlüsselbeingegend; diese wird durch das von der Kehlgrube zur

* Aus — Unterrichtsbuch für freiwillige Krankenpfleger. Verlag von S. Mittler und Sohn.

Schulter verlaufende Schlüsselbein in die Ober- und Unter- Schlüsselbeingrube geteilt. In der Mitte der Rippengegend befinden sich rechts und links die Brustwarzengegenden, außerdem links in der Höhe der 3. bis 5. Rippe zwischen Brustwarze und Mitte der Brustbeingegend die Herzgegend.

Am Bauch unterscheidet man drei Teile: Oberbauch oder Magengegend, Mittelbauch oder Nabelgegend, und Unterbauch. Die seitlichen Bauchgegenden zwischen Brust und Hüften heißen Weichen. An der Grenze zwischen dem Bauche und den Oberschenkeln liegen die Leistengegenden und zwischen diesen als unterster Teil der Unterbauchgegend die Schamgegend. Die Rinne zwischen der Leistengegend und dem Oberschenkel heißt Leistenbeuge.

Am Rücken haben wir in der Mitte die Wirbelsäulengegend, beiderseits von dieser oben die Schulterblattgegenden und unten unterhalb der letzten Rippen die Lenden- oder Nierengegenden.

Das Becken zeigt hinten in der Mitte die Kreuzbeingegend; seitlich und unterhalb davon liegt die Gegend der Hinterbacken, die nach vorn zu in die Hüftgegend übergeht. Zwischen After und Geschlechtsteilen liegt der Damm.

Gliedmaßen

Man unterscheidet die oberen und die unteren Gliedmaßen.

Die oberen Gliedmaßen (Arme) zerfallen in: Schulter mit der Schulterhöhe, Oberarm, Unterarm oder Vorderarm und Hand mit der Handwurzel, der Mittelhand und den 5 Fingern. Unter dem Schulterteil des Armes befindet sich die Achselhöhle. Die Verbindung von Ober- und Unterarm heißt Ellenbogen. Am Unterarm unterscheidet man die Speichen- oder Daumenseite und die Ellen- oder Kleinfingerseite, an der Hand die Hohlhand und den Handrücken. Von den 5 Fingern nennt man den ersten Daumen, den zweiten Zeigefinger, den dritten Mittelfinger, den vierten Ringfinger, den fünften den kleinen Finger.

Die unteren Gliedmaßen (Beine) bestehen aus: Oberschenkel, Unterschenkel und Fuß mit der Fußwurzel, dem Mittelfuß und den Zehen. Der Oberschenkel ist mit dem Becken durch das Hüftgelenk, mit dem Unterschenkel durch das Kniegelenk verbunden, dessen hinterer Teil Kniekehle heißt; auf seiner vorderen Fläche liegt die Kniescheibe. Die fleischige Hinterseite des Unterschenkels bezeichnet man als Wade. Am unteren Ende des Unterschenkels befinden sich der äußere und der innere Knöchel. 5

Am Fuß nennt man die vordere und obere Fläche den Fußrücken, die untere Fläche die Fußsohle, den hinteren vorspringenden Teil die Ferse und den seitlichen Vorsprung an der Innenseite des Fußes den Ballen.

BESTANDTEILE DES KÖRPERS

Einteilung

Der menschliche Körper setzt sich zusammen aus: harten 10 Bestandteilen (Knochen, Knorpel, Zähne), Weichteilen (Haut, Bindegewebe, Fett, Fleisch oder Muskeln, Blutgefäße, Nerven und Eingeweide) und flüssigen Bestandteilen (Blut, Lymphe).

HAUT, SCHLEIMHAUT, BINDEGEWEBE, FETT

Haut (*Haare, Nägel, Drüsen*)

Der ganze Körper ist an seiner Oberfläche in eine weiche schützende Decke eingehüllt, die man Haut nennt. Sie besteht aus der 15 Oberhaut und der darunter gelegenen Lederhaut.

Die Oberhaut ist dünn, durchscheinend, unempfindlich und frei von Blutgefäßen; sie schilfert auf der Oberfläche des Körpers fortwährend ab und bildet sich von innen nach außen immer neu.

Durch Reibungen, Krankheiten, Verbrennungen, Erfrierungen 20 u. s. w. kann die Oberhaut abgelöst und zu Blasen erhoben werden. Darunter bildet sich jedoch bald wieder eine neue Oberhaut. Wo die Oberhaut andauerndem Druck ausgesetzt ist — z. B. im Handteller bei schweren Handarbeiten, an den Fußsohlen durch das Gehen — entsteht die Schwiele, welche, ebenso wie das Hühnerauge, 25 nichts Anderes ist als eine hornartige Verdickung der Oberhaut.

Die Lederhaut ist dick, zähe, dehnbar, besitzt die Fähigkeit sich zusammenzuziehen, und enthält eine große Zahl von Wärzchen, in denen die Blutgefäße und Nerven endigen. Wo die Wärzchen am zahlreichsten sind und am dichtesten nebeneinander stehen, wie an den Fingerspitzen und auf der Zunge, ist das Empfindungsvermögen am größten.

Die Haut besitzt außerdem zwei Arten von Drüsen, d. h.
5 schlauchartigen Gebilden, deren Ausführungsgänge sich an der Oberfläche der Haut befinden, die Talgdrüsen und Schweißdrüsen. Erstere sondern eine fettige Masse, den Hauttalg (Hautschmiere), ab, der die Haut geschmeidig erhält; letztere scheiden den Schweiß, eine wässerige salzhaltige Flüssigkeit, aus.

10 Die Oberfläche der Haut ist mit Haaren besetzt, die an einzelnen Stellen dick, lang und zahlreich sind, an anderen dagegen nur spärlich erscheinen; an einigen wenigen Körperteilen, z. B. an der Hohlhand und an der Fußsohle, fehlen sie vollständig.

Der in der Haut befindliche Teil des Haares heißt Haarwurzel,
15 der aus der Haut hervorragende Teil Haarschaft.

Die Spitzen der Finger und Zehen sind an der Rückenfläche mit den hornartigen, biegsamen Nägeln versehen. Diese sind unempfindlich, gewähren den Spitzen der Finger und Zehen eine größere Festigkeit und erleichtern dadurch das Greifen, Anfassen, Gehen
20 und Treten.

Schleimhaut

Die Innenfläche der Höhlen und Kanäle des Körpers (Nasenhöhle, Mundhöhle, Magen, Darm, Augenlider u. s. w.) ist mit einer zarten, weichen, feuchten, schlüpfrigen Haut ausgekleidet, die man Schleimhaut nennt, weil sie aus den in ihr befindlichen Drüsen
25 Schleim absondert (Nasenschleim, Mundschleim u. s. w.). Sie ist viel zarter als die äußere Haut, so daß sie infolge des durchscheinenden Blutes bei gesunden Menschen stets rötlich erscheint. Man erkennt dies am besten an den natürlichen Öffnungen des Körpers, wo Haut und Schleimhaut zusammenstoßen, z. B. am Munde, an
30 den Nasenlöchern und an den Augenlidern.

Bindegewebe und Fett

Die einzelnen Bestandteile des Körpers werden durch das faserige Bindegewebe miteinander verbunden.

Das Bindegewebe ist bald locker und leicht trennbar, bald

dicht und derb. In letzterem Falle kann es Häute und Stränge von großer Festigkeit (Bänder, Sehnen, Gelenkkapseln u. s. w.) bilden.

Das Fett ist durch den ganzen Körper verbreitet und in die Maschen des Bindegewebes eingebettet. Unter der Haut bildet es an vielen Stellen ein dichtes, zum Schutze tiefer gelegener Gebilde dienendes Polster und bedingt, indem es die Vertiefungen ausfüllt, die rundliche Form der Glieder.

KNOCHEN UND KNORPEL

Die Knochen bilden das Knochengerüst (Gerippe oder Skelett) des menschlichen Körpers, dem sie als Stütze und Grundlage dienen. Sie sind hart und fest. 10

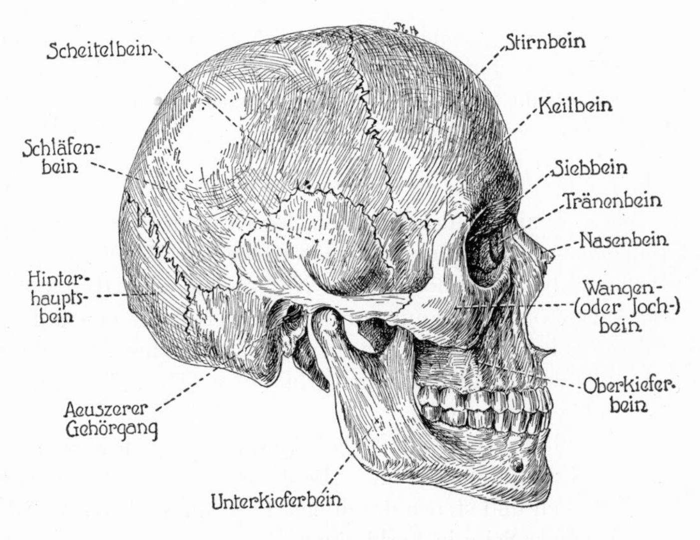

Fig. 3. Schädel des Menschen von der Seite gesehen.

Man unterscheidet lange oder Röhrenknochen (z. B. die Knochen der Gliedmaßen), platte oder breite Knochen (z. B. die Schädelknochen) und kurze Knochen (z. B. die Wirbelkörper).

Alle Knochen sind mit einer feinen festen Haut, der Knochenhaut, umkleidet; die Röhrenknochen enthalten in ihrem Innern 15 eine weiche, fett- und blutreiche Masse, das Knochenmark.

Knochen des Kopfes

Der Kopf besteht aus 22 Knochen; 8 bilden den Schädel, 14 das Gesicht.

Am Schädel liegen vorn das Stirnbein, zu beiden Seiten oben zwei Scheitelbeine, desgleichen etwas tiefer zwei Schläfenbeine, 5 hinten an die Scheitel- und Schläfenbeine sich anschließend das Hinterhauptbein, im Innern und vorn das Siebbein, dahinter das Keilbein. Die durch diese acht Knochen gebildete Höhle heißt die Schädelhöhle; in ihr befindet sich das Gehirn.

In dem Stirnbein befinden sich die Stirnhöhlen, die Schläfen- 10 beine umschließen die Gehörwerkzeuge, und im Hinterhauptbein ermöglicht ein großes Loch den Durchtritt des Rückenmarks zur Schädelhöhle.

Das Gesicht wird gebildet durch zwei Nasenbeine, zwei Tränenbeine, zwei Oberkieferbeine, zwei Jochbeine oder Backenknochen, 15 zwei Muschelbeine (auch untere Nasenmuscheln genannt), zwei Gaumenbeine, das Pflugscharbein und das Unterkieferbein.

Augenhöhlen, Nasenhöhle, Mundhöhle, Zähne

Durch Vereinigung der Knochen des Gesichtes untereinander und mit denen des Schädels werden verschiedene Höhlen gebildet, namentlich: die Augenhöhlen, die Nasenhöhle, die Mundhöhle.

20 Die Augenhöhlen sind außen rund und weit, laufen nach innen und hinten spitz zu und stehen an ihrem hintersten Teile durch ein Loch mit der Schädelhöhle in Verbindung. Durch dieses Loch tritt der Sehnerv zum Auge.

Die Nasenhöhle wird durch das Pflugscharbein in eine rechte 25 und eine linke Hälfte getrennt. Beide Hälften sind nach vorn und hinten offen und stehen durch den Tränennasenkanal mit der Augenhöhle ihrer Seite in Verbindung.

Die Mundhöhle wird nach oben von den Oberkiefer- und Gaumenbeinen und an den Seiten von den Ober- und Unterkieferbeinen 30 begrenzt. Nach unten wird sie nur durch Weichteile verschlossen, die einen kleinen Knochen, das Zungenbein, in sich bergen.

In der Mundhöhle bemerkt man die im Ober- und Unterkiefer befestigten Zähne, deren ein Erwachsener in jedem Kiefer 16, im Ganzen also 32 besitzt.

Vorn in der Mitte befinden sich vier Schneidezähne, daneben auf jeder Seite ein Eckzahn (im Oberkiefer auch Augenzahn genannt) und nach diesem auf jeder Seite zwei kleine und drei große Backenzähne oder Mahlzähne. Der hinterste Backenzahn heißt auch Weisheitszahn. 5

An jedem Zahne unterscheidet man die Krone, die frei in die Mundhöhle hineinragt, den etwas eingeschnürten (vom Zahnfleisch umgebenen) Hals und die Wurzel, die in den Zahnfächern der Kiefer verborgen ist. Die Schneide- und Eckzähne haben eine einfache, die beiden kleinen Backenzähne und die Weisheitszähne 10 eine einfache oder eine doppelte Wurzel, die beiden ersten großen Backenzähne im Oberkiefer je drei, im Unterkiefer je zwei Wurzeln.

Im Innern der Zähne befindet sich die Zahnhöhle, in der Nerven und Blutgefäße verlaufen.

Knochen des Rumpfes

Das Knochengerüst des Rumpfes setzt sich zusammen aus der 15 Wirbelsäule (oder dem Rückgrat), den Knochen der Brust und denjenigen des Beckens.

Die Wirbelsäule bildet den hinteren mittleren Teil des Rumpfes und wird zusammengesetzt aus 7 Hals-, 12 Brust- und 5 Lendenwirbeln, aus dem Kreuzbein und dem Steißbein. 20

Jeder Wirbel besteht aus dem Körper, dem das Wirbelloch umschließenden Bogen und verschiedenen (schrägen, Quer- und Dorn-) Fortsätzen. Durch genaues Aufeinanderpassen der einzelnen Wirbellöcher in der natürlichen Verbindung wird der Wirbelkanal gebildet, welcher oben mit der Schädelhöhle durch das 25 große Loch des Hinterhauptbeins zusammenhängt, sich bis in das Kreuzbein hinunter erstreckt und das aus der Schädelhöhle hinabsteigende Rückenmark umschließt.

Zu den Knochen der Brust gehören außer den 12 Brustwirbeln die 24 Rippen (auf jeder Seite 12) und das Brustbein. 30

Die Brustwirbel, das Brustbein und die Rippen bilden den Brustkorb, der im Verein mit weichen Teilen die Brusthöhle umschließt.

Die Rippen sind hinten durch Gelenke an den Brustwirbeln befestigt. Die sieben oberen Rippen sind nach vorn mit dem Brustbein 35

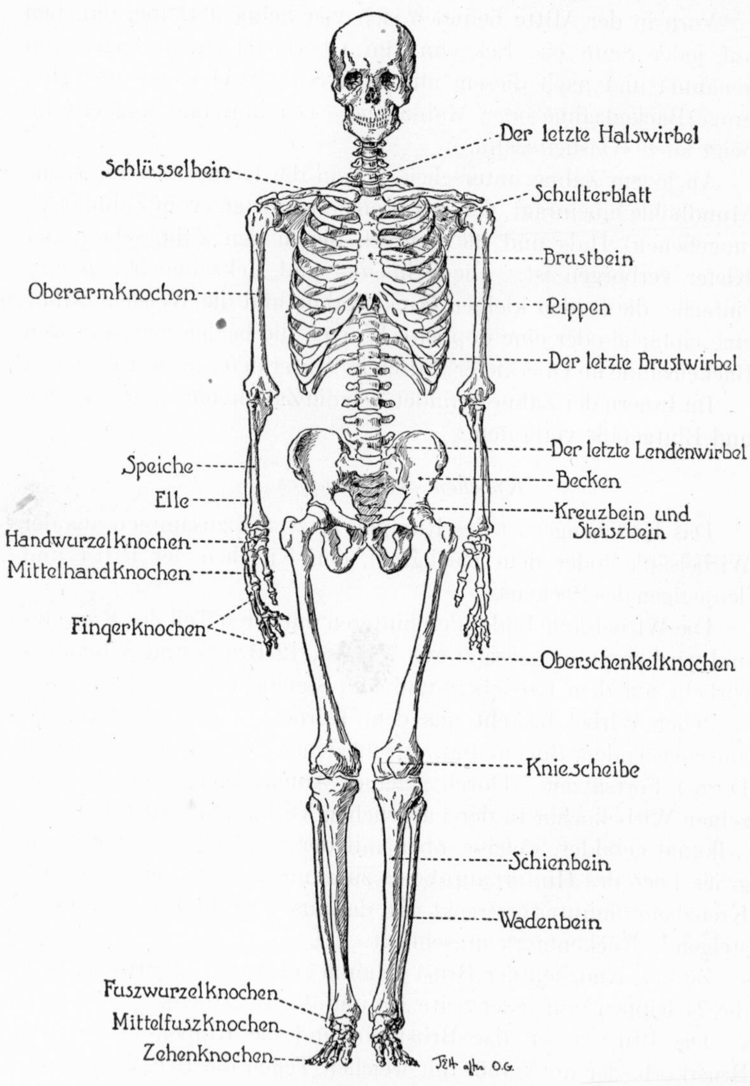

FIG. 4. Knochengerüst des Menschen.

verbunden und werden wahre Rippen genannt. Die fünf unteren Rippen reichen nicht bis an das Brustbein und heißen die kurzen oder falschen Rippen. Von diesen hängen die 8. 9. und 10. nach vorn durch Knorpel mit der 7. und untereinander zusammen, während die 11. und 12. frei endigen. 5

Das Brustbein ist ein breiter platter Knochen, der sich vom Halse bis zur Mitte der Herzgrube erstreckt.

Das Becken wird durch das Kreuzbein, das Steißbein und die beiden Hüftbeine gebildet. An jedem der letzteren unterscheidet man das Darmbein, das Sitzbein und das Schambein. Alle drei 10 sind an der Bildung der Pfanne zur Aufnahme des Oberschenkelkopfes beteiligt.

Die Lendenwirbel bilden die hintere Wand der Bauchhöhle, die Beckenknochen umschließen die Beckenhöhle.

Knochen der oberen Gliedmaßen

Die oberen Gliedmaßen (Arme) sind zu beiden Seiten des oberen 15 Teiles des Brustkorbes befestigt und nach allen Seiten frei beweglich. Ihre Knochen sind:

a) die Schulterknochen,
b) der Oberarmknochen,
c) die Unter- oder Vorderarmknochen, 20
d) die Handknochen.

a) Die Schulterknochen sind das Schlüsselbein und das Schulterblatt.

b) Der Oberarmknochen. Der obere kugelförmige Teil dieses starken, langen, röhrenförmigen Knochens wird Kopf genannt und 25 trägt zur Bildung des Schultergelenkes bei. Der untere Teil hat eine breite Gelenkfläche, durch welche er mit den beiden Knochen des Unterarmes in Verbindung tritt.

c) Am Unterarm befinden sich zwei Knochen, die Elle und die Speiche. 30

Die Elle liegt an der Seite des kleinen Fingers, die Speiche an der Seite des Daumens.

d) Das Knochengerüst der Hand wird von 8 Handwurzel-, 5 Mittelhand- und 14 Fingerknochen gebildet.

Die Handwurzelknochen sind kurze, unregelmäßig gestaltete Knochen, die in 2 Reihen angeordnet sind.

Von den zu den Röhrenknochen gehörigen Mittelhandknochen sind vier durch weiche Teile fest miteinander verbunden; der fünfte, für den Daumen bestimmt, ist beweglich.

Die Fingerknochen sind kleine längliche Knochen. Jeder Finger hat deren drei, Glieder genannt; der Daumen hat jedoch nur zwei Glieder.

Knochen der unteren Gliedmaßen

Die unteren Gliedmaßen (Beine) sind mit ihren oberen Enden am Becken befestigt und fast nach allen Richtungen hin frei beweglich.

Die Knochen der Beine bestehen aus:

a) dem Oberschenkelknochen,
b) den Unterschenkelknochen und
c) den Fußknochen.

a) Der Oberschenkelknochen ist der längste und stärkste Röhrenknochen des menschlichen Körpers.

Sein oberes kugeliges Ende, der Kopf, paßt in die Pfanne des Hüftbeines und bildet mit diesem das Hüftgelenk. Der unter dem Kopfe gelegene Teil heißt Hals; seitwärts springt der große Rollhügel hervor. Das untere Ende des Oberschenkelknochens ist viel breiter und dicker als das Mittelstück und zeigt zwei nebeneinander liegende Fortsätze oder Knorren. Jeder Knorren hat unten eine glatte Gelenkfläche; beide vereinigen sich nach vorn. Auf der vorderen Fläche des Kniegelenks liegt die Kniescheibe, ein rundlicher flacher Knochen, der mit dem Ober- und den Unterschenkelknochen nur durch weiche Teile verbunden ist und sich bei Bewegungen im Kniegelenk aufwärts und abwärts verschiebt.

b) Die Unterschenkelknochen sind
das Schienbein und
das Wadenbein.

Das Schienbein, der stärkere dieser beiden Knochen, liegt an der Seite der großen Zehe; sein unteres Ende bildet den inneren Knöchel.

Das Wadenbein, an der Seite der kleinen Zehe gelegen, ist weit dünner als das Schienbein; das untere Ende dieses Knochens bildet den äußeren Knöchel.

c) Die 26 Fußknochen zerfallen in Fußwurzel-, Mittelfuß- und Zehenknochen.

Die 7 Fußwurzelknochen sind vieleckige Knochen; der größte, 5 das Fersenbein, ragt frei nach hinten hervor und bildet die Ferse. Über dem Fersenbeine liegt das Sprungbein, welches das untere Ende des Unterschenkels trägt.

Die Mittelfußknochen bestehen aus fünf nebeneinander liegenden kleinen, aber starken Röhrenknochen, die zusammen mit den 10 Fußwurzelknochen das Fußgewölbe bilden.

Die Knochen der fünf Zehen sind mit den vorderen Enden der fünf Mittelfußknochen durch Gelenke verbunden. Die große Zehe hat nur zwei Glieder, die übrigen vier haben je drei Glieder.

Knorpel

Als Knorpel bezeichnet man eine bläulich-weiße, durch- 15 scheinende und elastische Masse, die weicher als Knochen, aber fester als die übrigen Bestandteile des Körpers ist. Er hat den Zweck, gewissen Körperteilen gleichzeitig Festigkeit und Biegsamkeit zu gewähren, wie bei der Nase und dem Ohre; oder er vermittelt die Verbindung der Knochen untereinander, namentlich an 20 den Gelenken.

Gelenke

Jedes Gelenk ist mit einer eigenen Kapsel, der Gelenkkapsel, umgeben, einer sehnigen Haut, die sich an den miteinander verbundenen Knochenenden festsetzt.

Die wichtigsten Gelenke sind: 25

das Schultergelenk, Verbindung des Oberarmknochens mit dem Schulterblatt;

das Ellenbogengelenk, Verbindung des Oberarmknochens mit den beiden Knochen des Unterarmes;

das Handgelenk, Verbindung der Unterarmknochen mit der 30 ersten Reihe der Handwurzelknochen;

das Hüftgelenk, Verbindung des Oberschenkelknochens mit der Pfanne des Hüftbeines;

das Kniegelenk, Verbindung des Oberschenkelknochens mit dem Schienbein, an der sich vorn die Kniescheibe beteiligt;
das Fußgelenk, Verbindung der Unterschenkelknochen mit dem Sprungbein.

Muskeln (Fleisch)

5 Die Muskeln bewirken durch ihre Zusammenziehungen die Bewegungen des Körpers; sie sind die weichen, roten Massen, die man im gewöhnlichen Leben Fleisch nennt.

Sie bestehen aus weichen, biegsamen Fasern, die die Fähigkeit besitzen, sich zusammenzuziehen. Die kleinsten Muskelfasern 10 werden durch ein feines Bindegewebe zu kleineren Bündeln und diese wiederum zu größeren vereinigt. Eine einzelne, aus solchen Bündeln von Fasern zusammengesetzte Fleischlage, die ihre besondere Befestigung hat und durch lockeres Bindegewebe von anderen Teilen abgegrenzt ist, nennt man einen Muskel.

15 An einem Muskel unterscheidet man den fleischigen mittleren Teil, Muskelbauch, und die beiden, meist sehnigen Ansatzenden. Die Muskeln sind mit dem einen Ende an einem Knochen festgewachsen und setzen sich, nachdem sie meist über mehrere Gelenke hinweggelaufen sind, mit dem anderen Ende an einem anderen 20 Knochen an. Vermöge der erwähnten Fähigkeit, sich zusammenzuziehen, nähern sie ihre beiden Ansatzenden und bewegen dadurch die Knochen. Hierdurch entstehen alle Bewegungen des Körpers (Beugung, Streckung, Drehung).

Die am Knochengerüst befindlichen Muskeln (Skelettmuskeln) 25 sind dem Willen unterworfen. Es gibt auch Muskeln, die von dem Willen des Menschen unabhängig sind. Der wichtigste der letzteren ist das Herz.

GEFÄSZSYSTEM

a. *Blutgefäßsystem*

Herz

Das Herz ist ein hohler, etwa faustgroßer Muskel von kegelförmiger Gestalt. Es liegt in etwas schräger Richtung von rechts 30 oben und hinten nach links unten und vorn zwischen beiden

Lungen im mittleren, vorderen und unteren Teile der Brusthöhle, mehr nach der linken Seite zu und wird von dem Herzbeutel wie von einem Sack umschlossen. Die Herzspitze (der unterste Teil des Herzens) liegt ungefähr in der Gegend zwischen der 5. und 6.

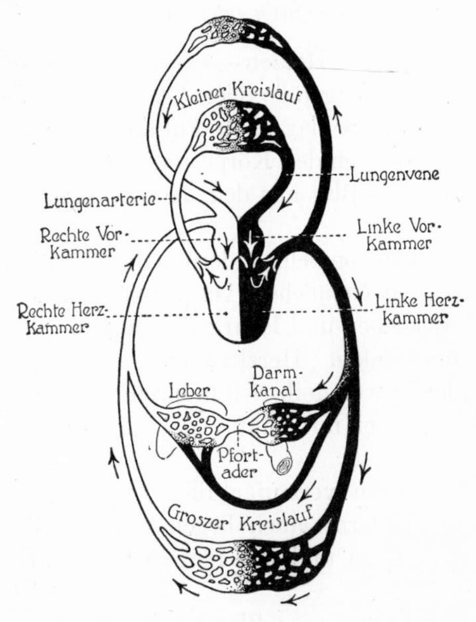

FIG. 5. Kreislauf des Blutes.

linken Rippe etwas nach innen von der Brustwarze, der obere breitere Teil des Herzens mit den daraus hervorgehenden und dort einmündenden röhrenartigen großen Blutgefäßen hinter dem Brustbein in der Höhe des Knorpels der 3. Rippe. 5

Das Innere des Herzens wird zunächst durch eine senkrechte Scheidewand in eine rechte und eine linke Hälfte geteilt; jede Hälfte wird durch eine querverlaufende Scheidewand abermals in zwei Abschnitte getrennt, von denen der obere Vorkammer, der untere Herzkammer genannt wird. Das Herz besteht also aus vier Hohlräumen: einer rechten und einer linken Vorkammer, sowie einer rechten und einer linken Herzkammer. 10 15

Jede Vorkammer steht durch eine Öffnung in der quer verlaufenden Scheidewand mit der Herzkammer derselben Seite in

Verbindung. Die Vorkammern haben Öffnungen für den Eintritt, die Herzkammern für den Austritt von Blutgefäßen. Die Herzkammeröffnungen sind durch Klappen verschließbar.

Blutgefäße oder Adern

Die Hohlräume des Herzens setzen sich in schlauchartige 5 Röhren fort, welche Blutgefäße oder Adern genannt werden.

Man unterscheidet Schlag- oder Pulsadern (Arterien), die das Blut aus dem Herzen nach den Körperteilen führen, und Blutadern (Venen), in denen das Blut aus dem Körper zum Herzen zurückkehrt.

10 Der Übergang von den Schlagadern in die Blutadern wird durch sehr feine und zarte Gefäßchen vermittelt, welche alle Gewebe des Körpers durchziehen und Haargefäße heißen.

Die aus der linken Herzkammer entspringende Haupt-Körperschlagader (Aorta) teilt sich in ihrem Verlaufe in viele Äste, 15 die den ganzen Körper mit Blut — der Ernährungsflüssigkeit — versorgen.

Von den Blutadern verlaufen die größeren neben den entsprechenden Schlagadern; auch liegen kleinere Blutadern oberflächlich unter der Haut und sind hier als blaue Stränge sichtbar.

Blut

20 Das Blut ist eine rote, etwas klebrige Flüssigkeit, die das Herz und alle Blutgefäße des Körpers erfüllt. Es besteht aus der Blutflüssigkeit und den (roten und farblosen) Blutkörperchen.

Außerhalb des Körpers gerinnt das Blut, wobei es sich in Blutkuchen und Blutwasser sondert.

25 Man unterscheidet das in den Schlagadern fließende hellrote (arterielle) Blut und das in den Blutadern fließende dunkle, bläulich-rote (venöse) Blut.

Das arterielle hellrote Blut führt allen Geweben des Körpers die Nährstoffe zu und versorgt sie zugleich mit dem in den Lungen 30 aufgenommenen Sauerstoff der Luft. Nachdem das Blut an die Gewebe Nährstoffe und Sauerstoff abgegeben hat, fließt es zum Herzen zurück. Dieses sauerstoffarme Blut ist dunkelrot und enthält reichlich Kohlensäure, die es in den Geweben aufgenommen hat. Das venöse Blut wird in den Lungen wieder in arterielles umgewandelt.

Kreislauf des Blutes

Das Blut befindet sich während des Lebens in einer unablässigen strömenden Bewegung durch den Körper. 5

Den Weg, den das Blut auf seinem Umlaufe nimmt, nennt man Kreislauf.

Aus der linken Herzkammer wird das Blut in die Haupt-Körperschlagader getrieben, durch deren Äste es bis zu den entlegensten und feinsten Teilen des Körpers gelangt. 10

Von hier aus wird es durch die Haargefäße den kleinsten Blutadern zugeführt, tritt dann in größere Blutadern und gelangt schließlich durch die beiden Hohlblutadern in die rechte Vorkammer des Herzens. Von hier aus gelangt das Blut in die rechte Herzkammer; diese treibt es durch die Lungenschlagader in beide 15 Lungen, aus denen es durch die Lungenblutadern nach dem Herzen und zwar in die linke Vorkammer zurückgeführt wird, um alsdann seinen Kreislauf durch den Körper von neuem zu beginnen.

Dieser Blutumlauf wird durch die beständig abwechselnde Zusammenziehung, Systole, und Erweiterung des Herzens, Diastole, 20 bewirkt. Beide Vorkammern erweitern sich gleichzeitig und nehmen das Blut aus den Blutadern auf. Alsdann ziehen sich beide gleichzeitig zusammen, wodurch das Blut in die sich erweiternden beiden Herzkammern gelangt. Durch die nun folgende Zusammenziehung der letzteren wird das Blut in die Schlagaderstämme 25 getrieben, während beide Vorkammern sich erweitern, um neues Blut aus den Blutadern zu empfangen.

Denjenigen Teil des Blutkreislaufes, der das Blut vom linken Herzen durch die große Körperschlagader zu den Körperteilen und von da durch die Blutadern zurück zum rechten Herzen führt, 30 nennt man den großen (oder Körper-) Kreislauf, den Teil vom rechten Herzen durch die Lungen und zurück zum linken Herzen den kleinen (oder Lungen-) Kreislauf.

Herzschlag und Pulsschlag

Bei jeder Zusammenziehung der Herzkammern, die bei gesunden erwachsenen Menschen in der Regel 72 Mal in einer Minute erfolgt, bemerkt man an der Stelle, wo das Herz der Brustwand anliegt, eine Erhebung der letzteren. Man nennt dies den Herzschlag oder den Spitzenstoß des Herzens. Bei jedem Herzschlage entstehen im Herzen Töne (Herztöne), die man hört, wenn man das Ohr in der Herzgegend auf die Brustwand legt.

In den Schlagadern werden durch die Herzschläge gleichmäßig abwechselnde Erweiterungen und Zusammenziehungen hervorgerufen. Die jedesmalige Erweiterung der Schlag- oder Pulsadern bezeichnet man als Pulsschlag.

b. *Lymphgefäßsystem*

Lymphgefäße (Saugadern)

Außer den Blutgefäßen sind im Körper noch sehr feine Gefäße vorhanden, die eine farblose Flüssigkeit (Lymphe) führen und Lymphgefäße oder Saugadern genannt werden.

Sie haben die Aufgabe, die im menschlichen Körper vorhandenen Flüssigkeiten aufzusaugen und dem Blute zuzuführen.

Der mächtigste Lymphgefäßstamm ist der in der Brusthöhle gelegene Milchbrustgang.

Lymphdrüsen

In den Verlauf der Lymphgefäße sind die Lymphdrüsen — kleine rundliche Gebilde — eingeschaltet, die beim Durchtritt der Lymphe gewisse in dieser enthaltene Stoffe zurückzuhalten vermögen.

Sind diese Stoffe schädlicher Natur, so können die Drüsen hierdurch krankhaft verändert werden, was sich durch Anschwellung und Schmerzhaftigkeit kundgibt.

Die Stellen, wo die geschwollenen Lymphdrüsen am häufigsten nachgewiesen werden können, sind die Leistengegend, die Achselhöhle, die Gegend unterhalb des Unterkiefers und der Hals.

NERVENSYSTEM

Einteilung

Die Nerven vermitteln die Empfindungen und veranlassen die Bewegungen. Sie entspringen aus dem Gehirn und Rückenmark und bilden mit diesen zusammen das Nervensystem.

Gehirn und Rückenmark

Das Gehirn liegt in der Schädelhöhle und wird in Großhirn, Kleinhirn und Hirnstock eingeteilt. 5

Das Großhirn nimmt den oberen und vorderen, das Kleinhirn den unteren und hinteren Teil der Schädelhöhle ein; der Hirnstock bildet die Verbindung zwischen Gehirn und Rückenmark.

Das Gehirn ist mit drei Häuten umkleidet; die äußerste heißt die harte Hirnhaut, dann folgt die Spinnwebenhaut und endlich 10 die weiche Hirnhaut.

Das Rückenmark tritt aus der Schädelhöhle durch das große Hinterhauptloch in den Kanal der Wirbelsäule.

Es ist, wie das Gehirn, von drei Häuten umgeben.

Nerven

Die Nerven sind weiße, ziemlich derbe, etwas elastische 15 Stränge; sie bestehen aus nebeneinander liegenden Fäden, die durch Bindegewebe miteinander verbunden und mit einer dichten festen Scheide, Nervenscheide, umkleidet sind.

Die Nerven des Gehirns, deren man 12 Paare zählt, entspringen fast alle von der Grundfläche des Gehirns und verlassen durch 20 Löcher am Grunde der Hirnschale die Schädelhöhle.

Die Nerven des Rückenmarks entspringen aus diesem und treten auf jeder Seite der Wirbelsäule durch Löcher zwischen dem Bogen und Körper des Wirbels heraus. Es gibt 31 Paar solcher Rückenmarksnerven, die sich durch den ganzen Körper — im 25 Rumpf, in den Eingeweiden und in den Gliedmaßen — verzweigen und verästeln.

Tätigkeit des Nervensystems

Gehirn und Rückenmark bilden den Mittelpunkt des Nervensystems. Während das Rückenmark die Verbindung der sämtlichen Nerven des Rumpfes und der Gliedmaßen mit dem Gehirn vermittelt, ist dieses letztere der eigentliche Sitz der Empfindung und des Bewußtseins.

Alle Eindrücke der Außenwelt werden dem Gehirn durch die
5 Nerven zugeführt und kommen dann erst zur Empfindung, zum Bewußtsein. Die Äußerungen des Willens werden durch andere Nerven vom Gehirn aus auf die Muskeln übertragen und durch Muskeltätigkeit (Bewegung u. s. w.) kundgegeben. Die den Nerven hierbei zufallende Tätigkeit kann man mit der Tätigkeit der
10 Telegraphendrähte vergleichen.

Die Nerven, die die äußeren Eindrücke zum Gehirn hinleiten, heißen Empfindungsnerven; diejenigen, die die Willensäußerungen vom Gehirn zu den Bewegungswerkzeugen vermitteln, heißen Bewegungsnerven.

SINNESWERKZEUGE

Einteilung

15 Die letzten Endigungen der Empfindungsnerven stehen mit Organen in Verbindung, die dazu eingerichtet sind, die äußeren Eindrücke aufzunehmen und auf die Empfindungsnerven zu übertragen. Diese Organe heißen Sinneswerkzeuge. Es gibt deren fünf, entsprechend den fünf Sinnen des Menschen, und zwar:

20 die Haut zur Vermittelung der Empfindung des Gefühls,
die Zunge " " " " " Geschmacks,
die Nase " " " " " Geruchs,
die Ohren " " " " " Gehörs,
die Augen " " " " " Gesichts.

Gefühlssinn

25 Der Gefühlssinn hat seinen hauptsächlichsten Sitz in der Lederhaut. Die dort befindlichen Wärzchen enthalten zahlreiche, fein verästelte Nervenenden und sind dadurch imstande, jeden äußeren Reiz (Berührung, Kälte, Wärme) aufzunehmen und zum Gehirn zu leiten.

Geschmackssinn

Der Geschmackssinn hat seinen Sitz in der Zunge.

Als eigentliche Werkzeuge dieses Sinnes sind die auf dem Zungenrücken sichtbaren kleineren und größeren Wärzchen zu betrachten, zu denen die feinsten Nervenendigungen führen.

Die Geschmacksempfindungen werden durch Stoffe hervorgerufen, die in der Mundflüssigkeit, dem Speichel, aufgelöst sind. 5

Geruchssinn

Das Werkzeug des Geruchssinnes ist die Nase, eine von Knorpel und Knochen gebildete, durch eine Scheidewand in zwei Teile geteilte Höhle, deren Innenfläche mit Schleimhaut ausgekleidet ist.

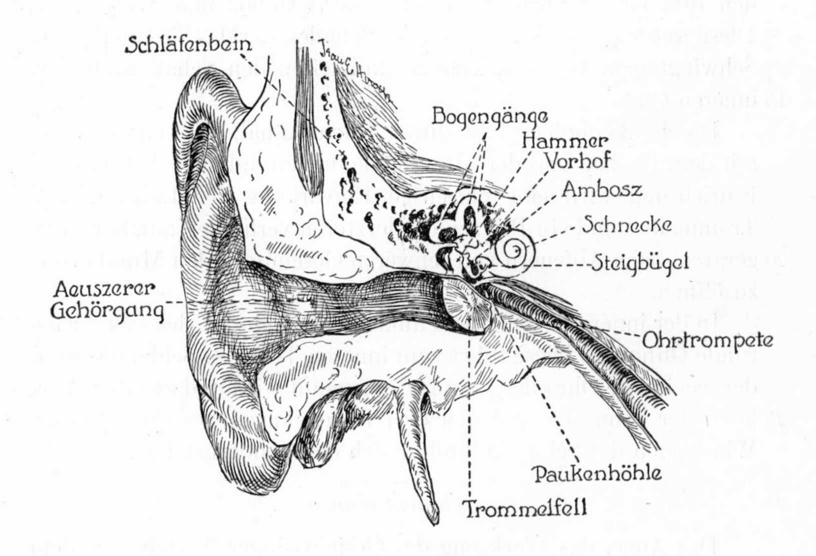

FIG. 6. Ohr.

In letzterer verbreitet sich der Geruchsnerv, der durch die Löcher des Siebbeines aus der Schädelhöhle zur Nase tritt. 10

Zur Wahrnehmung durch den Geruch gelangen nur solche Stoffe, die flüchtig sind und mit der Luft an der Nasenschleimhaut vorbeigeführt werden.

Gehörssinn

Die Werkzeuge des Gehörs sind die zu beiden Seiten des Kopfes befindlichen Ohren. Man unterscheidet das äußere, mittlere und innere Ohr.

Das äußere Ohr besteht aus einem vielfach gebogenen Knorpel, der Ohrmuschel, und aus dem äußeren Gehörgange. Der mittlere vertiefte Teil der Ohrmuschel führt in den äußeren Gehörgang, der am Eingang feine Härchen und weiter nach innen zahlreiche, das Obrenschmalz absondernde Drüsen zum Schutz gegen das Eindringen kleiner Tiere, des Staubes u. s. w. aufweist. Der äußere Gehörgang wird nach innen durch das Trommelfell abgeschlossen.

Das mittlere Ohr enthält die Trommel- oder Paukenhöhle mit den drei Gehörknöchelchen (Hammer, Amboß und Steigbügel). Diese werden beim Eindringen des Schalles, der das Trommelfell in Schwingungen versetzt, bewegt und leiten den Schall nach dem inneren Ohr.

Die Paukenhöhle steht durch einen Kanal, die Ohrtrompete, mit dem Rachen und der Mundhöhle in Verbindung. Durch diese Einrichtung wird eine einseitige Einwirkung der Luft auf das Trommelfell und ein Platzen des letzteren verhindert; daher ist es geraten, beim Abfeuern von schweren Geschützen den Mund etwas zu öffnen.

In der inneren Wand der Paukenhöhle befindet sich eine kleine runde Öffnung. Diese führt zum inneren Teile des Schläfenbeines, der das innere Ohr oder Labyrinth genannt wird und aus dem Vorhofe, der Schnecke und den drei Bogengängen besteht. In den Windungen der Schnecke breitet sich der Gehörnerv aus.

Gesichtssinn

Das Auge, das Werkzeug des Gesichtssinnes, besteht aus dem Augapfel und den ihn umgebenden Hilfs- und Schutzeinrichtungen.

Der in der Augenhöhle liegende Augapfel ist annähernd kugelförmig und besteht aus mehreren Häuten und Flüssigkeiten.

Von den Häuten sind zu unterscheiden:

1. Die äußere weiße Haut; in sie ist vorn uhrglasförmig die helle durchsichtige Hornhaut eingefügt, durch die die Lichtstrahlen in das Augeninnere eindringen.

2. Die an der Innenfläche schwarzgefärbte Aderhaut, in der sich die Blutgefäße verästeln.
3. Die Netzhaut, die durch die äußerst feinen Verzweigungen des in den Augapfel eintretenden Sehnerven gebildet wird; sie ist der lichtempfindliche Teil des Auges. 5

Den weitaus größten Teil des von diesen Häuten umgebenen Raumes nimmt der aus einer gallertartigen durchsichtigen Masse bestehende Glaskörper ein.

In einer Vertiefung seiner vorderen Fläche liegt die Krystal-

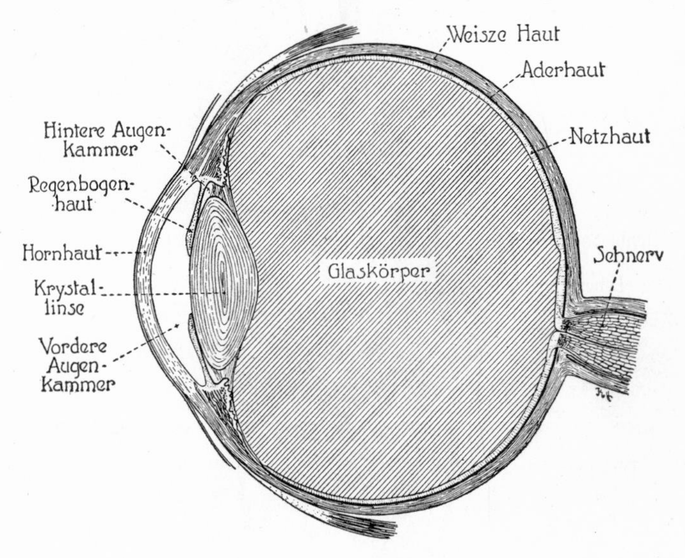

Fig. 7. Augapfel.

linse, die vollkommen durchsichtig und farblos sowie vorn und 10 hinten gewölbt ist.

Der Raum zwischen ihr und der Hornhaut wird durch die bei den einzelnen Menschen verschieden gefärbte Regenbogenhaut in die vordere und hintere Augenkammer geteilt, die mit einer klaren, farblosen Flüssigkeit angefüllt sind. 15

Die Regenbogenhaut hat die Gestalt einer kreisförmigen Scheibe und in der Mitte ein rundes Loch, Sehloch (Pupille) genannt. Die Regenbogenhaut kann sich zusammenziehen und ausdehnen, wodurch das Sehloch größer oder kleiner wird. Das erstere tritt z. B. ein, wenn das Auge aus einem hellen Raume in

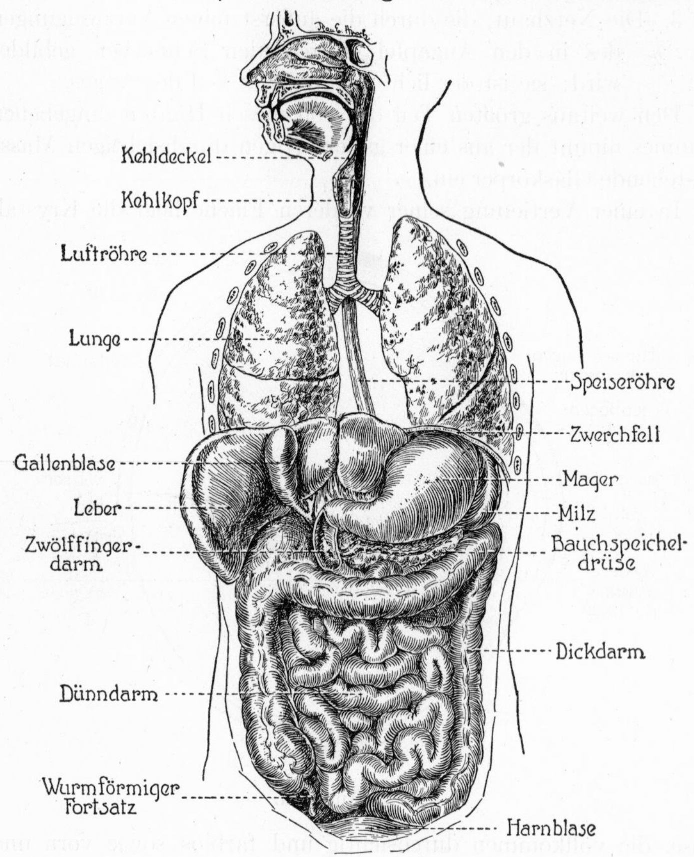

FIG. 8. Brust- und Baucheingeweide.

einen dunkleren kommt, während die plötzliche Einwirkung von hellem Licht auf das Auge eine Verkleinerung des Sehloches herbeiführt. Die Regenbogenhaut verhütet auf diese Weise eine zu heftige Bestrahlung der Netzhaut.

Zu den Hilfs- und Schutzeinrichtungen gehören die Augenmuskeln, die Augenbrauen, die Augenlider mit den Wimpern und der Tränenapparat.

EINGEWEIDE

Eingeweide nennt man die in den großen Körperhöhlen des Rumpfes befindlichen Weichteile. Man unterscheidet Brusteingeweide und Baucheingeweide, je nach ihrer Lage in der Brusthöhle oder in der Bauchhöhle.

Brust- und Bauchhöhle

Die Brusthöhle wird vorn, hinten und an den Seiten von dem knöchernen Brustkorbe begrenzt und unten durch das Zwerchfell, einen dünnen platten Muskel, von der Bauchhöhle getrennt; ihre obere Öffnung wird im wesentlichen durch die Luftröhre, die Speiseröhre und durch die großen Blutgefäße und Nerven, die für den Kopf und die Arme bestimmt sind, ausgefüllt. 5 10

Die innere Fläche der Brusthöhle ist mit dem Brust- oder Rippenfell überzogen. In der Brusthöhle liegen das Herz mit den großen Gefäßen, die Lungen, die Speiseröhre und der Milchbrustgang.

Die Bauchhöhle wird unten teilweise durch die Knochen des Beckens und hinten durch die Lendenwirbelsäule begrenzt; seitlich und vorn wird sie von dünnen, zwischen Becken, Wirbelsäule und Rippen ausgespannten Muskeln, den Bauchmuskeln, und oben von dem Zwerchfell geschlossen. Sie ist im Innern von dem Bauchfell ausgekleidet. 15 20

In ihr liegen die meisten Verdauungswerkzeuge (Magen, Darmkanal, Leber mit Gallenblase und Bauchspeicheldrüse), die Milz und zum Teil die Harnwerkzeuge (Nieren und Harnleiter).

Atmungswerkzeuge

Die Atmungswerkzeuge dienen zur Atmung und zur Stimmbildung; man rechnet zu ihnen die Nasenhöhle, den Schlund oder Rachen, den Kehlkopf, die Luftröhre und die Lungen. 25

Die Nasenhöhle ist ein wesentlicher Teil der Atmungswerkzeuge, da hier die hindurchströmende Luft zunächst erwärmt und von etwa anhängenden Staubteilen befreit wird.

Nach hinten und abwärts schließt sich der Schlund oder Rachen an, dessen Schleimhaut zahlreiche Schleim absondernde Drüsen enthält. 30

Weiter folgt der Kehlkopf, der in der Mittellinie des Halses in Gestalt einer deutlichen Hervorragung (Adamsapfel) sichtbar ist. Er besteht aus vier Knorpeln, die durch Bänder, Muskeln und Häute miteinander verbunden sind und einen Hohlraum einschließen. Seine obere Öffnung kann durch einen hinter der Zungenwurzel befindlichen glatten Knorpel, den Kehldeckel, geschlossen werden; die untere Öffnung geht zur Luftröhre, in deren Wandung sich kleine Knorpel befinden.

Die Luftröhre liegt in der Mittellinie des Halses dicht vor der Speiseröhre, zieht in die Brusthöhle hinab und teilt sich etwa in der Höhe des vierten Brustwirbels in die beiden Luftröhrenäste für die beiden Lungen.

Die Lungen sind weiche, elastische Körper, die eine kegelförmige Gestalt haben und den größten Teil der Brusthöhle einnehmen.

Man unterscheidet eine rechte und eine linke Lunge. Die Oberfläche der Lungen und die Innenfläche der Brustwand sind von einer zusammenhängenden dünnen Haut, dem Brustfell (Lungen- und Rippenfell), überzogen. Letzteres ermöglicht durch seine glatte Oberfläche eine leichte Verschiebung der Lungen an der Brustwand, wie sie bei den Atembewegungen zustande kommt.

Die Lungen bestehen aus sehr kleinen Hohlräumen, den Lungenbläschen, in deren Wandungen sich die Blutgefäßendigungen verbreiten.

Die Atmung

Zur Erhaltung des Lebens ist es erforderlich, daß dem Blute andauernd Sauerstoff zugeführt und Kohlensäure entzogen wird. Dieser Vorgang spielt sich in den Lungen mittelst der Atmung ab. Durch die Einatmung gelangt frische, sauerstoffreiche Luft in die Lungen, gibt daselbst ihren Sauerstoff an das Blut ab und nimmt dafür Kohlensäure auf. Die dadurch verbrauchte, kohlensäurehaltige Luft wird durch die Ausatmung aus den Lungen entfernt.

Bei der Einatmung wird die Brusthöhle durch die Atemmuskeln erweitert; hierdurch werden die Lungen ausgedehnt, und die Luft dringt durch die Nase, den Kehlkopf und die Luftröhre in die Bläschen der Lunge ein. Bei der Ausatmung wird die Brusthöhle verengert und die Luft aus den Bläschen der Lungen auf dem beschriebenen Wege wieder herausgetrieben. Die Ein- und Ausatmung erfolgt beim gesunden Menschen in einem ganz regelmäßigen Wechsel; die Zahl der Atemzüge beträgt beim Erwachsenen 16 bis 18 in der Minute, wird aber beim raschen Gehen, Laufen oder Treppensteigen vermehrt. 5

Stimme und Sprache

Die Stimme wird im Kehlkopf bei der Ausatmung erzeugt, indem die im Innern ausgespannten Stimmbänder durch die vorbeiströmende Luft in Schwingungen versetzt werden. Die Stimmbänder können durch kleine Muskeln gespannt oder erschlafft 10 werden. Sind die Bänder schlaff, so hat die Stimme einen tiefen, sind sie gespannt, einen hohen Ton.

Die Stimme ist das Mittel der Sprache. Letztere kommt erst unter Mitwirkung der Zunge, des Gaumens, der Zähne und der Lippen zustande. 15

Verdauungswerkzeuge

Verdauungswerkzeuge sind der Verdauungskanal und die zu ihm gehörigen Drüsen (Speicheldrüsen, Leber und Bauchspeicheldrüse).

Der Verdauungskanal beginnt mit dem Munde und endet am After; er umfaßt die Mundhöhle, den Schlund, die Speiseröhre, 20 den Magen und den Darm.

Mundhöhle, Schlund, Speiseröhre, Magen

Die wichtigsten, in der Mundhöhle gelegenen, der Verdauung dienenden Werkzeuge sind die Zähne, die Zunge und die den Speichel absondernden Speicheldrüsen.

Im hinteren Teile der Mundhöhle bemerkt man bei weit ge- 25 öffnetem Munde in der Mitte das vom Gaumen herabhängende Zäpfchen, von dem nach jeder Seite zwei Gaumenbögen zum Seitenrande der Zunge und zum Rachen herabgehen und die Mandeln einschließen.

Hinter der Mundhöhle liegt der Schlund oder Rachen, der nach 30 unten in die Speiseröhre übergeht. Diese verläuft als eine zylindrische häutige Röhre hinter der Luftröhre und vor den Hals- und Brustwirbeln durch die Brusthöhle, tritt durch das Zwerchfell in die Bauchhöhle und mündet hier in den Magen.

Der Magen ist ein ziemlich geräumiger häutiger Sack, der im 5 oberen Teile der Bauchhöhle mehr nach der linken Seite hin gelegen ist. Er hat zwei Öffnungen. Die eine, Einmündung der Speiseröhre, heißt Magenmund; die andere, die zum Anfang des Darmkanals führt, wird Pförtner genannt und kann durch einen ringförmigen Muskel verschlossen werden. Der Magen ist hier enger 10 und wird zum Teil von der Leber bedeckt; nach links zeigt er eine rundliche Ausbuchtung, den Magengrund. Die Schleimhaut des Magens enthält eine große Zahl von Drüsen, die den Magensaft, eine helle Flüssigkeit von saurer Beschaffenheit, absondern.

Darmkanal

Gleich hinter dem Pförtner beginnt der Darmkanal, der in den 15 Dünndarm und den Dickdarm eingeteilt wird.

Der erste Abschnitt des Dünndarms (vom Magen an gerechnet), in den sich die Galle und der von der Bauchspeicheldrüse abgesonderte Saft ergießen, heißt Zwölffingerdarm. Alsdann folgt der Leerdarm und weiterhin der Krummdarm.

20 Der Dickdarm umgibt in seiner Lage den Dünndarm gleichsam wie ein Kranz; er beginnt in der rechten Unterbauchgegend auf dem Darmbein und hat viele Runzeln, Falten und bandartige Streifen. Man unterscheidet drei Teile; den Blinddarm, den Grimmdarm und den Mastdarm.

25 Der Blinddarm ist der Anfang des Dickdarmes; er führt seinen Namen daher, weil er eine sackartige (blind endigende) Höhle bildet. An ihm hängt der wurmförmige Fortsatz.

Der Grimmdarm ist der längste Teil des Dickdarmes.

Sämtliche im Unterleibe befindlichen Verdauungswerkzeuge 30 werden durch Fortsetzungen des Bauchfells in Form breiter Bänder oder Häute, die man Gekröse nennt, in ihrer Lage erhalten.

Vor den Därmen, unmittelbar hinter der vorderen Bauchwand, befindet sich ein zartes Gebilde, das Netz, das wie ein Vorhang vor den Därmen zwischen diesen und der Bauchwand herabhängt.

Leber, Bauchspeicheldrüse

Die Leber liegt hinter den unteren Rippen der rechten Seite dicht unter dem Zwerchfell, so daß diesem die obere gewölbte Fläche zugekehrt ist.

In der Leber wird die Galle, eine schwarz-grünliche bittere Flüssigkeit bereitet, die sich in der an der unteren Fläche der 5 Leber gelegenen Gallenblase ansammelt. Diese hat einen Ausführungsgang, durch den sich die Galle in den Zwölffingerdarm ergießt.

Die Bauchspeicheldrüse hat eine längliche platte Gestalt, ist aus vielen kleinen Drüsen zusammengesetzt und liegt hinter dem Magen. 10

Milz

Die Milz liegt in der linken Seite der Bauchhöhle unter dem Zwerchfell zwischen dem Magen und den unteren Rippen über der linken Niere. Sie ist länglich-rund, hat ein schwammig-lockeres Gewebe und eine dunkelrote oder bläulichrote Farbe.

Die Milz ist an der Verdauung nicht beteiligt, trägt aber 15 insofern zur Ernährung des Körpers bei, als sie bei der Bereitung des Blutes mitwirkt.

Verdauung und Ernährung

Durch die Bewegung, die Atmung, die Ausdünstungen und auf andere Weise gehen dem menschlichen Körper andauernd gewisse Bestandteile verloren, welche unablässig wieder ersetzt werden 20 müssen. Dieser Ersatz geschieht durch die Ernährung, d. h. durch die Aufnahme von Speisen und Getränken. Die Vorbedingung für die Aufnahme der Nahrungsstoffe ins Blut ist die Verdauung.

Verdauung

Der Vorgang bei der Verdauung ist folgender:

Die festen Speisen werden in der Mundhöhle durch die Zähne 25 zerkleinert und mit dem, besonders beim Kauen, von den Speicheldrüsen abgesonderten Speichel vermischt, der sie zum Teil auflöst und ihr Hinunterschlucken erleichtert.

Aus der Mundhöhle werden die Speisen durch den Schlund und die Speiseröhre in den Magen befördert. 30

Hierbei müssen sie über die obere Öffnung des Kehlkopfes hinweggleiten. Um ein Eintreten von Speiseteilen in den Kehlkopf (Verschlucken) zu verhüten, legt sich bei jedem Schlucken der Kehldeckel auf die Kehlkopföffnung und verschließt sie. In ähn-
5 licher Weise wird die Nasenhöhle von der Mundhöhle dadurch abgeschlossen, daß sich der weiche Gaumen mit dem Zäpfchen gegen die hintere Rachenwand anlegt.

Die hinuntergeschluckten Speisen werden mit dem Magensaft vermischt und durch diesen und die genossenen Getränke in einen
10 weichen Brei, Speisebrei, verwandelt. Die Magenverdauung dauert je nach der Beschaffenheit der Speisen 1 bis 6 Stunden.

Nach Beendigung der Verdauung im Magen gelangt der Speisebrei in den Darm, wo die Galle sowie der Saft der Bauchspeicheldrüse und der kleinen Darmdrüsen hinzutreten. Dadurch wird
15 eine Scheidung des Nährsaftes von den untauglichen Teilen des Speisebreies bewirkt und der Darm zu einer größeren Tätigkeit angeregt. Durch die wurmartigen Bewegungen des Darmes nach und nach weiter fortgetrieben und allmählich wieder fester geworden, treten die untauglichen Stoffe zuletzt als Kot in den
20 Mastdarm, den sie durch den After verlassen (Stuhlgang).

Der zur Erhaltung des Körpers taugliche Nährsaft (Speisesaft, Milchsaft) wird im Darmkanal von unzähligen, auf der inneren Fläche des Darmkanales befindlichen Mündungen der Saugadern eingesogen. Die kleinsten und feinsten Lymphgefäße führen
25 diesen Milchsaft zu dem Milchbrustgang, der durch die Brusthöhle verläuft und in die linke Schlüsselbeinblutader mündet. Auf diese Weise gelangt der Nährsaft in das Blut, von dem er allen Körpergeweben zugeführt wird.

b. *Ernährung*

Die Ernährung ist ausreichend, wenn dem Körper ebenso viele
30 Stoffe zugeführt werden, als er verbraucht.

Die Haupt-Nährstoffe sind Eiweiß, Kohlenhydrate (Zucker und Stärkemehl) und Fette. Unentbehrlich zum Leben sind ferner Salze und Wasser. Eine Nahrung, die diese Stoffe im richtigen Verhältnisse enthält, wird zur Erhaltung des Körpers besonders geeignet sein. Die stärkemehlhaltigen Stoffe finden sich hauptsächlich in der Pflanzenkost, die eiweißhaltigen in der Fleischkost. Infolgedessen gewährt eine aus Fleisch- und Pflanzenbestandteilen gemischte Kost dem Körper den besten Ersatz für die verbrauchten Kräfte. In beiden Kostarten sind auch Fette und 5 Salze enthalten, jedoch nicht in genügender Menge, weshalb es zweckmäßig ist, sie durch einen Zusatz zu erhöhen.

Durch Verwendung von Gewürzen werden die Speisen schmackhafter und leichter verdaulich.

Das Bedürfnis des Körpers an Wasser gibt sich durch den 10 Durst kund.

Die Mengen, in denen die Hauptnährstoffe in einem Nahrungsmittel enthalten sind, geben seinen Nährwert an; dieser ist für die verschiedenen Nahrungsmittel durch Untersuchung genau festgestellt. Durch Berechnung kann man daher ermitteln, ob die 15 Zusammensetzung der Kost richtig und für den Körper zweckmäßig ist.

BAU UND VERRICHTUNGEN DES TIERISCHEN UND MENSCHLICHEN KÖRPERS. GESUNDHEITSPFLEGE *

ÜBERBLICK ÜBER DEN AUFBAU DES MENSCHLICHEN KÖRPERS

1. Körperform. Wie der Körper der Wirbel- und vieler anderer Tiere läßt sich auch der des Menschen nur durch einen Schnitt in zwei gleiche Hälften zerlegen, in eine rechte und eine linke. Beide verhalten sich zu einander wie ein Gegenstand zu seinem Spiegel-
5 bilde. Der Mensch ist mithin ein zweiseitig-symmetrisches Geschöpf. Würde man die beiden Hälften wägen, so fände man, daß sie gleich schwer sind. Sie halten sich sonach das Gleichgewicht. Wäre dies nicht der Fall, die eine Seite also stärker belastet als die andere, so würde dasselbe eintreten wie beim einseitigen Tragen
10 einer Last (z. B. eines Eimers Wasser): der Körper müßte sich, um im Gleichgewichte zu bleiben, nach der weniger belasteten Seite neigen. Seine Fortbewegung würde dann aber stark behindert sein. Wie notwendig eine gleichmäßige Belastung beider Seiten für einen sich fortbewegenden Gegenstand ist, sehen wir am
15 symmetrischen Baue der fahrbaren Dampfmaschinen, der Lokomotiven; feststehende Dampfmaschinen dagegen weisen eine meist ganz unsymmetrische Form auf.

2. Körperabschnitte. Von allen Wesen stehen dem Menschen die Wirbeltiere und unter diesen wieder die Säugetiere am nächsten.
20 Wie ihr Körper gliedert sich auch der seine in drei deutlich voneinander abgesetzte Teile: in Kopf, Rumpf und Gliedmaßen. Ein „beweglicher Stiel," der Hals, verbindet die beiden ersten der genannten Abschnitte. Durch seine Vermittlung kann der Kopf leicht nach allen Seiten bewegt werden. Da dieser nun der Träger
25 der wichtigsten Sinneswerkzeuge ist und die Eingangsöffnungen für Nahrung und Atemluft besitzt, leuchtet die Bedeutung des beweglichen Halses ohne weiteres ein.

* Aus — Schmeils Menschenkunde. Verlag von Quelle und Meyer.

3. Aufrechter Gang. Während sich die Säugetiere in der Regel auf allen vier Gliedmaßen fortbewegen, schreitet der Mensch nur auf den beiden Beinen einher. Seinem Rumpfe fehlen dadurch allerdings zwei wichtige Träger. Da dieser aber aufgerichtet ist und mit seiner ganzen Last auf den Hintergliedmaßen ruht, erhält 5 er trotzdem die nötige Unterstützung. Mit dem aufrechten Gange hängt auch zusammen, daß der Kopf des Menschen nicht wagerecht nach vorn gestellt oder schräg abwärts geneigt ist wie bei den Säugern, sondern auf dem Halse gleichsam balanciert, daß ferner sein Antlitz nach vorn schaut, und daß endlich seine Vorder- 10 gliedmaßen, statt der „groben" Arbeit der Fortbewegung zu dienen, besonders vermöge ihrer „kunstfertigen" Hände imstande sind, die verschiedensten Tätigkeiten auszuführen. Weitere Tatsachen, die mit dem aufrechten Gange innig zusammenhängen, werden wir später noch kennen lernen. 15

1. Das Knochengerüst und seine Teile. Wassertiere (Quallen, Polypen u.a.) sind oft von großer Zartheit. Nimmt man sie aus dem Wasser, das ihren Leib von allen Seiten stützt und trägt, so sinken sie augenblicklich zusammen, denn sie sind jetzt der Stützen beraubt. Der Körper der Landtiere dagegen wird von 20 der umgebenden Luft nicht getragen. Er besitzt Einrichtungen, die ihm den nötigen Halt gewähren. Eine solche ist das innere Knochen- oder Knorpelgerüst der Wirbeltiere. Auch der Mensch hat ein knöchernes Skelett.

Es besteht aus zahlreichen einzelnen Teilen, den Knochen, die 25 sich zumeist gegeneinander bewegen lassen. Infolgedessen zeigt sein Körper trotz der festen Stütze in allen seinen Teilen eine Beweglichkeit, wie sie für das Leben notwendig ist.

Jeder Knochen wird von einer festen Haut, der Knochen- oder Beinhaut, umgeben, die u.a. zahlreiche Blutgefäße enthält. 30 Diese treten in die Knochen ein und lösen sich dort in immer feinere Äste auf. Der Blutstrom, der in ihnen kreist, führt den Knochen die notwendigen Baustoffe zu, entfernt die verbrauchten Teile u. dgl. mehr.

Im Inneren größerer Knochen finden sich Höhlen, die mit 35 einer weichen, blutreichen, gelblichen oder rötlichen Masse, dem Knochenmark, angefüllt sind.

2. Gelenke. Die Bewegung der Knochen gegeneinander erfolgt in den Gelenken. Der Bau eines solchen ist an jedem frisch getöteten Wirbeltiere leicht zu erkennen. Nach Entfernung der Weichteile sehen wir, wie in einem Gelenke zwei Knochen mit 5 ihren Enden zusammenstoßen, und wie sich die Knochenhaut beider in Form eines sehnigen Schlauches, der Gelenkkapsel, über diese Stelle hinwegzieht. Da die Flächen, mit denen sich 10 die Knochen berühren (Gelenkflächen), durch je einen Knorpelbelag vollkommen glatt sind, gleiten sie leicht aneinander hin. Dazu kommt, daß durch einen 15 Schleim, die sogenannte Gelenkschmiere, fast jede Reibung verhindert wird. Die Natur wendet hier also ein ganz ähnliches Mittel an wie der Mensch, der durch Ölen der Achsen und Räder 20 den Gang seiner Maschinen leicht zu machen sucht. — Einige Arten der Gelenke werden wir noch kennen lernen.

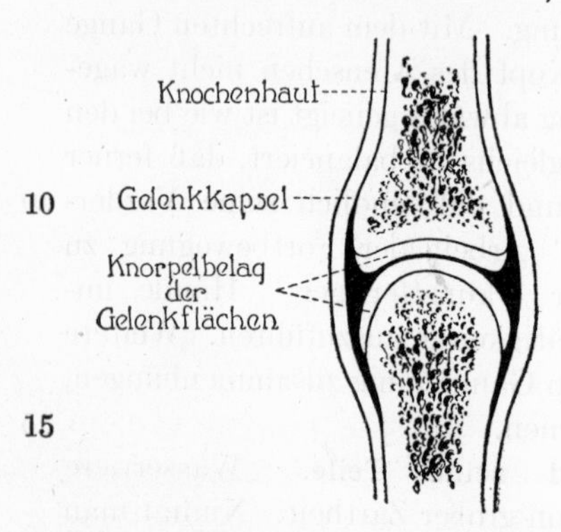

FIG. 9. Längsschnitt durch ein Gelenk.

Durch Fall, Stoß oder dgl. können die Gelenkflächen aus ihrer Lage kommen. Dabei werden die Gelenkkapsel und die Bänder, die sie umgeben, überstark ausgedehnt oder gar zerrissen. Währt 25 die Trennung der Gelenkflächen nur einen Augenblick, so bezeichnet man die Verletzung als Verstauchung; bleiben die Gelenkflächen aber in der falschen Lage, dann ist eine Verrenkung eingetreten.

3. Bestandteile der Knochen. Legt man einen frischen Tier- 30 knochen längere Zeit in verdünnte Salzsäure und wechselt diese einige Male, dann werden die in ihm enthaltenen erdigen (mineralischen) Bestandteile aufgelöst, und ein biesgamer Körper von der Form des Knochens bleibt übrig. (Aus diesem Körper gewinnt man durch Kochen in überhitztem Wasser Knochenleim.) Glüht 35 man dagegen einen Tierknochen, so verbrennt jene Masse, und die mineralischen Bestandteile, die gleichfalls die Form des Knochens besitzen, bleiben zurück. Ebenso bestehen die Knochen des

Menschen aus einer biegsamen Grundmasse, dem Knochenknorpel, in dem Knochenerde eingelagert ist. Die Knochenerde setzt sich besonders aus Phosphor und kohlensaurem Kalzium zusammen. Während sie dem Knochen die Festigkeit des Steines gibt, verleiht der Knochenknorpel ihm die Elastizität des Stahles. 5
Infolge dieser Zusammensetzung ist der Knochen sowohl gegen Druck (Schlag, Stoß, Fall), als auch gegen Biegung in hohem Grade widerstandsfähig.

In der Jugend des Menschen sind die Knochen arm an Kalksalzen und daher sehr biegsam. Infolgedessen brechen sie schwer 10
(häufiges Fallen der Kinder!) können aber durch leichtfertige Wartung der Kinder, durch falsche Körperhaltung, insbesondere beim Sitzen in der Schule sowie durch einseitiges Tragen größerer Lasten (jüngerer Geschwister, schwerer Schultaschen u. dgl.) leicht verkrümmen. Mit dem Alter nimmt auch die Menge der 15
Knochenerde zu. Daher sind die Knochen alter Leute leicht brüchig. Bei der sogenannten englischen Krankheit (Rhachitis) der Kinder wird nicht so viel Knochenerde abgelagert, als zur normalen Ausbildung der Knochen nötig ist. Infolgedessen bleiben sie sehr biegsam und erleiden oft Verkrümmungen, die vielfach 20
dauernde Verunstaltungen des Körpers zur Folge haben.

Ein Knochenbruch heilt, indem sich an der Bruchstelle ein Gewebe bildet, das die Knochenenden verbindet. Durch Einlagerung von Kalksalzen verknöchert dieses Gewebe nach und nach, so daß der frühere Zustand wiederhergestellt wird. 25

a. *Die Knochen des Kopfes*

Das Skelett des Kopfes besteht aus einer Anzahl Knochen, die mit Ausnahme des beweglichen Unterkiefers so fest miteinander verbunden sind, daß sie beim Erwachsenen selbst durch heftige Erschütterungen nicht auseinander weichen. Diese Verbindung kommt meist dadurch zustande, daß die ausgezackten Ränder der zusam- 30
menstoßenden Knochen ähnlich wie die Finger der gefalteten Hände wechselseitig ineinander greifen. Man bezeichnet sie als Naht.

Der obere Rand der Augenhöhlen bildet die äußerlich erkennbare Grenze zwischen den beiden Abschnitten des Kopfes, dem Hirnschädel und dem Gesichtsschädel. 35

1. Hirnschädel. Die Knochen des Hirnschädels stellen eine schützende Kapsel für das überaus empfindliche Gehirn dar. Der „Boden" dieser festen Hülle besteht aus dem vorderen Teile des Hinterhauptsbeines, dem Keil- und dem Siebbeine. Das „Schä-
5 deldach" dagegen ist aus dem Stirnbeine, den beiden Schläfen- und

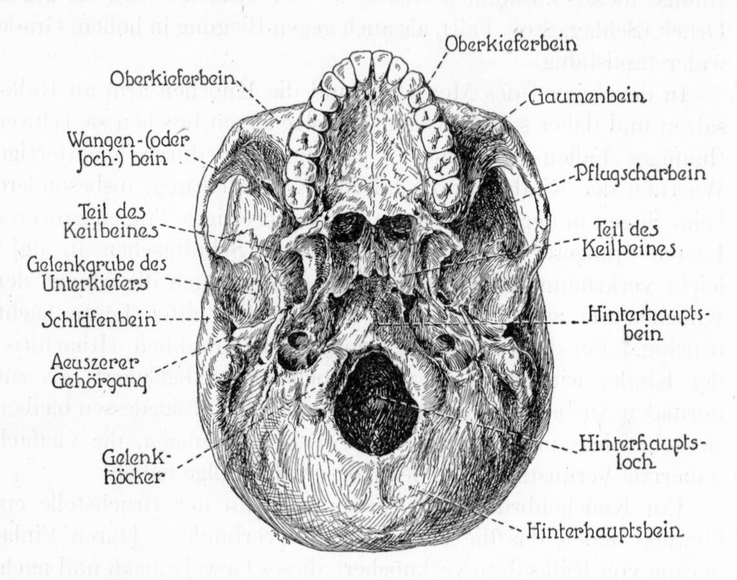

FIG. 10. Schädel des Menschen von unten gesehen.

Scheitelbeinen und dem schuppenförmigen hinteren Abschnitte des Hinterhauptsbeines zusammengesetzt. Wie das Gehirn finden auch die äußerlich nicht sichtbaren Teile des Ohres Schutz in einer Knochenhöhle. Sie wird von Teilen des Schläfenbeines (dem
10 Pauken- und Felsenbeine) gebildet.

Im Hinterhauptsbeine findet sich eine große, ovale Öffnung. Durch dieses sogenannte Hinterhauptsloch tritt das mit dem Gehirn in Verbindung stehende Rückenmark in den Kanal der Wirbelsäule ein. Zu den Seiten der Öffnung erheben sich die beiden
15 Gelenkhöcker, die die Verbindung zwischen dem Kopfe und der Wirbelsäule herstellen.

Beim kleinen Kinde ist die Ausbildung der Knochen noch nicht vollendet. Die Knochen des Schädeldaches sind z. B. noch durch Lücken voneinander getrennt, die nur von „ Häuten “ überdeckt werden. Da, wo mehrere Knochen zusammenstoßen, finden sich sogar größere, weiche Stellen. Sie werden als Fontanellen bezeichnet. Infolge dieser Einrichtung kann das Gehirn, ungehindert 5

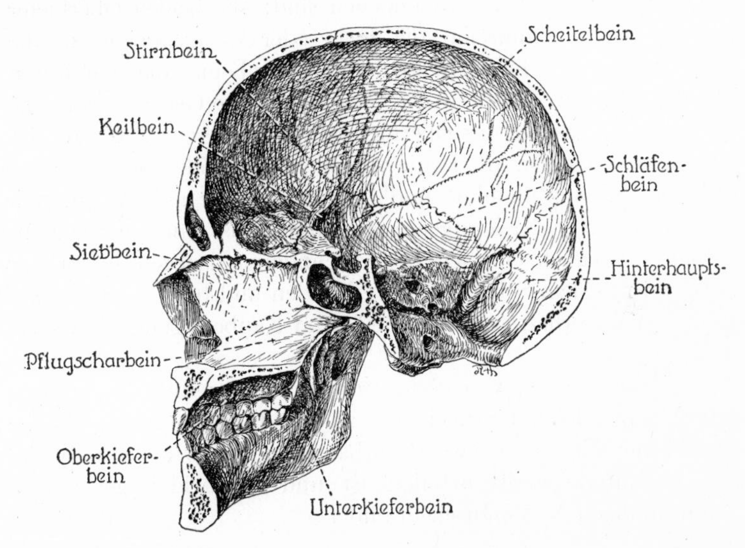

Fig. 11. Schädel des Menschen; Längsschnitt durch die Mittellinie.

von seiner knöchernen Hülle, nach und nach an Größe zunehmen. Das wachsende Gehirn übt auf die Schädelknochen einen Reiz aus, so daß sich an ihren Rändern immer neue Knochenmasse bildet. Hat das Gehirn endlich seine volle Ausbildung erlangt, so hört auch dieser Reiz auf. Die Schädelknochen stellen infolge- 10 dessen ihr Wachstum ein, stoßen aneinander, und es entsteht jener durch die Nähte hergestellte, feste Verschluß der Kapsel.

Aus diesen Tatsachen geht hervor, daß das Gehirn des Kindes gegen Druck und Schlag viel weniger geschützt ist als das des Erwachsenen, daß es aber andererseits bei einem Fall oder dgl. 15 auch weniger heftig gegen die Schädelkapsel anschlägt (Gehirnerschütterung!)

2. Gesichtsschädel. Aus den sehr verschieden geformten

Knochen dieses Schädelteiles werden die Augen- und Nasenhöhlen sowie die Mundhöhle aufgebaut. In ihnen liegen die Werkzeuge des Gesichts, des Geruchs und des Geschmacks. Die Nasenhöhlen und die Mundhöhle stellen auch die Eingangspforten für die 5 Atemluft bzw. für die Nahrung dar.

Die wichtigsten Gesichtsknochen sind: die beiden Oberkiefer mit der oberen Zahnreihe, die Joch- oder Wangenbeine, die die Augenhöhlen mit bilden helfen, die Nasenbeine, die den festen oberen Abschnitt des Nasenrückens liefern, die Gaumenbeine, die 10 mit einem Fortsatze des Oberkiefers den vorderen Abschnitt des Gaumens darstellen (d. i. die knöcherne Scheidewand zwischen Mund- und Nasenhöhle), und der Unterkiefer mit der unteren Zahnreihe. Nur der letztgenannte Knochen ist (an den Schläfenbeinen) beweglich eingelenkt. Alle anderen dagegen sind unter 15 sich und mit dem Schädel fest verbunden und bilden somit einen kräftigen Widerhalt gegen die Beiß- und Kaubewegung des Unterkiefers.

Gesichtsknochen von geringerer Bedeutung sind die Tränenbeine in den inneren Augenwinkeln, das Pflugscharbein, das die 20 knöcherne Nasenscheidewand aufbauen hilft, sowie das Siebbein, das hieran gleichfalls beteiligt ist und die beiden gebogenen, dünnwandigen Nasenmuscheln bildet.

Vom Schädel der Wirbeltiere

Dem niedrigsten Fische, dem Lanzettfischchen, fehlt ein Schädel gänzlich; bei allen anderen Fischen ist er mit dem ersten 25 Halswirbel fest vereinigt. Der Schädel der übrigen Wirbeltiere dagegen ist wie beim Menschen beweglich mit dem Rumpfe verbunden, und zwar bei den Säugetieren und Lurchen durch zwei, bei den Vögeln und Kriechtieren durch einen Gelenkhöcker. Die Schädelknochen der Vögel verwachsen untereinander so voll-30 kommen, daß man bei älteren Tieren die Nähte nicht mehr erkennen kann. Der Oberkiefer der Vögel und Kriechtiere ist mit den Schädelknochen beweglich verbunden. Der Unterkiefer ist bei Vögeln, Kriechtieren und Lurchen durch einen besonderen Knochen, das Quadratbein, am Schädel eingelenkt.

b. *Die Knochen des Rumpfes*

1. Wirbelsäule. a) Die Rückenwand des Rumpfes ist ihrer ganzen Länge nach von einer Knochensäule durchzogen, die die Hauptstütze des Körpers bildet. Sie nimmt, ähnlich wie ein Baumstamm, von oben nach unten allmählich an Stärke zu. Da sie doppelt S-förmig gekrümmt ist, federt sie ein wenig, so daß das 5 empfindliche Gehirn vor zu heftigen Erschütterungen bewahrt wird. Infolge der eigentümlichen Form der Wirbelsäule findet der Rücken an einer Stuhl- oder Banklehne nur dann eine geeignete Unterstützung, wenn diese den Krümmungen jener angepaßt ist.

Die Wirbelsäule ist nun nicht etwa ein ungegliedertes Ganzes, 10 das den Rumpf vollkommen starr machen würde, sondern sie besteht aus einer größeren Anzahl (33) Knochen, die wie Steinplatten übereinander gelagert sind und durch Bänder und Muskeln zusammengehalten werden. Diese Knochen nennt man Wirbel und die Säule daher Wirbelsäule (Wirbeltiere!). Da nun zwischen je 15 zwei Wirbeln noch eine Knorpelscheibe eingelagert ist, erhält die Wirbelsäule eine größere Biegsamkeit. Gleichzeitig wirken diese elastischen Platten ähnlich wie Puffer an Eisenbahnwagen: sie mildern — und zwar in noch viel höherem Grade als die erwähnte S-förmige Krümmung — die Stöße, die beim Laufen und Springen 20 den Körper treffen, und unter denen das Gehirn sonst stark leiden würde.

b) Abschnitte der Wirbelsäule. Die Beweglichkeit der Wirbel ist in den einzelnen Abschnitten der Säule sehr verschieden. Am größten zeigt sich die der sieben Halswirbel, eine Tatsache, die für 25 den Hals, den Träger des Kopfes, überaus wichtig ist. Die zwölf Brustwirbel dagegen sind wenig beweglich. Infolgedessen eignen sie sich vortrefflich, den Armen (durch Vermittlung anderer Knochen; s. w. u.) zum Ansatz zu dienen und die empfindlichen Organe der Brust gegen Druck zu schützen, der bei starker Biegung des 30 Rückens unausbleiblich wäre. Die fünf Lendenwirbel sind wieder beweglicher. In ihnen erfolgt besonders die Beugung und Drehung des Rumpfes. Die fünf folgenden Wirbel sind nicht allein unter sich zu dem sogenannten Kreuzbeine verwachsen, sondern auch mit dem Becken (s.w.u.) fest verbunden. Wäre dies nicht der Fall, 35 dann würde der Oberkörper, dessen ganze Last infolge des aufrechten Ganges auf den Beinen ruht, bei jedem Schritte schwanken, der Gang also in hohem Grade unsicher werden. Den letzten Abschnitt der Säule bildet bei den Wirbeltieren der meist lange und bewegliche Schwanz. Beim Menschen dagegen sind die vier letzten Wirbel verkümmert und zu einem nach unten und innen gerichteten Fortsatze, dem Steißbeine, verschmolzen. Dadurch tragen sie mit dazu bei, die Bauchhöhle zu verschließen, was infolge des aufrechten Ganges von großer Wichtigkeit ist.

c) Bau der Wirbel. Jeder vollkommen ausgebildete Wirbel ist folgendermaßen gebaut. Von einer Knochenscheibe, dem Wirbelkörper, erstrecken sich nach der Rückenseite zwei Bogen, die miteinander verschmelzen und einen Ring bilden. Die Ringe aller Wirbel stellen einen Kanal dar, der für die weiche Masse des Rückenmarks eine sichere Schutzhülle liefert. Da dem überaus empfindlichen Organe Druck sehr gefährlich sein würde, können die Wirbel nicht etwa so frei untereinander verbunden sein, wie z. B. der Arm mit dem Rumpfe. Trotzdem besitzt das Rückgrat aber eine gewisse Biegsamkeit, die in erster Linie auf dem Vorhandensein der elastischen Knorpelscheiben beruht. Die Natur hat hier also „ mit einem Schlage “ gleichsam zwei sich widerstrebende Aufgaben gelöst. Von dem Wirbelbogen aus erheben sich mehrere Fortsätze. Der nach hinten zeigende Dornfortsatz und die seitlichen Querfortsätze dienen der Anheftung von Muskeln, während die nach oben und unten gerichteten Gelenkfortsätze die Verbindung mit dem vorhergehenden, bzw. nachfolgenden Wirbel herstellen. An den Wirbelkörpern und Querfortsätzen der Brustwirbel setzen sich in besonderen Gelenkflächen die Rippen an.

Eine durchaus abweichende Gestalt besitzen, ihrer Aufgabe entsprechend, die beiden ersten Halswirbel. Der oberste, ringförmige Wirbel trägt den Kopf und wird darum Träger oder Atlas genannt. (Atlas ist der Riese, der der Sage nach den Himmel trägt.) Auf seiner Oberfläche finden sich zwei „ Gelenkpfannen “, in die die Gelenkhöcker des Hinterhauptsbeines eingreifen. Infolge dieser Verbindung kann sich der Kopf auf dem Atlas nur von vorn nach hinten und umgekehrt bewegen. Daß er sich außer diesem „ Nicken “ auch seitwärts drehen läßt, verdankt er dem zweiten

Wirbel, der darum als Dreher bezeichnet wird. Von ihm erstreckt sich in den Hohlraum des Atlas ein senkrechter Knochenzapfen, um den sich der Kopf mitsamt dem Atlas, ähnlich wie die Tür in der Angel, wagerecht im Halbkreise bewegt. Das Rückenmark ist gegen den Knochenzapfen durch feste Bänder und schützende 5 Scheidewände abgeschlossen.

2. Brustkorb. Der Innenraum des Rumpfes ist durch das Zwerchfell in Brust- und Bauchhöhle geschieden. In ersterer liegen Herz und Lungen. Diese edlen Teile sind durch eine Anzahl Knochen geschützt, die zusammen den Brustkorb bilden. An der 10 Rückenseite stellen die Brustwirbel die schützende Wand dar. Mit jedem dieser Wirbel steht beiderseits ein langer, reifenartiger Knochen, eine Rippe, in gelenkiger Verbindung. Die sieben oberen Rippen sind am entgegengesetzten Ende durch je einen Knorpelfortsatz mit dem flachen Brustbeine verbunden (wahre Rippen). 15 Die fünf anderen dagegen erreichen das Brustbein nicht (falsche Rippen). Sie stehen mit den wahren Rippen oder nur unter sich durch Knorpelstücke im Zusammenhange, oder sie enden (wie die beiden letzten) frei in der Wandung der Bauchhöhle. Infolge dieser Einrichtung und der erwähnten gelenkigen Verbindung der Rippen 20 mit der Wirbelsäule ist der Brustkorb trotz seiner Starrheit erweiterungsfähig, was für die Atmung sehr wichtig ist.

Bei den Säugetieren wird der Brustkorb von den Vordergliedmaßen gleichsam eingeengt. Beim Menschen dagegen fällt infolge des aufrechten Ganges der Druck der Arme vollständig weg. Sein 25 Brustkorb erscheint daher verhältnismäßig breit.

c. *Der Schulter- und der Beckengürtel und die Knochen der Gliedmaßen*

1. Schultergürtel und Arme. a) Brustkorb und Arme werden jederseits durch zwei Knochen, durch Schulterblatt und Schlüsselbein, miteinander verbunden. Das flache, dreieckige Schulterblatt hängt mit der Rückenseite des Brustkorbes nur durch Weichteile 30 zusammen. Es besitzt daher eine große Beweglichkeit und ist somit in hohem Maße geeignet, das Greifwerkzeug des Körpers, den Arm, zu tragen.

Das stabartige Schlüsselbein ist schwach S-förmig gebogen.

Infolge dieser Krümmung federt es bei heftigen Erschütterungen, so daß es bis zu einem gewissen Grade gegen Bruch gesichert wird. (Eine ähnliche Gestalt haben — wie hier gleich erwähnt sein mag — auch Elle und Schienbein, während Oberarm- und Oberschenkel-
5 knochen besonders aber die Rippen je eine einfache Biegung zeigen.) Die Schlüsselbeine spannen sich wie Strebepfeiler zwischen dem Brustbeine und den Armen aus. Infolgedessen erhalten die Schultergelenke eine besondere Festigkeit. Darum sinkt der Arm kraftlos herab, wenn das Schlüsselbein der betreffenden Seite
10 einen Bruch erleidet. Auch der Umstand, daß dieser Knochen nur bei denjenigen Säugetieren völlig ausgebildet angetroffen wird, die die Vordergliedmaßen zum Fliegen, Graben, Greifen u. dgl. verwenden (Fledermäuse, Maulwurf, Affen u.a.) läßt seinen Wert als Stütze des Schultergelenks leicht erkennen. Die Läufer,
15 Schwimmer und Springer unter den Säugern besitzen dagegen keine oder nur verkümmerte Schlüsselbeine. Außerdem verhindern diese Knochen auch, daß die Arme, wenn sie kräftig bewegt werden, auf die Brust und die in ihr liegenden Organe einen Druck ausüben.

b) Der Arm besteht aus drei Abschnitten: aus Oberarm, Unter-
20 arm und Hand. Der Oberarm wird von einem langen, röhrenförmigen Knochen, dem Oberarmknochen, durchzogen. Da er mit einem halbkugeligen „ Gelenkkopfe “ in eine ebensolche „ Gelenkpfanne “ des Schulterblattes eingreift (Kugelgelenk !), besitzt er große Beweglichkeit. Am entgegengesetzten Ende ist er durch das
25 Ellbogengelenk mit den beiden Knochen des Unterarmes, der Speiche (an der Daumenseite) und der Elle (an der Kleinfingerseite), verbunden. Die Elle hat an dem oberen Ende einen Fortsatz, der gegen den Oberarmknochen bei vollständiger Streckung des Unterarmes anschlägt. Infolgedessen kann der Unterarm nicht
30 auch nach hinten bewegt werden (Winkelgelenk !), und daher sind wir auch imstande, den Arm ohne besondere Anstrengung „ steif zu halten.“ Die Speiche ist mit ihrem Unterende im Halbkreise um das untere Ende der Elle drehbar. Hierbei wird die Hand, die nur mit der Speiche in gelenkiger Verbindung steht, mit gedreht, so
35 daß also (je nach unserem Willen) der „ Handrücken “ oder der „ Handteller “ nach oben gekehrt werden kann, eine Fähigkeit, die für das Greifwerkzeug äußerst wichtig ist.

c) Der Knochenbau der Hand entspricht ganz ihrer äußeren Gliederung in Handwurzel, Mittelhand und Finger. Im ersten Abschnitte liegen, zu zwei Reihen geordnet, die acht würfelförmigen Handwurzelknochen, im zweiten die fünf langen Mittelhandknochen, und jeder Finger wird, seiner Gliederzahl entsprechend, 5 durch drei, der Daumen durch zwei Fingerknochen gestützt.

Da der Mittelhandknochen des Daumens mit der Handwurzel durch ein sehr freies Gelenk verbunden ist, besitzt er große Beweglichkeit. Infolgedessen kann der Daumen jedem anderen Finger gegenübergestellt werden. Dadurch wird die Hand zu einer Zange, 10 zu einem Greifwerkzeuge, das die mannigfachsten, die gröbsten wie die feinsten Arbeiten verrichten kann. Von größter Wichtigkeit ist es auch, daß die Hand von einem sehr beweglichen „Stiele“, dem Arme, getragen wird, der zudem noch in der Mitte (Ellbogengelenk) zusammenlegbar ist. 15

Die Arme des aufrechtgehenden Menschen beteiligen sich im Gegensatz zu denen der Wirbeltiere nicht an der Fortbewegung. Dadurch bleibt seine Hand, dieses „Werkzeug der Werkzeuge“, zu den mannigfachsten Verrichtungen beständig frei, eine Tatsache, durch die er sich — abgesehen von seinen geistigen Fähigkeiten — 20 allein schon selbst über die höchststehenden Säuger weit erhebt.

2. Beckengürtel und Beine. a) Das Becken ist — wie bereits früher bemerkt — mit dem Kreuzbein und daher mit der Hauptstütze des Körpers, der Wirbelsäule, fest verbunden. Es besteht 25 aus drei Knochenpaaren (den Hüft-, Schoß- und Sitzbeinen), die bereits in den ersten Lebensjahren innig miteinander verschmelzen. Sie bilden mit dem Kreuz- und Steißbein einen Trichter, ein wirkliches Becken für die schweren Eingeweide des Bauches, die infolge des aufrechten Ganges stark nach unten drücken. 30

b) Die Beine sind an den Seiten des Beckens eingelenkt und bestehen wie die Arme aus drei Abschnitten: aus Oberschenkel, Unterschenkel und Fuß. Ihre Knochen sind aber stärker und ihre Muskeln kräftiger als die jener Gliedmaßen. Ferner besitzen sie in weiterem Gegensatz zu den Armen, sowohl als Ganzes wie auch 35 in ihren einzelnen Teilen, eine viel geringere Beweglichkeit; denn ihr Träger, das Becken, ist fest mit der Wirbelsäule vereinigt. Sie bilden somit gleichsam zwei feste Säulen, die vortrefflich geeignet sind, den Körper zu tragen und fortzubewegen.

Das Knochengerüst der Beine gleicht dem der Arme in hohem Maße. Der Oberschenkel enthält einen (Oberschenkelknochen)
5 und der Unterschenkel zwei Knochen (Schien- und Wadenbein), während sich das Skelett des Fußes in Fußwurzel-, Mittelfuß und Zehenknochen gliedert. Das Hüftgelenk ist wie das der Schulter ein Kugelgelenk (wegen der tieferen Gelenkpfanne aber nicht so frei wie jenes !) und das Kniegelenk ähnlich dem des Ellbogens ein
10 Winkelgelenk.

Obgleich das Schienbein nicht wie die Elle einen hemmenden Fortsatz besitzt, biegt sich das Kniegelenk doch nicht nach hinten durch; denn alle seine Teile werden durch sehnige Bänder in ihrer Lage erhalten, und außerdem ist ihm ein flacher, runder Knochen,
15 die Kniescheibe, vorgelagert. Dieser Knochen bildet ferner bei einem Falle oder dgl. einen Schutzschild für das empfindliche Gelenk, und er gleicht endlich einer Rolle, über die die starke Sehne des großen Streckmuskels hinwegläuft, ohne auf das Gelenk eine Reibung ausüben zu können.

20 Die Oberschenkel- und Unterschenkelknochen sind, wie z. B. die Knochen des Ober- und Unterarmes, mit Knochenmark ausgefüllte Röhrenknochen. Ist eine solche Form aber nicht nachteilig für die Festigkeit der Knochen ? Durchaus nicht; denn eine Röhre von nicht zu geringer Wandstärke hält denselben Druck aus wie
25 ein gleich langer, massiver Stab, den man aus der Masse (dem Materiale) der Röhre herstellen könnte. Da sich aber die Röhre weit widerstandsfähiger gegen Biegungen erweist als der Stab, so leuchtet der große Vorteil dieser Form, die besonders häufig im Pflanzenreiche anzutreffen ist (Halm der Gräser, Stengel der Lip-
30 penblütler u. s. w.), ohne weiteres ein.

Wie man an einem Röhrenknochen der Haustiere leicht sehen kann, bestehen die Gelenkenden nicht — wie man erwarten sollte — aus einer festen, sondern im Gegenteil aus einer lockeren, „schwammigen“ Knochenmasse, die nicht einmal dem Messer
35 widersteht ! Dies könnte leicht als ein Nachteil erscheinen; bei näherem Zusehen findet man aber, daß diese Masse ein kunstvolles Bogenfachwerk darstellt, wie es z. B. die eisernen Gitterbrücken

zeigen, die unsere Ströme überspannen. Die Natur führt sonach mit der geringsten Menge von Baumaterial (Ersparnis an Masse und Gewicht!) ihre festesten Werke auf.

c) Der Fuß dient nur der Fortbewegung. Dementsprechend haben die Zehen auch bei weitem nicht die Länge and Beweglich- 5 keit der Finger, und die große Zehe kann den übrigen nicht gegenübergestellt werden.

Erheben wir uns auf die Zehen, so können wir — ähnlich wie auf Stelzen — wohl gehen, aber nur sehr unsicher stehen; denn wir bieten dem Körper, der im Gegensatz zu dem der vierbeinigen 10

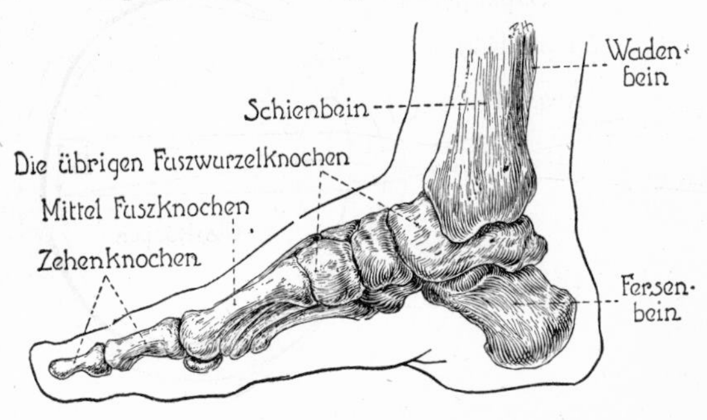

Fig. 12. Knochcngerüst des Fußes.

Säugetiere nur von einem Gliedmaßenpaare getragen wird, eine viel zu kleine Unterstützungsfläche dar. Diese wird erst dadurch genügend groß, daß wir mit der ganzen Sohle auftreten.

Beim Stehen berührt der Fuß den Boden nur mit einem der Fußwurzelknochen, nämlich mit dem weit nach hinten vorsprin- 15 genden Fersenbeine, und den vorderen Enden der Mittelfußknochen. Er bildet ähnlich wie ein aus Steinen gebautes Gewölbe sowohl der Länge als auch der Breite nach einen festen und dabei doch elastischen Bogen und ist infolgedessen sehr wohl befähigt, die schwere Last des Körpers zu tragen. Menschen, denen diese 20 Wölbung fehlt, die also sogenannte Plattfüße besitzen, haben daher einen schwerfälligen und leicht ermüdenden Gang. — Unter den beiden Bogenenden finden sich wie unter den letzten Zehengliedern elastische Polster (Ballen), die starke Erschütterungen abschwächen. 25

A. DAS AUGE, DAS WERKZEUG DES GESICHTS

Wenn wir bedenken, welche Bedeutung das Auge vom ersten bis zum letzten Tage des Lebens für uns hat, was ein Blinder entbehrt, und wie ein einsam in der Wildnis lebender Mensch, der das Augenlicht verloren hat, sehr bald dem Hungertode entgegen-
5 gehen müßte, so erkennen wir in dem Gesichte den wichtigsten

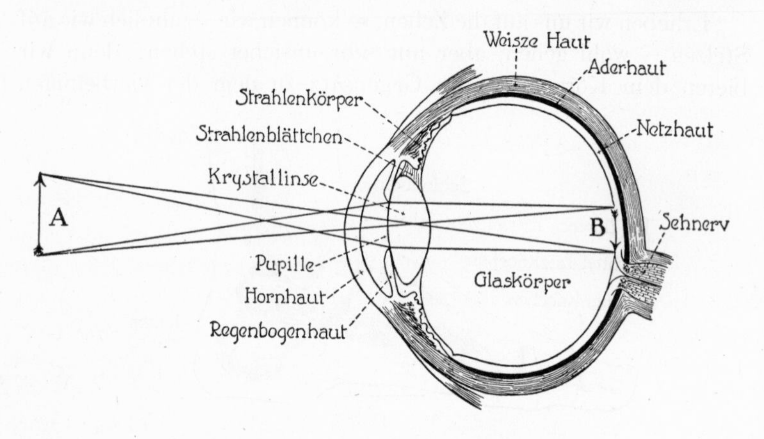

FIG. 13. Durchschnitt durch das Auge.

Sinn des Menschen. Sein Organ ist das Auge. Es liegt an der Oberfläche des Körpers, und die Stelle, die es einnimmt, ist für seine Aufgabe überaus günstig. Infolge dieser Lage ist es aber mancherlei Fährlichkeiten ausgesetzt, denen jedoch durch eine
10 Anzahl besonderer Einrichtungen zumeist vorgebeugt wird.

1. Schutzeinrichtungen. Das Auge liegt in einer knöchernen Höhle, der Augenhöhle, deren oberer Rand noch wie ein schützendes Dach hervortritt. Der Augapfel ist in ein Fettpolster eingebettet, das ihn vor starken Erschütterungen bewahrt. Die Augenbrauen
15 leiten infolge der Richtung ihrer Haare den salzigen Schweiß nach den Seiten ab. Bei drohender Gefahr (zu grelles Licht, Fremdkörper) verschließen die Lider das Auge gleich Falltüren mit außerordentlicher Schnelligkeit („ Augenblick “). Sie sind auch die Tore, die den Geist vor störenden äußeren Eindrücken bewahren
20 (z. B. bei angestrengtem Nachdenken) und die durch Abhalten des

Lichtes mit dazu beitragen, daß wir der Wohltat eines erquickenden Schlafes teilhaftig werden. Die Augenwimpern bilden die „Wachtposten" des Auges; denn schon die leiseste Berührung dieser Härchen veranlaßt die Lider, sich zu schließen. Gegen Staub, den z. B. der Wind von der Straße aufwirbelt, wirken sie wie Filter. 5

Die Innenseite der Lider und die Vorderseite des Augapfels (bis zur durchsichtigen Hornhaut; s. w. u.) sind von einer zarten Haut, der Bindehaut, überzogen, die beständig einen Schleim absondert (Schleimhaut). Er verhindert (mit der Tränenflüssigkeit), daß zwischen Lid und Augapfel eine Reibung eintritt. Die salzige 10 Tränenflüssigkeit wird von den Tränendrüsen erzeugt, die an der äußeren, oberen Seite der Augenhöhle liegen. Sie verteilt sich durch unwillkürliche Bewegung der Lider (Blinken oder Blinzeln) fein über die Augenfläche, reinigt sie von Staub u. dgl. und gelangt so allmählich nach dem inneren Augenwinkel. Dort wird sie 15 von je einer feinen Öffnung im oberen und unteren Lide, den Tränenpunkten, aufgenommen und durch Kanäle in die Nasenhöhle geleitet. Am Rande der Lider scheiden andere Drüsen ein Fett aus, die Augenbutter, die die Tränenflüssigkeit hindert, nach außen abzufließen. Werden sehr reichliche Tränen abgesondert, so 20 treten sie über den Rand des unteren Augenlides hinweg — der Mensch weint.

2. Der Augapfel und der Vorgang des Sehens. Der Augapfel wird durch 6 Muskeln in seiner Höhle so gedreht, daß wir nach vorn und seitwärts blicken können. Durch einseitigen, zu starken Zug 25 eines Muskels entsteht das Schielen.

Die Wand des Augapfels wird von drei Häuten gebildet, die wie die Schalen einer Zwiebel ineinander liegen. Die äußerste Haut, die weiße oder harte Augenhaut, dient als schützende Hülle. Ihr vorderer, uhrglasförmiger Abschnitt ist ganz besonders hart und 30 somit gegen Verletzungen ungemein widerstandsfähig. Er wird daher Hornhaut genannt. Da er zugleich durchsichtig ist wie das reinste Glas, vermag durch ihn das Licht in das Auge einzutreten. Die nach innen folgende, zweite Hautschicht führt wegen ihres Reichtums an Blutgefäßen den Namen Aderhaut. Da sie durch 35 eingelagerten Farbstoff schwarz ist, saugt sie die in das Auge fallenden Lichtstrahlen ein. Sie verhindert also, daß diese zurückgewor-

fen werden und den Vorgang des Sehens stören. Dort, wo die Hornhaut beginnt, erstreckt sich die Aderhaut quer wie ein Vorhang durch den Augapfel. Da dieser „ Vorhang “ bei den einzelnen Menschen verschieden gefärbt ist (er zeigt alle „ Regenbogenfar-
5 ben “), bezeichnet man ihn als Regenbogenhaut oder Iris. In seiner Mitte befindet sich eine Öffnung, die dem Lichte den Durchtritt gestattet. Sie erscheint infolge des dunklen Hintergrundes schwarz und wird Sehloch, Augenstern oder Pupille genannt. Wie man leicht beobachten kann, verengt sich die Pupille bei grellem
10 Lichte, während sie sich bei schwachem und besonders in völliger Dunkelheit erweitert. Die Regenbogenhaut ist also eine „ Blende “, die gerade so viel Lichtstrahlen durch die Pupille einfallen läßt, wie zum Sehen nötig sind. Außerdem wirkt sie, da sie alle störenden, seitlichen Strahlen auffängt, als Lichtschirm.
15 Am hinteren Ende des Augapfels tritt der Sehnerv ein. Er durchbricht die beiden genannten Hautschichten und breitet sich als Netzhaut auf der Innenseite der Aderhaut aus. Die der Aderhaut anliegende Schicht der Netzhaut besteht aus einer großen Zahl feinster Nervenendigungen, den Stäbchen und Zäpfchen, die in
20 hohem Grade lichtempfindlich sind. Am zahlreichsten finden sich diese Gebilde in dem sogenannten „ gelben Flecke “ der Netzhaut,

Fig. 14. Zum Nachweise des blinden Flecks im Auge.

der in der Augenachse liegt und infolgedessen für Licht ganz besonders empfindlich ist. Da, wo der Sehnerv in die Netzhaut übergeht, fehlen die Stäbchen und Zäpfchen. Diese Stelle ist für
25 Licht daher unempfindlich und wird als „ blinder Fleck “ bezeichnet.

Der blinde Fleck läßt sich leicht durch folgenden Versuch nachweisen. Man schließe das linke Auge und schaue mit dem rechten fest auf das weiße Kreuz in der beigefügten Abbildung. Bringt man darauf das Buch allmählich bis auf etwa 20 cm an das Auge heran, so verschwindet der große, weiße Kreis in der Zeichnung völlig. Das in dem Auge entstehende Bildchen des Kreises fällt dann auf den blinden Fleck und ruft dort keine Lichtempfin- 5 dung hervor (s. w. u.).

Unmittelbar hinter der Iris findet sich ein linsenförmiger Körper, die Augenlinse. Der Raum vor der Iris ist mit einer wässerigen Flüssigkeit, der hinter der Linse mit einer gallertartigen Masse, dem Glaskörper, angefüllt. Die Flüssigkeit sowohl als 10 auch die Linse und der Glaskörper sind von größter Durchsichtigkeit und können daher von Lichtstrahlen durchdrungen werden.

Das Auge ist demnach so gebaut, wie die Dunkelkammer oder Camera obscura des photographischen Apparates. Wie dort durch die Linse ein umgekehrtes, verkleinertes Bild eines Gegenstandes 15 entsteht und auf die matte Glasscheibe oder die photographische Platte fällt, so erzeugt auch die Linse des Auges ein umgekehrtes Bildchen des betrachteten Gegenstandes. Fällt es auf die Netzhaut, so wird sie gereizt. Den Reiz leitet der Sehnerv — wie? wissen wir nicht — dem Gehirn zu. Hier kommt er uns zum Be- 20 wußtsein, d. h. wir sehen.

3. Anpassungsfähigkeit des Auges. Ruht das (normalsichtige)

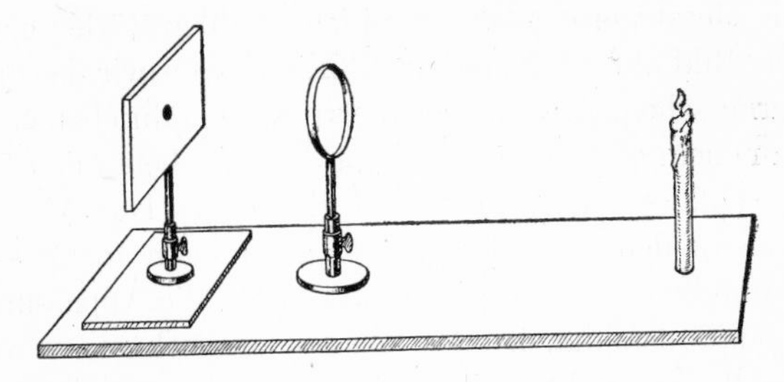

FIG. 15. Vorrichtung zur Erklärung des Sehvorganges.

Auge, so fallen allein die Bilder weit entfernter Gegenstände auf die Netzhaut. Wir können jedoch auch nahe Gegenstände deutlich sehen. Wie dies zugeht, soll uns ein Versuch zeigen. Wir stellen 25 eine brennende Kerze, eine erhabene (konvexe) Linse und einen Pappschirm, der mit mattschwarzem Papier überzogen ist, so auf, daß auf ihm ein (umgekehrtes, verkleinertes) Bild der Flamme entsteht. Die Linse soll unsere Augenlinse und der Schirm die Netzhaut vorstellen. Wir sehen die Flamme jetzt also deutlich. Nähern wir nun die Kerze der Linse, dann wird das Bild auf dem Schirme undeutlich; es würde (wenn dies möglich wäre!) erst hinter diesem zustandekommen. Ersetzen wir aber die Linse durch eine stärker gekrümmte, so erscheint auf dem Schirme wieder ein scharfes Bild der Flamme; denn die Lichtstrahlen werden jetzt stärker gebrochen und vereinigen sich daher auch früher zu einem Bilde.

Etwas ganz Ähnliches geschieht in unserem Auge, wenn wir Gegenstände betrachten, die verschieden weit von uns entfernt sind. Da, wo die Aderhaut in die Iris übergeht, findet sich eine ringförmige Anschwellung, der Strahlenkörper, in dem zahlreiche Muskelfasern liegen. Zwischen ihm und der Linse dehnt sich ein Band aus, das Strahlenblättchen, das in der Ruhe straff gespannt ist und infolgedessen die elastische Linse abflacht. Jetzt ist das Auge also für die Ferne „eingestellt“. Schauen wir aber einen nahen Gegenstand an, dann ziehen sich die Muskeln des Strahlenkörpers zusammen, so daß dieser der Linse ein wenig genähert wird. Infolgedessen erschlafft das Strahlenblättchen; der von ihm auf die Linse ausgeübte Zug hört auf, und die Linse wölbt sich mehr. Jetzt werden daher die Lichtstrahlen stärker gebrochen, so daß das Bild auf die Netzhaut fällt. Wollen wir darauf wieder in die Ferne sehen, dann treten die zuerst beschriebenen Verhältnisse von neuem ein, so daß das Bild der dort befindlichen Gegenstände gleichfalls auf der Netzhaut entsteht. Das Auge ist also imstande, sich den verschiedenen Entfernungen anzupassen oder zu akkommodieren, eine Eigenschaft, die als die Anpassungs- oder Akkommodationsfähigkeit des Auges bezeichnet wird. Unerwähnt soll aber nicht bleiben, daß auch die Hornhaut und die Flüssigkeit, die den Raum zwischen dieser Haut und der Iris ausfüllt, einen wesentlichen Anteil an der Brechung der in das Auge eintretenden Lichtstrahlen haben.

4. Sehstörungen und Krankheiten des Auges. Ältere Leute sehen wohl entfernte Gegenstände gut, nahe dagegen nicht. Beim Lesen oder Nähen müssen sie deshalb das Buch oder das Nähzeug möglichst weit von sich halten: sie sind weit- oder alterssichtig. Bei zunehmendem Alter büßt nämlich die Linse zumeist etwas von ihrer Elastizität ein, so daß sie sich nicht mehr so stark wie früher zu wölben vermag. Ein klares Bild würde erst hinter der Netzhaut zustandekommen, wenn dies möglich wäre. Indem Weit- 5 sichtige aber eine Brille mit erhabenen (konvexen) Gläsern benutzen, wird die mangelnde Brechkraft der Augenlinse ausgeglichen. Das Brillenglas und die Augenlinse wirken dann zusammen gleichsam wie eine stärker gewölbte Linse, so daß die Bilder naher Gegenstände auf die Netzhaut fallen. 10

Stets angeboren ist die Übersichtigkeit, die auf einer zu kurzen Achse des Augapfels beruht. Daher werden die Lichtstrahlen auf der Netzhaut wie im Auge des Weitsichtigen nur zu einem verschwommenen Bilde vereinigt. Der Übersichtige benutzt daher wie dieser eine Brille mit konvexen Gläsern. 15

Zahlreiche Menschen, die ihre Augen durch viele Naharbeit (Lesen, Schreiben, Sticken u. dgl.) übermäßig angestrengt haben, können entfernte Gegenstände gar nicht oder nur undeutlich erkennen. In der Nähe dagegen sehen sie gut (setzen beim Lesen vielfach die Brille ab !): sie sind kurzsichtig. Infolge der häufigen 20 Naharbeit verliert die Augenlinse die Fähigkeit, sich abzuflachen. Die Bilder entfernter Gegenstände entstehen daher vor der Netzhaut. Dieser Übelstand kann durch eine Brille mit hohlgeschliffenen (konkaven) Gläsern beseitigt werden. Lassen wir durch eine solche Linse die Sonnenstrahlen (parallel mit der Achse) fallen, 25 und halten wir ein Blatt Papier dahinter, so erscheint auf dem Blatte ein heller Kreis, der größer ist als die Linse. Die konkave Linse zerstreut also die Lichtstrahlen. Dasselbe geschieht mit den Lichtstrahlen, die durch eine solche Linse in das Auge des Kurzsichtigen gelangen: das Bild erscheint dann weiter hinten im 30 Auge als sonst. Von dieser allmählich erworbenen Kurzsichtigkeit unterscheidet sich die angeborene. Bei ihr ist die Achse des Augapfels zu lang, und es entstehen deshalb die Bilder betrachteter Gegenstände ebenfalls vor der Netzhaut, so daß gleichfalls eine konkave Brille benutzt werden muß. 35

Fallen die Bilder genau auf die Netzhaut, dann sind die Brillen passend gewählt. Da nun unrichtige Gläser dem Auge sehr schaden können, muß man die Auswahl dem Arzte überlassen. Dieser hat u.a. auch festzustellen, ob die Hornhaut sowohl in senkrechter, als auch in wagerechter Richtung die normale gleichförmige Krümmung zeigt. Ist dies nicht der Fall, dann entstehen 5 im Auge unklare Bilder. Dieses Leiden (Astigmatismus) kann durch Anwendung entsprechend gekrümmter Brillengläser „korrigiert“ werden.

Der sog. graue Star, der wie die Weitsichtigkeit besonders im höheren Lebensalter auftritt, besteht in einer Trübung der 10 Linse. Um die hiermit verbundene Sehstörung zu beseitigen, wird die Linse durch eine Operation entfernt. Stark gewölbte Brillengläser, die die Leistung der Linse übernehmen, stellen das Sehvermögen wieder her. Der schwarze Star ist eine schwere Erkrankung der Netzhaut oder des Sehnervs.

15 **5. Pflege des Auges.** Aus der Kenntnis vom Bau und der Tätigkeit des Auges ergeben sich folgende Verhaltungsmaßregeln: Schütze das Auge gegen Druck, Schlag und Stoß, gegen staubige, rauchige und heiße Luft! Meide den schnellen Wechsel von hell und dunkel! Arbeite (lies, schreibe, nähe, sticke u. s. w.) nie bei 20 grellem oder bei zu schwachem Lichte (bei direktem Sonnenlichte, in der Dämmerung, bei schlechtem Lampenlichte, bei flackernder Kerze, im Fahren u. s. w.)! Da durch fortgesetztes Betrachten sehr naher Gegenstände Kurzsichtigkeit entsteht, halte die Arbeit etwa 25 cm vom Auge ab! Überanstrenge das Auge nicht! 25 Mache vor allen Dingen von Zeit zu Zeit eine Pause, in der es sich durch Blicken in die Ferne ausruhen kann. Bei Augenkrankheiten frage sofort einen Arzt.

B. DAS OHR, DAS WERKZEUG DES GEHÖRS

Das Gehör ist nächst dem Gesicht der wichtigste Sinn. Sein Organ ist das Ohr, das wie das Auge doppelt vorhanden ist.

30 **1. Das äußere Ohr.** Die Ohrmuscheln dienen als Schallfänger. Je eine eingelagerte Knorpelplatte gibt ihnen Festigkeit und Elastizität zugleich. Ihre Erhabenheiten und Vertiefungen sind so angeordnet, daß die Mehrzahl der anprallenden Schallwellen durch die Ohröffnung in den Gehörgang geworfen wird. Dieser ist am 35 inneren Ende durch eine Haut, das Trommelfell, verschlossen, das

durch die eindringenden Schallwellen in Schwingung versetzt wird. Drüsen in der Haut des Gehörganges scheiden eine braune, fettähnliche Masse ab, das bekannte Ohrenschmalz, das eingedrungene Staubteilchen u. dgl. einhüllt. — Verhärtetes Ohrenschmalz, das den Gehörgang verstopft und vielfach eine geringe Schwerhörigkeit 5 verursacht, beseitigt man durch Einspritzen von warmem Wasser. Spitze Gegenstände, mit denen man das Trommelfell leicht verletzen kann, dürfen zum Reinigen des Gehörganges nie benutzt werden!

2. **Das mittlere Ohr** bildet eine kleine, luftgefüllte Höhle, 10 die Paukenhöhle, die von außen durch das Trommelfell und von innen durch das innere Ohr begrenzt wird. Mittels eines Kanals, der als Ohrtrompete oder eustachische Röhre bezeichnet wird und in die Rachenhöhle mündet, steht sie mit der äußeren Luft in Verbindung. Infolgedessen herrscht auf beiden Seiten des Trommel- 15 fells derselbe Luftdruck. Wäre dies nicht der Fall, dann würde das Trommelfell bald nach innen, bald nach außen gepreßt und dadurch in seinen Schwingungen stark beeinträchtigt werden. Kanoniere müssen beim Abfeuern der Geschütze den Mund öffnen, um zu verhindern, daß der starke, einseitige Luftdruck das Trommelfell 20 zersprengt. Verschluß der Trompete bei Entzündung der sie auskleidenden Schleimhaut hat Schwerhörigkeit im Gefolge.

Zwischen Trommelfell und innerem Ohr spannt sich quer durch die Paukenhöhle eine Brücke aus, die aus den drei winzigen Gehörknöchelchen gebaut ist. Diese werden nach ihrer Form 25 Hammer, Amboß und Steigbügel genannt. Wird das Trommelfell durch Schallwellen erschüttert, so werden auch die Knöchelchen in Schwingung versetzt, und da sich das Ende des letzten Knöchleins (die „Fußplatte" des Steigbügels) an ein zartes Häutchen in der Knochenwand des inneren Ohres anlegt, gerät auch dieses mit in 30 Schwingung.

3. **Das innere Ohr** oder Labyrinth liegt in einer völlig geschlossenen Knochenkapsel und ist mit einer Flüssigkeit angefüllt. In diesem Gehörwasser breitet sich der Gehörnerv aus, nachdem er sich in eine sehr große Zahl feinster Fasern aufgelöst hat, die 35 zum Teil wie die Tasten eines Klaviers nebeneinander liegen. Am inneren Ohre lassen sich drei Abschnitte unterscheiden, die tref-

fend als der Vorhof, die Schnecke und die drei Bogengänge bezeichnet werden und den Namen „Labyrinth“ vollkommen rechtfertigen. Gerät nun das Häutchen, an das sich der Steigbügel anlegt und das als ovales Fenster bezeichnet wird, in Schwingung, 5 dann muß auch das Gehörwasser mitschwingen. Dies ist aber nur dadurch möglich, daß die allseitig eingeschlossene Flüssigkeit an einer Stelle etwas „ausweichen“ kann. In der Knochenwand, die das innere Ohr von der Paukenhöhle trennt, findet sich nämlich noch eine Öffnung, die durch eine elastische Haut, das sogenannte 10 runde Fenster verschlossen ist. Durch die Erschütterung des Gehörwassers wird auf die Enden des Hörnervs ein Reiz ausgeübt, der zum Gehirn geleitet und im Bewußtsein als Ton oder Geräusch empfunden wird.

Das innere Ohr ist also das eigentliche Gehörorgan, dem das 15 äußere und das mittlere Ohr den Schall zuleiten. Daß auch die Knochen des Kopfes den Schall auf das Gehörorgan übertragen können, zeigt ein einfacher Versuch: Nimm die Uhr zwischen die Zähne und halte die Ohren zu! Das Ticken der Uhr ist deutlich zu vernehmen.

20 **4. Schutz des Ohres.** Infolge ihrer Lage in einer Höhle des Schläfenbeines sind das innere und mittlere Ohr sowie das Trommelfell in hohem Grade schädlichen äußeren Einflüssen entzogen. Sie besitzen auch nicht so zahlreiche Schutzeinrichtungen, wie z. B. das an der Außenfläche des Körpers liegende Auge. Da sie aber 25 sehr zarte und empfindliche Gebilde sind, hüte man sich wohl, sie durch Stoß oder Schlag an den Kopf zu erschüttern! Bei Erkrankung des Ohres wende man sich sofort an den Arzt!

DIE ATMUNG

A. Das Wesen der Atmung

1. Wird Menschen oder Tieren die Atemluft längere Zeit entzogen, dann ersticken sie. Es ist jedoch durchaus nicht gleich- 30 gültig, welche Art von Luft sie einatmen. In jeder Luft, die nicht Sauerstoff enthält, gehen sie bald zugrunde; denn ohne Sauerstoff gibt es kein menschliches oder tierisches Leben.

2. Welche Veränderungen mit der Luft, die wir aus- und ein-

atmen, vor sich gehen, zeigen folgende Versuche: Stülpen wir über einen Kork, der auf dem Wasser schwimmt und eine brennende Kerze trägt, einen mit atmosphärischer Luft gefüllten Glaszylinder, dann erstickt die Flamme, sobald der Sauerstoff der Luft verbraucht ist. Darauf füllen wir den Zylinder mit Wasser, stellen 5 ihn umgekehrt in ein Gefäß, das gleichfalls mit Wasser gefüllt ist, und verdrängen das in dem Zylinder enthaltene Wasser dadurch, daß wir vermittelst eines Rohres durch kräftiges Ausatmen Luft in ihn einblasen. Wiederholen wir jetzt den Versuch, so sehen wir, daß die Kerze viel früher erlischt. 10

Was an die Stelle des Sauerstoffs getreten ist, zeigt uns ein zweiter Versuch. Treiben wir mit Hilfe eines Blasebalges atmosphärische Luft durch Kalkwasser, so bildet sich erst nach längerer Zeit ein weißer Niederschlag von kohlensaurem Kalke; denn in der atmosphärischen Luft ist ein wenig Kohlendioxyd (CO_2; 15 fälschlich als „Kohlensäure" bezeichnet) vorhanden (in 100 l. Luft etwa 0,03 l. CO_2). Blasen wir aber Luft, die wir ausatmen, mit Hilfe einer Röhre durch Kalkwasser, so entsteht die Trübung sofort, ein Zeichen, daß die ausgeatmete Luft weit mehr Kohlendioxyd enthält als die atmosphärische (etwa 100mal soviel). Bei der 20 Atmung wird vom Körper also Sauerstoff aufgenommen und Kohlendioxyd ausgeschieden. Wird der Austausch dieser beiden Gase nur wenige Minuten unterbrochen, so stirbt der Mensch; er erstickt.

3. Berechnungen haben ergeben, daß ein Erwachsener am 25 Tage 800 bis 1000 g (das sind etwa 500 bis 700 l. !) Sauerstoff aufnimmt. Hieraus geht hervor, wie ungemein wichtig dieses Gas für uns ist. Darum sollte jedermann die Gelegenheit wahrnehmen, möglichst oft und lange sauerstoffreiche Luft einzuatmen, wie sie sich besonders im Freien findet. In Wohn- und Schlafzimmern 30 u. dgl. muß für stete Erneuerung der Luft gesorgt werden (Öffnen der Fenster; künstliche Ventilation), und Räume mit verbrauchter Luft sollte man nach Möglichkeit meiden.

B. Die Atemwerkzeuge und der Vorgang der Atmung

1. *Die Nase*

Die Atemluft wird durch die Nase eingezogen, durchströmt deren Innenraum und gelangt durch zwei Öffnungen (Choanen) in die Rachenhöhle. Sie zieht also beim Eintritt in den Körper zuerst an den Geruchsorganen vorüber. Da nun die schädlichen Beimen-
5 gungen der Luft meist durch den Geruch wahrnehmbar sind, ist die Nase gleichsam ein Wächter für die sehr empfindlichen Lungen und damit für den ganzen Körper.

Eine Längsscheidewand teilt den Innenraum der Nase in zwei Abteilungen. Die Außenwand dieser sogenannten Nasenhöhlen
10 besitzt wieder je einige nach innen gerollte, papierdünne Knochenvorsprünge, die sogenannten Nasenmuscheln. Hierdurch entsteht eine Anzahl enger Gänge, die alle mit Schleimhaut ausgekleidet sind. Streicht nun die Luft durch diese Gänge, so kommt sie mit einer verhältnismäßig großen, erwärmten und feuchten Fläche
15 des Körpers in Berührung. Infolgedessen erwärmt sie sich wie an einem Ofen und nimmt sehr viel Feuchtigkeit auf. Zugleich lagert sich ein beträchtlicher Teil des Staubes, den sie mitführt, auf dem Schleim ab. Alles dies ist von größter Bedeutung; denn gegen kalte Luft und Staub sind die zarten Lungen sehr empfindlich, und
20 die Atemwerkzeuge, die ja beständig von einem Luftstrome durchflossen werden, müßten sehr bald austrocknen und sich heftig entzünden, wenn die eingeatmete Luft nicht immer wieder mit Feuchtigkeit bereichert würde. Wie wichtig es ist, durch die Nase zu atmen, statt durch den Mund, geht hieraus ohne weiteres
25 hervor.

2. *Die Luftröhre mit dem Kehlkopfe*

1. **Die Luftröhre** bildet den Kanal, durch den die Luft aus der Rachenhöhle in die Lungen strömt. Da ihre Wandung durch eingelagerte, C-förmige Knorpelspangen gesteift ist, wird die durchaus notwendige Verbindung zwischen Außenluft und Lungen
30 niemals unterbrochen.

2. **Der Kehlkopf.** Am oberen Ende erweitert sich die Luftröhre zum Stimmorgane, dem Kehlkopfe. Verschieden geformte

Knorpelplatten bilden das feste Gerüst dieses „Musikinstrumentes“. Seine Innenwand ist mit einer Schleimhaut bekleidet, die von den Seiten her als zwei Faltenpaare in die Kehlkopfhöhle vorspringt. In der Ruhe sind diese Falten schlaff und so weit voneinander entfernt, daß die Atemluft ungehindert (lautlos) 5 zwischen ihnen hindurchstreichen kann. Werden die beiden unteren Falten aber durch Muskeln gespannt, dann nähern sie sich einander bis auf einen schmalen Spalt und geraten durch den Luftstrom, der aus den Lungen kommt, in Schwingung. Infolgedessen entsteht wie bei einer Pfeife ein Ton, der hoch oder tief ist, je 10 nachdem die Falten mehr oder weniger straff gespannt sind. Man bezeichnet diese Falten daher als Stimmbänder und den Spalt zwischen ihnen als Stimmritze. Die oberen Falten, die sog. falschen Stimmbänder, sind an der Stimmbildung nicht beteiligt. — Unter Mithilfe von Gaumen, Zunge, Nase, Zähnen und Lippen 15 wird die Stimme des Menschen zur Lautsprache.

Da die Luftröhre vor der Speiseröhre liegt, geht die Nahrung beim Verschlucken über den Kehlkopf hinweg. Der Luftweg wird daher während dieses Vorganges verschlossen. Dies geschieht durch den Kehlkopfdeckel, der wie eine Falltür den Eingang zum 20 Kehlkopfe versperrt, während er sonst aber geöffnet ist. Sprechen wir während des Schluckens, so gelangen Speiseteile in den Luftweg (in die sogenannte, „falsche oder unrechte Kehle“). Sofort stellt sich durch heftiges Auspressen der Luft aus den Lungen ein Husten ein, der den gefährlichen Eindringling meist wieder entfernt. 25

Unterhalb des Kehlkopfes liegt die Schilddrüse, die, wenn sie sich krankhaft vergrößert, den Kropf bildet. Ihre Bedeutung ist noch nicht sicher erkannt.

3. *Die Lungen*

1. Verzweigung der Luftröhre. Die Luftröhre teilt sich am unteren Ende in zwei Äste, die sich, immer feiner werdend, wie ein 30 Baum verzweigen und sich so in immer engere Kanäle auflösen. Alle diese Röhren (Bronchien) und Röhrchen sind samt der Luftröhre und — wie erwähnt — dem Kehlkopfe mit einer Schleimhaut ausgekleidet, die dieselben Aufgaben zu erfüllen hat wie die der Nase. Werden aber durch den immer von neuem abgeschiede- 35 nen Schleim und durch den eingedrungenen Staub die Atemwege nicht schließlich verstopft? Dies geschieht nicht; denn die äußerste Schicht der Schleimhaut besteht aus Zellen, die an ihrer Außenseite zahlreiche fadenförmige Fortsätze tragen. Alle diese Millionen von Fädchen bewegen sich taktmäßig wie ein wogendes Getreidefeld beim Winde, und zwar schlagen sie nach dem Munde zu mit größerer Kraft, als wenn sie sich zurückbewegen. Hierdurch werden jene Stoffe immer weiter nach außen befördert, so daß sie schließlich in die Rachenhöhle gelangen. Dann bedarf es nur noch eines Räusperns oder Hustens, um sie als Auswurf gänzlich aus dem Körper zu entfernen. Und welche Mengen von Schleim und Staub oft auf diese Weise beseitigt werden, weiß jedermann. Mit genau ebensolchen Flimmerzellen ist auch die Schleimhaut der Nase ausgerüstet.

Sind die Schleimhäute der Luftwege entzündet, so sondern sie in der Regel sehr viel Schleim ab (Luftröhren- oder Bronchialkatarrh; Nasenkatarrh oder Schnupfen).

2. **Lungen und Vorgang der Atmung.** Die feinsten Verzweigungen der Luftröhrenäste münden in die zarten, elastischen Lungenbläschen. Viele Millionen dieser winzigen Gebilde stellen die Hauptmasse der beiden Lungen dar, die an den Luftröhrenästen in der Brusthöhle gleichsam aufgehängt sind und deren Innenwand stets eng anliegen. Da beide aber mit beständig feuchten Häuten — die Lungen mit dem Lungenfelle und die Brustwand mit dem Rippenfelle — überzogen sind, gleiten die Lungen bei der Atemtätigkeit glatt an der Brustwand dahin. Entzünden sich diese Schleimhäute, so entsteht die sehr gefährliche Lungenfell- bzw. Rippenfellentzündung.

Jedes Lungenbläschen ist von einem Netze haarfeiner Blutgefäße (Haargefäße) umsponnen, die immer von neuem mit stark kohlendioxydreichem Blute vom Herzen aus gefüllt werden. Durch die zarte Wand jedes Bläschens sind also zwei Luftarten voneinander getrennt: der Sauerstoff der atmosphärischen Luft in den Bläschen und das Kohlendioxyd im Blute der Haargefäße. Ein leicht anzustellender Versuch lehrt aber folgendes: Werden zwei Gefäße, die durch eine feuchte tierische Haut voneinander getrennt sind, mit verschiedenen Luftarten gefüllt, dann findet so lange ein

Austausch zwischen beiden statt, bis sie sich vollständig miteinander gemengt haben (Diffusion). So tauschen sich auch in jedem Lungenbläschen Sauerstoff und Kohlendioxyd gegenseitig aus, ein Vorgang, in dem wir oben das Wesen der Atmung erkannt haben. Das Kohlendioxyd wird ausgeatmet, der Sauerstoff aufgenommen und vom Blute fortgeführt. Hierdurch erscheint uns auch die riesige Anzahl der Lungenbläschen verständlich. In dem verhältnismäßig kleinen Raume, den die Lungen einnehmen, schaffen sie eine Fläche von etwa 200 qm, auf der das Blut unter einer feinen Haut der Einwirkung der Luft ausgesetzt wird.

Der Austausch zweier Gase durch eine Haut erfolgt aber nur dann leicht, wenn letztere feucht ist. Diese Tatsache zeigt uns von neuem, wie wichtig es ist, daß die Luft in den Atemwegen angefeuchtet wird, und sie erklärt uns auch, warum die Lungen selbst fortgesetzt Wasserdampf ausscheiden. Wie groß diese Dampfmengen sind, erkennen wir leicht an kalten Tagen, wenn unser „Hauch" sichtbar wird, oder wenn sich das Wasser des Atems an einer kalten Glasscheibe niederschlägt.

3. Atembewegungen. Die Luft in den Lungen gibt also beständig einen großen Teil ihres Sauerstoffes an den Körper ab und nimmt dafür Kohlendioxyd auf. Sie muß daher immer wieder entfernt und durch „unverbrauchte" ersetzt werden. Eine solche regelmäßige Erneuerung hat nun während des ganzen Lebens zu erfolgen. Wie geschieht sie?

a) Brust- und Bauchhöhle sind durch eine Scheidewand voneinander getrennt. Diese wird von dem teils sehnigen, teils muskulösen Zwerchfell gebildet, das in der Ruhe kuppelartig nach oben gewölbt ist. Ziehen sich seine Muskelfasern zusammen, so flacht es sich ab und drückt die Baucheingeweide, wie deutlich zu fühlen ist, etwas nach unten und außen. Umgekehrt erweitert sich dadurch aber die Brusthöhle. Da nun die Lungen — wie bereits erwähnt — den Wänden dieses Hohlraumes stets eng anliegen, erweitern sie sich gleichfalls. Infolgedessen wird in ihnen die Luft stark verdünnt, so daß durch die Atemwege Luft von außen einströmen muß: die Lungen werden wie ein Blasebalg aufgebläht (Einatmung!). Hört das Einströmen auf, dann ziehen sich die elastischen Lungenbläschen wieder zusammen und treiben einen großen Teil der Luft ins Freie (Ausatmung!). Unterdes hat sich auch das Zwerchfell wieder gewölbt, und der Vorgang beginnt von neuem. Beim Ausatmen bleibt jedoch stets etwas Luft in den Lungen zurück. Der Gasaustausch wird also niemals unterbrochen. 5 Zugleich mischt sich die erwärmte zurückbleibende Luft mit der einströmenden, so daß selbst bei eisiger Winterkälte die empfindlichen Lungen vor zu starker Abkühlung bewahrt werden.

b) Beim gewöhnlichen Atmen, wie es besonders im Sitzen erfolgt, ist das Zwerchfell allein in Tätigkeit (Bauchatmung!). Dann 10 dehnen sich — wie leicht zu beobachten ist — nur die unteren Teile der Lungen aus, während die oberen fast gänzlich ruhen. Bei starker körperlicher Tätigkeit dagegen hebt und senkt sich — wie man deutlich fühlen und sehen kann — der ganze Brustkorb. Er wird in erster Linie von den zwischen den Rippen sich ausspannen- 15 den Muskeln emporgehoben und sinkt wieder zurück, wenn jene aufhören, sich zusammenzuziehen (Brustatmung!). Hierbei wird der Brustkorb natürlich weit stärker erweitert als bei der Bauchatmung: wir atmen tiefer. Vor allen Dingen werden auch die oberen Lungenabschnitte, die Lungenspitzen, mit in Tätigkeit versetzt.

20 c) Hieraus geht ohne weiteres hervor, welch großen Wert körperliche Bewegung (körperliche Arbeit, Turnen, Wandern, Bergsteigen u. s. w.) gerade für denjenigen hat, der einen großen Teil des Tages sitzt, und wie gefährlich gar das Krummsitzen beim Lesen, Schreiben, Nähen u. dgl. ist. Bei fortgesetzter Untätigkeit 25 erkranken schließlich die Lungenspitzen und damit die Lungen und der ganze Mensch.

Besonders gegen die Schwindsucht oder Tuberkulose, eine Krankheit, die alle Teile des Körpers befallen kann, zeigen sich die Lungen dann gänzlich widerstandslos. Sie erkranken von den 30 Spitzen aus immer mehr und werden nach und nach vollkommen zerstört. Ein qualvolles Siechtum, das meist langsam zum Tode führt, ist die Folge der schrecklichen Krankheit. Und wieviel Not und Elend sie in die Familien trägt, kann jeder in seinem Kreise beobachten. Ist doch in Deutschland fast der vierte Teil 35 aller Todesfälle auf sie zurückzuführen!

Die Ansteckung bewirkt ein winziger Spaltpilz, der Tuberkelbazillus. Er gelangt vornehmlich dadurch in unseren Körper, daß wir Teilchen von dem eingetrockneten und durch die Luft verwehten Auswurfe Schwindsüchtiger oder die winzigen Speicheltröpfchen einatmen, die die Kranken beim Husten oder Sprechen verbreiten. Auch durch die Milch und das Fleisch kranker Tiere kann eine Ansteckung erfolgen, ferner dadurch, daß man Wunden 5 und Verletzungen mit unreinen Händen berührt oder unreine Gegenstände (Trinkgläser, Löffel, Gabeln u. dgl.) in den Mund nimmt. Daher sollte man das Ausspeien auf den Boden überall vermeiden und an Orten, an denen zahlreiche Menschen verkehren, Spucknäpfe aufstellen, die mit Wasser gefüllt sind. Darum sollte 10 man ferner bei der Zubereitung und Aufbewahrung der Speisen (Fliegen !) die nötige Sauberkeit beobachten (vor allen Dingen Milch und Fleisch vor dem Verzehren gründlich kochen !) und in allen Teilen des Hauses, auf den Höfen, Straßen und am eigenen Körper, die größte Reinlichkeit walten lassen. Da nun schwäch- 15 liche Menschen besonders leicht von der Schwindsucht befallen werden, sollte endlich jeder alles meiden, was seinen Körper schwächen könnte. Man sorge für eine zweckmäßige, gute Ernährung; man meide alkoholische Getränke und andere Genußmittel; man wähle sich eine sonnige Wohnung, die fleißig zu lüften 20 ist, und man suche seinen Körper durch häufigen Aufenthalt im Freien und durch körperliche Bewegung zu stählen. Ein kräftiger Körper ist übrigens nicht nur gegen die Lungenschwindsucht, sondern gegen alle Krankheiten weit widerstandsfähiger als ein schwächlicher. 25

Sehr große Gefahren für die Gesundheit hat auch die bei Mädchen und Frauen weit verbreitete Unsitte des Schnürens im Gefolge; denn bei einem zusammengepreßten oder gar verkrüppelten Brustkorbe muß die Atmung im höchsten Grade beeinträchtigt werden. 30

Häuft sich das Kohlendioxyd zu stark im Körper an, so tritt der Tod ein: der Mensch erstickt. Daher muß man bei Verunglückten, die dieser Gefahr nahe sind — also bei Personen, die bewußtlos aus dem Wasser gezogen wurden, die giftige Gase eingeatmet oder sich erhängt haben, die durch Erdmassen verschüttet 35 oder durch den Blitz betäubt worden sind u. s. w. — dafür Sorge tragen, daß der unterbrochene Luftaustausch wiederhergestellt

wird. Dies geschieht durch sofortige Einleitung der künstlichen Atmung. Zu diesem Zwecke legt man den Scheintoten auf den Fußboden, auf eine Bank o. dgl., befreit ihn von allen beengenden Kleidungsstücken und schiebt ihm einen festen Gegenstand (z. B.
5 zusammengerollte Jacke) unter das Kreuz, so daß der Kopf etwas tiefer liegt als die Brust. Nachdem ihm die Zunge soweit als möglich aus dem Munde gezogen und durch ein Tuch festgebunden ist, kniet man hinter seinem Kopfe nieder, ergreift seine Arme dicht unter dem Ellbogen und führt sie im Halbkreise über den Kopf, bis
10 sich die Hände berühren. Infolge dieser Bewegung wird die Brust so erweitert, daß sich die Lungen mit Luft füllen. Darauf bewegt man die Arme des Scheintoten langsam zurück und preßt sie seitlich gegen dessen Brustkorb. Dadurch entweicht die Luft aus den Lungen. Diese Atembewegungen müssen so lange fortgesetzt
15 werden, bis der Bewußtlose selbständig wieder zu atmen beginnt. Darüber kann aber oft mehr als eine Stunde vergehen. Darum darf der Helfende mit seinen Bemühungen auf keinen Fall früher nachlassen, als bis ein Arzt den eingetretenen Tod festgestellt hat.

DAS BLUT UND DER BLUTKREISLAUF

A. *Das Blut*

Untersuchen wir ein wenig Blut unter dem Mikroskope, so
20 sehen wir, daß es aus einer farblosen Flüssigkeit, dem Blutwasser, und einer großen Menge sehr kleiner, gelbroter Scheiben besteht. Diese sogenannten Blutkörperchen geben dem Blute infolge ihrer riesigen Anzahl — jeder Kubikmillimeter enthält etwa fünf Millionen dieser Gebilde — die bekannte rote Farbe. Sie sind es,
25 die sich bei der Atmung schnell und stark mit Sauerstoff beladen, ihn ebenso schnell an sauerstoffbedürftige Körperteile abgeben und gegen Kohlendioxyd eintauschen. Da sie nun in einer Anzahl auftreten, die weit in die Billionen geht, schaffen sie in dem engen Raume der Blutgefäße eine erstaunlich große Fläche zum Aus-
30 tausche dieser beiden Luftarten; hat man doch ihre gesamte Oberfläche für einen Erwachsenen auf etwa 3800 qm berechnet!

Erhält der Körper nicht genug Sauerstoff, so erlischt das Leben sofort. Krankhafte Störungen des Allgemeinbefindens treten schon auf, wenn der Mensch nicht genug rote Blutkörperchen besitzt, z. B. bei der Bleichsucht oder Blutarmut. Durch diesen Mangel an roten Blutkörperchen kann den Körperorganen nicht die ausreichende Menge Sauerstoff zugeführt werden. Blut, das reich mit Sauerstoff beladen ist, sogenanntes arterielles Blut, sieht 5 hellrot aus; sauerstoffarmes, aber kohlendioxydreiches, sogenanntes venöses Blut dagegen ist von dunkelroter Farbe.

In dem Blutstropfen, den wir betrachten, finden wir neben den zahlreichen roten auch noch weiße Blutkörperchen in geringerer Anzahl. Sie sind kugelig und besitzen — ganz ähnlich wie ein 10 Wechseltierchen — die Fähigkeit, ihre Form beständig zu ändern. Ihre Bildung erfolgt in erster Linie in den Lymphdrüsen, weshalb sie auch als „Lymphkörperchen" bezeichnet werden. Auch die Milz und das Knochenmark scheinen an ihrer Entstehung beteiligt zu sein. 15

Die Milz ist eine blaurote Drüse, die der linken Seite des Magens anliegt. Etwas Sicheres über die Arbeit, die sie im Körper leistet, kennt man bisher nicht.

Außerhalb des Körpers gerinnen die in der Blutflüssigkeit gelösten Eiweißstoffe alsbald in Form verfilzter Fasern. Durch 20 dieses Gerinnsel werden bei Verwundungen die verletzten Gefäße verstopft und somit Blutungen gestillt.

B. *Der Blutkreislauf*

I. *Die Werkzeuge des Blutkreislaufes*

1. Die Blutgefäße. Der Sauerstoff, mit dem sich die Blutkörperchen in den Lungen beladen, muß — warum, wird sich später zeigen — den einzelnen Körperteilen zugeführt werden. Dies 25 geschieht ähnlich wie die Versorgung einer Stadt mit Wasser durch eine weitverzweigte Röhrenleitung, durch die Blutgefäße der Adern. Die Bewegung des Blutes durch den Körper kann man beim Menschen nicht sehen, leicht und deutlich aber bei Anwendung schwacher mikroskopischer Vergrößerung, z. B. im Schwanz 30 einer Froschlarve.

Wie das Wasser in der Leitung eines Antriebes bedarf, damit es seinen Weg bis in die höchsten Stockwerke der Häuser nehmen

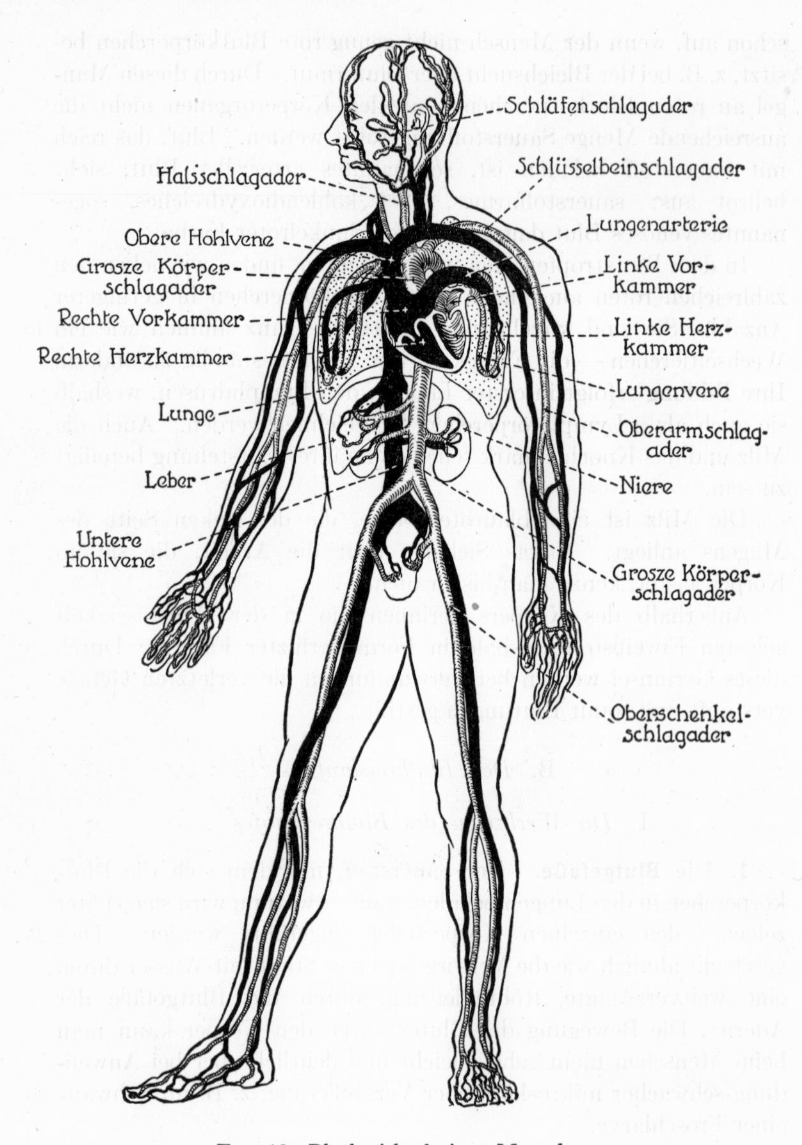

FIG. 16. Blutkreislauf eines Menschen.

kann, muß auch das Blut angetrieben werden, um in alle Teile des Körpers zu gelangen. Dies geschieht durch ein „ Pumpwerk “, das Herz (s. w. u.). Im Gegensatze zu dem Wasser in der Leitung kehrt das Blut zur Antriebsstelle aber immer wieder zurück und erhält jedesmal einen neuen Anstoß. Man redet darum von einem 5 Blutkreislaufe. Die Gefäße, die das Blut vom Herzen fortleiten, die Schlagadern, Pulsadern oder Arterien, müssen also mit den-

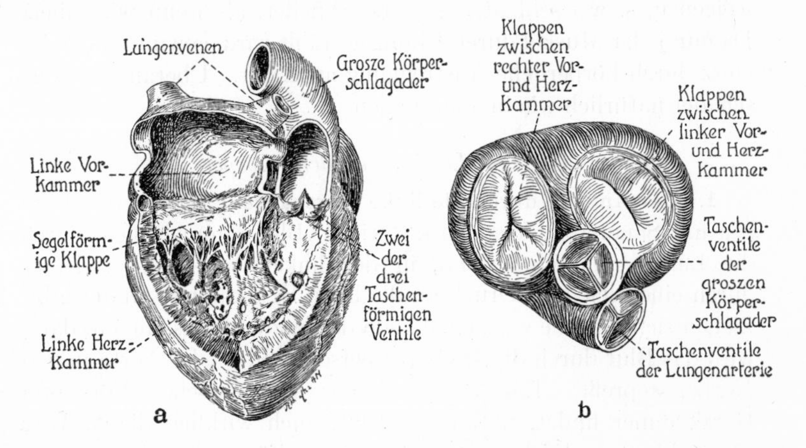

Fig. 17. Herz. 1. Senkrecht von hinten durchschnitten. 2. Quer durchschnitten.

jenigen, die es zurückführen, den Blutadern oder Venen, in Verbindung stehen. Diese Verbindung vermitteln die bereits erwähnten Haargefäße (Kapillargefäße), die gerade weit genug sind, um die 10 Blutkörperchen hindurch zu lassen.

2. **Das Herz** ist ein Hohlmuskel, der beim Erwachsenen die Größe einer Faust übertrifft und schräg in der Mitte der Brust so liegt, daß seine Spitze nach links zeigt. Umgeben ist es von einem häutigen Sacke, dem Herzbeutel. Durch eine Längswand 15 wird es in zwei Hälften geschieden, und jede Hälfte ist wieder durch eine Querwand in eine Vor- und eine Herzkammer geteilt. Zwischen der rechten und linken Hälfte besteht keine Verbindung, wohl aber zwischen der Vor- und Herzkammer jeder Seite.

Wie jeder Muskel besitzt das Herz die Fähigkeit, sich zusam- 20 menzuziehen und wieder auszudehnen, und zwar geschieht dies mit größter Regelmäßigkeit. Die Bewegungen der sehr muskulösen beiden Herzkammern erfolgen gleichzeitig und werden von uns als Herzschlag gefühlt und gehört. Wie man leicht feststellen kann, 5 zieht sich das Herz eines erwachsenen Menschen in einer Minute 70 bis 80mal zusammen, das eines Kindes etwa 90mal. Bei kräftiger Bewegung (körperlicher Arbeit, Turnen, Wandern, Bergsteigen u. s. w.) schlägt das Herz schneller, als wenn wir ruhen. Da nun jeder Muskel durch Übung gestählt wird, gewinnt auch das 10 Herz durch körperliche Anstrengung an Kraft. Überanstrengung schadet natürlich wie in allen Fällen.

II. *Der Lauf durch den Körper*

1. Der Antrieb durch die linke Herzhälfte. Das in den Lungen mit Sauerstoff beladene (arterielle) Blut sammelt sich, durch die Lungenvene einfließend, in der linken Vorkammer, die es 15 durch einen leichten Druck an die linke Herzkammer weiter gibt. Ziehen sich nun die starken Wände der letzteren zusammen, dann wird das Blut durch die große Körperschlagader oder Aorta in den Körper gepreßt. Ein Verschluß, der sich zwischen Vor- und Herzkammer findet, nötigt das Blut, auch wirklich diesen Weg 20 einzuschlagen. Er besteht aus zwei segelförmigen Klappen, die trichterförmig in die Herzkammer vorspringen und deren freier Rand durch sehnige Stränge wie durch kleine Taue an der Wand der Herzkammer befestigt ist. Da sich diese „ Tür “ also nach innen (nach der Herzkammer zu) öffnet, vermochte — wie wir 25 gesehen haben — Blut aus der Vorkammer einzufließen. Das einströmende Blut staut sich aber unter den Klappen und bläht sie auf wie der Wind die Segel. Ist die Herzkammer gefüllt und beginnt der Druck, der das Blut in die große Körperschlagader treibt, dann legen sich die Klappen so fest aneinander, daß ein Rückfluß in die 30 Vorkammer unmöglich ist.

2. Der Lauf durch die Schlagadern. Dehnt sich das Herz wieder aus, so würde das Blut aus der großen Körperschlagader in die Herzkammer zurückkehren, wenn sich zwischen beiden nicht gleichfalls eine „ Tür “ befände. Es ist dies ein aus drei taschen- 35 artigen Klappen bestehendes Ventil, das sich wohl nach außen öffnet, beim Zurückdrängen des Blutes aber, ähnlich wie die Tore einer Schleuse, geschlossen wird.

Die große Körperschlagader teilt sich in immer feinere Gefäße, die das Blut in alle Teile des Körpers führen. An den größeren, oberflächlich liegenden Schlagadern fühlt man deutlich die stoß- 5 weise Fortbewegung des Blutes, den Pulsschlag, eine Tatsache, die den Namen dieser Gefäße hinreichend erklärt. Da sie den starken Herzdruck aushalten müssen, besitzen sie dicke und elastische Wände.

3. Der Lauf durch die Haargefäße. a) Die feinsten Schlag- 10 adern lösen sich schließlich in Haargefäße auf, die alle Teile des Körpers durchsetzen und umspinnen. Da ihre Wände sehr dünn sind, kann hier wie in den Lungenbläschen gleichfalls ein Gasaustausch stattfinden. Dies geschieht auch, nur mit dem Unterschiede, daß jetzt Sauerstoff, mit dem die Blutkörperchen ja 15 reichbeladen sind, in die Körperteile (Muskeln, Nerven, Knochen u. s. w.) eindringt, während Kohlendioxyd aus den Körperteilen in das Blut übergeht.

b) Woher stammt aber das Kohlendioxyd ? Der in die Muskeln, Nerven, Knochen u. s. w. eindringende Sauerstoff verbindet 20 sich chemisch mit den kleinsten Teilen dieser Organe. Da man jede Verbindung eines Körpers mit Sauerstoff eine Verbrennung (Oxydation) nennt, so „ verbrennen " (oxydieren) auch die Muskeln, Nerven, Knochen u. s. w. langsam, aber beständig. Wie sich bei der Verbrennung kohlenstoffhaltiger Körper (z. B. der 25 Kohlen, des Holzes) stets Kohlendioxyd bildet, entsteht auch hier dieses giftige Gas.

Die Erfahrung lehrt nun, daß bei jeder Verbrennung Wärme erzeugt wird. Wie man z. B. bei der langsamen Verbrennung, der Verwesung (Düngerhaufen !) erkennt, braucht sich dabei aber 30 durchaus nicht immer eine Flamme zu bilden. So erfolgt auch die Verbrennung in unserem Körper unter Entwicklung von Wärme, die beim gesunden Menschen etwa 37° C beträgt. Nur bei dieser „ Eigenwärme " gehen im menschlichen Körper die Verbindung der Teilchen mit Sauerstoff, wie überhaupt alle Lebenstätigkeiten, 35 leicht vonstatten, eine Erscheinung, die — wie früher erwähnt — auch bei den gleichwarmen Säugern und Vögeln zu beobachten ist.

Sinkt die Temperatur auch nur um einige Grade, so werden diese Tätigkeiten gestört; sinkt sie noch tiefer, dann stellen die Organe ihre Arbeit ein: der Mensch stirbt. Ebenso ist eine Erhöhung der Temperatur (Fieber!) von großen Gefahren begleitet. Bei 5 42,6° C tritt erfahrungsgemäß der Tod ein. Da wir beständig Wärme an unsere Umgebung abgeben, muß auch immer von neuem Wärme erzeugt werden. Wie geschieht dies?

c) Wollen wir eine Dampfmaschine in Gang setzen, so zünden wir unter dem Kessel Holz oder Kohlen an, die mit heller Flamme 10 nach und nach verbrennen. Versäumen wir, das Feuer zu unterhalten, dann bleibt die Maschine stehen. Ebenso verhält es sich mit der „Maschine" unseres Leibes, wenn dem „Feuer" im Körper nicht fortgesetzt neue Brennstoffe zugeführt werden (Entkräftung). Diese Zufuhr erfolgt gleichfalls durch das Blut, in 15 dem die Brennstoffe gelöst vorhanden sind. Wie bei der Verbrennung von Kohle oder Holz, so bleiben auch bei der Verbrennung in unserem Körper (außer dem Kohlendioxyd) Abfallstoffe, „Schlakken", zurück. Sie sind in Körperflüssigkeiten gelöst und müssen beseitigt werden. Durch die Wandungen der Haargefäße sind also 20 nicht nur zwei Luftarten, sondern auch zwei verschiedene Flüssigkeiten getrennt. Da sich nun verschiedene Flüssigkeiten durch dünne Häute genau so austauschen wie zwei Luftarten, dringen die Brennstoffe durch die zarten Wände der Haargefäße in die Muskeln, Nerven, Knochen u. s. w. ein, während die Abfallstoffe aus 25 jenen Teilen in das Blut übergehen. Lagern sich mehr Stoffe ab als verbraucht werden, dann nimmt der Körper an Gewicht zu (Wachstum), werden mehr Stoffe verbraucht als zugeführt, so verliert er an Gewicht.

4. Der Lauf durch die Blutadern. Das in den Haargefäßen 30 kohlendioxydreich und dunkelrot gewordene (venöse) Blut sammelt sich in immer größeren Gefäßen, den bereits erwähnten Blutadern oder Venen, von denen die oberflächlich liegenden als bläuliche Stränge durch die Haut schimmern. In ihnen ist von dem Herzdrucke nichts mehr zu verspüren. Ihre Wandungen sind dement- 35 sprechend auch viel schwächer als die gleich weiten Schlagadern. Die Blutadern der Gliedmaßen und des Halses sind mit häutigen Ventilen ausgerüstet, die sich nur nach dem Herzen zu öffnen und so ein Zurückfließen des Blutes verhindern. In zwei großen Stämmen, der unteren und oberen Hohlvene, münden sie endlich in die rechte Vorkammer des Herzens.

Den Weg von der linken Herzkammer bis zur rechten Vorkammer, den das Blut bis jetzt zurückgelegt hat, nennt man — 5 obgleich der Kreis noch nicht völlig geschlossen ist — den großen oder Körperkreislauf. Ihm steht der kleine oder Lungenkreislauf gegenüber, den das Blut nunmehr antritt.

5. Der Lauf durch die Lungen. Das Blut fließt aus der rechten Vorkammer in die rechte Herzkammer, die es durch eine große 10 Schlagader, die Lungenarterie (die also venöses Blut führt !), in die Lunge pumpt. Wie auf der linken Seite verhindern auch hier Ventile den Rückfluß des Blutes. Der zwischen der rechten Vor- und Herzkammer befindliche Verschluß besteht aber aus drei segelförmigen Klappen. In den Lungen löst sich die große Schlag- 15 ader in immer engere Gefäße und schließlich in Haargefäße auf, in denen — wie wir oben gesehen haben — der Austausch des Kohlendioxyds gegen den Sauerstoff der Luft erfolgt. Die Haargefäße vereinigen sich dann wieder zu Blutadern, den Lungenvenen (sie führen also arterielles Blut !), die in die linke Vorkammer münden. 20 Jetzt ist das Blut wieder zu dem Orte zurückgekehrt, von dem ab wir es verfolgt haben; es hat also seinen Kreislauf beendet.

DIE BIOLOGIE UND IHRE SCHÖPFER *

PASTEUR UND KOCH

Die Kenntnis der Bakterien, dieser winzigsten Lebewesen, hat einen ungeahnten Einfluß auf die Entwicklung der allgemeinen Biologie gehabt. Es sind ja viele Fragen bezüglich der Bakterien rein medizinische, aber andere Phasen ihres Lebens und ihrer
5 Tätigkeit sind im weitesten Sinne biologisch, und einige dieser letzteren Eigenheiten wollen wir im folgenden einer Betrachtung unterziehen.

Die Bakterien wurden zum ersten Male 1683 von Leeuwenhoek beschrieben, 12 Jahre nach seiner Entdeckung der mikroskopischen
10 „ animalcula “, der heutigen Protozoen. Sie sind von so unendlich geringer Größe, daß sie unter seinem Mikroskop als bloße Punkte erschienen, und eine wirkliche Beobachtung dieser winzigen Organismen war natürlich so gut wie unmöglich, bis um die Mitte des 19. Jahrhunderts eine Verbesserung der Mikroskoplinsen
15 erfolgte. Es ist für die geringe Kenntnis der Bakterien zu Linnés Zeit bezeichnend, daß dieser sie mit anderen mikrokopischsen Formen in eine Gruppe als „ Chaos “ zusammenfaßte.

Auf den ersten Anblick erscheinen die Bakterien zu unbedeutend, um für den Menschen eine größere Rolle zu spielen, aber ein
20 großer Wissenschaftszweig, die Bakteriologie, ist infolge ihres Studiums entstanden, und bekanntermaßen ist ihre Entwicklung von einer eminent praktischen Bedeutung geworden. Diese Kenntnisse entwickelten sich aus der experimentellen Beobachtung der Bakterien, und sie ist der leuchtendste Strahl in einem düs-
25 teren Gebiete, das mit dem Wohl und Wehe der Menschheit aufs engste zusammenhängt. Dem Fortschritt dieser Kenntnisse verdanken wir die Keimtheorie der Krankheiten und die Befähigung der Ärzte, den Kampf mit den Infektionskrankheiten aufzunehmen. Die drei größten Namen, die mit dem Wachstum der

* Aus — W. A. Locy, Die Biologie und ihre Schöpfer. Henry Holt and Co.

Bakteriologie verknüpft sind, sind Pasteur, Koch und Lister, deren Forschungsergebnisse uns später beschäftigen werden.

Unter den Fragen allgemeiner Art, die mit der Bakterienforschung zusammenhängen, nehmen wir zunächst die nach der Urzeugung auf.

Es ist leicht ersichtlich, daß die Frage nach der spontanen Erzeugung des Lebens für den Biologen eine Kardinalfrage ist. Entsteht Leben immer nur aus vorher existierendem Leben, oder kann es unter gewissen Bedingungen selbständig, also aus Unbelebtem, entstehen? Gibt es in der anorganischen Welt irgendein glückliches Zusammentreffen von Atomen, die durch die Sonnenstrahlen oder andere Naturkräfte derart aneinander gekettet werden, daß ein lebendes Molekül im Laboratorium der Natur entsteht ohne Berührung oder engste Vereinigung mit lebender Materie? Das sind die beiden Fragen der Biogenese — Leben aus Leben — und der Abiogenese — Leben ohne vorangehendes Leben oder allein aus anorganischer Materie: generatio aequivoca sive spontanea.

Es sind Fragen, die eine lange Vorgeschichte besitzen. In ihrer frühesten Zeit enthalten sie keine Betrachtung mikroskopischer Organismen, da diese ja unbekannt waren, aber die späteren und die heutigen Phasen beschäftigen sich hauptsächlich mit Bakterien und anderen mikroskopischen Lebewesen. Die historische Entwicklung mag nach hergebrachter Weise in drei Gruppen gegliedert werden: 1. die Zeit von Aristoteles (325 v. Chr.) bis zu Redis Versuchen (1668); 2. von hier bis zu Schultze und Schwann (1836–1837) und 3. die heutige Zeit, seit Pouchets Beobachtungen (1859) bis zur Gegenwart.

In der ersten Periode war die Ansicht von der Urzeugung allgemein gültig, und die ganze Frage nach dem freien Entstehen des Lebens bestand in kindlichen und seltsamen Anschauungen. Man glaubte beispielsweise, daß Frösche und Kröten aus dem Schlamm von Sümpfen und Flüssen durch die lebende Kraft der Sonnenstrahlen entständen; Ratten sollten aus dem Nilschlamm entstehen, dem Tau sollten die Insekten ihre Entstehung verdanken, und so fort.

Die wissenschaftlichen Schriftsteller jener Zeit bewiesen dafür kein klares Verständnis; sie taten sich in verächtlichen und hämischen Äußerungen auf Kosten derjenigen zugute, die an der Urzeugung Zweifel hegten. Im 17. Jahrhundert konnte Alexander Ross seinen Gegner Thomas Brown, der an der Entstehung der Mäuse durch Fäulnis zweifelte, mit folgenden Worten abtun: „So können wir ja auch daran zweifeln, daß im Käse oder Holz Würmer entstehen, oder Käfer und Wespen im Kuhdünger, oder Schmetterlinge, Heuschrecken, Muscheln, Schnecken, Aale u. dgl. aus faulender Substanz, die immer die Form erhalten muß, zu der sie von der bildenden Kraft prädisponiert ist. Hieran zweifeln heißt an der Vernunft, den Sinnen, der Erfahrung zweifeln. Wer dieses leugnet, mag nach Ägypten gehen, und da wird er die Felder mit Mäusen bevölkert sehen, die aus dem Schlamm des Nils entstanden sind, eine große Kalamität der Einwohner."

Die zweite Periode umfaßt die experimentellen Beweise von Redi (1668), Spallanzani (1775) und Schwann (1837), bedeutsame Leistungen, die in einer Entscheidung für die Anhänger der Biogenese gipfelten. Hier würde diese Frage ihren Abschluß gefunden haben, wäre sie nicht 1859 von Pouchet auf theoretischem Wege neu angeschnitten worden.

Der Glaube an die Urzeugung, der in den Köpfen der Naturwissenschaftler so fest eingewurzelt war, wurde 1668 von dem Italiener Redi einer experimentellen Prüfung unterworfen. Es ist ein eigentümlicher, aber auf die intellektuelle Entwicklung jener Zeit ein helles Licht werfender Umstand, daß vor Redi nicht ein einziger den Versuch gemacht hatte, die Wahrheit oder Unwahrheit der Theorie der Urzeugung nachzuprüfen. Dieser Frage von der experimentellen Seite beizukommen, war eine Tat von höchstem Verdienst für die Wissenschaft.

Der Versuch Redis war einfach; er brachte Fleisch in Töpfe, einen Teil unbedeckt, den anderen mit Pergament und den dritten mit Drahtgeflecht bedeckt. Das Fleisch in diesen Gefäßen begann zu faulen, und vom Geruche angelockte Fliegen legten ihre Eier an das offene Fleisch, aus denen eine Menge Maden auskrochen. Das mit Pergament verdeckte Fleisch ging gleichfalls in Fäulnis über, ohne aber Maden zu enthalten. Im dritten Falle legten die Fliegen ihre Eier auf das Drahtnetz ab, auf welchem dann die

Maden erschienen, anstatt im Fleisch. So war der Beweis geliefert, daß die Fliegen nicht aus dem Fleisch, sondern aus den Eiern der eigenen Art entstanden, und dadurch der allgemeinen Anschauung die Grundlage entzogen.

Redi stellte weitere Beobachtungen über die Entstehung der Insekten an, aber bei scharfer wissenschaftlicher Forschung ließ er nie seine Folgerungen den Beobachtungen vorauseilen. Indessen nahm er doch an, daß wahrscheinlich in allen Fällen der Lebenserzeugung aus toter Materie diese aus einer Hineintragung lebender Keime von außen her herrühre. Diese von Redi begonnene tüchtige Arbeit wurde von Swammerdam (1637–1681) und Vallisneri (1661–1730) fortgesetzt und ausgedehnt, bis der Begriff der Urzeugung jeder Form des für das unbewaffnete Auge sichtbaren Lebens aus den Köpfen der Forscher verbannt war.

Francesco Redi (1626–1697) war Arzt in Arentino, ebenso ausgezeichnet durch seine schöngeistigen Talente wie seine wissenschaftlichen Erfolge. Er war medizinischer Berater zweier Großherzöge von Toskana und Mitglied der Akademie von Crusca. Poetische und andere literarische Produktionen wechselten mit wissenschaftlicher Betätigung ab. Seine gesammelten — literarischen, wissenschaftlichen und medizinischen — Werke wurden in neun Oktavbänden 1809–1811 in Mailand herausgegeben. Diese Sammlung enthält seine Biographie und Briefe und einen Band Sonette. Das Buch, das seine Versuche enthält, ein Quartband, war betitelt: „Esperienze intorno alla generazione degl' insetti" und erschien 1668 in Florenz. In 20 Jahren erlebte es fünf Auflagen. Dieses und andere wissenschaftliche Werke Redis wurden später ins Lateinische übersetzt und in Miniaturausgaben veröffentlicht, die nicht höher als vier Zoll waren. Huxley sagt von ihm: „Die große Einfachheit seiner Versuche und die Klarheit seiner Beweisführung verschafften seinen Ansichten und seinen Folgerungen beinahe universelle Geltung."

Die Frage nach der Urzeugung sollte jedoch bald ein anderes Gesicht erhalten. Sieben Jahre nach dem Experiment Redis wurde durch Leeuwenhoek eine neue Welt mikroskopischer Organismen, die Infusorien, bekannt, und 1683 entdeckte er, wie wir sahen, die noch winzigeren Formen der Bakterien. Richtig gesagt, wurden die Bakterien anläßlich ihrer außerordentlichen Kleinheit nicht in die Frage hineinbezogen, aber die Urzeugung wurde wieder zum Leben erweckt, um die Entstehung der mikroskopischen Wesen zu erklären, und die Frage betraf nun hauptsächlich die Infusorien. 5 Obwohl der Glaube an die Urzeugung mit bloßem Auge sichtbarer Tiere erschüttert war, so stiegen nichtsdestoweniger Zweifel an der Entstehung mikroskopischer Organismen auf, und man behauptete, hier den Anfang des Lebens gefunden zu haben, die Stelle, wo der anorganische Stoff sich durch natürliche Agenzien in organische 10 Wesen von mikroskopischer Kleinheit umsetzt.

Mehr als 70 Jahre verflossen, ehe wieder der Prüfstein des Versuchs angewandt wurde. Dann begann Needham, Redis Methode nachahmend, die Hervorbringung mikroskopischer Tiere experimentell zu versuchen. Bei vielen seiner Versuche leistete 15 ihm Buffon, der große französische Forscher, Beistand, der eine Theorie organischer Moleküle aufgestellt hatte, die er festzuhalten bestrebt war. Needham (1713–1784), ein katholischer Priester, lebte als Engländer auf dem Kontinent; er war mehrere Jahre lang Direktor der Maria-Theresia-Akademie in Brüssel. Er beschäf-20 tigte sich neben seinem Beruf mit wissenschaftlichen Forschungen, deren erste Resultate 1748 veröffentlicht wurden. Zu seinen Versuchen stellte er eine Fleischbrühe her, füllte diese in Flaschen und verschloß und versiegelte dieselben sorgfältig mit Mastixharz; zuletzt setzte er die Flaschen der Hitze und dann der Kälte aus. 25 Im Lauf der Zeit füllte sich die so behandelte Flüssigkeit mit mikroskopischem Leben, und da Needham vermeinte, alle lebenden Keime durch das wiederholte Erhitzen zerstört zu haben, so folgerte er, daß die neu sich zeigenden Organismen durch Urzeugung entstanden seien.

30 Es bedurfte erst der epochemachenden Untersuchungen Spallanzanis, eines Landsmanns von Redi, um den Irrtum in Needhams Schlüssen aufzudecken. Lazzaro Spallanzani (1729–1799) war einer der bedeutendsten Männer seiner Zeit. Er war für die kirchliche Laufbahn bestimmt, und so ist er auch meist unter dem 35 Namen des Abbé Spallanzani bekannt, jedoch betätigte er sich nicht aktiv im Dienst der Kirche, sondern widmete sich, seiner angeborenen Neigung zur Naturwissenschaft und Forschung

folgend, Experimenten und Untersuchungen und dem Lehramt. Er war zuerst Professor in Bologna und später an der Universität Pavia. Er lieferte viele Beiträge zur Entwicklung und Physiologie der Organismen, und er war der erste, der bei dem Versuch hinsichtlich der Urzeugung sich der Glasgefäße bediente. 5

Spallanzani glaubte, daß die Versuche Needhams nicht mit der nötigen Sorgfalt und Präzision ausgeführt wären; demgemäß verwandte er Glasflaschen mit engen Hälsen, welche nach Füllung luftdicht verschlossen werden konnten. Die Flaschen Needhams waren einfach verkorkt und der Kork mit Mastixharz überzogen, 10 daher war es durchaus nicht sicher, daß nach der Erhitzung keine äußere Luft Zutritt gefunden hatte; überdies hatte Needham keine Aufzeichnungen bezüglich der Temperaturhöhe und der Zeitdauer der Erhitzung, denen Gefäße und Inhalt ausgesetzt gewesen, gemacht. 15

Spallanzani nahm Nährlösungen, wie Pflanzen- und Fleischdekokte, brachte dieselben in reine Flaschen, deren Hälse in der Flamme luftdicht verschlossen wurden, und tauchte diese dann in kochendes Wasser, wo sie drei Viertelstunden verblieben, um alle etwa in den Lösungen enthaltenen Keime zu zerstören. Die 20 organischen Aufgüsse Spallanzanis veränderten sich nicht. Es war damals ebenso bekannt wie heute, daß organische Lösungen, der Luft ausgesetzt, sich schnell zersetzen und einen üblen Geruch verbreiten; sie werden bald trübe und in kurzer Zeit bildet sich ein schaumiges Häutchen an ihrer Oberfläche. Die Lösungen in 25 den Flaschen Spallanzanis behielten dagegen dasselbe Aussehen und dieselbe Konsistenz, die sie beim Einfüllen besaßen, und die entgegengesetzte Folgerung konnte gezogen werden, nämlich, daß auch mikroskopisches Leben in Nährlösungen nicht spontan entsteht. 30

„Aber Needham war durch diese Ergebnisse noch nicht überzeugt; mit einem Schein von Recht behauptete er, daß solch ein langes Sieden nicht nur die Keime zerstöre, sondern auch die Keimkraft, oder — wie er sie nannte — die „vegetative Kraft" der Lösung selbst. 35

Spallanzani begegnete leichtlich diesem Einwand, indem er nachwies, daß die Infusionen, wieder der Luft ausgesetzt, sich

mit Infusorien belebten, gleichgültig, wie hoch oder wie lange die Erhitzung gewesen war. Seine Versuche waren in großer Zahl mit verschiedenen Lösungen und mit der äußersten Sorgfalt angestellt." (Dunster.) Dabei ist allerdings zu berücksichtigen, daß
5 der Erfolg seiner Versuche in der Hauptsache der Reinheit der Luft, in der er arbeitete, zu verdanken war, in der widerstandsfähigere atmosphärische Keime nicht vorhanden waren; Wyman hat später den Beweis geführt, daß Bakterien ihre Lebensfähigkeit behalten können, auch wenn sie mehrere Stunden der Siedehitze des Wassers
10 ausgesetzt gewesen sind.

Die Ergebnisse von Spallanzanis Versuchen wurde 1775 veröffentlicht und wurden von den Forschern jener Zeit allgemein als eine Ablehnung der Frage nach der Urzeugung aufgefaßt. Es begannen aber Zweifel an der Folgerichtigkeit seiner Experimente
15 aufzusteigen, als man erkannte, welche Rolle der Sauerstoff im Leben der Organismen spielt. Dieses Gas wurde 1774 von Priestley entdeckt, wohl einer der größten wissenschaftlichen Erfolge des 18. Jahrhunderts. Es erhob sich nun die Frage: „Ist vielleicht durch das Kochen der verschlossenen Flaschen der darin enthaltene
20 Sauerstoff so verändert, daß er hierdurch seine Leben spendenden Eigenschaften verloren hat?" Dieser Zweifel wuchs zu einer Neuaufnahme der Frage betreffs der Urzeugung und Wiederanstellung der Versuche, die nunmehr so ausgeführt wurden, daß die Außenluft zu den Nährlösungen treten konnte.

25 Franz Schulze (1836) und Theodor Schwann (1837) ersannen Methoden, um die Frage auf neuer Grundlage zu prüfen. Bei Schulzes Versuch wurde eine Flasche mit Nährlösung gut verschlossen, auf der einen Seite durch gebogene Glasröhren mit einer Reihe von Flaschen verbunden, die Schwefelsäure und andere chemische
30 Substanzen enthielten. Auf der anderen Seite dieses Systems befand sich ein Aspirator, durch den in die Flasche Außenluft angesaugt wurde, die die einzelnen chemischen Substanzen passieren mußte. Der Zweck dieser letzteren war, in der Luft befindliche Keime zurückzuhalten, während die Luft selbst, wie Schwann in
35 anderen Versuchen nachgewiesen hatte, unverändert blieb.

Tyndall äußert sich im Hinblick auf diese Experimente: „Auch hier war der Erfolg Schulzes das Resultat seines Arbeitens in einer verhältnismäßig reinen Luft, aber selbst da bleibt sein Versuch immer riskant. Solche Keime gehen unverändert durch die Schwefelsäure, wenn man nicht die allergrößte Sorgfalt anwendet, sie zurückzuhalten. Ich habe bei Wiederholung des Schulzeschen Versuches oft genug seine Resultate nicht erzielt, und anderen ist 5 es ähnlich ergangen. Die Luft passiert in Blasen die Flaschen, und um die Methode sicher zu gestalten, müßte der Durchtritt der Luft so langsam geschehen, daß die ganze hindurchgehende Luftmasse mit der umgebenden Flüssigkeit in Berührung kommt. Wenn man aber diese Vorsichtsmaßregel beobachtet, dann hat 10 Wasser dieselbe Wirkung wie Schwefelsäure."

Schwanns Apparat war ähnlich angeordnet, nur hatte er das gebogene Glasrohr (das zur Schwefelsäure u. s. w. führte) mit einem Metallmantel umgeben, den er sehr stark erhitzte, während die Luft hindurchströmte, zwecks Abtötung aller etwa noch in der 15 Luft vorhandenen Keime. Große Vorsorge verwandten beide Experimentatoren auf die genügende Sterilisation ihrer Flaschen und Flüssigkeiten, und das Resultat ihrer Versuche war, daß die Nährlösungen klar blieben.

Diese Versuche zeigten, daß in der Atmosphäre ein Etwas 20 existiert, das, so lange es nicht entfernt oder unschädlich gemacht ist, in Nährlösungen Leben entwickelt; aber ob dieses Etwas fest, flüssig oder gasförmig sei, ging aus den Versuchen nicht hervor. Es war Helmholtz im Jahre 1843 der Nachweis vorbehalten, daß dieses unbekannte Agens eine feuchte Tiermembran 25 nicht passieren kann, also fest ist. — Die so erreichten Ergebnisse befriedigten die Geister der Forscher, und die Frage nach der Urzeugung wurde als abgeschlossen betrachtet.

Wir treten nunmehr in die dritte Phase der historischen Entwicklung unserer Frage ein. Obgleich sie, wie gesagt, erledigt 30 schien, wurde sie 1859 ganz unerwartet von dem Franzosen Pouchet, dem Direktor des Naturhistorischen Museums zu Rouen, wieder aufgeworfen. Die Fassung des Gedankens, der Pouchet zu seinen experimentellen Untersuchungen führte, war für eine unparteiische Schlußfolgerung verhängnisvoll. Er sagte in der 35 Einleitung zu seiner „Heterogenesis": „Da ich *durch Überlegung* zu der Überzeugung gelangt bin, daß die generatio spontanea

eines der Mittel war, durch welches die Natur lebende Wesen erzeugte, fühlte ich mich veranlaßt zu erforschen, wie man diese Tatsache sichtbar machen könne.“ Obwohl Pouchet experimentell arbeitete, war er durch metaphysische Betrachtungen voreinge-
5 nommen. Er wiederholte die Versuche seiner Vorgänger mit entgegengesetzten Resultaten und erklärte deswegen die Folgerungen Spallanzanis, Schulzes und Schwanns für falsch.

Er ersann und führte einen Versuch aus, den er für entscheidend hielt. In der Einleitung zu demselben sagte er: „Die Gegner der
10 Urzeugung behaupten, daß die Keime der mikroskopischen Organismen in der Luft enthalten sind, die sie auf weite Entfernungen forträgt. Was werden aber diese Gegner sagen, wenn es mir gelingt, lebende Organismen zu erzeugen, wenn ich anstatt atmosphärischer künstliche Luft verwende.“

15 Er füllte eine Flasche mit kochendem Wasser und verschloß sie mit großer Sorgfalt; über einem Quecksilberbade kehrte er sie um und tauchte den Hals derselben hinein. Sobald das Wasser abgekühlt war, öffnete er unter Quecksilber die Flasche und verband sie mit einer Retorte, die die Ingredienzien zur Herstellung von
20 Sauerstoff enthielt. Durch Erhitzen entwickelte er das Gas, das durch das Wasser in die Flasche trat, und es verdrängte. Nachdem die Flasche halb mit Sauerstoff, der sich über Wasser befand, gefüllt war, brachte Pouchet etwas Heu, das er in einem Ofen einer hohen Temperatur ausgesetzt hatte, vermittelst einer sterili-
25 sierten Pinzette durch das Quecksilber an die Mündung der Flasche, in der es emporstieg und sich im Wasser verteilte.

So stellte er einen Heuinfus in Berührung mit reinem Sauerstoff dar, der nach wenigen Tagen wirklich dick und trübe war und von Mikroorganismen wimmelte. Triumphierend wies Pouchet
30 auf den anscheinend mit größter Akkuratesse vorgenommenen Versuch hin. „Woher“, fragte er, „kommt dies Leben? Es kann nicht aus dem Wasser stammen, in dem durch Kochen alle etwa enthaltenen Keime zerstört sind. Es kann nicht aus dem Sauerstoff kommen, der bei Glühhitze gewonnen ist. Es kann auch
35 nicht dem Heu entstammen, da dasselbe eine lange Zeit erhitzt wurde, ehe es in das Wasser eingeführt wurde.“ Daher erklärte er diese Mikroorganismen durch Urzeugung entstanden.

Die Streitfrage lebte wieder auf und wuchs schnell unter dem Festhalten Pouchets und seiner Anhänger an ihrer Ansicht. Schließlich ernannte die Académie des Sciences, in der Hoffnung, die Angelegenheit dadurch zum Abschluß zu bringen, ein Komitee, das über die Streitfrage entscheiden sollte. 5

Pasteur hatte sich ungefähr seit 1860 mit der Untersuchung dieses Gegenstandes beschäftigt, und mit außerordentlichem Geschick und Scharfsinn begann er Pouchet und dessen Anhang alle möglichen Gründe für ihre Folgerungen abzugraben. Im Jahre 1864 wiederholte er in der Sorbonne vor einer glänzenden 10 Zuhörerschaft das oben geschilderte Experiment und wies die Fehlerquellen nach. In dem verdunkelten Zimmer richtete er einen starken Lichtstrahl auf den Apparat, und seine Hörer konnten in dem intensiven Licht bemerken, daß die Oberfläche des Quecksilbers mit Staubpartikelchen bedeckt war. Weiterhin zeigte 15 Pasteur, daß beim Eintauchen eines Körpers in das Quecksilber die oberflächlichen Körperchen mitgerissen wurden. So lieferte Pasteur den schlagenden Beweis, daß Stoffe von außen her in Pouchets Wasserflaschen hineingebracht waren. Dies ist aber höchstwahrscheinlich nicht die einzige Quelle, der die Organismen 20 in seinen Infusionen entstammten. Man weiß heute, daß ein Heuinfus sehr schwer durch Hitze zu sterilisieren ist, und es ist ebenso wahrscheinlich, daß Pouchets Infusionen nicht völlig steril waren.

Pasteur zeigte, daß die in der Luft suspendierten Partikel 25 lebende Keime enthielten, die er vermittelst Schießbaumwolle auffing und, nach Lösung der letzteren in Äther, den Rückstand untersuchte. Er zeigte weiter, daß sterile organische Lösungen durch einen Wattebausch (im Hals der Flasche), der hinreichend porös sei, um den Gasaustausch zu gestatten, aber genügend dicht, 30 um die flottierenden Partikel zurückzuhalten, geschützt seien. Endlich wies er nach, daß viele der kleinen Organismen für ihren Lebensprozeß keines freien Sauerstoffs bedürften, sondern imstande seien, infolge einer von ihnen selbst eingeleiteten chemischen Zersetzung der Nährlösung dieser den Sauerstoff zu entnehmen. 35

Jeffries Wyman vom Harvard College zeigte, daß manche Keime gegen Hitze so widerstandsfähig sind, daß sie nach mehreren

Stunden währendem Sieden ihre Lebenskraft behalten. Diese Tatsache gibt auch wahrscheinlich die Erklärung für die verschiedenen Resultate der einzelnen Experimentatoren. Im Ruhezustand sind die Keime von einer dicken, schützenden Zellulosemembran umgeben, die sich bei der Keimung erweicht und aufreißt. Dementsprechend haben neuere Forscher ein Verfahren angewandt, in dem die zu prüfende Nährlösung mit Unterbrechungen erhitzt wird. Die Flüssigkeiten werden in Pausen gekocht, so daß die besonders widerstandsfähigen Keime abgetötet werden, sobald die Membran zu quellen begonnen hat und sie im Begriffe zu keimen sind.

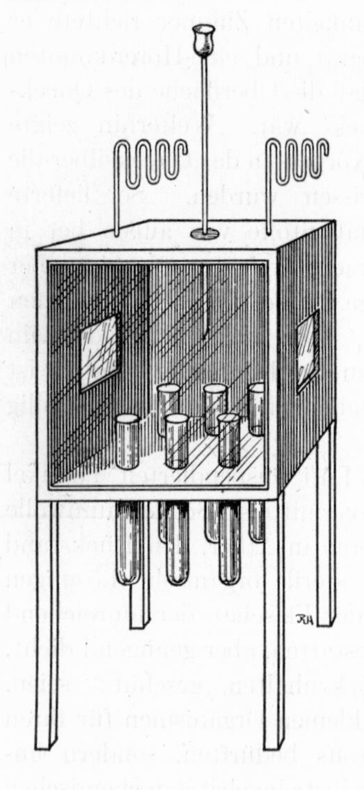
Fig. 18. Tyndalls Apparat.

Nach den glänzenden Untersuchungen Pasteurs war die Frage nach der Urzeugung zum dritten Male verneint worden und wird auch heute von der wissenschaftlichen Welt als abgetan angesehen. Nichtsdestoweniger sind auch späterhin Versuche zu ihrer Wiederbelebung gemacht worden, so z. B. 1872 von Bastian in England.

John Tyndall (1820–1893), der ausgezeichnete Physiker in London, veröffentlichte 1876 die Ergebnisse seiner wohldurchdachten Forschungen betreffs dieser Frage. Eine Zeitlang arbeitete er auf physikalischem Gebiet mit dem, was man „optisch reine Luft“ nennt. Er brauchte eine Luft, die frei von den schwebenden Partikelchen war, und hierbei kam ihm der Gedanke, die Nährlösungen solcher optisch reinen Luft auszusetzen und so die Frage nach der Urzeugung präzise zu lösen.

Er konstruierte sich eine Kammer, die vorne ein großes Glasfenster, an den Seiten je ein kleines und auf der Rückseite eine kleine luftdichte Falltüre besaß. Durch den Boden ragten, luftdicht angeschlossen, Reagensgläser hindurch, und durch die Decke der Kammer waren spiralig gebogene Glasröhrchen hindurchgeführt, an beiden Enden offen, so daß die Luft durch die gewundenen Gänge freien Zutritt hatte. In der Mitte war eine durch einen Gummistopfen verschlossene Öffnung. Dieser Stopfen war so enge durchbohrt, daß vermöge der Elastizität die Durchbohrung geschlossen war, aber die Einführung eines Trichterrohres gestattete. Das Innere der Kammer war mit einer glyzerinähnlichen klebrigen Substanz ausgekleidet, um die flottierenden Partikel der Luft festzuhalten, sobald sie sich an Wänden oder Boden absetzten. Der so instand gesetzte Apparat konnte längere Zeit unberührt stehen bleiben, so daß die schwebenden Teilchen sich infolge ihrer Schwere absetzten und an Zahl von Tag zu Tag abnahmen, um schließlich ganz zu verschwinden.

Die in der Kammer enthaltene Luft unterschied sich nun von der umgebenden durch ihre Reinheit von schwebenden Partikelchen. Zwecks Nachweises des völligen Mangels an diesen leitete Tyndall einen Lichtstrahl in die Luft der Kammer. Er hielt währenddessen sein Auge eine Zeitlang im Dunkeln, um die Empfindlichkeit zu erhöhen, und sobald er nun durch die Frontalscheibe in die Kammer blickte, konnte er alle etwa noch in der Luft schwebenden Teilchen wahrnehmen, da sie, durch den scharfen Lichtstrahl hell erleuchtet, für das Auge sichtbar gemacht wurden. Bei völlig verdunkeltem Zimmer war der Lichtstrahl, dank der schwebenden Teilchen, in seinem Verlaufe bis zur Kammer sichtbar und ebenso wieder nach Verlassen derselben, im Innern derselben jedoch gänzlich unsichtbar. Demnach hatte Tyndall nun in der Kammer seine „optisch reine“ Luft und konnte jetzt die Nährlösungen in die Reagensgläser einführen. Durch das im Gummistopfen steckende Trichterrohr konnte er, indem er dessen Mündung nacheinander über die Reagensgläser brachte, diese mit den verschiedenen Nährlösungen anfüllen. Diese Lösungen bestanden aus Hammelfleischbrühe, Rübenabkochung und anderen tierischen und pflanzlichen Extrakten. Es muß noch hinzugefügt werden, daß die Reagensgläser unverschlossen und demzufolge die Nährlösungen der optisch reinen Luft in der Kammer frei ausgesetzt waren.

Der Apparat wurde dann in die Höhe gehoben und die unten herausragenden Reagensgläser in ein Bad siedenden Öles getaucht. Hierdurch kam auch der Inhalt der Gläser ins Sieden, wodurch die Lebenskeime abgetötet werden sollten, die auf dem Wege der Einführung der Lösungen in die Gläser etwa mitgenommen waren. Diese Lösungen, die mit der Luft der Kammer in freier Verbindung standen, blieben nunmehr dauernd frei von Mikroorganismen und bewiesen dadurch, daß fäulnisfähige Lösungen frei der Luft ausgesetzt werden können, wenn diese von allen schwebenden Substanzen gereinigt ist, und daß sie dann weder eine Spur von Verderben noch von Auftreten organischen Lebens in sich zeigen.

Man könnte einwenden, daß das fortgesetzte Sieden in den Lösungen chemische Veränderungen bewirkt hätte, die für Lebewesen unzuträglich wären oder sonst irgendwie ihre Leben erhaltenden Eigenschaften zerstört hätten; aber nachdem sie monatelang in völlig klarem Zustande geblieben waren, öffnete Tyndall die kleine Tür in der Rückwand der Kammer und schloß sie sofort, wodurch die Außenluft und damit die in ihr enthaltenen Keime in den Behälter hineintraten. Im Verlauf weniger Tage fingen die Lösungen, die solange unverändert geblieben waren, an zu verderben und wimmelten von lebenden Organismen.

Diese Versuche haben bewiesen, daß bei Beobachtung der nötigen Vorsichtsmaßregeln unter den oben beschriebenen Bedingungen eine Urzeugung nicht stattfindet.

Während wir aber auf experimentellem Wege die Urzeugungshypothese als widerlegt ansehen dürfen, so besitzt sie doch auf theoretischer Seite verschiedene Anhänger unter den Naturforschern, und es gibt viele, die da behaupten, daß Leben auch gegenwärtig in ultramikroskopischen Teilchen freiwillig entstehe. So sollen beispielsweise Weismanns hypothetische Biophoren, zu winzig selbst für mikroskopische Untersuchung, auf dem Wege der Urzeugung entstanden sein.

Diese Seite der Frage ist indessen theoretisch und keiner wissenschaftlichen Nachprüfung unterwerfbar, und so können wir, so weit unsere Beweise reichen, ruhig sagen, daß die Urzeugung des Lebens unter gegenwärtigen Bedingungen unbekannt ist.

Es gibt natürlich zahlreiche praktische Anwendungen dieser

Entdeckung, daß das Verderben fäulnisfähiger Flüssigkeiten durch die Einführung schwebender Teilchen aus der Luft bedingt ist. Ein Beispiel hierfür ist das Konservieren von Fleisch und Früchten in Blechbüchsen, wo die Gegenstände durch Erhitzen ihrer lebenden Keime beraubt und durch luftdichtes Verschließen keimfrei erhal- 5 ten werden. Wenn dieses mit vollem Erfolge durchgeführt ist, bleiben die so konservierten Vegetabilien und Fleisch unverändert. Eine der wichtigsten praktischen Anwendungen kam 1867 durch den englischen Chirurgen Lister zur Aufnahme, welcher erkannt hatte, daß Wunden während der Operation durch schwebende 10 Luftteilchen oder Keime infiziert werden, die an den Instrumenten oder den Handflächen des Arztes haften, und daß eine Sterilisierung aller Instrumente und antiseptische Verbände jede Wundinfektion verhüten.

Damit gelangen wir zur „antiseptischen Chirurgie", mit 15 welcher Listers Name untrennbar verknüpft ist.

Eine andere Frage von allgemeiner Tragweite ist die nach der Entstehung ansteckender Krankheiten durch Keime, die wir deshalb hier kurz berühren wollen.

Nach Leeuwenhoeks Entdeckung der Bakterien im Jahre 1687 20 sprachen einige Ärzte jener Zeit die Vermutung aus, daß die ansteckenden Krankheiten von mikroskopischen Lebewesen herrührten, die vom Kranken auf den Gesunden übergingen. Diese Lehre vom Contagium vivum fand bei ihrem ersten Auftreten wenig Anhang und verschwand allmählich wieder. Erst 1840 25 wurde sie wieder zum Leben erweckt. Schon im Jahre 1837 hatte der Italiener Bassi die Krankheit der Seidenraupen studiert und nachgewiesen, daß die Übertragung dieser Krankheit das Ergebnis des Überganges kleiner glänzender Partikelchen von den kranken zu den gesunden Raupen sei. Auf der Grundlage von Bassis 30 Beobachtung entwickelte 1840 der ausgezeichnete Anatom Henle die Theorie, daß alle ansteckenden Krankheiten auf mikroskopische Keime zurückzuführen seien.

Diese Tatsache erhielt jedoch erst 1877 ihren experimentellen Beweis, als Pasteur und Robert Koch den direkten Zusammenhang 35 zwischen bestimmten mikroskopischen Fäden und dem Milzbrand der Schafe und anderen Weideviehes nachwiesen. Koch gelang es,

einige dieser winzigen Fäden unter dem Mikroskop zu behalten und auf geheiztem Objektträger die verschiedenen Phasen ihrer Keimung zu verfolgen. Er beobachtete die Keimung der Sporen und das Auswachsen der Fadenformen. Es gelang ihm wei-
5 terhin, die letzteren auf Nährgelatin zu züchten und so eine Reinkultur der Organismen zu erzielen, die unter dem Namen Anthrax (Milzbrand) bekannt ist. Er impfte Mäuse mit der Reinkultur der Anthraxkeime (des Bacillus Anthracis) und rief bei den geimpften Tieren wieder Milzbrand hervor. Dies konnte er
10 durch mehrere Generationen der Mäuse fortsetzen. Im selben Jahre wies Pasteur denselben Zusammenhang zwischen dem Milzbrandfieber und den „Anthrax“-Keimen nach.

Dieser Beweis eines wirklichen Zusammenhanges zwischen den Milzbrandbakterien und der gleichnamigen Krankheit gab die
15 erste sichere Grundlage zur Formulierung der Keimtheorie der Infektionskrankheiten ab. Die führenden Geister, die die höchste Staffel in der Entwicklung dieser neuen Wissenschaft erreichten, waren Pasteur, Koch und Lister.

Pasteur ist eine der glänzendsten Erscheinungen des 19.
20 Jahrhunderts. Die Verehrung, die er bei den Franzosen genießt, erhellt aus dem Ergebnis einer Volksabstimmung 1907, auf Grund deren er an die Spitze aller ihrer berühmten Männer gestellt wurde. Eines der verbreitetsten französischen Journale, der „Petit Parisien“, forderte seine Leser im ganzen Lande auf, über
25 die relative Bedeutung der großen Franzosen des letzten Jahrhunderts abzustimmen. In diesem interessanten Wettstreit trug Pasteur den Sieg davon, indem er von 15,000,000 Stimmen 1,338,425 auf sich vereinigte, und so Victor Hugo den Rang ablief, der als zweiter in der Volksgunst ihm mit mehr als 100,000 Stimmen folgte.
30 Dieser beneidenswerte Ruhm war nicht das besondere Verdienst des Schlachtfeldes oder der Politik, sondern des unermüdlichen Fleißes in stiller Förderung der wissenschaftlichen Forschungen, die dem Menschengeschlechte zu so großem Segen geworden sind.

Es ist wert, Pasteur auch von seiner persönlichen Seite kennen
35 zu lernen. Frau und Tochter brachten ihm lebhafteste Teilnahme und Beistand in seinen wissenschaftlichen Kämpfen entgegen, welcher Umstand viel dazu beitrug, die Mühseligkeit seiner

Arbeiten zu mildern. Und in der Tat überstiegen die Arbeiten seine Kräfte, so daß er 1868, im Alter von 46 Jahren, einen Schlaganfall erlitt, aber mit bewundernswürdiger Kraft überwand er dieses Mißgeschick und führte seine nie aufhörende Arbeit bis zu seinem 1895 erfolgten Tode fort. 5

Louis Pasteur wurde am 27. Dezember 1822 zu Dôle im Jura geboren. Sein Vater war ein Gerber, ein Mann von festem Charak-

FIG. 19. Louis Pasteur.

ter, aber trüben Erfahrungen, wie sie dem Legionär des Ersten Kaiserreiches nicht erspart geblieben sein werden, wenn er auch auf dem Schlachtfelde von Napoleon selbst ausgezeichnet worden war. 10 Die kindliche Zuneigung Pasteurs zu seinem Vater und sein berechtigter Stolz auf dessen militärische Laufbahn zeigen sich in der Dedikation seines Werkes: „Studien über die Gärung“, das 1876 veröffentlicht wurde:

„Dem Andenken meines Vaters, 15
früheren Soldaten des Ersten Kaiserreichs und Ritter der Ehrenlegion.
Je länger ich lebe, je mehr verstehe ich Deine Herzensgüte und Deine Geisteskraft.

Die Mühen, die ich auf diese Studien und auf vorangegangene verwendet habe, sind Früchte Deines Beispiels und Deines Rates. Im Wunsche, diese wertvollen Erinnerungen dankbar zum Ausdruck zu bringen, widme ich dies Buch Deinem Andenken.“

5 Als Pasteur 2 Jahre alt war, siedelten seine Eltern nach Arbois über, und hier verlebte er seine Jugend und erhielt seine erste Erziehung. Nach einer Periode der Gleichgültigkeit gegen das Studium, während der er seine Zeit mit Angeln und Zeichnen ausfüllte, nahm er ernsthaft die Arbeit auf und bewies dann un-
10 gezügelte Energie und Eifer.

Pasteur, den wir als Biologen anzusehen gewohnt sind, gewann seinen ersten wissenschaftlichen Ruf, 25 Jahre alt, auf dem Gebiete der Chemie und Physik. Er wies nach, daß die Kristalle gewisser in chemischer Beziehung isomerer Tartrate sich polarisiertem Licht
15 gegenüber verschieden verhalten, und schloß daraus, daß diese optische Verschiedenheit auf eine verschiedene Anordnung der Moleküle zurückzuführen sei. Mit diesen Arbeiten eröffnete er das weite Gebiet der Molekularphysik und der physikalischen Chemie.

20 Pasteur würde wohl auf diesem Forschungsgebiet geblieben sein, aber das Geschick führte ihn anders. „Bei der Erforschung mikroskopischer Organismen“, bemerkt Tyndall, „des unbegrenzt Kleinen, wie Pasteur es zu nennen liebte, und ihrem Verhalten in dieser unserer Welt, erkannte Pasteur seine wahre Berufung.“
25 Auf dieses umfassende Gebiet führte ihn ein guter Stern, um eine Menge eng verbundener Probleme vom höchsten öffentlichen und wissenschaftlichen Interesse, zur Lösung reif, in Angriff zu nehmen, die zu erfolgreicher Behandlung Hingabe und Ernst erforderten.

Im Jahre 1857 ging Pasteur nach Paris als Direktor der wis-
30 senschaftlichen Arbeiten an der École Normale, nachdem er in Straßburg und Lille Professuren innegehabt hatte. Von nun an wurde seine Arbeitskraft mehr und mehr von Problemen biologischer Natur in Anspruch genommen. Das Jahr 1857 war ein bedeutendes in den Annalen der Bakteriologie, brachte doch damals
35 Pasteur den zwingenden Beweis dafür, daß die Gärung, die man bislang als einen chemischen Prozeß betrachtet hatte, ein Resultat

des Wachstums von organischem Leben wäre. Wiederum zeigte er 1860, daß sowohl Milchsäure- wie alkoholische Gärung aus der Entwicklung mikroskopischer Organismen herrühre, und erweiterte so das Gebiet der Biologie, die nun auch die Bakteriologie in ihren Kreis hineinzog. 5

Nachdem Pasteur den Pfad der Mikrobenforschung einmal beschritten hatte, war sein Weg eine ständige Aufwärtsbewegung; jedes neue Problem, an dessen Lösung er herantrat, schien in seiner Bedeutung das eben vorher behandelte in den Schatten zu stellen. So führte ihn die Entdeckung der Tätigkeit der Mikroorganismen 10 auf die Reproduktion der Antitoxine. Bei all diesem folgte er weniger seinen eigenen Neigungen als seinem Verantwortlichkeitsgefühl. Tatsächlich hat er es immer bedauert, daß es ihm nicht vergönnt war, seine kristallographischen Untersuchungen zu beenden. Im Alter von 70 Jahren sagte er von sich selbst: „Wenn 15 ich etwas bedauere, so ist es, daß ich nicht jenen Weg verfolgte, der mir weniger mühsam scheint und der, davon bin ich überzeugt, zu großartigen Entdeckungen geführt haben würde. Ein plötzlicher Wechsel brachte mich auf das Studium der Gärung, die Gärungen leiteten mich auf die Krankheiten, aber doch bin ich untröstlich, 20 wenn ich daran denke, daß ich niemals die Zeit hatte, zu meinem alten Gegenstand zurückzukehren.“ (Tarbell.)

Obgleich die Resultate aller seiner Untersuchungen eine Kette von Triumphen bilden, war doch jeder Punkt seiner Lehrsätze ein Gegenstand des heftigsten Angriffes; keine Forschungen trafen 25 jemals auf entschlosseneren Widerstand, kein Forscher stritt jemals ernstlicher um die Aufrechterhaltung jeder neuen Wahrheit, als Pasteur.

Vom Studium der Krankheiten des Weines (1865) ging Pasteur zu den Untersuchungen über die Seidenraupenseuche über (1865– 30 1868), welche die Seidenindustrie seines Landes fast vernichtet hatte. Das Ergebnis war der Erhalt von Millionen von Francs im Jahre für seine Landsleute.

Nunmehr begann er die Arbeit, die sein höchstes Verdienst für die Menschheit bedeutet, die Anwendung seiner Entdeckungen auf 35 die Behandlung und Vorbeugung von Krankheiten. Indem er eine Reihe von Reinkulturen der Krankheiten erzeugenden Gifte herstellte, war er imstande, diese zu jedem gewünschten Grade zu verdünnen und dadurch eine Impfform des Giftes hervorzurufen, die imstande war, einen milden Krankheitsanfall zu erzeugen. Die Einspritzung dieses verdünnten Giftes gewährleistete Sicherheit gegen spätere Angriffe der betreffenden Krankheit. Die Wirksamkeit dieser Art der Einführung wurde zuerst gegen die Hühnercholera erprobt, und dann wurde der Beweis (1881) erbracht, daß die Lymphe gegen den Milzbrand des Viehes ebenso wirksam war. Als Krönung dieser Entdeckungsreihe folgte die Anwendung der Impfung (1885), um die Entwicklung der Tollwut bei einer Person zu verhindern, die von einem kranken Hunde gebissen war.

Das „Institut Pasteur"

Damit war die Zeit für die Eröffnung eines Institutes gekommen, nicht nur für die Behandlung der Wutkrankheit, sondern ebenso für das wissenschaftliche Studium der Mittel, um andere Krankheiten, wie Diphtherie, Typhus, Tuberkulose u.a. kontrollieren zu können. Eine Bewegung zu einer volkstümlichen Subskription wurde eingeleitet, um diesen Gedanken zu verwirklichen. Die Antwort auf diesen Aufruf von seiten des Volkes war erfreulich: „Die außerordentliche Begeisterung, welche die Gründung dieses großartigen Institutes begleitete, hat sicher kein Gleiches in unserer Zeit. Beträchtliche Geldsummen wurden in fremden Ländern gezeichnet, während Beiträge aus allen Teilen Frankreichs eingingen. Selbst die Einwohner unbekannter kleiner Städte und Dörfer veranstalteten Feste und vereinigten sich, um ihre kleinen Gaben einsenden zu können" (Franckland). Die ganze Summe erreichte am Tage der Einweihungsfeier die stattliche Höhe von 3,586,680 Francs.

Das Institut wurde offiziell am 14. November 1888 eröffnet; die Feierlichkeiten leitete der Präsident der Republik. Die Einrichtung dieses Instituts war ein Ereignis von hervorragender wissenschaftlicher Bedeutung. Hier wurden, im ersten Jahrzehnt seines Bestehens, mehr als 20,000 Fälle der Tollwutkrankheit erfolgreich behandelt, hier entdeckte Roux das Gegengift der Diphtheritis, hier wurde der Anfang gemacht mit den Einimpfungen gegen Syphilis, Kinnbackenkrampf, Schwindsucht und andere Krankheiten, und mit den neuen Mikrobenimpfungen Wrights in London. Mehr als 30 „Pasteursche Institute" mit gleichen Zielen sind in den verschiedensten Teilen der zivilisierten Welt errichtet worden.

FIG. 20. Robert Koch.

Pasteur starb 1895, von der ganzen Welt hochgeehrt. Am Sonnabend, den 5. Oktober fand in Notre-Dame ein nationales Leichenbegängnis statt, von den Vertretern des Staates und zahlreichen wissenschaftlichen Körperschaften und gelehrten Gesellschaften begleitet. 5

Was den Franzosen Pasteur war, wurde Koch für Deutschland. 10
Robert Koch mit seinem streng wissenschaftlichen Geist, der ihn auszeichnete, fügte vier notwendig gewordene Glieder in die

Kette des Beweises, daß ein bestimmter Organismus zu einer bestimmten Krankheit gehöre. Diese vier Postulate Kochs sind:

1. Der Organismus muß in großer Zahl im Blut oder in den Geweben des erkrankten Körpers vorhanden sein.
2. Es ist eine Reinkultur dieses Organismus herzustellen.
3. Eine Überimpfung dieser Reinkultur in einen gesunden Körper muß die bestimmte Krankheit hervorrufen.
4. Im Blut und in den Geweben des geimpften Körpers muß der fragliche Organismus in großer Zahl vorhanden sein.

Im Verlauf verschiedener Krankheiten ist diese ganze Beweiskette geschlossen, aber bei anderen, wie Cholera und Typhus, fehlen noch die Schlußglieder, da die Versuchstiere, nämlich Meerschweinchen, Kaninchen und Mäuse, für diese Krankheiten nicht empfänglich sind.

Das dritte Glied des großen Triumvirates der Bakteriologie ist Sir Joseph Lister in England, 1827 geboren. Er war Professor der Chirurgie in Glasgow, Edinburgh und London (Kings College). Seine praktische Anwendung der Keimtheorie führte später zur aseptischen Methode und bedeutete eine völlige Umwälzung in der Chirurgie (1867). In seiner Rede vor der British Medical Association in Dublin in demselben Jahre sagte er: „Als die Untersuchungen Pasteurs gezeigt hatten, daß die fäulnisfähige Eigenschaft von der Atmosphäre abhängig ist, und zwar nicht vom Sauerstoff oder einem anderen gasförmigen Bestandteil derselben, sondern von winzigen, in ihr enthaltenen Organismen, denen sie ihre Gefährlichkeit verdankt, da hatte ich den Eindruck, daß eine Zersetzung in dem verletzten Teile durch Abschluß der Luft vermieden werden könnte, durch Anwendung von Verbänden, deren Material imstande ist, das Leben der flottierenden Organismen zu vernichten." Er wandte zuerst Karbolsäure zu diesem Zwecke an. Die Pfleglinge im Krankenhause zu Glasgow, die Listers Obhut unterstellt waren und hauptsächlich von Gangrän befallen waren, gesundeten in kurzer Zeit völlig, während andere Kranke, die von ihnen nur durch den Hausflur getrennt waren (d. h. von dem Chef einer anderen Abteilung behandelt wurden), ihre Infektion behielten. Listers Methode ist allgemein angenommen und gleichzeitig weit ausgedehnt und verbessert worden.

Die Frage nach der Immunität, d. h. der Grund, warum jemand, der ein bestimmtes Krankheitskontagium empfangen hat, immun bleibt, ist von großem Interesse, hier aber, weil eine rein medizinische, nicht weiter zu berühren.

Fig. 21. Lord Joseph Lister.

Bakterien und Nitrate

Ein anderes Beispiel für den Zusammenhang zwischen den Bakterien und der Praxis mag Erwähnung finden. Es ist eine bekannte Tatsache, daß die Pflanzen zum Aufbau des Protoplasmas gewisser Nitrite und Nitrate bedürfen, die sie dem Boden entnehmen. Nun ist die Herkunft dieser Salze höchst interessant. Die bei der Verdauung der Tiere sezernierten Produkte bestehen am letzten Ende aus Kohlendioxyd, Wasser und Harnstoff. Das tierische Protoplasma ist nicht imstande, die in diesen Endprodukten enthaltene potentielle Energie sich nutzbar zu machen und entfernt sie daher aus dem Körper.

5 Der stickstoffhaltige Harnstoff tritt im Erdboden mit den Bakterien in Berührung, unter denen bestimmte die Fähigkeit besitzen, die geringsten Spuren des in der Substanz enthaltenen Stickstoffes zu verwenden. Sie zerlegen den Harnstoff in salpetrige und Salpetersäure, die nunmehr die Bildung der Nitrite und Nitrate 10 verursachen. Die so entstandenen Salze verwendet die Pflanze zum Aufbau des Plasmas, sie selbst dient wiederum den Tieren zur Nahrung, deren Sekrete wieder den Stickstoff dem Boden zuführen, — so besteht eine direkte Beziehung zwischen diesen niedrigsten Lebewesen einerseits und den höheren Pflanzen und Tieren ande-15 rerseits, so besteht ein eigenartiges Verhältnis, das als „Kreislauf des Stickstoffes" heute viel genannt ist und nicht nur per se interessant ist, sondern auch wichtige Schlaglichter auf die allgemeine Natur der Lebenstätigkeiten, ihre Art und Weise und ihren Bereich wirft. Im Anschluß an diese Bodenbakterien seien 20 andere erwähnt, die mit den Wurzeln gewisser Pflanzen eine Art Symbiose eingehen, und die die Fähigkeit besitzen, freien Stickstoff aus der Luft zu fixieren (Knöllchenbakterien).

Die nitrifizierenden oder Stickstoffbakterien sind natürlich für den Landwirt von größter Bedeutung.

25 Es ist jedoch nicht unsere Absicht, die verschiedenen Phasen der Bakteriologie bis zu ihren Endpunkten zu verfolgen, sondern vielmehr ein Bild der historischen Entwicklung zu geben, wie es in Beziehung zur allgemeinen Biologie im weitesten Umfange steht.

DER MENSCH IM LICHTE DER VERGLEICHENDEN ANATOMIE *

Es ist die Aufgabe der vergleichenden Anatomie, zum Zweck der Erkenntnis des Zusammenhanges der Organismenwelt, den Veränderungen der Organisation nachzugehen und in dem Veränderten, Umgewandelten das Gleichartige nachzuweisen.

Die verschiedenen Organisationsstufen, welche der Wirbeltier- 5 typus vom Lanzettfisch bis zum höchsten Säugetiere aufweist, sind als Resultanten eines historischen Vorganges aufzufassen. Es ist die spezielle Aufgabe der vergleichenden Anatomie, diesem Vorgang bei den einzelnen Organen nachzuspüren und dadurch denselben unserem Verständnis zugänglicher zu machen. Mit 10 Hilfe der vergleichenden Anatomie können wir für die verschiedenen Organe Formenreihen nachweisen, in welchen die Extreme voneinander bis zur Unkenntlichkeit verschieden sein können, aber durch Zwischenformen verbunden werden.

Bezüglich unseres besondern Untersuchungsobjektes, des 15 Menschen, haben wir schon hervorgehoben, daß die Elementarteile, die Zellen, welche die verschiedenen Organe unseres Körpers aufbauen, beim Menschen und allen übrigen Geschöpfen einander homolog sind, d. h. daß sie dieselbe anatomische Bedeutung und dieselbe Entstehung haben. Es ist nun Aufgabe der vergleichenden 20 Anatomie zu untersuchen, inwiefern dies ebenfalls von den verschiedenen Organen gilt, aus welchen der menschliche Körper besteht — festzustellen, ob der Zustand, welcher für die einzelnen Organe des Menschen charakteristisch ist, sich von Zuständen bei andern niederen Organismen ableiten läßt. 25

Da die Aufgabe der vorliegenden Arbeit zugleich mehr umfassend und weniger weitläufig ist, als ein Handbuch der menschlichen Anatomie zu sein, welches unseren gesamten Körperbau zu beschreiben bezweckt, können wir uns hier darauf beschränken,

* Aus — W. Leche, Der Mensch, sein Ursprung und seine Entwicklung. Verlag von Gustav Fischer.

einige wenige, aber als Zeugen einwandsfreie Organe zu untersuchen, die geeignet sind einen Satz zu illustrieren, den eine ausführlichere Darstellung der menschlichen Anatomie nur bestätigen würde, nämlich daß die Einheit, welche die übrige organische Welt dar-
5 bietet, auch den Menschen umfaßt.

Wir fangen mit dem Skelette an, welches das Stützorgan des menschlichen Körpers bildet. Eine neuerdings erschienene Arbeit über einige Fragen betreffs der Knochenentwicklung wird mit folgenden Worten eingeleitet: „Man darf wohl sagen, ein Menschen-
10 alter würde für den kühnen Mann nicht genügend sein, der es unternehmen wollte, alles gründlich durchzulesen, was nur in den letzten 50 Jahren über die Biologie der Knochen veröffentlicht worden ist." Ich habe diesen Ausspruch, welcher sicher vollkommen berechtigt ist, nur deshalb zitiert, damit der Leser in der
15 vorliegenden Darstellung nichts anderes als Bruchstücke aus der Geschichte dieses Organsystems erwarten möge.

In jedem zoologischen Museum können wir uns von der Einheit im Bau des Skeletts bei allen Wirbeltieren überzeugen. Bei allen, von den Fischen durch die ganze Tierkette bis hinauf zum
20 Menschen, treten nicht nur die drei großen Körperregionen: Kopf, Rumpf und Gliedmaßen auf, welche für die Gesamtgestaltung des Körpers bestimmend sind, sondern auch jede dieser Regionen ist bei allen — den Menschen eingerechnet — von einander entsprechenden Elementen zusammengesetzt.

25 Der Schädel des Menschen besteht aus zwei Teilen, einem größeren, welcher Hohlräume für das Gehirn und die höheren Sinnesorgane umschließt und aus einer Anzahl unbeweglich vereinigter Knochenstücke zusammengesetzt ist, und einem beweglichen Bogenstück, dem Unterkiefer. Man spricht auch vom
30 Gesichtsteil und vom Gehirnteil, und zwar ist letzterer der obere gewölbte Teil des Schädels, welcher das Gehirn umschließt und dessen von außen sichtbare Teile die Stirn, der Scheitel, die Schläfen und das Hinterhaupt sind. Der Gesichtsteil liegt unter dem vorigen, nimmt an der Umhüllung des Geruchs- und Sehorgans
35 teil und umschließt zusammen mit dem Unterkiefer den Eingang zu den Atmungs- und Ernährungsorganen. Diejenigen Knochen des Gesichtsteils, welche die Mundöffnung begrenzen, nämlich

Ober- und Unterkiefer, tragen die Zähne. Außer dem Unterkiefer gibt es auch einen andern aber unvollständigen Knochenbogen, welcher den Schlund umfaßt und eine Stütze für den Kehlkopf und die Zunge abgibt, nämlich das Zungenbein. Dieses besteht aus einem unpaaren Knochenstücke, dem Zungenbeinkörper, unmit- 5 telbar oberhalb des Kehlkopfes gelegen, und aus zwei Paaren Zungenbeinhörnern; die vorderen Zungenbeinhörner sind unvollständig verknöchert und mit dem Schläfenbein, die hintern mit dem Kehlkopf verbunden.

Ebenso kompliziert wie die funktionelle Bedeutung des 10 Menschenschädels ist somit auch sein Bau. Der vergleichenden Anatomie verdanken wir eine einwandsfreie Erklärung des Zustandekommens dieses Baues. Sie hat nachgewiesen, daß der Menschenschädel aus Elementen von ganz verschiedener Herkunft zusammengesetzt ist. 15

Ohne uns hier auf Einzelheiten betreffs der verschiedenen Schicksale des Schädels einlassen zu können, mustern wir einige derjenigen Schädelformen, welche geeignet sind, uns den Aufbau dieses Körperteils besonders bei dem Menschen und den Säugetieren verstehen zu lassen. 20

Da das am tiefsten stehende Wirbeltier, der vorher besprochene Lanzettfisch, keinen Kopf hat, fehlt selbstverständlich auch das Skelett des Kopfes. Dagegen tritt dieser Skeletteil bei den niedrigsten Fischen, den Haifischen, in seiner ursprünglichsten und daher auch am leichtesten verständlichen Form auf. Eine zusam- 25 menhängende, vollkommen einheitliche Knorpelkapsel umschließt das Gehirn und gewährt außerdem den Riech-, Seh- und Gehörwerkzeugen Schutz; also entspricht diese Knorpelkapsel in Hinblick auf die oben gegebene Darstellung des menschlichen Schädels hauptsächlich nur dem Hirnteil des letzteren. Gänzlich getrennt 30 von diesem Hirnteil tritt bei den Haifischen unter und hinter demselben eine Reihe paariger Bogen auf, welche den Mund und den vordersten Abschnitt des Darmkanales umfassen. Von diesen fungiert das erste Paar als Kiefer; jede Hälfte besteht aus zwei Knorpelstücken, welche Zähne tragen. Die übrigen Bogen sind 35 schwächer und tragen den Atmungsapparat der Fische, die Kiemen, weshalb diese Bogen Kiemenbogen genannt werden. Daß auch die

Kieferbogen ursprünglich — also bei den Vorfahren der Haifische — Kiemenbogen gewesen sind, beziehentlich Kiemen getragen haben, wird durch Dokumente bewiesen, welche die beiden historischen Fächer unserer Wissenschaft, die Entwicklungsgeschichte 5 des Stammes und des Individuums, oder m. a. W. die Päläontologie und die Embryologie, uns in die Hand gegeben haben.

So hat bei einem der ältesten bekannten Haie, dem Pleuracanthus, der Kieferbogen an seinem Hinterrande Kiemen getragen. Anderseits hat die Embryologie nachgewiesen, daß der Kieferbogen 10 bei sehr jungen Haifischembryonen wesentlich dieselbe Beschaffenheit wie die Kiemenbogen hat, und daß er erst in einem späteren Stadium einen abweichenden Bau erhält. Daß dieser abweichende Bau und die bedeutendere Größe, welche beim ausgebildeten Tiere den ersten Bogen auszeichnen, dadurch hervorgerufen wurden, daß er die Zähne zu tragen bekam und somit Aufgaben übernahm, welche ihm ursprünglich fremd waren, hat die Embryologie ebenfalls bewiesen.

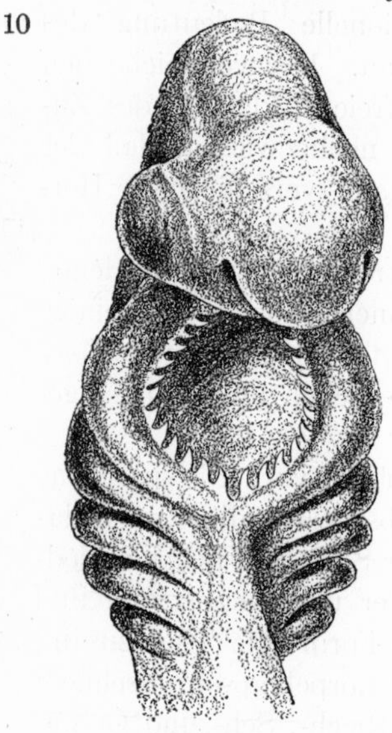

Fig. 22. Kopf eines Haiembryo.

Bei den Haifischen ist die ganze Haut mit eigenartigen Bildungen, welche Hautzähne genannt werden, bekleidet, welche, abgesehen von der Größe, vollkommen mit gewöhnlichen Zähnen übereinstimmen. Da nun beim Embryo die Körperhaut sich in die 30 Mundhöhle hineinerstreckt — und dies ist nicht nur bei den Haifischen, sondern bei allen Wirbeltieren, auch beim Menschen, der Fall —, wird selbstverständlich auch der Mund mit solchen Hautzähnen, beziehentlich mit den Anlagen solcher Gebilde, ausgerüstet. Aber da, wo die Hauteinstülpung mit ihren Hautzähnen sich dem 35 vordersten Bogen, welcher die Mundhöhle umrahmt, anlegt, kommen die Hautzähne unter andere mechanische Verhältnisse: sie werden dem Drucke seitens des besagten Bogens ausgesetzt; dieses bewirkt stärkere Blutzufuhr zu der gereizten Region, und diese wiederum hat stärkeres Wachstum zur Folge, so daß die von dem Bogen beeinflußten Hautzähne allmählich vergrößert und zu wirklichen Mundzähnen ausgebildet werden, während die übrigen mit der Körperhaut in die Mundhöhle eingeführten Hautzähne durch 5 Wirkung des Nichtgebrauchs rückgebildet werden und bei vielen Haien völlig verschwinden. Auf diese Weise sind also ursprüngliche Hautgebilde zu Zähnen, somit zu Ernährungswerkzeugen geworden. Aber je kräftiger die Ausbildung der Zähne auf dem vordersten Bogen ist, desto stärker wirken sie ihrerseits auf densel- 10 ben zurück, welcher ebenfalls allmählich größer wird, stärkere und mehr differenzierte Muskulatur erhält und dadurch immer geeigneter wird, als Kiefer Dienste zu tun, als Greif- und auf einer höheren Ausbildungsstufe auch als Kauorgan. In je höherem Grade der erste Bogen sich diesen neuen Aufgaben anpaßt, desto mehr entfernt 15 er sich in seiner Gestalt von den hinter ihm stehenden kiementragenden Bogen. Paläontologie und Embryologie sind also vollkommen einstimmig in diesem Punkte; der Kieferbogen ist ursprünglich ein Kiemenbogen gewesen, wie dieses noch heute bei dem ursprünglichsten der bekannten Wirbeltiere, beim Lanzett- 20 fische, der Fall ist.

Wie seine Herkunft es mit sich bringt, steht der Kieferbogen ursprünglich in einem sehr losen Zusammenhange mit dem Hirnteile. Der als Oberkiefer fungierende Teil ist nämlich nur durch Bindegewebe mit dem letzteren verbunden. Im Zusammenhange 25 damit, daß die Zähne bei einigen Haifischen größer und funktionell wertvoller ausgebildet werden, wird auch der Kiefer größer, und der Oberkiefer tritt in unmittelbare Gelenkverbindung mit dem Gehirnteile, was offenbar von Vorteil ist, da hierdurch eine festere Stütze gewonnen wird, und die Zähne mit größerer Kraft 30 wirken können. Werden die Zähne und infolgedessen auch die Kiefer besonders massiv, dann verschmilzt der Oberkiefer vollständig mit dem Hirnteil, wodurch im Prinzip schon bei den Knorpelfischen der Zustand in der Ausbildung des Schädels erreicht ist, welchen wir beim Menschen und allen höheren Wirbeltieren wieder- 35 finden, bei denen der Gesichtsteil, mit Ausnahme des Unterkiefers, mit dem Hirnteile zu einem einheitlichen Ganzen verschmolzen ist.

Wir können somit feststellen, daß der Gesichtsteil des Schädels einen vom Hirnteil vollkommen getrennten Ursprung hat. Rein mechanische Verhältnisse sind es, welche anfangs ihre Verbindung bewirkt haben.

Während, wie schon früher erwähnt, das Skelett der Knorpelfische ausschließlich aus Knorpel besteht, wird bei den höheren Fischen dieser in geringerem oder größerem Umfange durch Knochen ersetzt. Den Anfang dieses Vorganges können wir bei einigen Ganoiden, welche, wie wir gesehen, die nächst höhere, über den Knorpelfischen stehende Tiergruppe darstellen, beobachten. Bei diesen wird allerdings der Hirnteil ebenfalls von einer Knorpelkapsel, wie bei den Knorpelfischen gebildet, aber die Hautzähne der letzteren sind hier umgebildet und zu kleineren oder größeren Knochenplatten, welche sich der Außenfläche dieser Knorpelkapsel unmittelbar anlegen, verschmolzen. Diese Knochenplatten, welche von der Haut abstammen, und deren Ursprung somit gänzlich unabhängig von der Knorpelkapsel ist, sind die zuerst im Schädel auftretenden Knochen. Aber während dieselben bei den fraglichen Ganoiden noch völlig auf der Oberfläche des Körpers liegen, erhalten sie bei den Knochenfischen eine tiefere Lage und werden von der Haut bekleidet. Nun schwindet am Schädeldache der Knorpel, welcher durch das Auftreten des Knochengewebes überflüssig geworden ist, in demselben Maße als die Knochen in das Schädeldach eintreten; diese, ursprünglich nur Hautverknöcherungen, sind also unter die Haut gerückt und zu Teilen des Schädels geworden. Dies ist der Fall mit den Schädelknochen, welche in der menschlichen Anatomie als Stirn-, Scheitel-, Schläfenknochen u. s. f. figurieren.

Aber außer diesen von der Haut kommenden Skeletteilen werden bei höheren Ganoiden und bei Knochenfischen andere Schädelknochen gebildet, welche die Stelle des Knorpels, der aufgelöst wird, einnehmen. Diese aus der Schädelkapsel selbst hervorgegangenen Knochen bilden vorzugsweise die Basis und die Seitenwände des Schädels. Sie treten mit den in der Haut entstandenen und in die Tiefe gewanderten Knochen in Verbindung, so daß man im völlig ausgebildeten Schädel des Menschen und der höheren Tiere nicht mehr die verschiedene Herkunft der einzelnen Schädelknochen nachweisen kann.

Dagegen verrät sich die verschiedene Abstammung der Schädelknochen noch beim Menschenembryo.

Das Skelett des Menschen und aller Säugetiere macht während der Embryonalentwicklung drei verschiedene Stadien durch: die erste Anlage des Skeletts ist häutig; aus dieser geht das knorpelige Stadium hervor, welches allmählich vom knöchernen ersetzt wird. Nur der Schädel macht teilweise eine Ausnahme von dieser Entwicklungsart.

Während der ersten Wochen des Embryonallebens besteht der ganze Schädel, wie erwähnt, aus einer weichen Bindegewebesubstanz. Später gehen, wie bei allen andern Skelettelementen, die Basis und die Seitenteile des Schädels in eine zusammenhängende Knorpelpartie über, während abweichend das Dach, die „Schädelkalotte", häutig bleibt und nie knorpelig wird.

Erst im späteren menschlichen Embryonalleben treten die Schädelknochen auf und zwar auf verschiedene Weise. Während die die Basis und die Seitenteile der Gehirnkapsel bildenden Knochen ganz wie die Knochen des Rumpfes und der Gliedmaßen auf knorpeliger Grundlage entstehen, entbehren andere dieser Grundlage. Und dieses letztere ist gerade mit allen den Knochen der Fall, betreffs welcher wir nachweisen können, daß sie bei den Fischen von der Haut abstammen, also Stirn-, Scheitel-, Schläfenbein, oberer Teil des Hinterhauptbeins u.a. Noch beim Neugeborenen findet sich an der Stelle des Schädeldaches, wo in der Mitte die Scheitel- und Stirnbeine zusammenstoßen, eine große nur durch weiche Substanz gebildete Stelle; zwischen dem Hinterhauptbein und dem hinteren Winkel der Scheitelbeine besteht eine ähnliche

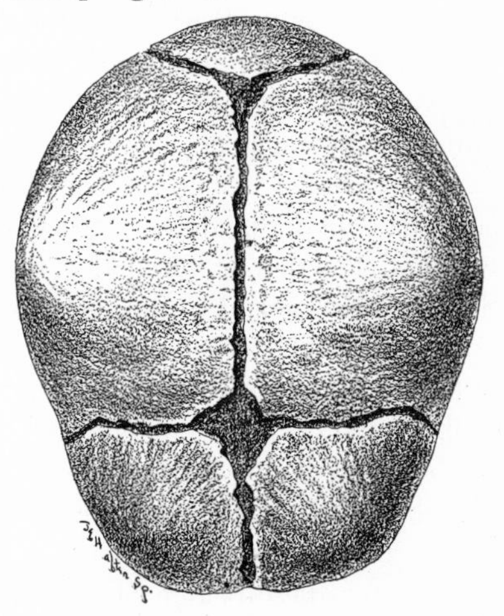

FIG. 23. Schädel des neugeborenen Kindes von oben gesehen, um die Fontanellen zu zeigen.

aber kleinere. Sie sind von phantasievollen älteren Anatomen als Fontanellen (von Fons = Quelle) bezeichnet worden, weil sich hier, einer Quelle ähnlich, eine pulsierende Bewegung — der fortgeleitete Puls der Hirngefäße — wahrnehmen läßt. Schon das Vorkommen
5 dieser Fontanellen und das gänzliche Fehlen von Knorpel an den Knochen, welche dieselben begrenzen, beweist somit, daß sich diese Knochen ohne Mitwirkung des Knorpels entwickelt haben. Wir sehen auch ein, daß diese von dem Verhalten bei allen anderen Knochen vollkommen abweichende Bildungsart absolut unbegreif-
10 lich wäre, wenn wir nicht wüßten, — daß die fraglichen Knochen, zum Unterschied von den übrigen Schädelelementen, von der Haut eingewandert wären.

Die vergleichende Untersuchung des menschlichen Schädels hat festgestellt, daß alle seine Bestandteile unmittelbar aus Zuständen
15 bei den niederen Wirbeltieren hervorgehen. Da ich den Leser nicht durch gar zu ausgedehnte Exkurse in dieses Gebiet ermüden möchte, will ich hier nur auf ein besonders lehrreiches Detail aufmerksam machen.

Der Schädel des Menschen und der Säugetiere unterscheidet
20 sich von dem der niederen Wirbeltiere unter anderem dadurch, daß, während bei den ersteren der Unterkiefer unmittelbar mit dem Schläfenbein gelenkt, die Gelenkverbindung bei den letzteren durch ein Skelettstück, Quadratbein genannt, welches anderseits mit dem Unterkiefer sich verbindet, hergestellt wird. Derjenige
25 Teil des Unterkiefers, welcher mit dem Quadratbein gelenkt, wird bei den niederen Wirbeltieren ebenfalls durch ein besonderes Knochenstück, das Gelenkbein, repräsentiert. Wir haben also die Frage zu beantworten: wo sind beim Menschen und bei den Säugetieren diese beiden Skelettstücke, das Quadrat- und Gelenk-
30 bein, welche bei allen übrigen Wirbeltieren zum Unterkiefergelenk gehören, hingekommen? Sind sie, da dieses Gelenk ohne ihre Beihilfe zustande kommt, spurlos verschwunden?

Um diese Frage beantworten zu können, müssen wir auf ein anderes Organsystem des Menschen, nämlich auf jene Bestandteile
35 des Gehörorganes, welche Gehörknöchelchen genannt werden, Rücksicht nehmen. Dies sind drei kleine Knochen: der Hammer, der Amboß und der Steigbügel, die beim Menschen ungefähr die

Form haben, welche ihre Namen andeuten. Sie liegen in dem Mittelohr oder der sog. Paukenhöhle und sind zu einer Kette, welche sich zwischen dem Trommelfell und dem innern Ohr (dem Labyrinth) ausspannt, gelenkig vereinigt. Die Anordnung der Gehörknöchelchen ist eine derartige, daß die Schallwellen, welche 5 das Trommelfell in Bewegung setzen, durch dieselben auf das Labyrinth übertragen werden.

Die Embryologie hat uns Aufschluß über den Ursprung der Gehörknöchelchen gegeben. Durch die Untersuchung des menschlichen Embryo ist nämlich nachgewiesen worden, daß zwei dieser 10 Knochen, der Hammer und der Amboß, nichts anderes als das umgebildete Gelenk- und Quadratbein der niederen Tiere sind: die letzteren entwickeln sich nämlich als Verknöcherungen eines Teiles des Kieferbogens in völlig entsprechender Art wie Hammer und Amboß beim Menschen und bei den Säugetieren; und zwar 15 entspricht der Hammer dem Gelenkbein, der Amboß dem Quadratbein. Das dritte der Gehörknöchelchen, der Steigbügel, ist schon als solches (als Gehörknöchelchen) bei den niederen Tieren, von den Amphibien an aufwärts, vorhanden.

Aus diesen Tatsachen geht also hervor, daß zwei Skeletteile, 20 Gelenk- und Quadratbein, welche bei den niederen Wirbeltieren dem Kieferapparat angehören, bei den höchsten einen Funktionswechsel durchgemacht haben, d. h. sie sind in den Dienst einer ihnen ursprünglich völlig fremden Funktion getreten: sie sind umgebildet und Teile des Gehörorgans geworden. Eine Konsequenz dieser 25 Auffassung ist ferner, daß das Kiefergelenk des Menschen und der Säugetiere eine Neubildung und nicht identisch mit demjenigen der niederen Wirbeltiere ist.

Wie aus früher mitgeteilten Beobachtungen hervorgeht, bestand derjenige Teil des Schädels, welcher bei höheren Wirbeltieren 30 als Gesichtsteil dient, ursprünglich aus vom Hirnschädel völlig getrennten Knorpelteilen (Kieferbogen) und verschmolz erst bei einigen Knorpelfischen zu einem Ganzen mit dem Hirnschädel. Bei den höher ausgebildeten Fischen wird der Knorpel der Kieferbogen ganz oder zum Teil durch eine Anzahl Knochen ersetzt, 35 welche ihrerseits in nähere Beziehungen zu den Knochenstücken des Hirnschädels treten, so daß schließlich bei der Mehrzahl der höheren Wirbeltiere Gesichts- und Hirnteil ein mehr oder weniger innig verbundenes Ganzes darstellen.

Auch in der gegenseitigen Lage der beiden Abschnitte des Schädels zeigen sich bemerkenswerte Unterschiede bei den verschiedenen Wirbeltieren. Während bei allen Nicht-Säugetieren der Gesichtsteil vor dem Hirnteil gelegen ist, lagert sich bei den Säugetieren der letztere allmählich immer mehr über den ersteren. Diese Umlagerung erreicht ihren höchsten Grad beim Menschen, denn hier liegt der stark ausgebildete Gehirnteil vollständig über dem sehr kurzen Gesichtsteil. Wie dieses Überwiegen des Hirnschädels bei dem Menschen entstanden, ist eine Kardinalfrage, zu welcher wir zurückkommen werden, wenn wir die Beziehungen des Menschen zu den ihm nächststehenden Lebewesen zu beurteilen haben werden.

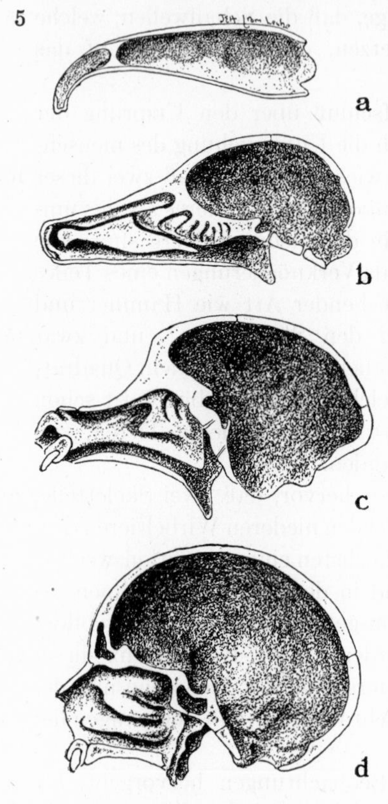

Fig. 24. Längsschnitt durch den Schädel a. vom Landsalamander, b. vom Rehe, c. vom Pavian, d. vom Menschen.

Schon in einem früheren Kapitel ist nachgewiesen worden, daß der Teil der Wirbelsäule, welcher bei den höheren Wirbeltieren den Wirbelkörpern entspricht, bei dem niedrigsten, dem Lanzettfische, durch einen zylindrischen, einheitlichen Strang, die Rückensaite, vertreten wird. Die Rückensaite erhält sich unverändert bei den Rundmäulern und einigen der ursprünglicheren Fischgattungen, wird bei anderen durch knorpelige und bei den höheren durch knöcherne Wirbelkörper ersetzt. Von eminenter Bedeutung ist es nun, daß bei allen höheren Wirbeltieren — mit Einschluß des

Menschen — die Wirbelsäule im Verlaufe der Embryonalentwicklung dieselben verschiedenen Ausbildungsstufen von den niederen zum höheren Typus durchmacht, auf welchen die niederen Tierformen stehen geblieben sind. Somit wird die Wirbelsäule bei ganz jungen menschlichen Embryonen von einer Rückensaite, von 5 welcher häutige Teile ausgehen, gebildet — also entsprechend dem Zustande, welcher sich beim Lanzettfische zeitlebens erhält. Während des zweiten Embryonalmonats hebt beim Menschen die Knorpelbildung an; an getrennten Punkten in der Substanz, welche die Rückensaite umgibt, entstehen Knorpelpartien, die 10 Anlagen der Wirbelkörper, welche die Rückensaite umwachsen. Hiermit hat die embryonale Wirbelsäule diejenige Entwicklungsstufe erklommen, welche etwa derjenigen entspricht, auf welcher die Mehrzahl der Knorpelfische und einzelne Ganoiden stehen bleiben. Schon vor Ende des zweiten Embryonalmonats fängt 15 beim Menschen die Verknöcherung der Wirbelsäule an. Mit dem Auftreten selbständiger Wirbel hat die Rückensaite beim Menschen ihre Rolle als die hauptsächliche Stütze der Körperachse ausgespielt und geht bis auf einen kleinen Rest ihrem Untergang entgegen. Denn später schwindet die Rückensaite innerhalb des 20 Wirbelkörpers gänzlich, während dieselbe noch beim erwachsenen Menschen zwischen den Wirbelkörpern in den sog. Zwischenwirbelknorpeln fortbesteht. Die Zwischenwirbelknorpel, das wichtigste Verbindungsmittel der Wirbel untereinander, sind feste, elastische Scheiben, welche zwischen je zwei Wirbelkörpern liegen, 25 an deren einander zugekehrten Flächen sie sich anheften, und deren Form sie entsprechen. Sie sind von großer funktioneller Bedeutung, indem sie dadurch, daß sie sich zusammendrücken und wieder ausdehnen lassen, das Bewegungsvermögen unserer Wirbelsäule vermitteln sowie die Erschütterung, welche sich beim Sprunge vom 30 unteren Teil des Körpers zum Kopfe fortpflanzt, abschwächen. Hat die Last des Körpers längere Zeit auf sie eingewirkt, dann werden sie niedriger, wie des Abends und im Alter.

Ein solcher Zwischenwirbelknorpel besteht aus zwei Teilen, welche sich in bezug sowohl auf Bau wie Funktion verschiedenartig 35 verhalten. Während der äußere Teil ein aus faserigem, glänzendem Bindegewebe gebildeter Ring ist, wird der Kern von einer weichen, gallertigen Masse, welche im Grunde nichts anderes als die stark veränderte Rückensaite ist, gebildet.

Das Schicksal der Rückensaite ist somit ein recht eigenartiges: während sie bei dem ursprünglichsten bekannten Wirbeltiere fast 5 als das einzige Skelettelement anzusehen ist, wird sie von Stufe zu Stufe durch immer wertvolleres Skelettmaterial ersetzt, zuerst durch Knorpel, dann durch Knochen und tritt schließlich nur noch während des Embryonallebens auf, um bei den höchsten Wirbeltieren in stark veränderter Gestalt als Teil eines elastischen 10 Apparates fortzubestehen.

Das Brustbein des Menschen weicht recht beträchtlich von dem der meisten Säugetiere ab. Es ist ein breiter, platter Knochen, an dem man drei übereinander liegende Teile unterscheiden kann, von denen der mittlere der größte ist und die Form einer recht-15 eckigen Platte hat. Bei den allermeisten Säugetieren besteht das Brustbein dagegen aus mehreren kleineren Knochenstücken, mit welchen die Rippen in Verbindung treten. Steigen wir zu noch tieferen Tierstufen herab, so begegnet uns bei den Eidechsen eine dritte Form des Brustbeins. Durch eine vergleichende Unter-20 suchung, deren Resultate durch die Embryologie bestätigt werden, kommt man zu der Auffassung, daß das breite, knorpelige Brustbein der Eidechsen, welches mit den gleichfalls knorpeligen Rippenenden in Verbindung steht, seine Entstehung und seinen Zuwachs dem Umstande zu verdanken hat, daß die Rippenenden sich in der 25 Körpermitte aneinanderlegen und allmählich verschmelzen. Das unpaare Brustbein ist also durch die Verschmelzung der paarigen Rippenenden entstanden.

Dieser Entwicklungsprozeß spiegelt sich nun im Embryonalleben des Menschen ab. Noch im Anfang des dritten Embryonal-30 monats fehlt ein Brustbein; die 5–7 obersten Rippen sind jederseits an der Bauchseite des Embryo zu einer knorpeligen Längsleiste verbunden. Diese Längsleisten nähern sich einander und verschmelzen allmählich von oben nach unten zu einem unpaaren Stücke — ein Vorgang, dessen verschiedene Stufen wir bei ver-35 schiedenen Eidechsen wiederfinden.

Nachdem beim menschlichen Embryo die Rippenenden sich durch Gelenke vom knorpeligen Brustbein abgegrenzt haben, fängt im sechsten Embryonalmonat die Verknöcherung an, indem eine wechselnde Anzahl Knochenkerne auftreten, so daß das Brustbein in diesem Stadium und später mit dem Verhalten, welches die Mehrzahl der Säugetiere kennzeichnet, übereinstimmt. Erst im Laufe des 4.–12. Lebensjahres nimmt das Brustbein des Kindes 5 durch Verschmelzung der Knochenkerne zu den genannten drei großen Stücken die Gestalt an, welche dem erwachsenen Menschen eigen ist.

Die Entstehung des Brustbeins aus paariger Anlage gibt uns auch die Erklärung einer sogenannten Mißbildung, welche unter 10 dem Namen der Brustbeinspalte (Fissura sterni) zuweilen beim Menschen angetroffen wird. Eine solche Spalte kommt dadurch zustande, daß die beiden oben geschilderten Rippenleisten aus irgendeiner Veranlassung beim Embryo nicht zur völligen Verschmelzung gelangen, sondern größere oder kleinere Lücken als 15 Überreste der ursprünglichen großen Lücke zwischen den Rippen vorkommen, und in der Brustmitte sich nur die Haut als Bedeckung findet, durch welche hindurch die Pulsationen des Herzens unmittelbar gesehen werden können.

Das Studium des Gliedmaßenskelettes ist besonders geeignet, 20 uns von der Einheit der Organisation, welche bei den Wirbeltieren herrscht, zu überzeugen.

Wie sehr auch immer durch den Einfluß verschiedener Faktoren die Gliedmaßen umgemodelt und spezialisiert worden sind, um den besonderen, von der Lebensweise der Tiere geforderten Aufgaben 25 wie Fliegen, Schwimmen, Graben, Klettern u. s. w. zu genügen, stets können wir an den Gliedmaßen eines Wirbeltieres dieselben Elemente wie bei allen anderen nachweisen, stets wird dasselbe Thema variiert.

Da man bezüglich der speziellen Homologien zwischen den 30 paarigen Flossen der Fische und den Gliedmaßen der übrigen Wirbeltiere noch nicht zu einer einheitlichen Auffassung gelangt ist, so lassen wir hier die ersteren beiseite. Aber von den ursprünglichsten Lurchen an die ganze Reihe aufwärts bis zum Menschen kann man keinen Zweifel über die Homologien der einzelnen Teile hegen, 35 wie sehr auch die Anpassung an verschiedenartige Lebensweisen die Übereinstimmung verdeckt haben mag. Auch die Vorder- und

Hintergliedmaßen enthalten stets dieselben einander streng entsprechenden Bestandteile, wie aus folgender Übersicht hervorgeht:

Vordergliedmaße:	Hintergliedmaße:
Oberarmbein,	Oberschenkelbein,
Speichenbein,	Schienbein,
Ellenbogenbein,	Wadenbein,
Handwurzelknochen,	Fußwurzelknochen,
Mittelhandknochen,	Mittelfußknochen,
Fingerknochen,	Zehenknochen.

Von besonderem Interesse ist der Vergleich zwischen der Vordergliedmaße des Vogels, der Fledermaus, des Wales, des Maulwurfs und des Menschen. Bei den beiden ersteren ist die Gliedmaße auf zwei verschiedene Arten zu einem Flugwerkzeug umgebildet worden, beim Wale ist sie ein Schwimm-, beim Maulwurf ein Grab- und beim Menschen ein Greifwerkzeug geworden, aber bei allen sind es dieselben Elemente, welche in verschiedener Weise umgebildet sind.

Als ein bedeutungsvoller Unterschied zwischen dem Menschen und der Mehrzahl der Säuger einer- und den übrigen Wirbeltieren anderseits ist betont worden, daß bei den letzteren das Schulterblatt durch einen besonderen, an der Brustseite gelegenen Skeletteil, den Rabenschnabelknochen (Coracoideum), mit dem Brustbein verbunden ist, während bei den ersteren dieser Knochen und damit auch diese Verbindung fehlt. Das Schulterblatt, ebenso wie die von ihm getragene vordere Gliedmaße, erhalten hierdurch bei den höheren Säugetieren eine größere Beweglichkeit, das erstere außerdem eine starke Vergrößerung.

Was ist nun aus dem Rabenschnabelknochen geworden? Die niedrigsten aller Säugetiere, die schon früher mehrmals erwähnten Kloakentiere, stimmen in dieser ebenso wie in vielen anderen Beziehungen mehr mit den Kriechtieren als mit den übrigen Säugetieren überein. Bei ihnen hat sich nämlich der Rabenschnabelknochen in seiner Verbindung mit dem Brustbein erhalten. Bei den nächst höheren Säugern, den Beuteltieren, ist allerdings der fragliche Knochen in einer sehr frühen Entwicklungsperiode noch nachweisbar, aber seine Größenzunahme erfolgt nicht in demselben Maßstabe wie die der übrigen Teile des Schultergürtels, so daß er beim erwachsenen Beuteltiere nur als ein kleiner, mit dem Schulterblatt verwachsener Knochenfortsatz vorhanden ist. Dieser kleine Rest, der Rabenschnabelfortsatz der beschreibenden Anatomie, 5 findet sich auch beim Menschen und dient einigen Muskeln als Ansatzfläche. Seine frühere Bedeutung und Selbständigkeit offenbart aber der letztgenannte Knochenfortsatz beim Menschen noch dadurch, daß seine Verknöcherung stets von einem besonderen Knochenkern ausgeht, welcher in der Regel erst im 16.–18. 10 Lebensjahre mit dem Schulterblatt verschmilzt; bei manchen Menschen — nach einer Angabe bei 7 % — verbleibt er während des ganzen Lebens selbständig.

„Welche Vorstellung man auch von dem Wesen der Seele und ihren Beziehungen zum Körper haben mag, so ist man jedenfalls 15 genötigt zuzugeben, daß irgendein Teil unseres Körpers das Werkzeug sein muß, durch welches die Seele selbst teils Kenntnis von dem, was in der Außenwelt geschieht, erhält, teils ihren unverkennbaren Einfluß auf das Tun und Lassen des Körpers ausübt. Denn jeder in Worten ausgesprochene Gedanke, jeder zur Hand- 20 lung gewordene Entschluß setzt als eine unerläßliche Bedingung voraus, daß die Organe des Körpers den Befehlen der Seele Folge leisten; ebenso setzt jeder Sinneseindruck, welcher zum Bewußtsein gelangt, mit Notwendigkeit voraus, daß die rein materiellen Prozesse, welche der auf das Sinnesorgan ausgeübte Reiz auslöst, 25 auf die Seele einwirken können. Alles dies wäre undenkbar ohne die Annahme, daß die Seele in einem oder in mehreren Organen des Körpers eine materielle Unterlage hätte. Eine Menge untereinander übereinstimmender Tatsachen beweisen, daß es das Gehirn ist, welches die materielle Unterlage der Seele bildet.“ 30

Mit diesen Worten leitet einer der führenden Physiologen der Gegenwart, Robert Tigerstedt, seine Darstellung von dem „Gehirn als Organ des Gedankens“ ein. Die — hier darf man wohl sagen: unumstößliche — Wahrheit, welcher dieser Ausspruch in konzentrierter Form Ausdruck verleiht, dürfte uns von der 35 Bedeutung überzeugen, welche ein Einblick in die Entstehung und Entwicklung unseres Gehirns haben muß. Die Menschenwerdung ist ja auf das innigste mit der Um- und Ausbildung gerade dieses Organs verknüpft.

Um zu zeigen, daß das Menschenhirn, wie hoch seine Ausbildung auch gelangt ist, kein Gebilde für sich ist, sondern wie alle übrigen Organe des Menschen sich von Zuständen bei niederen Organismen und zwar in diesem Falle als eine höhere Differenzierung ableiten läßt, werfen wir zuerst einen Blick auf die Gehirnformen einiger niederen Wirbeltiere, um später Bekanntschaft mit einigen Entwicklungsstadien des menschlichen Embryonalgehirns zu machen.

Selbstverständlich müssen wir von dem Hirnbau ausgehen, wie er bei den niedrigsten Wirbeltieren, wo überhaupt ein Gehirn in uns verständlicher Form ausgebildet ist, nämlich bei den Rundmäulern, auftritt; man ist sich nämlich nicht darüber einig, ob das allerdings ungemein einfache Gehirn des Lanzettfisches einen ursprünglichen Zustand darstellt oder bereits teilweise rückgebildet ist. Bei dem zu den Rundmäulern gehörigen Neunauge besteht das Gehirn aus mehreren, hintereinander liegenden, mehr oder weniger bläschenförmigen Abteilungen, welche bezeichnet werden als Großhirn, Zwischenhirn, Mittelhirn und die hier unbedeutend voneinander getrennten Hinterhirn oder Kleinhirn und Nachhirn; mit dem Großhirn stehen die Riechkolben, von denen die Riechnerven ausgehen, in Verbindung.

Ein Vergleich des Gehirns des Neunauges mit dem anderer Wirbeltiere ergibt, daß wir bei allen ohne Ausnahme dieselben fünf eben genannten Hirnabteilungen wiederfinden, nur ihre Ausbildung ist bei verschiedenen Tieren verschieden. So hat sich das Großhirn bei dem Frosche, der ja in jeder Beziehung viel höher als das Neunauge steht, stark vergrößert, sowohl im Verhältnis zu dem Gehirn als Ganzen als zu den andern Hirnabschnitten.

Während beim Neunauge und im großen und ganzen auch noch beim Frosche alle Hirnteile hintereinander liegen, erlangt bei den nächst höheren Wirbeltieren, den Kriechtieren, das Großhirn eine so starke Ausbildung, daß es das Zwischenhirn vollkommen überlagert. In noch höherem Grade macht sich die Überlegenheit des Großhirns bei den Nachkommen der Kriechtiere, den Vögeln, bemerkbar, wovon schon früher die Rede gewesen ist.

Seine höchste Entwicklung erreicht das Großhirn bei den höchsten Organismen, den Säugetieren. Wir wählen drei Beispiele, um die stufenweise Ausbildung innerhalb dieser Tiergruppe zu veranschaulichen. Während es beim Kaninchen noch nicht so weit nach hinten gewachsen ist, daß es das Mittelhirn vollständig bedeckt hat, ist dies bei dem auf höherer Organisationsstufe stehenden Hunde erfolgt. Beim Menschen endlich sind alle anderen Hirnteile vom Großhirn überlagert; dieses hat hier unbedingt den Höhepunkt seiner Entwicklung in der Jetztzeit erreicht. 5

Die Resultate dieser Untersuchung können wir also folgendermaßen zusammenfassen: das Großhirn bietet im gewissen Sinne eine mit der Gesamtorganisation der Wirbeltiere parallel verlaufende Ausbildung dar, bei den niedrigsten ist es am schwächsten, bei den höchsten ist es am stärksten entwickelt. 10

Während die Oberfläche des Großhirns bei allen Nicht-Säugetieren, ebenso wie bei vielen niederen und vor allen bei den meisten kleineren Säugetieren, volkommen glatt ist, ist dieselbe bei den höheren und größeren Säugern durch eine Anzahl Windungen bedeutend vergrößert. Da wir im folgenden auf die Frage nach der Bedeutung der Hirnwindungen für die Lebensfunktionen zurückkommen, möchte ich in diesem Zusammenhange nur betonen, daß alle Naturforscher darüber einig sind, daß es das Großhirn und speziell dessen Oberfläche ist, welche die materielle Unterlage der Seelentätigkeit bildet. Hieraus folgt wiederum, daß je höher ausgebildet das Großhirn ist, desto reicher muß sich auch das Seelenleben gestalten. 15 20 25

Bei allen Wirbeltieren, auch bei den höchsten, besteht das Gehirn während der frühesten Embryonalzeit aus einer Reihe von zusammenhängenden, mehr oder weniger bläschenförmigen Teilen — also im wesentlichen eine Wiederholung des Verhaltens, welches wir als kennzeichnend für die niederen Wirbeltiere im völlig reifen Zustande angetroffen haben. Es ist nämlich das Gehirn eines 3–4 Wochen alten menschlichen Embryo aus fünf einfachen Hirnblasen zusammengesetzt; ebenso wie bei niederen Wirbeltieren ist die Grenze zwischen Kleinhirn und Hinterhirn noch undeutlich. Indessen besteht ein Unterschied zwischen dem Gehirn der niederen Wirbeltiere im erwachsenen Zustande und dem menschlichen Em- 30 35

bryonalgehirn: während bei den ersteren die verschiedenen Hirnteile in derselben Ebene liegen, beschreiben sie beim letzteren einen Bogen, wobei das Mittelhirn das Vorderende des Gehirns bildet. Dieser Unterschied ist jedoch ausschließlich von mechanischen,
5 vom Embryonalleben verursachten Verhältnissen abzuleiten: beim Embryo erfolgt das Wachstum des Gehirns und besonders des Hirndaches in rascherem Tempo als seine Umhüllung, weshalb es sich nach unten, wo es den schwächsten Widerstand findet, krümmt. In einem späteren Stadium, beim fünf Wochen alten
10 menschlichen Embryo, fängt die Anlage der beiden Hälften des Großhirns an nach oben und hauptsächlich nach hinten zuzuwachsen. Im dritten Monat hat dieser Hirnteil eine solche Ausbildung erreicht, daß er die Sehhügel völlig überlagert und schon seine Überlegenheit über den übrigen Hirnteil offenbart. Und im fünften
15 Monate sind nicht nur das Zwischenhirn (die „Sehhügel"), sondern auch der größere Teil des Mittelhirns (die „Vierhügel") von ihnen bedeckt; das Großhirn hat somit jetzt etwa die Stufe erreicht, auf welcher es bei manchen niederen Säugetieren (z. B. beim Kaninchen) zeitlebens stehen bleibt. Diese Übereinstimmung
20 ist um so vollständiger, als die Oberfläche des Großhirns beim Kaninchen und beim Menschenembryo auf dieser Entwicklungsstufe vollkommen glatt ist, noch der Windungen entbehrt, welche beim Menschen erst später, beim Kaninchen niemals auftreten.

Denselben Parallelismus in dem Entwicklungsverlaufe des
25 einzelnen Individuums (somit in der Embryonalentwicklung) und des ganzen Tierstammes, den wir schon oben bezüglich einiger anderer Organe beobachten konnten, weist also auch das wichtigste Spezialmerkmal des Menschen, das Gehirn, auf.

Daß aber das zunehmende Übergewicht des Großhirns, von dem
30 die vergleichende Anatomie und die Embryologie ein völlig einstimmiges Zeugnis ablegen, in der Tat der Ausdruck eines nicht bloß gedachten, sondern eines wirklichen, historischen Vorganges ist, beweisen mehrere fossile Funde. Da das Gehirn der Säugetiere das Schädelinnere so vollständig ausfüllt, daß ein Ausguß der Hirn-
35 höhle eine genaue Vorstellung von der Gestalt des Gehirns zu geben vermag, können wir demgemäß auch recht befriedigende Aufschlüsse über die Gehirne ausgestorbener Säugetiere gewinnen. So

ist die sehr bemerkenswerte Tatsache festgestellt worden, daß bei den ältesten tertiären Säugetieren das Gehirn im allgemeinen und besonders das Großhirn kleiner als bei den später auftretenden Säugetieren gewesen ist. Und dies gilt nicht nur von Formen, welche, ohne Nachkommen zu hinterlassen, ausgestorben sind — vielleicht 5 steht das Aussterben mancher derselben geradezu im ursächlichen Zusammenhange mit ihrer Unfähigkeit, eine höhere Hirnausbildung zu erlangen — sondern auch von solchen, welche Stammformen heute lebender Säuger geworden sind.

Eine eigentümliche Vorgeschichte hat die Schilddrüse. 10

Beim Menschen wie bei der Mehrzahl der Säugetiere liegt dieses Organ dem oberen Teil der Luftröhre an, seitlich sich bis zum Schildknorpel („Adamsapfel") erstreckend, und besteht meist aus zwei seitlichen durch ein schmäleres Mittelstück verbundenen, abgerundeten und länglichen Lappen. Von gewöhnlichen Drüsen 15 unterscheidet sich die Schilddrüse durch das Fehlen von Ausführgängen. Lange hat man angenommen, daß dieselbe ohne wesentlichen Einfluß auf unser Wohlbefinden, daß sie mehr oder weniger funktionslos sei. Aber abgesehen von ihrer recht beträchtlichen Größe beim Menschen und den Säugetieren und von dem Um- 20 stande, daß dieselbe sehr reichlich mit Blutgefäßen versehen ist, kann durch unmittelbare Beobachtungen, mit denen uns die medizinische Wissenschaft der letzten Jahrzehnte bekannt gemacht hat, unwiderleglich bewiesen werden, daß die Schilddrüse mit äußerst wichtigen Verrichtungen betraut ist. Man weiß jetzt, 25 daß vollständige Entfernung oder krankhafte Veränderungen derselben verhängnisvolle Störungen zur Folge haben. Zunächst ist festgestellt worden, daß die Entfernung der Schilddrüse beim Hunde, mit welchem Tier eingehende Experimente angestellt sind, in der Regel innerhalb einiger Tage oder Wochen zum Tode führt, 30 daß sie beim Menschen sehr erhebliche Nahrungsstörungen verursacht, sowie daß jüngere Individuen nach dieser Operation schneller als ältere zugrunde gehen; außerdem ist zu bemerken, daß sich verschiedene Tierarten verschieden gegen diese Operation verhalten. Die vollständige Ausschaltung derselben, welche man 35 bei ihrer chronischen Entartung und Anschwellung (unter dem Namen Kropf bekannt) vorgenommen hat, zieht ferner eine

Schwächung der Intelligenz, sowie Veränderungen in der Haut nach sich. Dasselbe Krankheitsbild ist in den Fällen, wo die Drüse durch Krankheit zerstört worden ist, beobachtet worden. Anderseits ist es gelungen, den schädlichen Wirkungen, welche die vollständige Ausschaltung der Schilddrüse nach sich zieht, durch Einspritzung von Schilddrüsenextrakt in das Blut oder durch Verzehren von Schilddrüsenpräparaten zu begegnen. Auf Grund dieser und ähnlicher Befunde nimmt man jetzt allgemein an, daß die Schilddrüse vermittelst sogenannter innerer Sekretion auf den Körper einwirkt; d. h. dadurch, daß sie einen Stoff, der für die normale Tätigkeit des Nervensystems notwendig ist, absondert und unmittelbar an das Blut abgibt.

Mehrere Tatsachen sowohl der vergleichenden Anatomie wie der Embryologie sind indessen geeignet, darzulegen, daß die Schilddrüse keineswegs stets die eben erwähnte Funktion inne gehabt hat. Schon der Umstand, daß beim menschlichen Embryo die Anlage der Schilddrüse in offener Kommunikation mit dem vordersten Teile des Darmkanals steht, welche Kommunikation später im Laufe der embryonalen Entwicklung aufgehoben wird, gibt der Annahme Raum, daß die Tätigkeit des fraglichen Organs ursprünglich in irgendwelcher Beziehung zum Darmkanale, also wohl zunächst im Dienste der Ernährung gestanden hat. Die Funde, welche die vergleichende Anatomie aufgedeckt hat, bestätigen durchaus diese Auffassung. Die Schilddrüse ist ein sehr altes Organ, da es vollkommen kenntlich schon bei wirbellosen Tieren auftritt. Bei den ursprünglichsten der bisher bekannten Wirbeltiere, dem Lanzettfische, kommt eine Schilddrüse als eine offene, von umgebildeten Zellen begrenzte Rinne vor, welche den Boden der vordersten Teile des Darmkanals bildet. Höchst wahrscheinlich spielt die Rinne die Rolle einer Drüse, deren Absonderungsprodukte unmittelbar in den Darm entleert werden, um an der Verdauungsarbeit teilzunehmen, oder sie umhüllen die Nahrungsteilchen mit Schleim, um sie dadurch sicher dem Magen zuzuleiten. Diese Funktion kommt ganz sicher auch dem Organe bei dem nächsthöheren Wirbeltiere, dem Neunauge, zu. Hier hat nämlich die Rinne insofern die Form einer mehr selbständigen Drüse angenommen, als sie sich vollständiger vom Darmkanal getrennt hat, mit dem sie bei dem jungen Tiere nur durch einen als Ausführgang dienenden Kanal in Verbindung steht. Beim vollkommen ausgebildeten, geschlechtsreifen Neunauge dagegen ist der Ausführgang und damit die Verbindung der Schilddrüse mit dem Darmkanal verschwunden; sie kann somit nicht länger als ge- 5 wöhnliche „ Drüse “ dienen, ganz abgesehen davon, daß die Drüsensubstanz eine Rückbildung erfährt. Bei Fischen, Amphibien, Kriechtieren und Vögeln steht die Schilddrüse nur im Embryonalzustande mit dem Darmkanal in Verbindung, indem sie als eine Ausstülpung desselben entsteht und somit dem Zustande bei der 10 Neunaugenlarve entspricht. Im ausgebildeten Zustande aber ist die Schilddrüse bei den genannten Tieren ein paariger oder unpaarer, stets kleiner, vom Darme völlig getrennter und vielleicht funktionsloser Körperteil. Erst bei den Säugern tritt ein anderer Zustand auf: wie schon erwähnt, hat sich die Schilddrüse hier zu 15 einem relativ großen, sehr blutreichen Organe mit für die Lebenstätigkeit äußerst wichtigen Funktionen entwickelt.

Die Schicksale der Schilddrüse in der Reihe der Wirbeltiere sind somit recht seltsam. Dieselbe entsteht bei den wirbellosen Tieren als eine auf besondere Art umgebildete Darmpartie, welche sich bei 20 der Larve des Neunauges zu einer mehr begrenzten Drüsenmasse mit Ausführgang in den Darm umgestaltet. Sodann hört die Schilddrüse, indem die Verbindung mit dem Darm gelöst wird, auf, Drüse in eigentlichem Sinne des Wortes zu sein, wird ein Organ von wahrscheinlich minderwertiger Bedeutung, rettet sich aber bei 25 den höchsten Organismen vom völligen Untergange durch Übernahme von ihr ursprünglich fremden, aber äußerst bedeutsamen Funktionen. Wir stehen also auch hier vor einer Erscheinung in der organischen Entwicklungsgeschichte, welche als Funktionswechsel zu bezeichnen ist. 30

Im vorigen haben wir eine Reihe Organe durchmustert, deren Beschaffenheit für den Körperbau des Menschen besonders bezeichnend ist, wie der Schädel, das Brustbein, das Gehirn u.a. Durch Vergleichung mit den entsprechenden Körperteilen bei niederen Organismen und — gegebenen Falles — durch Unter- 35 suchung der Befunde während des embryonalen Lebens haben wir uns davon überzeugen können, daß, in wie hohem Grade die Befunde beim erwachsenen Menschen auch von dem Verhalten bei den Tieren abweichen mögen, sie nicht nur aus denselben Grundelementen aufgebaut sind, sondern auch durch Mittelstufen hindurch sich von Zuständen bei niederen Geschöpfen herleiten lassen. 5 Zu ganz denselben Schlußsätzen würde uns das Studium des menschlichen Körpers in seiner Gesamtheit führen. Da aber, wie schon bemerkt, unsere Aufgabe nicht darin besteht, eine Darstellung der Anatomie des Menschen zu geben, sondern vielmehr seinem Ursprunge nachzuspüren, können wir uns auf das obige um 10 so mehr beschränken, als wir Veranlassung haben werden, noch einige andere Züge seiner Organisation in einem folgenden Abschnitte, wo seine intimeren Verwandtschaftsverhältnisse untersucht werden sollen, zu studieren.

DAS ERGEBNIS DER EMBRYOLOGIE

Die Veränderungen, welche der Organismus vom Ei bis zum 15 ausgebildeten Individuum erfährt, bilden den Gegenstand der Wissenschaft, der unter dem Namen der Embryologie oder Ontogenie — zu deutsch: Lehre von der Keimesentwicklung — bisweilen die ausschlaggebende Stimme zuerkannt wird, wenn die höchsten Fragen des Lebensprozesses zur Erörterung gelangen.

20 Die Embryologie in ihrem gegenwärtigen Umfange ist ziemlich jungen Datums. Erst um die Mitte des 17. Jahrhunderts gelang es nachzuweisen, daß das neue Geschöpf aus dem Ei entsteht, und erst 1827 entdeckte einer der Begründer der modernen Embryologie, K. E. von Baer, das wirkliche Säugetierei. Auch betreffs der Art 25 und Weise, wie der Embryo oder der Fötus sich aus dem Ei entwickelt, hegte man in früheren Zeiten ganz andere Vorstellungen als heute. Noch bis zur zweiten Hälfte des 18. Jahrhunderts herrschte eine Theorie vor, welche lehrte, daß der ausgewachsene Organismus mit allen seinen verschiedenen Teilen schon in dem 30 befruchteten Ei, beziehungsweise in der Samenzelle vorhanden sei; daß man ihn in dem Ei oder in der Samenzelle nicht entdecken könne, beruhe teils auf seiner Kleinheit, teils auf seiner Durchsichtigkeit. Der Embryo war also nach dieser Vorstellung nur ein Miniaturbild des ausgewachsenen Individuums. Eine „Entwick- 35 lung“ in dem Sinne, wie wir diesen Prozeß verstehen, sollte demnach

gar nicht stattfinden, nur ein Wachstum und eine „ Evolution “, ein Entfalten verschiedener Hüllen, in welche der fertiggebildete Organismus eingehüllt war. Unverzagt zog man aus dieser „ Präformations-theorie “ die unvermeidliche Schlußfolgerung: da keine Neubildung stattfindet, müssen also zu einem gegebenen Zeitpunkt 5 in der zukünftigen Mutter die Miniaturbilder nicht nur von Kind, sondern auch von Kindeskind, Kindeskindeskind u. s. w. ins Unendliche eingeschlossen sein; und geht man auf den „ Anfang “ zurück, so müssen natürlich alle Menschen, die gelebt haben, leben und leben werden, in Miniatur in dem Eierstock der Stammutter 10 aus dem Paradies, bei Eva, eingeschlossen gewesen sein!

Gegen diese Präformationstheorie, die sich auch mit der kirchlichen Orthodoxie gut vertrug, trat unter anderen der deutsche Biologe Caspar Friedrich Wolff (geb. 1733, gest. 1784) auf. In mehreren mit bewundernswertem Scharfsinn und seltener Ge- 15 nauigkeit ausgeführten Arbeiten hat er den Grund zu einer wissenschaftlichen Auffassung von der Entwicklung des organischen Individuums gelegt. Gestützt auf gute Beobachtungen, konnte Wolff behaupten, daß eine wirkliche Entwicklung stattfindet, daß der Organismus aus dem Ei durch eine Summierung zahlreicher 20 kleiner Veränderungen hervorgeht. Erst lange nach dem Tode ihres Urhebers gelang es indessen dieser Lehre, die uns jetzt so selbstverständlich erscheint, durchzudringen.

Die Schuld an dem langsamen Tempo, in welchem die Embryologie fortschritt, lag indessen nicht nur daran, daß theologische und 25 philosophische Dogmen ihr Steine in den Weg legten, sondern vor allem an der Beschaffenheit des Materials. Ein einigermaßen vollständiger und sicherer Einblick in den Bau so kleiner und so zarter Gegenstände, wie die ersten Entwicklungsstadien der meisten Tiere es sind, konnte nämlich kaum erlangt werden, ehe das 30 zusammengesetzte Vergrößerungsglas, das Mikroskop, und einige andere technische Hilfsmittel einen gewissen Grad von Vollkommenheit erreicht hatten. So weit kam man aber erst im Anfang des 19. Jahrhunderts. Aus dieser Periode verdient in erster Linie genannt zu werden Karl Ernst von Baer, der ebenso wie 35 Pander die Urorgane, die Keimblätter, nachwies, von denen alle Organbildung im Tierkörper ausgeht.

Das Verdienst, in höherem Grade als jemand vor oder nach ihm zur Klärung der allgemeinen embryologischen Begriffe beigetragen zu haben, gebührt gleichfalls von Baer. Die verschiedenen Arten der Differenzierung des Embryo, die wir noch heute unterscheiden: die Furchung des Eies, die Keimblätterbildung und die Entwicklung der Organe, sind zuerst von ihm klar formuliert worden. Von Baer war es, der zuerst eine für das Verständnis der Entwicklung des Individuums höchst bedeutsame Erscheinung nachwies, die, um von Baers Ausdrucksweise modern zu umschreiben, kurz so ausgedrückt werden könnte: Vererbung und Anpassung sind die beiden Faktoren, welche die organische Formgestaltung bestimmen — ein Satz, dessen reale Bedeutung jedoch erst die Deszendenztheorie uns verstehen gelehrt hat.

Zahlreiche wertvolle Einzelentdeckungen auf den verschiedenen Gebieten der Embryologie und die Ausdehnung der Forschungen auch auf eine Reihe niederer Tiere waren die Frucht der Arbeiten der Zeitgenossen und nächsten Nachfolger von Baers. Unter ihnen verdienen vor allem Erwähnung Chr. Pander, Heinrich Rathke, Robert Remak, Albert von Kölliker und Thomas Huxley. Einen mächtigen Hebel für die embryologische Forschung bildete auch der von Theodor Schwann als allgemeingültig festgestellte Satz, daß der Tierkörper aus Zellen besteht, was vor ihm nur in vereinzelten Fällen nachgewiesen war.

Ihre Großmachtstellung im Reiche der Wissenschaft erhielt jedoch die Embryologie gleich den anderen Zweigen der Biologie erst mit dem Durchbruch des Deszendenzprinzips. Die Tatsachen, die bereits vorlagen, erhielten nun neue Bedeutung als historisches Beweismaterial, die neuen zielbewußten Untersuchungen, zu denen die Deszendenztheorie den Anstoß gab, bahnten neue Wege zu neuen ungeahnten Eroberungen.

Unter den ersten, welche die Embryologie auf die moderne Deszendenztheorie gründeten und zeigten, daß der ganze Entwicklungsprozeß des Individuums nur durch das Deszendenzprinzip verständlich wird, befinden sich der bereits erwähnte Ernst Haeckel, der Engländer Francis Balfour und der Russe Alexander Kowaleski.

Haeckel versuchte durch seine Gasträatheorie zu zeigen, daß

alle mehrzelligen Organismen von einer aus zwei Urorganen (Keimblättern) zusammengesetzten Stammform der Gasträa abstammen. Balfour veröffentlichte 1880 bis 1881 das erste zusammenfassende Handbuch der vergleichenden Embryologie, das eine für seine Zeit mustergültige Darstellung seiner eigenen Untersuchungen und derjenigen anderer über die Embryonalentwicklung des ganzen Tierreichs gab und nachwies, welche Stütze diese Untersuchungen für die Deszendenztheorie lieferten.

Auch die Embryologie des Menschen hat durch die Arbeiten des kürzlich verstorbenen, hervorragenden Forschers Wilhelm His und anderer während der letzten Jahrzehnte höchst wesentliche Fortschritte gemacht. Aus leicht einzusehenden Gründen ist jedoch unsere Kenntnis der ersten Stadien der menschlichen Embryonalentwicklung noch etwas mangelhaft. Was man weiß, hat man eher einem glücklichen Zufall als solchen planmäßig durchgeführten Untersuchungen zu verdanken, wie wir sie betreffs eines großen Teils anderer Geschöpfe besitzen. Da indessen die Entwicklung des Menschen und der höheren Säugetiere in den Stadien, die wir kennen, entweder übereinstimmt oder ähnlich ist, können wir mit einer an Gewißheit grenzenden Wahrscheinlichkeit annehmen, daß auch die allerersten, noch nicht beobachteten Entwicklungsstadien des menschlichen Embryo keine wesentlichen Verschiedenheiten von denen der höheren Säugetiere darbieten, sondern entweder vollständig oder der Hauptsache nach mit ihnen übereinstimmen.

Wenn wir also, um uns eine Vorstellung von der Befruchtung und den ersten Entwicklungserscheinungen zu bilden, von Beobachtungen bei den Tieren ausgehen, so können wir, da diese Erscheinungen in allem Wesentlichen die gleichen bei allen bisher untersuchten Wesen sind, mit Sicherheit annehmen, daß sie sich wenigstens in ihren Hauptzügen auch beim Menschen wiederfinden müssen.

Während der Körper des Menschen wie der aller höheren Organismen in ausgebildetem Zustande aus einer ungeheuer großen Anzahl verschiedener Zellen besteht, welche die Träger der Lebenstätigkeit sind, so findet sich doch eine Periode im Leben der Organismen, in welcher alle Organismen — einschließlich des

Menschen — einzellig sind, aus einer einzigen Zelle bestehen. Dieses Stadium ist das Eistadium. Denn ein Ei ist nichts anderes als eine Zelle. Ein „ Zellenstaat ", ein mehrzelliger Organismus, entsteht in der Weise, daß diese Zelle, das Ei, sich in zwei neue 5 Zellen teilt, und die durch fortgesetzte Teilung entstandenen Zellen sich vereinigen und ihre besonderen Funktionen erhalten.

Eine große Anzahl Organismen bleibt indessen ihr ganzes Leben

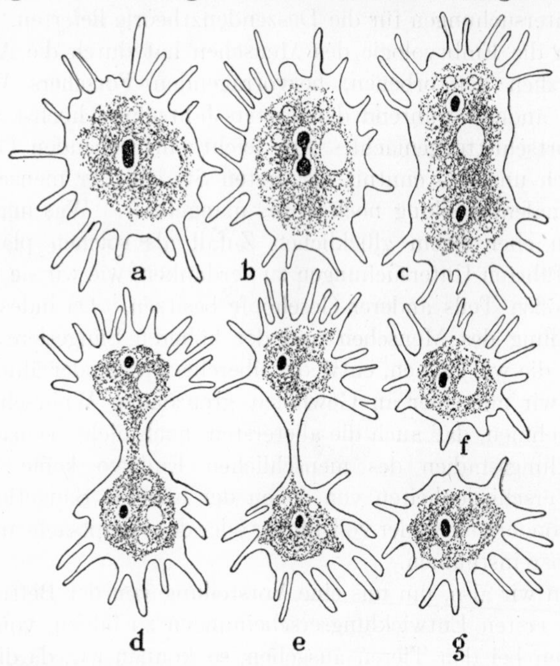

Fig. 25. Einige Phasen aus dem Leben einer Amöbe.

hindurch auf dem Einzellenstadium stehen, auf welchem also die Zelle das Individuum repräsentiert. Wir können demnach unter 10 den Tieren zwei große Hauptgruppen unterscheiden, die niedere: die einzelligen oder Urtiere, und die höhere: die mehrzelligen Tiere.

Untersuchen wir nun zunächst eines der einfachsten Wesen, das es überhaupt gibt: ein Urtier, Amöbe genannt. Dieses Tier, das gleich der großen Mehrzahl anderer Urtiere so klein ist, daß man 15 starke Vergrößerungen anwenden muß, um es studieren zu können, kommt bisweilen zahlreich im Süßwasser vor. Legen wir eine Glasscheibe mit einem Wassertropfen, der eine Amöbe enthält, unter das Mikroskop, so können wir uns zunächst davon überzeugen, daß das kleine Geschöpf die für die Zelle kennzeichnenden Bestandteile besitzt; das feinkörnige, dickflüssige Protoplasma, 5 einen kugeligen oder ovalen Kern und einen Kernkörper. Beobachten wir unsere Amöbe hinreichend lange, so können wir auch ihr Bewegungsvermögen konstatieren; die Teilchen des Protoplasmas (Körnchen) sind in fast ständiger Bewegung, bald fließt dieser, bald jener Teil des Protoplasmas in unregelmäßige 10 Verlängerungen oder Fortsätze, sog. Pseudopodien („falsche Füße") aus, und mittelst dieser gleitet oder kriecht die Amöbe im Wasser vorwärts. Man hat berechnet, daß die Amöbe im Laufe einer Minute eine Weglänge von $\frac{1}{2}$ Millimeter zurückzulegen vermag. Aus dem Umstande, daß diese Bewegungen ohne jede 15 äußere Einwirkung vor sich gehen können, hat man schließen können, daß die Amöbe mit willkürlichem Bewegungsvermögen begabt ist. Stößt die Amöbe dagegen auf einen anderen Organismus, z. B. ein anderes Urtier, oder wird es in irgendeiner Weise beunruhigt, so werden die Pseudopodien eingezogen. Sie besitzt 20 also Gefühl.

Die Pseudopodien dienen aber nicht nur zur Fortbewegung, sondern haben gleichzeitig eine andere Aufgabe. Kommt nämlich ein organischer Stoff in die Nähe der Amöbe, so können sich die Pseudopodien um ihn herum legen und ihn in die Protoplasma- 25 masse hineinpressen, wo er allmählich die gleiche Beschaffenheit wie der Körper der Amöbe selbst annimmt; er wird demnach in einen Teil der Amöbe umgewandelt, während die Stoffe, die möglicherweise von der Amöbe aufgenommen sind, aber keine derartige Umwandlung erfahren können (wie Kieselkörner u. dgl.), 30 nach einiger Zeit wieder aus dem Protoplasma der Amöbe durch die Bewegung seiner Teilchen ausgestoßen werden.

Wir sehen demnach, daß die Amöbe Nahrungsstoffe aufzunehmen und zu verdauen vermag. Außer festen Bestandteilen wird auch Wasser und mit diesem Sauerstoff aufgenommen, der eine 35 notwendige Bedingung für die Existenz der Amöbe bildet; der Sauerstoff verbindet sich mit einem Teil des Kohlenstoffes in dem

Protoplasma zur Bildung von Kohlensäure, die dann ausgeschieden wird. Eine wichtige Rolle in diesem Atmungs- und Ausscheidungsprozeß spielt zweifellos eine im Protoplasma eingebettete, mit Flüssigkeit gefüllte Blase, die das Vermögen besitzt, sich
5 abwechselnd zu erweitern und zusammenzuziehen, wodurch Flüssigkeit aufgenommen und wieder aus dem Zellkörper ausgetrieben wird.

Hat die Amöbe durch reichliche Ernährung eine gewisse Größe erreicht, so geht eine eigentümliche Veränderung in ihr vor: der
10 Zellkern verlängert sich, schnürt sich in der Mitte ein und zerfällt in zwei Kerne; eine ähnliche Teilung erfährt auch die obenerwähnte mit Flüssigkeit gefüllte Blase. Hierauf zieht sich auch der Zellkörper in die Länge und teilt sich in zwei Teile, mit je einem Zellkern und einer Flüssigkeitsblase. Auf diese Weise er-
15 zeugt die Mutteramöbe durch Teilung zwei Tochteramöben, die der ersteren gleichen, abgesehen von der während der ersten Zeit geringeren Größe. Die Amöbe hat sich also fortgepflanzt. Da, wie erwähnt, die Fortpflanzung durch Teilung erst eintrifft, wenn die Amöbe durch Aufnahme von Nahrung zu einer gewissen Größe
20 angewachsen ist, so stellt also diese Art von Fortpflanzung in Wirklichkeit nichts anderes dar als ein Wachstum über das Maß des Individuums hinaus.

Aus den hier skizzierten Beobachtungen geht hervor, daß in dem Organismus des kleinen einzelligen Wesens, in der selbständig
25 existierenden Zelle, alle für den Fortbestand des Individuums und der Gattung erforderlichen Verrichtungen vor sich gehen; sie besitzt das Vermögen des Gefühls, der Bewegung, Verdauung, Atmung, Ausscheidung und Fortpflanzung.

Den Ausgangspunkt für die mehrzelligen Geschöpfe haben wir
30 wohl in der Koloniebildung der Urtiere zu suchen. Bei einigen Urtieren trennen sich bei der eben erwähnten Fortpflanzung nicht die Teilungsprodukte, um je für sich ihr „einzelliges" Leben zu führen, sondern sie legen sich zur Bildung einer Kolonie aneinander.

35 In dieser Koloniebildung können wir mehrere Grade unterscheiden, die ebenso viele Stationen auf dem Wege zur Entstehung der mehrzelligen Organismen bezeichnen. So bilden sich Kolonien

von Urtieren dadurch, daß eine größere oder geringere Anzahl dieser letzteren untereinander durch eine gallertartige Substanz verbunden sind, die von den Zellindividuen abgesondert wird. Inniger kann der Zusammenhang zwischen den einzelnen, die Kolonie bildenden Urtieren dadurch werden, daß die Urtiere sich unmittelbar ohne Dazwischentreten eines verbindenden Stoffes aneinanderlegen.

Keines dieser Urtiere ist jedoch über das typische Koloniestadium hinausgelangt: die einzelligen Organismen haben ihre Selbständigkeit ziemlich unverkürzt bewahrt, und der Zusammenhang zwischen ihnen ist wenigstens der Hauptsache nach nur ein äußerer. Anders liegt die Sache, wenn eine Arbeitsteilung zwischen den verschiedenen Individuen der Kolonie eintritt, d. h. wenn gewisse Urtiere, also gewisse Zellen in der Kolonie, eine bestimmte Funktion übernehmen, die von den übrigen nicht ausgeübt werden kann. Das ist der Fall z. B. bei Volvox, einer Kolonie von zahlreichen Zellindividuen, die die Wand einer mit einem gallertigen Stoff angefüllten, ungefähr einen Millimeter großen Kugel bilden. Während die Mehrzahl dieser Zellindividuen gleichartig und wie andere verwandte Urtiere mit je zwei Flimmerhaaren versehen sind, erhält eine kleinere Anzahl von ihnen ein verschiedenes Aussehen. Die ersteren besorgen die Ortsveränderung der Kolonie sowie die Aufnahme und Ausnutzung der Nahrung, während letztere die Fortpflanzung besorgen und von zweierlei Art sind: teils Eizellen, die der Flimmerhaare entbehren, eine bedeutendere Größe erreichen und unbeweglich sind, teils Samenzellen, welche Gruppen von kleinen, äußerst beweglichen Zellen bilden. In einer solchen Volvoxkolonie haben sich demnach die Zellen in zwei verschiedene Richtungen ausgebildet: einige sind „Körperzellen“, andere „Geschlechtszellen“ geworden. Nicht mehr sämtliche Individuen (Zellen) der Kolonie können fortan alle die Verrichtungen ausführen, die zum Fortbestand der Kolonie erforderlich sind; nur ein Teil besitzt das Vermögen, die Kolonie fortzupflanzen. Da so die beiden Arten einzelner Individuen in einem notwendigen Lebenszusammenhang miteinander stehen, haben wir bei Volvox nicht mehr eine Kolonie von selbständigen Individuen im gewöhnlichen Sinne. Eine solche Urtierkolonie steht vielmehr auf der Grenze zu einem mehrzelligen Organismus, in welchem die Zellindividuen zugunsten der Gesamtheit einen Teil ihrer Individualität aufgegeben und verschiedene Funktionen übernommen haben.

Können wir auch zur Zeit nicht mit Sicherheit eine bekannte 5 Kolonie von Urtieren angeben, die als die unmittelbare Stammform der mehrzelligen Tiere anzusehen wäre, so gewährt uns doch eine solche Kolonie wie Volvox eine Vorstellung davon, auf welchem Wege die höheren, die mehrzelligen Organismen sich aus einzelligen Tieren entwickelt haben.

10 Kehren wir nun zu den mehrzelligen Organismen zurück, so erinnere ich zunächst an folgende Tatsache. Während bei den einzelligen Tieren ein und dieselbe Zelle alle Verrichtungen des Lebens auszuführen hat, findet sich bei den mehrzelligen eine mehr oder weniger scharf durchgeführte Arbeitsteilung unter den 15 Zellen. Den ersten Schritt zu einer derartigen Arbeitsteilung können wir bei einer solchen Urtierkolonie wie Volvox beobachten: die Zellen haben sich in zwei verschiedene Richtungen, Körperzellen und Geschlechtszellen, ausgebildet. Bei den mehrzelligen Organismen erreicht diese Arbeitsteilung eine höhere Stufe dadurch, 20 daß die verschiedenen Körperzellen verschiedene Funktionen erhalten: gewisse Zellen haben Nahrung aufzunehmen, andere die Atmung zu vermitteln, wieder andere die Bewegung u. s. w. Aber auch bei den Geschlechtszellen beobachten wir, wie in der Volvoxkolonie, eine Arbeitsteilung: die weibliche Geschlechtszelle oder 25 das Ei, und die männliche, die Samenzelle oder der Samenfaden. Erstere ist verhältnismäßig groß, unbeweglich, letztere klein, beweglich oder wenigstens in Luft und Wasser leicht transportabel. Wie jede Zelle bestehen auch die Geschlechtszellen wenigstens aus zwei verschiedenen Bestandteilen, nämlich Protoplasma und Kern. 30 Von diesen ist aber das Protoplasma in sehr verschiedener Menge in den beiden Arten von Geschlechtszellen vorhanden, indem das Protoplasma der Samenzelle oft weit weniger als 1/100,000 von dem Protoplasma des Eies ausmacht. Welche Ursache liegt dieser Verschiedenheit der Geschlechtszellen und der Entstehung der 35 beiden verschiedenen Geschlechter zugrunde?

Die obenerwähnte einfachste und ursprünglichste Form der Fortpflanzung durch Zellteilung tritt wohl eigentlich nur bei den allerniedrigsten Organismen wie bei der vorher besprochenen Amöbe auf. Bei den höheren Urtieren hört diese Vermehrung durch Teilung früher oder später auf, sofern sie nicht von neuem durch eine Erscheinung angeregt wird, welche Befruchtung genannt wird, und deren wichtigstes Moment die Verschmelzung zweier Zellen verschiedener Herkunft ist. Das Produkt dieser Verschmelzung ist es, das den Ausgangspunkt für eine neue Periode der Zellteilung und damit für ein neues Individuum bildet.

Bei der Befruchtung machen sich zwei Momente geltend, die in einem gewissen Gegensatz zueinander stehen. Erstens müssen die beiden Zellen, aus deren Vereinigung ein neues Produkt hervorgehen soll, imstande sein, einander aufzusuchen. Zweitens ist es von Wichtigkeit, daß gleich von Anfang an hinreichend Nährsubstanz, welche die Neubildung ermöglicht, vorhanden ist. Um die erste Forderung erfüllen zu können, müssen die Zellen beweglich sein, während die andere die Anhäufung einer größeren Nahrungsmasse und demnach eine bedeutendere Größe voraussetzt, was wiederum natürlich das Bewegungsvermögen und die Leichtigkeit des Transportes vermindern muß. Die Natur hat, wie bereits angedeutet, diese einander widerstreitenden Aufgaben durch eine Arbeitsteilung zwischen den beiden an dem Befruchtungsakte teilnehmenden Zellen gelöst, von denen die eine, die männliche, sich aktiv und befruchtend, die andere, die weibliche, sich passiv und aufnehmend verhält.

Bei den niedrigsten Geschöpfen (den meisten Urtieren) sind gewöhnlich alle zu derselben Art gehörigen Individuen einander gleich. Die Verschiedenheit zwischen den Geschlechtszellen ist erst allmählich durch Arbeitsteilung und Anpassung an die entgegengesetzten Aufgaben entstanden.

Noch später tritt der Geschlechtsgegensatz auch in anderen Eigenschaften als der bloßen Verschiedenheit der Geschlechtszellen hervor. Es geschieht nämlich im allgemeinen erst bei höheren, physisch und intellektuell entwickelteren Geschöpfen, daß die zu derselben Tierart gehörigen Individuen nicht nur die einen männliche, die anderen weibliche Geschlechtszellen hervorbringen, sondern auch gleichzeitig sich durch sog. sekundäre Geschlechtsmerkmale unterscheiden und als „ Männchen “ und „ Weibchen “ einander gegenüberstehen.

Das menschliche Ei ist, wenn es seine volle Ausbildung innerhalb des Eierstocks erreicht hat, ein kugelförmiger Körper von 0,2 mm Durchmesser. Das Protoplasma (hier Eidotter genannt)

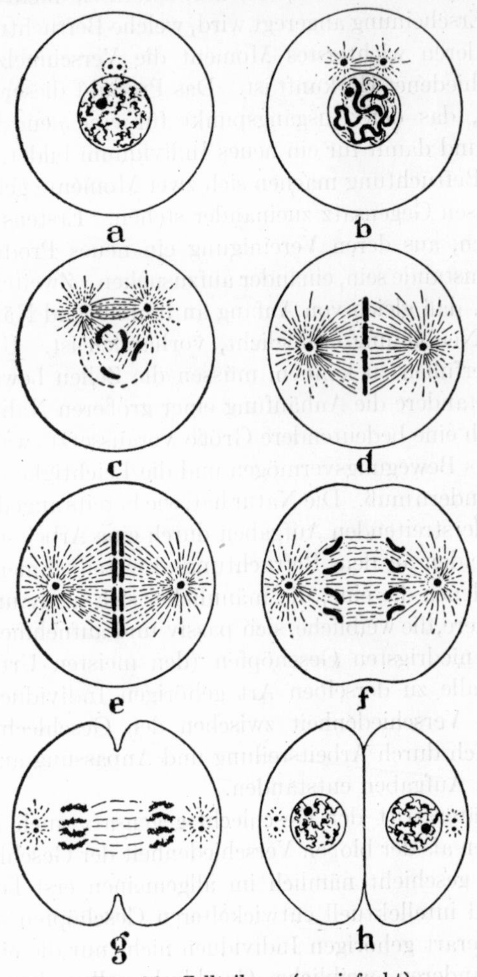

FIG. 26. Zellteilung (vereinfacht).

enthält ein Nährmaterial von zahlreichen feinen Körnchen. Der 5 Kern (Keimbläschen) ist hell, groß, kugelförmig und hat eine exzentrische Lage; er schließt einen besonderen kleinen Körper, den Kernkörper (Keimfleck), ein. Das Ei wird von einer Hülle umgeben, die von zahlreichen Kanälchen durchbohrt ist; durch diese dringen feine Fortsätze der umgebenden Zellen in das Protoplasma des Eies ein, das auf diese Weise wahrscheinlich seine Nahrung erhält.

Wir wenden uns nun zu einer Untersuchung des Verhaltens der Geschlechtszellen bei der Fortpflanzung. Um aber diese zu verstehen, ist es notwendig, uns zuerst mit einigen Eigenschaften der Zelle vertraut zu machen, mit denen wir bisher uns zu beschäftigen keinen Anlaß gehabt haben.

Zunächst verdient bemerkt zu werden, daß so einfach wie bei der oben erwähnten Amöbe die Zellteilung bei den meisten anderen Zellen sich nicht gestaltet. Bei diesen ist nämlich die Teilung von einer Reihe Veränderungen und Umlagerungen der Zellbestandteile begleitet. So wird der Zellteilungsakt dadurch eingeleitet, daß ein in dem Protoplasma vorkommendes kleines Körnchen, das Zentralkörperchen, sich in zwei Körnchen teilt. Hierauf wandern die Teilungsprodukte allmählich nach entgegengesetzten Seiten, so daß sie schließlich je an einem Ende des Kerndurchmessers zu liegen kommen. Zwischen den beiden Zentralkörpern bildet sich ein spindelförmiges Bündel feiner Fäden aus: die Kernspindel, während um jedes der beiden an den Enden der Kernspindel gelegenen Zentralkörperchen herum die Protoplasmateilchen der Zelle sich in einer Weise ordnen, die an die Lagerung der Eisenfeilspäne um den Pol eines Magneten erinnert: das Protoplasma bildet feine Fäden, die von jedem der beiden Zentralkörperchen ausstrahlen. Die zunächst ganz kurzen Fäden werden schließlich so lang, daß sie sich durch die ganze Zelle hindurch erstrecken. Diese und andere Beobachtungen sprechen zugunsten der Auffassung, daß die Formveränderungen der Zelle von dem Zentralkörperchen abhängen, daß dieses das Bewegungszentrum der Zelle ist.

Während diese Erscheinungen in dem Protoplasma auftreten, hat auch der Bau des Kerns einige höchst bemerkenswerte Umbildungen erfahren. Durch eingehende Untersuchungen ist festgestellt worden, daß der Kern einen ganz anderen Bau als das Protoplasma besitzt und aus mehreren, in chemischer und anatomischer Hinsicht verschiedenartigen Bestandteilen zusammengesetzt ist. Als wichtigsten von diesen kann man das Netzwerk von feineren und gröberen Fäden betrachten, die den ganzen Kern durchkreuzen und an seiner Peripherie meistens ein zusammenhängendes Häutchen, die Kernhaut, bilden. Dieses Fadennetz wieder besteht aus zwei verschiedenen Bestandteilen, nämlich dem Chromatin, das intensiv von Farbstoffen gefärbt wird, die nicht oder in geringem Grade auf den anderen Bestandteil des Fadennetzes, das Linin, einwirken. Die Maschen des Fadennetzes sind mit einer Flüssigkeit angefüllt. Schließlich kommen in dem Kern ein oder mehrere runde Körperchen, Kernkörperchen, vor, die in chemischer Hinsicht etwas von dem Chromatin abweichen.

Bei der Teilung erfahren nun alle diese Substanzen des Kerns mehr oder minder tief eingreifende Veränderungen und Umlagerungen und treten mit dem Protoplasma der Zelle in nähere Verbindung. Dieses letztere wird dadurch eingeleitet, daß die Kernhaut sich auflöst. Der Kernkörper verschwindet. Das ganze Chromatin individualisiert sich, d. h. während das Chromatin bis dahin mehr oder weniger gleichmäßig auf das ganze Kernnetz verteilt gewesen, zerfällt es nun in eine bestimmte Anzahl Körperchen, die bei gewissen Tieren das Aussehen von V-förmig gebogenen Fäden, bei anderen das von Stäbchen oder Körnchen von gleichförmiger Länge und Dicke haben, die sog. Chromosomen. Eine Reihe Beobachtungen sprechen dafür, daß diese bereits im Kernnetz ihre Individualität haben, obgleich sie hier durch verbindende Fäden und Körnchen verdeckt wird. Um die Bedeutung der Chromosomen richtig zu verstehen, sei besonders betont, daß sie vollkommen gesetzmäßig auftreten, in derselben Anzahl bei allen Zellen des Individuums — auf eine bemerkenswerte, dieses Gesetz bestätigende Ausnahme kommen wir weiter unten zu sprechen — und in derselben Anzahl bei derselben Tier- und Pflanzenart, in sehr verschiedener Anzahl dagegen bei verschiedenen Arten. So finden sich in den Zellen eines Borstenwurms stets 4, eines Seeigels 18, der Hausmaus 24 Chromosomen u. s. w.; beim Menschen wird die Anzahl der Chromosomen als 24 angegeben.

Diese Chromosomen kommen in die Mitte der oben erwähnten Kernspindel zu liegen und erfahren eine Längsspaltung, so daß jedes Chromosom in zwei „Tochterchromosomen“ geteilt wird, wodurch also die doppelte Anzahl Chromosomen entsteht. Die beiden aus demselben Chromosom hervorgegangenen Tochterchromosomen rücken danach, wahrscheinlich unter Einwirkung und Leitung der Spindelfäden, die von dem Zentralkörper ausgehen und an den Chromosomen befestigt sind, nach entgegengesetzten 5 Seiten. Gleichzeitig hiermit bildet sich auch eine Kernhaut, und das Protoplasma schnürt sich an einer Stelle entsprechend der Mitte der Kernspindel ein, welch letztere danach verschwindet. Ist schließlich das Protoplasma vollständig in zwei Teile zerfallen, und haben sich die Chromosomen zu einem Kernnetz umgebildet, 10 das mit dem des Ausgangsstadiums übereinstimmt, so sind aus der ursprünglichen Zelle durch eine Reihe komplizierter Umbildungen zwei neue Zellen entstanden. Diese Zellen sind zunächst kleiner als die Mutterzelle, können aber durch Aufnahme von Nahrung bald zu demselben Umfange wie die letztere anwachsen. 15

Wenden wir uns nun einer Untersuchung der Entwicklung des Eies zu. Die Kenntnis der Erscheinungen, die der Befruchtung des Eies vorhergehen und sie begleiten, gehört zu den allerwichtigsten Errungenschaften der Biologie. Die außerordentlich schwierigen und mühsamen Untersuchungen, denen wir diese Kenntnis ver- 20 danken, sind die Frucht der Forschungsarbeit der letzten Jahrzehnte, und immer noch ist eine große Anzahl der tüchtigsten Biologen unserer Zeit mit den verwickelten Problemen beschäftigt, die mit dem Befruchtungsphänomen zusammenhängen. Als Bahnbrecher auf diesem Forschungsgebiet verdienen vor allen 25 genannt zu werden Edouard van Beneden, Theodor Boveri, die Brüder Oskar und Richard Hertwig, sowie August Weismann.

Bevor das Ei befruchtet werden kann, muß es eine Reihe tief eingreifender Veränderungen durchmachen.

Zunächst rückt der Kern (das Keimbläschen) nach der Ober- 30 fläche hin, und die Bestandteile des Eies zeigen alle die Umbildungen, die wir eben als charakteristisch für den Beginn der gewöhnlichen Zellteilung geschildert haben: der Eikern verliert sein Häutchen und sein Kernkörperchen (Keimfleck), eine Kernspindel entsteht, und das Chromatin bildet sich zu der für die betreffende 35 Tierart charakteristischen Anzahl Chromosomen um — wir wollen als Zahl derselben im vorliegenden Fall 4 annehmen. Aus diesen

4 Chromosomen entstehen durch Teilung 8. Die eine Hälfte der Spindel und die halbe Anzahl (4) der Chromosomen, alles von einer geringen Menge Protoplasma umgeben, schnürt sich von der Oberfläche des Eies als eine kleine Kugel ab. Die Produkte dieses soeben geschilderten Teilungsprozesses sind demnach sehr verschieden voneinander; das eine hat nahezu das Volumen des Eies beibehalten, während das andere, die sog. Polzelleganz klein ist; beide enthalten jedoch dieselbe Chromosomenzahl.

Ohne daß die Chromosomen des Eies von neuem in das Kernnetz der ruhenden Eizelle übergehen, tritt unmittelbar nach der ersten Teilung eine neue ein, wobei eine zweite Polzelle von ungefähr demselben Umfang wie die erste gebildet wird. In einer sehr wichtigen Hinsicht unterscheidet sich jedoch die zweite Polzelle von der ersten: da die 4 in dem Ei zurückgebliebenen Chromosomen sich nicht durch Teilung verdoppelt haben, fällt nur die Hälfte derselben (also 2) der zweiten Polzelle zu, und dieselbe Anzahl (2) bleibt in dem nun reifen, befruchtungsfähigen Ei zurück, das währenddessen auch seinen Zentralkörper verloren hat. Die Polzellen scheinen keine weitere Rolle im Leben des Tieres zu spielen; sie gehen früher oder später unter.

Durch diesen eigentümlichen Teilungsprozeß sind demnach die Chromosomen des reifen Eies auf die Hälfte der Anzahl vermindert worden, die bei den übrigen Zellen der untersuchten Tierart vorkommt. Erwähnt sei schließlich, daß auch die Samenzelle eine ähnliche Halbierung der Anzahl der Chromosomen erfährt.

Welchen Zweck, kann man fragen, hat nun die Erscheinung, daß die Chromosomen bei den reifen Geschlechtszellen auf die Hälfte der für alle übrigen Zellen normalen Anzahl vermindert werden?

Die Antwort auf diese Frage erhalten wir durch die Untersuchung der Erscheinungen bei der Befruchtung.

Welche Rolle die Samenzelle bei dem Befruchtungsvorgang spielt, ist lange völlig unklar gewesen. Daß sie das Ei aufsucht und mit ihm in Berührung kommt, ist leicht zu beobachten. Ob sie aber das Vermögen besitzt, durch bloßen Kontakt das Ei zu befruchten, oder ob sie in das Ei eindringt und durch Vereinigung mit diesem den Anstoß zur Entstehung eines neuen Geschöpfes gibt, darüber konnten früher nur Vermutungen aufgestellt werden. Erst im Jahre 1875 geschah es, daß Oskar Hertwig bei den Eiern der Seeigel im einzelnen den Befruchtungsverlauf verfolgte, der, wie Untersuchungen an anderen Tieren gezeigt haben, der Hauptsache nach der gleiche bei allen Tieren, höheren und niederen, ist. 5

In ihren wesentlichen Zügen gestaltet sich die Befruchtung folgendermaßen. Von den zahlreichen Samenzellen, die danach streben, das Ei zu erreichen, gelingt es im allgemeinen nur einer, in dasselbe einzudringen. Gewöhnlich sind nämlich besondere Schutzvorrichtungen vorhanden, welche verhindern, daß mehrere 10 Samenzellen hineingelangen, da dies bei den meisten Tieren zur Entstehung abnormer Föten führt.

Die Samenzelle bohrt sich in das Protoplasma des Eies ein, worauf der Schwanz sich auflöst und verschwindet, denn er hat nun seine Mission als Bewegungsorgan erfüllt. Der Rest der Samen- 15 zelle: der Kopf und das sog. Mittelstück, dringen tiefer in den Eikörper ein, wobei sie wichtige Veränderungen erfahren. Aus dem Mittelstück, das sich von dem Kopf trennt, geht ein Zentralkörperchen hervor, um welches herum die Substanz des umgebenden Eiprotoplasma sich strahlenförmig anordnet und den Kopf mit 20 sich zieht, der durch Aufnahme von Flüssigkeit aus dem Ei zu einem Bläschen anschwillt, das mehr und mehr einem gewöhnlichen Zellkern zu ähneln beginnt. Dieser Samenkern und der Kern des Eies ziehen sich gegenseitig an, eilen einander entgegen, um in der Mitte des Eies zusammenzutreffen, wo sie zu einem einzigen Kern 25 verschmelzen, dem sog. Furchungskern, um welchen herum die ganze Protoplasmamasse einen Strahlenkranz gebildet hat. Das mit der Samenzelle in das Ei eingeführte Zentralkörperchen zerfällt in zwei, die nach entgegengesetzten Seiten der Peripherie des neugebildeten Kerns wandern. Dies bildet den Beginn einer 30 Zellteilung von ganz derselben Art, wie sie zuvor geschildert worden ist, und damit ist der Anfang zur Bildung eines neuen Geschöpfes gegeben. An für die Untersuchung besonders günstigen Eiern hat man die bedeutsame Beobachtung machen können, daß bei der Teilung des Furchungskerns die gleiche Anzahl Chromosomen des 35 Samenkerns wie des Eikerns in die Teilungsprodukte, d. h. in die beiden neuen Zellen, eintreten.

Auf Grund dieser und anderer Beobachtungen können wir behaupten, daß die Befruchtung eine Vereinigung zweier Zellen ist, die von zwei verschiedenen Individuen herstammen. Das

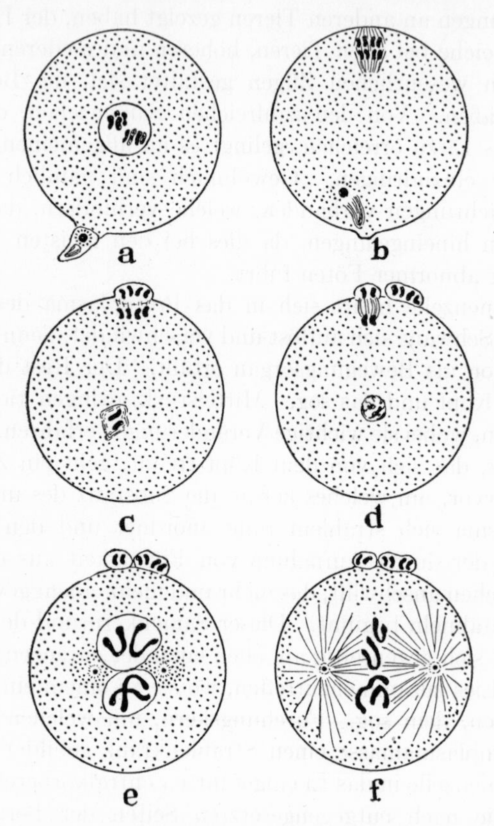

Fig. 27. Schema für die Bildung der Polzellen und die Befruchtung eines tierischen Eies.

Wesentliche bei dieser Vereinigung ist aber zweifellos die Verschmelzung der Kerne des Eies und der Samenzelle zu einem.

Nun verstehen wir auch die Bedeutung des obenerwähnten Verlustes der halben Chromosomenanzahl im Ei und in der Samenzelle, eine Erscheinung, die die Reife der Geschlechtszellen kennzeichnet. Durch die Vereinigung der beiden Kerne der Ei- und

der Samenzelle entsteht ein Zellkern, der die für die betreffende Tierart typische Anzahl Chromosomen wieder erhalten hat. In dem von uns gewählten Beispiel hatten alle Zellen des Körpers 4 Chromosomen: in der Samenzelle wie auch durch die Entstehung der Polzellen in der Eizelle wurde diese Anzahl auf zwei vermindert. 5
Durch Vereinigung des Ei- und des Samenkerns gewinnt das Ei die Anzahl Chromosomen wieder, die der Annahme gemäß der von uns untersuchten Art zukam, nämlich vier. Hätte bei der Reifung der Geschlechtszellen keine Halbierung stattgefunden, so würden bei der Befruchtung 4 + 4 Chromosomen vereinigt worden sein, 10
also eine Verdopplung der Chromosomenzahl über die normale hinaus stattgefunden haben; und im Laufe von Generationen würde eine derartige Anhäufung von Kernsubstanz und ein solches Mißverhältnis zwischen der letzteren und dem Protoplasma entstehen, daß der Kern nicht mehr in einer gewöhnlichen Zelle Raum 15
fände.

Es verdient besonders betont zu werden, daß die hier geschilderten Erscheinungen bei der Reifung der Geschlechtszellen und bei der Befruchtung allgemeingültiger Natur sind. Nicht nur alle bisher untersuchten Tierformen, niedere wie höhere, sondern auch 20
die Pflanzen zeigen einen der Hauptsache nach gleichartigen Verlauf. Der Biologe kann demnach betreffs der Erscheinungen bei dem Werden des Organismus — wie vieles auch auf diesem Gebiete noch dunkel ist — mit demselben Recht von einem allgemeinen „Gesetz" sprechen, wie der Chemiker und Physiker es mit Bezug 25
auf gewisse Erscheinungen in der unorganischen Natur tun.

Noch eine Erscheinung, die für den besonderen Gegenstand unserer Untersuchung wichtig ist, sei im Zusammenhang mit den eben geschilderten Tatsachen erwähnt. Obwohl die hier behandelten Verhältnisse bei der Reifung der Geschlechtszellen und bei der 30
Befruchtung noch nicht beim Menschen haben studiert werden können, sind wir doch zu der Annahme berechtigt, daß er in dieser Hinsicht in keinem wesentlichen Moment von allen übrigen Geschöpfen abweicht, zumal eine Erfahrung, auf die wir im folgenden zu sprechen kommen werden, gezeigt hat, daß je jünger die Ent- 35
wicklungsstadien verschiedener Organismen sind, sie um so mehr miteinander übereinstimmen.

Daß die Chromosomen eine außerordentlich wichtige Rolle bei unserer eigenen Entstehung und der aller anderen Geschöpfe spielen, daß sie Träger einer besonders bedeutungsvollen Lebensaufgabe sein müssen, dürfte bereits aus den obigen Beobachtungen
5 hervorgehen. Welches ist nun diese Aufgabe?

Wenn man es ehemals überhaupt für der Mühe wert ansah, Betrachtungen über die Ursache einer so alltäglichen, so trivialen Tatsache anzustellen, wie daß Kinder ihren Eltern ähneln, daß die Eigenschaften der Eltern sich auf die Nachkommen übertragen,
10 so müssen diese Überlegungen notwendigerweise einen sehr geringen Ertrag gehabt haben. Nunmehr besitzen wir einige sichere Erfahrungen als Unterlage für die Erklärung des Vererbungsproblems.

Bei der Prüfung einer größeren Anzahl Fälle zeigt es sich, daß
15 die Kinder in demselben Grade den beiden Eltern nacharten, daß also Vater und Mutter im allgemeinen gleichviel Vererbungskraft besitzen müssen. Wir wissen aber auch, daß bei Tieren mit äußerer Befruchtung, wo also die Eier außerhalb des Muttertieres befruchtet werden, die Geschlechtszellen der einzige materielle
20 Zusammenhang sind, der zwischen Eltern und Nachkommen existiert. Schon diese Tatsache läßt erkennen, daß es die Geschlechtszellen sein müssen, welche die Erblichkeit vermitteln. Da, wie wir bereits bemerkt, der Nachkomme im großen und ganzen ebenso viel vom Vater wie von der Mutter erbt, so muß natürlich
25 die materielle Grundlage der Erblichkeit ein Bestandteil sein, der in ungefähr derselben Menge in den Geschlechtszellen des Vaters und der Mutter vorhanden ist. Das Protoplasma kann also unmöglich dieser Bestandteil sein, da es, wie wir bereits gesehen, in dem Ei in viel größerer Menge vorhanden ist, als in der Samenzelle.
30 Es bleiben also nur das Zentralkörperchen und die Chromosomen übrig. Ersteres ist, wie schon erwähnt, höchst wahrscheinlich das Bewegungszentrum und gibt als solches den Impuls zur Teilung. Daß es nicht zugleich der Erblichkeitsträger sein kann, geht schon daraus hervor, daß das dem Ei zugehörige Zentralkörperchen vor
35 dem Beginn der Eiteilung verschwindet. Es bleiben also die Chromosomen übrig, und diese dürften auch allen Ansprüchen genügen, die berechtigterweise an die Teilchen gestellt werden können,

welche die Erblichkeit vermitteln. Vor allem sind die Chromosomen die einzige bekannte Substanz, die in gleicher Menge in der Ei- und Samenzelle vorhanden ist; denn um wieviel kleiner die Samenzelle auch ist, so kommen doch die Chromosomen in der gleichen Menge und der gleichen Größe in beiden Geschlechtszellen 5 vor. Ferner sind die Chromosomen die einzige Substanz, die bei der Zellteilung beständig in gleicher Menge von Zelle zu Zelle übergeführt wird. Der ganze verwickelte Apparat, der bei der Zellteilung in Gang gesetzt wird, und dessen Hauptmomente wir oben geschildert haben: die Zweiteilung der Chromosomen, der 10 Transport der Hälften nach den Enden der Kernspindel, ihre gleichförmige Verteilung auf die neugebildeten Zellen u. s. w. — dieser ganze Apparat scheint nur die Aufgabe zu haben, eine völlig gleichförmige Verteilung der Chromatinmasse auf die Zellen zustande zu bringen. 15

Ist demnach die Annahme wohl begründet, daß die Chromosomen die materielle Grundlage für die Erblichkeit bilden, so sind wir auch einer anderen der bedeutungsvollsten Erscheinungen des Lebens näher gerückt, nämlich der Variabilität oder der Eigenschaft der Organismen, daß die Nachkommen in größerem oder 20 geringerem Grade sowohl von den Eltern als untereinander abweichen können — diese allgemeine Erscheinung, die Darwin zu einem der Ausgangspunkte seines Lehrgebäudes machte. Dürfen wir nämlich voraussetzen, daß die Chromosomen, die beim Reifen der Geschlechtszellen, bei den Eiern in Form von Polzellen, aus- 25 gestoßen werden, nicht gleichwertig bei allen Geschlechtszellen sind, daß also verschiedenartige Chromosomen — d. h. Träger verschiedenartiger Eigenschaften — auf die Nachkommen übergehen, so muß dies ja die Möglichkeit in sich schließen, daß Kinder von demselben Elternpaar einander nicht völlig gleich 30 werden, sondern „ variieren “.

Wie sehr diese Auffassung auch mit den bisher vorliegenden Forschungsergebnissen harmoniert, so können wir uns doch nicht verhehlen, daß ihr mehr als der Wert einer guten Hypothese noch nicht zugesprochen werden kann. Wir verlassen daher diese Frage, 35 um die Zellteilung zu untersuchen, die die nächste Wirkung der Befruchtung ist. Als Ausgangspunkt für diese Untersuchung wählen wir das niedrigste aller jetzt lebenden Wirbeltiere, den bereits obenerwähnten Lanzettfisch, da er einen typischen Fall von Eifurchung darbietet, der uns zu einer biologischen Frage von grundlegender Bedeutung führt.

Nachdem das reife Ei im Wasser abgelegt und befruchtet worden, teilt es sich („furcht sich") in zwei ungefähr gleichgroße Zellen, jede von diesen wiederum in zwei u. s. w. Das nächste Ergebnis der fortgesetzten Furchung ist eine mit Flüssigkeit gefüllte Kugel, deren Wand aus einer einfachen Zellschicht besteht. Dieses Stadium der Entwicklung des mehrzelligen Tieres, die sog. Blastula, ist von besonderem Interesse deshalb, weil es hinsichtlich der Entstehung und des Baues mit gewissen Kolonien einzelliger Geschöpfe übereinstimmt. Im Laufe seiner Entwicklung macht daher das höhere, das mehrzellige Tier, ein Stadium durch, das das Endziel für die höchste Ausbildung der einzelligen Tiere darstellt.

An dieser Blase stülpt sich allmählich die eine Hälfte in die andere ein, wodurch die Hohlkugel in einen Napf oder einen Sack mit doppelten Wänden umgewandelt wird; diese Wände sind Keimblätter genannt worden, und man kann demnach zwischen einem äußeren und einem inneren Keimblatt unterscheiden.

Während nun, wie wir ohne weiteres verstehen, alle höheren Wesen: Würmer, Insekten, Weichtiere, Wirbeltiere u. s. w. im vollausgebildeten Zustande viel zusammengesetzter sind, d. h. eine viel höhere Entwicklung erreichen — es ist dies natürlich auch bei der Tierform, dem Lanzettfisch, der Fall, dessen Entwicklung wir hier zum Ausgangspunkt unserer Untersuchung gewählt haben, — so bleibt die Entwicklung der niedrigsten mehrzelligen Tiere in allem wesentlichen auf dem Stadium stehen, wo die beiden Keimblätter fertiggebildet sind, auf dem sog. Gastrulastadium.

Ein mehrzelliges Tier auf diesem niedrigsten, einfachsten Stadium ist also aus zwei Häutchen gebildet, einem äußeren und einem inneren, von denen jedes aus einer einfachen Zellschicht besteht und dem äußeren und inneren Keimblatt der Embryonen höherer Organismen entspricht. Das innere Häutchen begrenzt eine Höhle, die wir den Urdarm nennen, und die sich nach außen durch den Urmund öffnet. Vergleichen wir die Zellen, welche die beiden Häutchen bilden, mit dem Urtier, so werden wir finden, daß die Zellen viel von ihrer Selbständigkeit eingebüßt haben; sie sind mehr oder weniger intim miteinander zur Bildung von Organen vereinigt, worunter man ja Körperteile versteht, die eine bestimmte, für den Fortbestand des Individuums oder der Art erforderliche 5 Arbeit (Funktion) ausführen. Es ist klar, daß, je größer die Anzahl verschiedenartiger Organe ist, die ein Organismus besitzt, in um so vollkommenerer Weise er seine Funktionen auszuführen vermag. Und gleichwie wir in dem Urtier den denkbar einfachsten und niedrigsten Organismus kennen gelernt haben, da bei demsel- 10 ben alle Funktionen des Lebens von einer einzigen Zelle ausgeübt werden, so sind wir auch berechtigt, unter den mehrzelligen Tierformen höhere und niedere zu unterscheiden, je nachdem die Organbildung in höherem oder niederem Grade durchgeführt ist. Daß Organismen, bei denen die Entwicklung auf dem eben ge- 15 schilderten Zweiblätterstadium stehen bleibt — welche Organismen demnach nicht mehr als zwei Organe besitzen, nämlich die beiden Häutchen, die dem äußeren und inneren Keimblatt entsprechen, — daß derartige Organismen, bei denen die Organbildung sozusagen noch in ihren Windeln liegt, die niedrigsten aller mehrzel- 20 ligen Tiere sind, ist unschwer einzusehen. Wegen seiner Lage versieht das äußere Häutchen (= das äußere Keimblatt,) den Dienst als Schutzorgan und, da seine Zellen wie bei gewissen Urtieren mit Flimmerhaaren ausgerüstet sein können, auch als Bewegungsorgan; da dieses Häutchen in unmittelbarer Berührung mit der Außenwelt 25 steht, muß es auch als Sinnesorgan fungieren. Das innere Häutchen, das den Urdarm auskleidet, ist Verdauungsorgan; es nimmt die durch den Urmund aufgenommenen Nahrungsstoffe in seine Zellen auf und verändert sie, und zugleich schafft es auch diese Nahrung nach den Zellen des äußeren Häutchens, während die 30 unverdaulichen Reste durch dieselbe Öffnung aus dem Körper entfernt werden, durch welche sie hineingelangt sind, nämlich durch den Urmund.

Als Beispiel für ein solches Geschöpf, dessen Organisation allen berechtigten Ansprüchen an Einfachheit genügt, und das sehr wohl 35 als die Stammform der mehrzelligen Tiere gedacht werden kann, sei hier eine Hydra erwähnt, ein 1–2 Centimeter langes Tier, das, mit dem einen Körperende an Wasserpflanzen u. dgl. befestigt, in frischem Wasser angetroffen wird und über ganz Europa verbreitet ist.

Wir wenden uns nun wieder dem Stadium in der Entwicklung der mehrzelligen Tiere zu, das Gastrula genannt worden und, wie wir gesehen, dadurch charakterisiert ist, daß die Wandung des Embryonalkörpers von den beiden Keimblättern gebildet wird. Bei allen höheren Tieren stellt dieser Zustand nur ein Übergangsstadium in der Embryonalentwicklung vor, denn bei ihnen bilden sich mittelbar oder unmittelbar aus eben diesen beiden Keimblättern durch allmählich geschehende Umwandlungen alle die verschiedenen Organe aus, aus denen der vollentwickelte Tierkörper besteht: Haut, Gehirn, Rückenmark, Sinnesorgan, Knochengerüst, Darmkanal u. s. w.

Verbinden wir diese Tatsachen miteinander, so kommen wir zu einer Schlußfolgerung von grundlegender Bedeutung. Wir haben nämlich gesehen, 1. daß auch die höheren Organismen — einschließlich des Menschen — während ihrer frühesten Entwicklungsperiode (des Eistadiums) auf einem Einzellenstadium stehen, das also den einfachen Urtieren entspricht; 2. daß bei den höheren Tieren aus diesem Einzellenstadium eine Kugel oder eine Blase aus mehreren Zellen hervorgeht, die ihrer Entstehung und ihrem Bau nach mit gewissen Urtierkolonien übereinstimmt; 3. daß aus der genannten Blase bei den höheren Tieren das sog. Zweikeimblätter- oder Gastrulastadium hervorgeht, also ein Stadium, das in allem Wesentlichen dem Bau entspricht, den die Hydra und ihre Verwandten während ihres ganzen Lebens aufweisen. Schon aus diesen Tatsachen können wir folgenden Schluß ziehen: die höheren Organismen machen im Laufe ihrer Embryonalentwicklung eine Reihe von Veränderungen durch, denen der Hauptsache nach Organisationsverhältnisse entsprechen, auf denen die niederen Tiere während ihres ganzen Lebens stehen bleiben. Es ist dies also dieselbe Erscheinung, die uns im Laufe unserer Untersuchungen schon wiederholt begegnet ist. Ich erinnere daran, wie der Schädel, das Brustbein, das Großhirn u. s. w. auf einigen Embryonalstadien des Menschen einen auffallenden Parallelismus mit dem Ausbildungsgrade zeigen, der bei gewissen niederen Wirbeltieren der endgültige ist. Wir haben demnach gefunden, daß die Entwicklung des Individuums in ihrer Gesamtheit wie auch mehrerer seiner Organe die Entwicklung der Art, der Gattung widerspiegelt, daß in der Embryonalentwicklung jedes einzelnen Wesens wenigstens einige Spuren der Schicksale zurückgeblieben sind, welche seine Vorfahren durchgemacht haben.

Derartige Erscheinungen sind der Ausdruck für das, was man — vielleicht etwas zu pompös — das biogenetische Grundgesetz genannt hat. Dieses ist von Haeckel folgendermaßen formuliert worden:

„Die Embryonalentwicklung (die Keimesgeschichte) ist ein Auszug der Stammesgeschichte; oder etwas ausführlicher: die Formenreihe, welche der individuelle Organismus während seiner Entwicklung von der Eizelle an bis zu seinem ausgebildeten Zustande durchläuft, ist eine kurze gedrängte Wiederholung der langen Formenreihe, welche die tierischen Vorfahren desselben Organismus oder die Stammformen seiner Art von den ältesten Zeiten der sog. organischen Schöpfung an bis auf die Gegenwart durchlaufen haben.“

Gleichzeitig aber hat Haeckel scharf betont, daß die Entwicklung des Individuums (die „Ontogenese“) nicht nur eine abgekürzte, sondern in mehreren Hinsichten auch eine entstellte, eine „gefälschte“ Rekapitulation der Entwicklungsgeschichte (der „Phylogenese“) der Gattung ist. Und daß dem so sein muß, ist leicht einzusehen. Der Embryo lebt sein eigenes Leben. Wechselnde Daseinsbedingungen müssen ebenso auf den Embryo wie auf den vollausgebildeten Organismus einwirken. Der Embryo muß daher durch Anpassung an die spezifischen Verhältnisse, die das Embryonalleben darbietet, sich umbilden können, gewisse Organe verändern, neue erwerben, demnach Eigenschaften erhalten können, welche die Vorfahren niemals im ausgebildeten Zustande gehabt haben — Organe, die also nicht ererbt sind.

„Jede kritische Untersuchung und Schätzung der individuellen Entwicklung muß daher vor allem unterscheiden, welche von den embryologischen Tatsachen unverfälschte geschichtliche Dokumente sind.“ Je mehr die Erblichkeit in der embryonalen Entwicklung jedes Organismus (Ontogenese) überwiegt, um so treuer ist das Bild von der Stammesentwicklung (Phylogenese), das die Ontogenese skizziert. Je mehr andererseits eine Anpassung während des embryonalen Lebens stattgefunden hat, um so mehr ist dieses Bild verwischt und entstellt.

5 Gegen Haeckels Deutung des bereits vor dem Durchbruch der Deszendenztheorie beachteten Parallelismus zwischen gewissen embryologischen Stadien und niederen Tierformen in voll ausgebildetem Zustande sind einige Bedenken geäußert worden. So hat vor ganz kurzem Oskar Hertwig darauf hingewiesen, daß man 10 in der Entwicklung des Individuums nicht von einer Wiederholung von Formen ausgestorbener Vorfahren sprechen sollte, sondern statt dessen von einer Wiederholung von Formen, die für die organische Entwicklung gesetzmäßig sind, und die vom Einfachen zum Zusammengesetzteren fortschreiten. Wir müssen, meint 15 Hertwig, den Schwerpunkt darauf legen, daß sowohl in den embryologischen als in den ausgebildeten Entwicklungsformen die allgemeinen Gesetze der Entwicklung der organischen Lebenssubstanz zum Ausdruck kommen. So muß ja ein embryologisches Entwicklungsstadium jedes beliebigen höheren Tieres stets die Anlage zu 20 späteren Stadien enthalten, welche hinzugekommen sind, nachdem das entsprechende geschichtliche (phylogenetische) Stadium ausgebildet worden war, und die demnach nicht in dem ersteren enthalten sind. Diese Kritik Hertwigs trifft jedoch nicht den Kern der Frage. Es ist zwar wahr, daß das Ei und das Samenkörperchen 25 des Menschen die Anlagen zu allen Organen des vollausgebildeten Menschenkörpers enthalten. Die Hauptsache aber ist, daß der Ausgangspunkt für den Menschen mit dem Zustand zusammenfällt, auf welchem die Entwicklung der ursprünglichsten Wesen, der Urtiere, stehen geblieben ist, daß das Ei und das 30 Samenkörperchen einfache Zellen sind, trotzdem sie eine Erbschaft in sich tragen, die die Urtiere nicht besitzen. Wesentlich ist ja doch, daß die individuelle Entwicklung der höheren Wesen sich nacheinander in Formen kleidet, die für auf tieferer Stufe stehende Geschöpfe in vollentwickeltem Zustande kenn- 35 zeichnend sind. Ohne die Annahme eines ursächlichen Zusammenhanges, ohne anzunehmen, daß die Entwicklung des Individuums durch die der Vorfahrenreihe beeinflußt ist, wäre

dieser ganze schlagende Parallelismus ein Wunder, d. h. etwas absolut Unverständliches.

Die beiden Keimblätter waren es, die diese Abschweifung von unserem Thema veranlaßten. Diese Keimblätter sind von grundlegender Bedeutung für das Verständnis der ganzen embryonalen 5 Entwicklung. Sie sind es, aus denen alle Organe des Körpers entstehen; sie sind wirkliche Urorgane.

Die Eifurchung geht zwar bei einer großen Anzahl Tiere auf etwas andere Weise vor sich, als wir es beim Lanzettfisch kennen gelernt haben, und im Zusammenhang hiermit können auch die 10 beiden Keimblätter auf etwas verschiedene Weise gebildet werden.

Indessen leidet es keinen Zweifel, daß die Keimblätter, trotz Abweichungen in ihrer Bildungsweise, bei allen Tieren gleichwertig sind. Es ist nämlich festgestellt, daß — bis auf wenige Ausnahmen — dieselben Organe aus demselben Keimblatt bei allen Tierformen 15 entstehen. So bilden sich aus dem äußeren Keimblatt die Oberhaut, die Hautdrüsen, der vorderste und der hinterste Teil des Darmkanals, das ganze Nervensystem und die wichtigsten Teile der Sinnesorgane aus. Aus dem inneren Keimblatt entwickeln sich Teile des Darmkanals, der Lungen, der Schilddrüse, sowie die 20 Leber, die Rückensaite u. s. w. Einige andere Organe entstehen nicht unmittelbar aus den beiden genannten Keimblättern, sondern durch Vermittlung eines dritten, des sog. mittleren Keimblattes; seiner Entstehungsweise nach verhält sich dieses verschieden bei verschiedenen Tierarten, indem es bei einigen von 25 dem äußeren, bei anderen vom inneren Keimblatte und wieder bei anderen von beiden herstammt.

Wie bereits oben erwähnt, sind die frühesten Entwicklungsstadien, wie Eifurchung und Keimblätterbildung, noch nicht beim Menschen bekannt. Ein näheres Eingehen auf den Verlauf dersel- 30 ben bei niederen Geschöpfen kann daher von keiner Bedeutung für die hier vorliegende Frage sein.

Seit lange haben die embryologischen Forschungen zwei wichtige Tatsachen festgestellt, nämlich einerseits, daß die Embryonen verschiedener Tierarten im allgemeinen einander mehr ähneln als 35 die vollentwickelten Individuen, und andererseits daß, je jünger die Embryonen verschiedener Tierarten sind, sie um so mehr mit-

einander übereinstimmen. So haben z. B. Kriechtiere, Vögel und Säugetiere in frühen Embryonalstadien viel größere Ähnlichkeit miteinander als später. Der bereits erwähnte Begründer der modernen Embryologie, von Baer, berichtet in seinen Arbeiten:
5 „Ich besitze zwei Embryonen im Weingeist aufbewahrt, deren Namen ich beizuschreiben vergessen habe, und nun bin ich ganz außerstande zu sagen, zu welcher Klasse sie gehören. Es können Eidechsen oder kleine Vögel oder sehr junge Säugetiere sein, so vollständig ist die Ähnlichkeit in der Bildungsweise von Kopf und
10 Rumpf dieser Tiere. Die Gliedmaßen fehlen indessen noch. Aber auch wenn sie vorhanden wären, so würden sie auf ihrer ersten Entwicklungsstufe nichts beweisen; denn die Beine der Eidechsen und Säugetiere, die Flügel und Beine der Vögel nicht weniger als die Hände und Füße des Menschen: alle entspringen aus der
15 nämlichen Grundform."

In einer oft zitierten Arbeit hat His große Mühe darauf verwendet, zu zeigen, daß Embryonen verschiedener Tiertypen einander nur ähneln, nicht aber absolut identisch sind. Und wenn es uns schwer fällt, die Unterschiede zwischen ihnen zu sehen, so beruht
20 dies nach His auf der Unvollkommenheit unserer Untersuchungsmethoden und auf unserem für derartige feine Unterschiede noch nicht hinreichend geschulten Auge, nicht aber auf der Abwesenheit von Unterschieden. Für jedermann mit gewöhnlichem Urteilsvermögen dürfte es wohl ohne weiteres selbstverständlich sein,
25 daß aus absolut identischen Anlagen unter im übrigen gleichen Verhältnissen nichts anderes als absolut identische Produkte hervorgehen können. Und daß Embryonen verschiedener Tiertypen auf irgendeiner Entwicklungsstufe miteinander absolut übereinstimmten, habe ich nie einen urteilsreifen Biologen be-
30 haupten hören, ebensowenig wie jemand annehmen würde, daß Eier von zwei verschiedenen Tieren in jeder Hinsicht identisch gebaut sind, auch wenn wir mit unseren gegenwärtigen Hilfsmitteln keinen Unterschied zwischen ihnen nachzuweisen vermögen. His' ganze Argumentation würde auch ziemlich unerklärlich erscheinen,
35 wenn man sie nicht als eine Reaktion gegen gewisse von seinen Gegnern begangene Übertreibungen auffassen dürfte.

Wir können aber, wie bereits erwähnt, noch weiter gehen und

einen wichtigen Satz hinzufügen, nämlich: je jünger die Embryonen verschiedener Tierformen sind, um so größer ist die Ähnlichkeit zwischen ihnen. So kann man nicht unterscheiden, ob z. B. ein Hundeembryo auf einem sehr frühen Stadium zu den Wirbeltieren gehört oder nicht. Erst später treten solche Merkmale hervor, 5 daß seine Zugehörigkeit zu einer der höheren Wirbeltierklassen deutlich wird. Noch etwas später zeigt sich seine Säugetiernatur. Danach treten der Raubtiertypus und die für die Hundegattung kennzeichnenden Züge hervor, während wir im allgemeinen nicht bestimmen können, welche Art der Hundegattung wir vor uns 10 haben, bevor das Tier geboren ist.

Hätten wir statt eines Hundeembryo einen menschlichen Embryo zu untersuchen gehabt, so wären wir zu entsprechenden Schlüssen gelangt — alles was in dieser Hinsicht von den übrigen Wirbeltieren gilt, gilt auch im vollsten Maße von dem 15 Menschen.

Auf die besonderen und sehr ins Einzelne gehenden Übereinstimmungen, die zwischen den Embryonen des Menschen und der höchsten Säugetiere bestehen, kommen wir noch im folgenden zu sprechen. Wir haben nun zunächst einige der von dem vollent- 20 wickelten Menschen abweichenden Merkmale zu prüfen.

Bekanntlich liegt beim Menschen wie bei allen anderen Wirbeltieren das Zentralnervensystem, d. h. Gehirn und Rückenmark, als gleichzeitig äußerst wichtige und äußerst empfindliche Körperteile, wohl eingebettet und geschützt in dem Innern des Körpers, von 25 Gehirnkapsel und Rückgrat umgeben. Bei seiner Entstehung aber und während des ersten Stadiums seiner Ausbildung nimmt das Nervensystem keineswegs diese Lage ein. Es wird von Zellen gebildet, die dem äußeren Keimblatt angehören, und befindet sich demnach bei seinem ersten Hervortreten vollständig an der Ober- 30 fläche des Embryokörpers. Das Zentralnervensystem wird nämlich als eine Längsfurche (Rücken- oder Medullarfurche) in der Mitte des äußeren Keimblattes angelegt. So finden wir es in einem gewissen Stadium bei allen Wirbeltierembryonen. Durch Vermehrung der Zellen, welche die Rückenfurche bilden, wird diese 35 immer tiefer, während sich gleichzeitig ihre Ränder oben (über der Furche) gegeneinander erheben und schließlich in der Mittellinie zusammenwachsen, so daß die Furche allmählich zu einem Rohr umgebildet wird.

Bei dem Embryo liegt also das Zentralnervensystem in demselben Niveau wie die übrigen Zellen des äußeren Keimblattes, aus

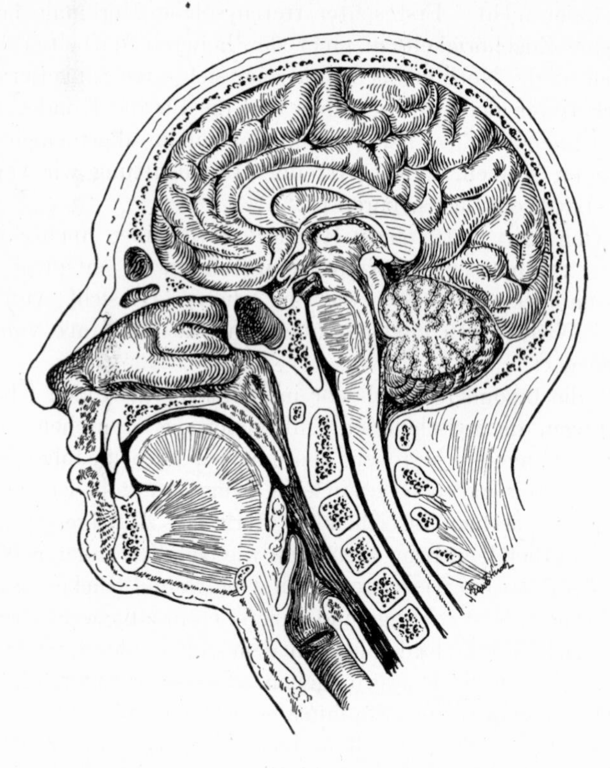

FIG. 28. Durchschnitt durch den Kopf des Menschen.

5 welchen die Oberhaut hervorgeht; im Verlauf der Embryonalentwicklung aber wachsen die Anlagen zu Muskeln, Skelett u. s. w. zwischen Oberhaut und Nervensystem empor und scheiden diese Teile voneinander. Gleichzeitig mit diesen Veränderungen werden auch die Zellen, die das Nervenrohr bilden, mehr und mehr
10 verschieden von den früheren Kameraden in dem äußeren Keimblatt, um allmählich die Beschaffenheit anzunehmen, die für die

Zellen des Nervensystems in ausgebildetem Zustande charakteristisch ist.

Um die Bedeutung dieser Tatsache, daß das Nervensystem bei allen höheren Organismen aus dem äußeren Keimblatt entsteht, m. a. W. von demselben „Urorgan" wie die Oberhaut herstammt, völlig verstehen zu können, brauchen wir nur einen Blick auf die niedrigsten mehrzelligen Tiere zu werfen. Bei diesen bildet nämlich das Nervensystem das ganze Leben des Tieres hindurch einen Teil der Haut. Da diese niederen Tiere auf unserer Erde viel früher als die Wirbeltiere und der Mensch aufgetreten sind, so können wir verstehen, daß das Nervensystem ursprünglich einen Teil der äußeren Haut gebildet hat. Daß das Nervensystem auf diese Weise entstanden, ist begreiflich: die Haut ist es ja, die in unmittelbarer Verbindung mit der äußeren Welt steht und demnach zur Entstehung der Organe führen muß, durch welche diese wahrgenommen wird, durch welche der Organismus in Beziehung zu dieser tritt. Bei dem Embryo entsteht also das Nervensystem in demselben Körperteil (der Haut), wo es bei den niedrigsten und geschichtlich ältesten mehrzelligen Tieren während des ganzen Lebens verbleibt.

Verfolgen wir die Entwicklung des Nervensystems in der Tierserie, so können wir beobachten, wie es bei den höher stehenden Formen tiefer in den Körper hineingerückt ist. Wir haben hier wieder ein deutliches Beispiel des biogenetischen Grundsatzes vor uns. Aber schon eine derartige Tatsache: daß beim Menschen wie bei den übrigen Wirbeltieren das Nervensystem, also das spezifische Organ unserer Seele, immer wieder und wieder in dem Teil des Körpers angelegt wird, wo es bei den niedrigsten mehrzelligen Tieren das ganze Leben hindurch verbleibt — eine solche Tatsache würde allein hinreichend sein, die Notwendigkeit der Annahme eines wirklichen Verwandtschaftsverhältnisses zwischen den niedrigsten und den höchsten Organismen zu beweisen. Auf den Umstand, daß auch das menschliche Gehirn während seiner Entwicklung sich auf Bahnen bewegt, die den Entwicklungsstadien nahezu entsprechen, auf denen die verschiedenen niederen Wirbeltiere stehen geblieben sind, ist bereits oben hingewiesen worden.

An den jüngeren menschlichen Embryonen beobachten wir eine Anzahl Spalten, die, durch Bögen getrennt, zu beiden Seiten des Halses sitzen. Derartige Spalten kommen nicht nur beim Menschen vor; sie bilden vielmehr eine gemeinsame Eigentüm-
5 lichkeit aller Wirbeltiere während einer Periode ihres Lebens. Da durch die fraglichen Spalten eine direkte Verbindung zwischen der Außenwelt und dem vordersten Teil des Darmkanals, dem Schlund, entsteht, sind sie Schlundspalten und die zwischenliegenden Bögen Schlundbögen genannt worden. Zuerst, d. h. während der frü-
10 hesten Stadien des Embryonallebens, entwickeln sich alle diese Bildungen bei allen, gleichgültig ob der Embryo Fisch, Vogel oder Mensch ist, auf völlig dieselbe Weise, nur daß die Anzahl Schlundspalten und Schlundbögen verschieden sein kann. Gleich nach der Entstehung der Bögen, finden sich zwischen ihnen nicht eigentlich
15 offene Spalten, sondern nur Falten oder Furchen, indem ein dünnes Häutchen zwischen den Bögen ausgespannt ist. Bei den Embryonen der Fische verschwindet jedoch dieses Häutchen bald, so daß eine Spalte und demnach eine Verbindung zwischen dem Schlund und der Außenwelt entsteht. Bei diesen Tieren entwickeln sich
20 danach aus der Haut, welche die Bögen bekleidet, zahlreiche Fortsätze (Hautfalten), die während ihres Wachstums reichlich mit Blutgefäßen versehen und so befähigt werden, den Gasaustausch zwischen dem Blut des Fisches und dem Wasser zu vermitteln. Diese den Schlundbögen aufsitzenden Hautauswüchse, die
25 als Atmungsorgane der Fische dienen, werden bekanntlich Kiemen genannt, weshalb man auch die oben erwähnten Schlundspalten als Kiemenspalten und die Schlundbögen, in denen sich allmählich Knorpel oder Knochen entwickelt, als Kiemenbögen bezeichnet hat. Als für Wassertiere unentbehrlich bleibt dieser gesamte
30 Kiemenapparat bei den Fischen während ihres ganzen Lebens bestehen. Bei allen Kriechtieren, Vögeln und Säugetieren aber, die während keiner Periode ihres Daseins im Wasser leben, und für die als Lungenatmer dieser Kiemenapparat von keinerlei Nutzen sein kann, entstehen nichtsdestoweniger, wie bereits er-
35 wähnt, bei dem Embryo Bildungen, die vollkommen den Kiemenbögen und Kiemenspalten der kiemenatmenden Tiere entsprechen.

Daß es sich hier um keine zufällige oder äußerliche Ähnlichkeit sondern um eine grundwesentliche Übereinstimmung zwischen den Embryonalstadien der höheren Tiere und dem Zustande handelt, der bei den Fischen während des ganzen Lebens besteht, zeigt unter anderem ein Vergleich zwischen der Anordnung der Blutgefäße bei einem Fisch und bei einem Säugetierembryo. Bei beiden geht vom Herzen ein einfacher Gefäßstamm aus, der nach beiden Seiten Kiemenblutgefäße entsendet, deren Anzahl der der Kiemenbögen entspricht; nach der Rückenseite zu vereinigen sich diese zu der großen Körperpulsader, die längs dem Rückgrat nach hinten verläuft.

Mit dem oben beschriebenen Stadium haben indessen bei den mit Lungen atmenden Tieren dieser ganze Kiemenapparat und die zu ihm gehörigen Gefäße den Höhepunkt ihrer Entwicklung erreicht. Anlagen zu Kiemen treten niemals auf. Dieser Kiemenapparat als Ganzes ist bei den höheren Tieren eine vergängliche Bildung und weist während des späteren Teils des Embryonallebens eine rückgängige Entwicklung auf: er verschwindet mehr und mehr, indem die Mehrzahl der Kiemenspalten sich vollständig schließt und die hinteren Kiemenbögen zum größten Teil lange vor der Geburt verschwinden. Vollständig geht jedoch dieser Kiemenapparat nicht zugrunde, sondern ein Teil — und dies ist das nicht zum wenigsten Merkwürdige an diesem Vorgang — wird vor dem Untergang durch einen sog. Funktionswechsel gerettet, d. h. dadurch, daß er umgebildet wird und in den Dienst einer anderen, ihm ursprünglich fremden Lebensäußerung tritt. Durch Verfolgung der Embryonalentwicklung des Menschen können wir uns nämlich davon überzeugen, daß die beiden oberen Kiemenbögen keineswegs vollständig verschwinden, sondern zu den sog. Zungenbeinhörnern und dem Zungenbeinkörper umgebildet werden, welche Skeletteile beim Menschen und den übrigen Säugetieren in den Dienst des Zungenapparates und des Kehlkopfes getreten sind. Neuere Untersuchungen machen es wahrscheinlich, daß auch einige den unteren Kiemenbögen entsprechende Teile bei den höheren Wirbeltieren vor vollständigem Untergang dadurch gerettet worden sind, daß sie sich an der Bildung des Kehlkopfes beteiligen.

Wie erwähnt, schließen sich die Schlundspalten vollständig

während des Embryonallebens mit Ausnahme der obersten, welche bei den höheren Wirbeltieren (einschließlich des Menschen) das ganze Leben hindurch bestehen bleibt, aber nicht mehr als ein Atmungsorgan, sondern als ein Teil des — Hörapparates! An der 5 Stelle dieser Kiemenspalte findet sich nämlich bei dem vollentwickelten Individuum eine Reihe von Höhlungen, die die Verbindung zwischen der Außenwelt und dem Schlunde vermitteln, und die wir unter den Bezeichnungen äußerer Gehörgang, Paukenhöhle und Ohrtrompete kennen, wobei die letztere denjenigen Ab-10 schnitt darstellt, welcher die Paukenhöhle mit dem Schlund in Verbindung setzt. Außer diesem normalen Überbleibsel einer Kiemenspalte findet sich ausnahmsweise beim Kinde zur Zeit seiner Geburt ein enger Gang, der sich von der Halshaut aus (oft etwas oberhalb des Schlüsselbeins) in den Schlund hinein erstreckt. 15 Er wird gewöhnlich unter dem Namen Halsfistel als eine krankhafte Bildung betrachtet und kann Gegenstand operativen Eingriffes seitens des Arztes werden. Diese Halsfistel ist indessen nichts anderes als ein Rest einer der unteren Kiemenspalten, die sich aus diesem oder jenem Anlaß während der Embryonalentwicklung 20 nicht geschlossen hat.

Auch von den oben erwähnten Kiemenblutgefäßen, deren Existenz vom Gesichtspunkt der Zweckmäßigkeit aus während keiner Periode im Leben der lungenatmenden Tiere motiviert ist, bilden sich einige zurück, während aus anderen Blutgefäße hervor-25 gehen, die bei dem Erwachsenen nach Kopf, Hals, Lungen u. s. w. verlaufen.

Die Sprache, welche die im vorstehenden angeführten embryologischen Tatsachen sprechen, ist leicht zu verstehen. Das Vorkommen dieses ganzen Kiemenapparates bei den Embryonen aller 30 lungenatmenden Wirbeltiere kann, wenn wir uns überhaupt an im Bereich der Möglichkeit liegende Erklärungen halten wollen, nicht anders denn als ein Beweis dafür gedeutet werden, daß die Vorfahren der lungenatmenden Tiere Kiemenatmer, d. h. in Wasser lebende Organismen gewesen sind. Logik und Tatsachen ver-35 bieten jede andere Deutung.

Von besonderem Interesse ist das Kapitel von der Entstehung und Entwicklung des menschlichen Gesichtes, der Physiognomie.

Schon früher haben wir gesehen, wie die Mundhöhle durch eine von dem äußeren Keimblatt gebildete Einstülpung oder Vertiefung gebildet wird. Diese Vertiefung wird oben von dem Stirnfortsatz begrenzt, dessen Entstehung mit der Entwicklung des Gehirns zusammenhängt, welches in diesem frühen Stadium noch nicht 5 durch andere Organe, wie Skeletteile u. dgl., von der Anlage der Mundhöhle geschieden ist. Auf den Seiten und unten bilden die schon obenerwähnten Kieferbögen die Begrenzung der Mundhöhle. Der obere Teil jedes Kieferbogens (Oberkieferfortsatz) stößt an den Stirnfortsatz, der untere Teil (Unterkieferfortsatz) 10 ist auf dieser frühen Entwicklungsstufe in der Mitte noch nicht mit seinem Gegenüber zusammengewachsen. Die Ober- und Unterkieferfortsätze sind voneinander durch einen Einschnitt geschieden, der dem Mundwinkel des fertigen Gesichts entspricht.

In einem späteren Stadium bildet ein Paar Vertiefungen zu 15 beiden Seiten des Stirnfortsatzes die Anlage zu dem Geruchsorgan. Die Augen treten deutlich zwischen den Stirn- und Oberkieferfortsätzen hervor. Beiläufig sei bemerkt, daß, wie verschieden das Gesicht im voll ausgebildeten Zustande auch bei einem Menschen, einer Katze, einem Frosch und einem Fisch ist, in den allerfrühesten 20 Stadien doch die Gesichtszüge des Menschen in allem Wesentlichen mit denen anderer Wirbeltiere übereinstimmen.

Werfen wir schließlich noch einen Blick auf die Entwicklung unserer Gliedmaßen. Erst verhältnismäßig spät treten die Anlagen zu Gliedern hervor; in der dritten Embryonalwoche bilden sich 25 zwei Paar schwache Erhebungen, die im Laufe der vierten Woche zu kurzen, später längeren Fortsätzen auswachsen, an welchen während der fünften Woche Glieder sichtbar werden, so daß man an der Vordergliedmaße Oberarm, Unterarm und die flossenförmige breite Anlage der Hand, an der Hintergliedmaße Oberschen- 30 kel, Unterschenkel und Fuß unterscheiden kann. An der Hand treten allmählich aus der gemeinsamen Anlage die Anfänge von Fingern hervor, der Rest der Anlage bildet eine schwimmhautähnliche Membran, die diese verbindet. Die Finger wachsen dann frei aus, während das erwähnte Häutchen an ihrer Basis zurück- 35 bleibt, wo es auch die beim Erwachsenen vorkommende Bindehaut zwischen den Fingern bildet. In entsprechender Weise entwickelt

sich der Fuß. Die Bindehaut kann bei verschiedenen Menschen verschieden stark ausgebildet sein. Wenn sie, wie es nicht selten bei Negern der Fall ist, eine besonders große Länge aufweist, so daß die Finger an der Basis vollständiger als gewöhnlich miteinan-
5 der verbunden sind, so müssen wir diesen Zustand natürlich als ein Stehenbleiben auf einem Stadium betrachten, das bei anderen Individuen während der Embryonalperiode zurückgelegt wird.

Einige andere Züge aus der Embryonalentwicklung des Menschen studieren wir am zweckmäßigsten in einem anderen
10 Zusammenhange. Hier haben wir uns dagegen mit solchen Organen zu beschäftigen, die im Gegensatz zu den Körperteilen, die sich bei dem erwachsenen Menschen in Funktion befinden, als Embryonalorgane bezeichnet werden können, da sie ausschließlich für den Embryo Bedeutung haben und nur bei diesem vorhanden
15 sind. Einige davon sind Schutzorgane, andere Ernährungs- oder Atmungsorgane.

Wir erinnern uns, daß das Ei beim Menschen wie bei den meisten übrigen Säugetieren ganz klein ist, nicht größer als ungefähr 0,2 mm im Durchmesser. Dagegen erreichen die Eier der Kriech-
20 tiere und der Vögel bekanntlich bedeutendere Dimensionen. Dieser Größenunterschied beruht darauf, daß die Eier der Kriechtiere und der Vögel außer dem verhältnismäßig sehr geringen Teil, aus dem der Embryo entsteht, einen sehr bedeutenden Materialvorrat (Nahrungsdotter) enthalten, der dazu bestimmt ist, dem
25 jungen Tier während seines Aufenthaltes im Ei zur Nahrung zu dienen. Ein Nahrungsdotter in demselben Sinne wie bei Kriechtieren und Vögeln findet sich nicht in dem Säugetierei, sondern hier wird das ganze Ei unmittelbar zur Bildung der Zellen des jungen Geschöpfes verwendet.

30 Um die Bedeutung der Embryonalorgane des Menschen und der Säugetiere zu verstehen, ist es notwendig, zunächst einen Blick auf die Verhältnisse bei den Kriechtieren und Vögeln zu werfen.

Bei den Eiern dieser Tiere imponiert der Dottersack durch seine Größe. Dieser kommt dadurch zustande, daß der Nahrungs-
35 dotter, der auf der Bauchseite des Embryo liegt, von Häutchen umschlossen ist, die von dem Körper des Embryo auswachsen. Da die Wände des Dottersacks reichlich mit Blutgefäßen, die mit

dem Herzen des Embryo in Verbindung stehen, versehen sind, verstehen wir leicht, wie das Dottermaterial (der Nahrungsdotter) allmählich von diesen Gefäßen aufgenommen und in den Embryonalkörper übergeführt wird, d. h. diesem zur Nahrung dienen kann. Da außerdem im Frühstadium der Embryonalentwicklung der 5 Dottersack mit seinen Gefäßen unmittelbar der porösen Hülle des Eies (Schalenhaut und Eischale) anliegt, kann ein ungehinderter Gasaustausch zwischen dem Blute und der Luft stattfinden, so daß der Dottersack auch als Atmungsorgan fungiert. Je mehr Dottermasse aber von den Blutgefäßen aufgenommen wird, um so kleiner 10 wird natürlich der Dottersack; zu Ende der Brütezeit ist nur noch ein kleiner Rest von ihm vorhanden. Dadurch wird der Dottersack allmählich unbrauchbar als Werkzeug für die Atmung, weshalb diese Funktion schon frühzeitig von einem anderen Embryonalorgan, der Allantois übernommen wird. Diese entsteht als eine 15 Ausstülpung des hintersten Teiles des Darmkanals und entwickelt sich allmählich zu einem großen, abgeplatteten, mit einem reichen Blutgefäßnetz versehenen Sack, der den größeren Teil des Embryo und des Dottersacks umgiebt. Außerdem fungiert die Allantois während des Embryonallebens als Behälter für die Ausscheidungs- 20 produkte der Nieren (also als Harnblase), und schließlich zu Ende der Brütezeit dienen ihre Blutgefäße dazu, den übrig gebliebenen Rest des Eiweißes aufzusaugen. Der Allantoissack ist also während des Embryonallebens mit vielen Verrichtungen beauftragt.

Als drittes Embryonalorgan ist die Hülle zu erwähnen, die in 25 Form einer mit Flüssigkeit gefüllten Blase den Embryo umgibt und ihm zum Schutze dient: der Amnionsack. Er findet sich bei allen Kriechtieren, Vögeln und Säugern (den Menschen einbegriffen), jedoch zeigt er bei verschiedenen Säugetieren eine verschiedene, noch nicht völlig verständliche Entstehungsweise. Wir 30 können ihn hier ohne Schaden übergehen.

Um die Rolle, welche die Embryonalorgane bei den Säugetieren spielen, richtig zu erfassen, müssen wir uns zunächst daran erinnern, daß diese Tiere — wenn wir vorläufig von den niedrigsten Säugetierformen absehen — lebendige Junge gebären, während 35 alle Vögel und die Mehrzahl der Kriechtiere Eier legen. Die Säugetiere — und das gleiche gilt vom Menschen — müssen demnach während des Embryonallebens ihre Nahrung dem Körper des Muttertieres entnehmen, und dieser muß auch die Atmung des Embryo vermitteln. Diese beiden Funktionen werden von einem besonderen, sehr zusammengesetzten Organ, das als Mutterkuchen bezeichnet wird, versehen.

Wir erinnern ferner daran, daß bei den Säugetieren der innige Zusammenhang zwischen Mutter und Nachkomme auch nach der Geburt des jungen Tieres nicht gelöst wird; auch dann ist es ja die Mutter, die während längerer oder kürzerer Zeit für den Unterhalt desselben sorgt, indem das junge Tier mit der Milch der Mutter ernährt wird.

Dieser innige Zusammenhang, der zwischen Mutter und Nachkomme sowohl vor als nach der Geburt des letzteren besteht, ist als einer der charakteristischsten und bedeutsamsten Züge der Säugetiere gegenüber Kriechtieren und Vögeln zu betrachten. Dieser Zusammenhang gehört nämlich ohne Zweifel zu den Momenten, denen die Säugetiere in erster Linie die höhere Ausbildung verdanken, die sie erreicht haben. Die Vögel und die meisten Kriechtiere machen ihre ganze Entwicklung innerhalb des Eies durch, wohin keine Nahrung dem Embryo von außen her zugeführt werden kann. Für sie ist die Nahrung streng auf den in dem Ei eingeschlossenen Nahrungsdotter beschränkt, wohingegen die Nahrungszufuhr des Säugetierembryo nicht im voraus abgemessen ist, sondern die Nahrung je nach Bedarf von der Mutter bezogen wird. Wir sehen also, daß der Säugetierembryo, geschützt und ernährt von der Mutter, unter sonst gleichen Verhältnissen imstande sein muß, eine vollkommenere Ausbildung aller seiner Organe zu erreichen, bevor er den unmittelbaren Kampf ums Dasein aufzunehmen braucht.

Unter solchen Umständen wird es natürlich meine Leser überraschen zu hören, daß bei dem menschlichen Embryo wie bei allen anderen Säugetierembryonen ein Dottersack auftritt, seit Alters her unter der Bezeichnung „Nabelblase“ bekannt, der sich vollständig wie der Dottersack bei Kriechtieren und Vögeln verhält. Die Nabelblase wird von derselben Art von Hüllen wie dieser umgeben; sie ist mit einem Blutgefäßnetz entsprechend dem des Dottersackes bei den niederen Wirbeltieren ausgerüstet, sie enthält aber — und das ist das Merkwürdige — kein oder jedenfalls eine so geringe Menge Nährmaterial, daß sie nie dieselbe Rolle hier wie bei den niederen Wirbeltieren spielen kann. Dagegen zeigt sie bei gewissen, besonders einigen niederen Säugetieren, wie Beuteltieren, Insektenfressern u.a. eine Art Funktionswechsel; 5 sie übernimmt eine ihr ursprünglich fremde Rolle. Die blutgefüllten Wände der Nabelblase kommen nämlich bei den genannten niedriger stehenden Säugetieren während eines frühen Embryonalstadiums in so intime Berührung mit der Gebärmutter, daß sie höchstwahrscheinlich während dieser Periode eine ähnliche 10 Funktion ausübt wie der Mutterkuchen in einem späteren Stadium des Embryonallebens, d. h. daß sie dem Embryo aus dem Blute der Gebärmutter Nahrung zuführt und seine Atmung vermittelt. Dies ist aber eine Funktion, die die Nabelblase später übernommen hat, und die mit ihrer Entstehung nichts zu schaffen hat; denn 15 diese ist an das Vorhandensein einer reichlichen Dottermasse gebunden, die ja bei den Säugetieren fehlt. Also: das Vorkommen des Dottersacks wird nur durch die Annahme verständlich, daß der Mensch und die Säugetiere von Tierformen herstammen, welche Eier mit wirklichem Nahrungsdotter gehabt haben, somit von eier- 20 legenden Tieren. Diese vom embryologischen Gesichtspunkt aus berechtigte Annahme hat denn auch in glänzender Weise durch die im zweiten Kapitel mitgeteilten Entdeckungen eine Bestätigung erfahren, wonach die niedrigsten Säugetiere, die Kloakentiere, noch heutzutage keine lebendigen Jungen gebären und keinen 25 Mutterkuchen besitzen, sondern Eier mit großem Nahrungsdotter legen. Trotz Bedenken, die man neulich erhoben hat, muß wohl zugegeben werden, daß das Vorkommen eines oft vollständig nutzlosen Dottersacks bei Geschöpfen, die ein so ausgezeichnetes Ernährungsorgan wie den Mutterkuchen besitzen, nur als Erb- 30 schaft aus der Periode verständlich wird, wo die Vorfahren der höheren Säugetiere noch keinen Mutterkuchen erworben hatten, sondern wie die Kriechtiere und die niedrigsten Säugetiere, die Kloakentiere, während des Embryonallebens ihre Nahrung einem Dottersack entnahmen. 35

Bei dem Menschen bilden sich die Embryonalorgane der Hauptsache nach auf folgende Weise. Nachdem das befruchtete

Ei in die Gebärmutter hineingekommen, wirkt es, neueren Untersuchungen nach zu urteilen, auf den Punkt, an dem es sich befestigt, geradezu wie ein Parasit. Das Ei zerstört nämlich die oberflächlichen Teile der Schleimhaut, um in die tieferen Schichten
5 der Gebärmutterwand hinein zu gelangen, wonach seine freie Oberfläche von einem Häutchen umgeben wird, das sich aus der Schleimhaut der Gebärmutter bildet. So liegt schließlich das Ei in einer Kapsel. Es wird größer und erhält schon sehr früh (während der zweiten Woche) eine Bekleidung aus zahlreichen
10 fransenähnlichen Fortsätzen. Zunächst ist die ganze Oberfläche des Eies mit derartigen Fortsätzen versehen, im Laufe des zweiten Fötalmonats haben sich jedoch die Fortsätze, die an dem der Gebärmutterhöhle zugekehrten Teile des Eies sitzen, verkleinert, so daß dieser Teil der Eioberfläche nahezu glatt geworden ist.
15 Dagegen vergrößern sich die Fortsätze an dem der Gebärmutter anliegenden Teil des Eies beträchtlich, werden baumartig verzweigt und senken sich in die Schleimhaut der Gebärmutter ein, mit welcher sie zur Bildung eines scheibenförmigen Organs, des Mutterkuchens („ Placenta “) verwachsen. Der Mutterkuchen
20 ist demnach aus zwei Partien zusammengesetzt, die eine aus einem Teil der Gebärmutter, die andere aus Fötalorganen gebildet. Die obenerwähnten, in die Gebärmutterschleimhaut eindringenden Fransen sind reichlich mit feinen Blutgefäßen versehen, die mit dem Blut der Mutter in der Schleimhaut der Gebärmutter in
25 innige Berührung kommen. Das Blut des Embryo und das der Mutter geht jedoch in geschlossenen Bahnen, so daß keine Mischung ihrer Blutströme stattfindet. Dagegen vollzieht sich zwischen ihnen ein reichlicher Austausch von Gasen und flüssigen Bestandteilen. Aus dem Blute der Mutter nimmt das Embryoblut
30 seinen Sauerstoffbedarf und seine Nahrungsstoffe auf und gibt an dasselbe verschiedene Produkte (Kohlensäure u. s. w.) ab. Der Mutterkuchen ist demnach sowohl das Atmungs- als Ernährungsorgan des Embryo.

In einem wichtigen Punkt weicht jedoch der Mutterkuchen
35 beim Menschen von dem der meisten anderen Säugetiere ab. Während bei diesen — wie auch bei niederen Wirbeltieren — die Allantois eine freie, mit einem reichen Blutgefäßnetz ausgestattete

Blase ist, die zusammen mit den obenerwähnten Fransen den bei den verschiedenen Säugetieren verschieden beschaffenen Mutterkuchen bildet, tritt die Allantois beim Menschen nie als freie Blase auf, sondern liegt als ein kleiner, enger Kanal in dem sog. Bauchstiel. Letzterer ist ein kurzer und dicker Strang, der von dem unteren und hinteren Körperende des Embryo zur Embryonalhülle und ihren Fortsätzen geht, welch letztere er mit Blut versieht. Ohne uns hier auf einen Bericht über die Entstehung dieses Bauchstiels einlassen zu können, wollen wir nur erwähnen, daß er als ein wesentlicher Bestandteil in dem Nabelstrang enthalten ist, der während der späteren Embryonalstadien die Verbindung zwischen dem Mutterkuchen und dem Embryokörper bildet.

Der Amnionsack, der zunächst sehr klein ist, nimmt rasch an Umfang zu und füllt sich mit einer alkalischen Flüssigkeit, die den Embryo umspült. Da das Wachstum des Amnion rascher geschieht als das der Eihülle, legt es sich bereits gegen Ende des dritten Fötalmonats dicht an letztere an und verwächst mit ihr.

Einen entgegengesetzten Entwicklungsgang zeigt der Dottersack. Während das Amnion im Laufe des embryonalen Lebens immer größer wird, wird der Dottersack immer kleiner. Während so bei dem 2–5 Wochen alten Menschenfötus der Dottersack, der hier noch mit dem Darmkanal in Verbindung steht, etwas mehr als die Hälfte der Höhle des ganzen Eies einnimmt, wird er bald zu einer länglichen kleinen Blase (Nabelblase), die mittelst eines Stiels oder Ganges mit dem nun zu einem Rohr zusammengewachsenen Darmkanal in Verbindung steht. Schließlich vereinigt sie sich mit dem Bauchstiel, um an der Bildung des obenerwähnten Nabelstranges teilzunehmen. Bei der Geburt ist sie zu einem ganz kleinen, kaum erbsengroßen Bläschen verkümmert. Auch auf der Höhe ihrer Ausbildung ist die Nabelblase beim Menschen höchstwahrscheinlich von keiner Bedeutung; Nahrung enthält sie jedenfalls nicht, obwohl sie im übrigen mit dem inhaltsreichen Dottersack von Kriechtieren und Kloakentieren übereinstimmt.

Bis vor kurzem glaubte man zu der Behauptung berechtigt zu sein, daß das Embryonalleben des Menschen in mehreren wichtigen Punkten bemerkenswerte Unterschiede von dem aller anderen Geschöpfe aufweise. Der menschliche Embryo sollte sich demnach

von den übrigen Wirbeltieren durch eine ganze Reihe Eigentümlichkeiten unterscheiden, wie durch den Mangel einer freien Allantoisblase, das Vorkommen eines Bauchstiels, die Beschaffenheit der von der Schleimhaut der Gebärmutter gebildeten Kapsel,
5 welche das junge befruchtete Ei nach seinem Eintritt in die Gebärmutter umgibt, die eigentümliche Einbuchtung des Rückgrats, sowie durch das Verhalten des Dottersacks. Und dies ist wirklich der Fall: diese Eigenheiten, die lange als Steckenpferd von denen gebraucht worden sind, die dem Menschen eine Ausnahmestellung
10 haben reservieren wollen, unterscheiden den Menschen schon als Embryo von allen Tiergruppen — von allen mit Ausnahme einer einzigen: den Affen! Dank den zielbewußten Untersuchungen der letzten Jahre — besonders denen des vor einigen Jahren verstorbenen deutschen Zoologen Emil Selenka — können wir im einzelnen
15 und mit aller wünschenswerten Genauigkeit diese Tatsache nachweisen, deren Bedeutung für die Auffassung der Genealogie des Menschen kaum überschätzt werden kann.

So ist es festgestellt, daß auch den Affen eine freie Allantoisblase fehlt, und daß es auch bei ihnen ein Bauchstiel — dieses
20 bei anderen Wesen vollkommen unbekannte Organ — ist, welcher die Verbindung zwischen dem Embryokörper und dem Mutterkuchen herstellt. Wie beim Menschen wird auch bei den Affen das junge befruchtete Ei durch eine Hülle ganz anderer Art geschützt, als wie sie bei einigen anderen Säugetieren (gewissen Nagern, dem
25 Igel) vorkommt. Auch bezüglich des rudimentären Zustandes der Nabelblase stimmen die Affenembryonen vollkommen mit dem menschlichen Embryo überein, dagegen nicht mit den Embryonen der übrigen Säugetiere. Ebenso weichen in einigen anderen Punkten, die wesentlich darauf ausgehen, die Nahrungszufuhr zu
30 dem Embryo zu vervollkommnen, der Mensch und die Affen gemeinsam von allen anderen Säugetieren ab.

Auch in gewissen Einzelheiten der Embryonalentwicklung tritt uns größere Übereinstimmung zwischen dem Menschen und den Affen als zwischen den letzteren und anderen Geschöpfen entgegen.
35 So hat man nur beim Affenembryo die eigentümliche Einbuchtung der Rückseite beobachten können, die einem bestimmten Embryonalstadium des Menschen charakteristisch ist, und die sich bei

beiden — dem Menschen und dem Affen — während späterer Perioden wieder ausgleicht.

Selbst in noch späteren Embryonalstadien ist die Übereinstimmung zwischen dem Menschen und den Affen, auch niedriger stehenden wie dem gewöhnlichen Makak, schlagend. Überhaupt 5 können wir auf Grund von Selenkas Untersuchungen feststellen, daß, wenn man behufs bequemerer Vergleichung für die Affen die

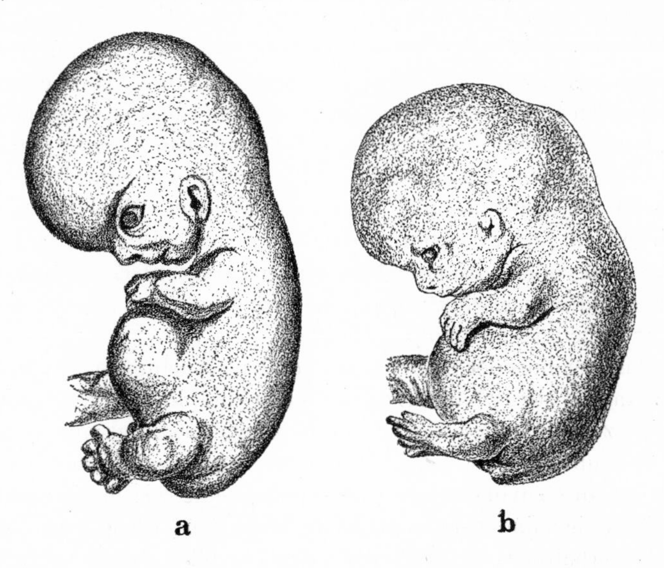

Fig. 29. A. Menschliches Embryo (nach His-Keibel). B. Embryo des Gibbons (nach Selenka-Keibel).

Zeitangaben zugrunde legt, die für die Entwicklungsperioden des menschlichen Embryo gelten, eine augenfällige Gleichförmigkeit in der Ausbildung des Embryonalkörpers bei Menschen und beim 10 Affen bis ungefähr zur sechsten Fötalwoche herrscht. Nach dieser Zeit trennen sich die Wege des Menschen und der niederen Affen mit jedem Schritt und jedem Tag mehr und mehr, während der Mensch und die höheren Affenformen noch ein weites Stück des Weges zusammengehen. 15

In einem wichtigen Punkt weicht indessen die Entwicklung der meisten niederen Affen von dem Menschen ab: bei den ersteren

finden sich zwei scheibenförmige Mutterkuchen, während beim Menschen nur ein Mutterkuchen gebildet wird. Dieser Unterschied gilt aber nicht für die höheren Affen, die Gibbons und die menschenähnlichen; diese stimmen auch in dieser Hinsicht mit
5 dem Menschen überein, sie haben nur einen Mutterkuchen, der wenigstens während der zweiten Hälfte des Fötallebens in seinem Bau eine bis ins einzelne gehende Übereinstimmung mit dem des Menschen zeigt.

Daß bei den Embryonen des Menschen und der Affen in älteren
10 Stadien, neben einer auffallenden Übereinstimmung, Abweichungen in gewissen Einzelheiten angetroffen werden, ist selbstverständlich.

Mit Rücksicht auf das Gewicht, das wir dem Zeugnis der Embryologie in genealogischen Fragen zuzuerkennen berechtigt sind, müssen die gemeinsamen, von allen anderen Wirbeltieren ab-
15 weichenden Eigenschaften, welche Menschen und Affen während ihrer embryonalen Entwicklung auszeichnen, entschieden als ein Beweis dafür angesehen werden, daß wir Menschen den Affen viel näher stehen als anderen Geschöpfen.

Das Ergebnis der embryologischen Untersuchungen, die in die-
20 sem Kapitel zur Behandlung gekommen sind, ließe sich folgendermaßen zusammenfassen. Die Embryologie bestätigt und vertieft die Erkenntnis, zu welcher die vergleichende anatomische Untersuchung uns zuvor geführt hat: ebensowenig wie im Körperbau des Menschen findet sich in seiner embryonalen Entwicklung etwas,
25 was außerhalb des Rahmens der Tierklasse fällt, die wir als Säugetiere bezeichnen. Außerdem haben wir uns von dem Auftreten einer ganzen Reihe von Erscheinungen in der embryonalen Entwicklung des Menschen überzeugen können, die von naturwissenschaftlichem Gesichtspunkt aus durchaus unverständlich sind,
30 sofern man nicht annimmt, daß ein wirkliches Verwandtschaftsverhältnis zwischen dem Menschen und der eben erwähnten höchsten und jüngsten Tierklasse besteht.

Wenn wir aber bei dem menschlichen Embryo gleichwie bei allen Säugetierembryonen auf frühen Entwicklungsstufen einen
35 wirklichen Kiemenapparat antreffen, wie er nur für in Wasser lebende Tiere anwendbar ist, und einen Dottersack, der nur bei eierlegenden Tieren von Nutzen ist; wenn wir den menschlichen

Embryo in späteren Stadien auch alle für die niederen Säugetiere kennzeichnenden Merkmale aufweisen sehen, und wenn wir schließlich die bis ins einzelne gehenden Übereinstimmungen berücksichtigen, die gewisse Stadien des Menschen- und des Affenembryo aufzuweisen haben, so dürften diese Tatsachen genügen, um einen 5 jeden, der überhaupt naturwissenschaftlichen Tatsachen eine Beweiskraft zuerkennt, davon zu überzeugen, daß die fraglichen Eigenschaften, die den menschlichen Embryo auszeichnen und wenigstens teilweise bei dem vollentwickelten Menschen verschwunden sind, Erbschaften aus einer Zeit darstellen, wo der 10 Mensch noch nicht Mensch war, sondern — etwas anderes.

CHIRURGIE *

I. ANÄSTHESIE

Unter den großen Errungenschaften der operativen Chirurgie in der zweiten Hälfte des vorigen Jahrhunderts steht die Einführung der allgemeinen Narkose mit an erster Stelle. An Bedeutung für die Entwicklung der Chirurgie wird sie nur durch die Einfüh-
5 rung der antiseptischen Wundbehandlung übertroffen.

Die Narkose setzt uns in die Lage, operative Eingriffe unter einem schlafähnlichen Zustand des Kranken vorzunehmen, bei völliger Aufhebung der Schmerzempfindung und des Bewußtseins, so daß weder der Kranke während des Eingriffes leidet, noch der
10 Chirurg durch Muskelspannung oder Abwehrbewegungen in der Arbeit gestört wird.

Der allgemeinen Narkose steht die lokale Anästhesie gegenüber, durch welche ohne Beeinträchtigung des Bewußtseins einzelne Körperabschnitte in einen Zustand verminderter oder aufgehobener
15 Schmerzempfindung versetzt werden. Versuche in dieser Richtung reichen bis auf die ältesten Zeiten zurück; aber erst in neuerer Zeit hat man für die lokale Anästhesie brauchbare Formen gefunden, so daß sie heute neben der allgemeinen Anästhesie ausgedehnte Verwendung findet. Auch die Rückenmarksanästhesie, bei welcher
20 durch Einbringung von Anästheticis in den Duralsack des Rückenmarkes Unempfindlichkeit der unteren Körperhälfte erzielt wird, hat sich ein gewisses Geltungsgebiet bewahrt.

Allgemeine Anästhesie (*Narkose*)

Die allgemeine Narkose (Inhalationsanästhesie) wird erzielt durch Inhalation bestimmter Anästhetika, von denen der Äther
25 und das Chloroform am gebräuchlichsten sind. Die schmerzbetäubende Wirkung des Äthers wurde von dem Mechaniker Jackson

* Aus — Professor Dr. Schloffer, Aus der allgemeinen Chirurgie, Verlag von Gustav Fischer.

entdeckt und von dem Zahnarzte Morton in Boston 1846 erprobt. Das Chloroform wurde von Simpson in Edinburgh eingeführt (1847). Lange wogte der Streit, ob Chloroform oder Äther vorzuziehen sei. Für sich allein verwendet ist das Chloroform das leistungsfähigere, aber auch das gefährlichere Narkotikum. Seitdem man dahin ge- 5 langt ist, die Wirkung des Äthers durch Zugabe anderer Mittel zu ergänzen, hat sich der größere Teil der Chirurgen dem Äther zugewendet.

Jede Narkose ist eine Vergiftung. Sobald eine bestimmte Dosis des Medikamentes aufgenommen ist, tritt der erwünschte Grad der 10 Anästhesie ein. Geringe Überdosierungen können zum Tode führen; in Ausnahmefällen kann aber auch der Tod eintreten, lange bevor die Anästhesie erreicht ist. Es ist aus diesem Grunde unerläßlich, daß der Arzt, der die Narkose vornimmt, genau Bescheid weiß über die verschiedenen dabei drohenden Gefahren, über deren Vorboten und 15 Anzeichen, sowie über alle Hilfsmittel zur Beseitigung übler Zufälle.

Der Magen muß zur Narkose leer sein. Der Kranke soll also die letzte größere Mahlzeit spätestens 6–7 Stunden vor der Operation, 3–4 Stunden vor derselben auch keine Flüssigkeit mehr nehmen. Vor Operationen, die augenblicklich nötig sind, ist wegen 20 der Gefahr der Aspirationspneumonie und wegen der Gefahr des Erstickens in der Narkose durch erbrochene Massen gegebenenfalls der Magen auszuhebern (namentlich bei Operationen wegen Ileus). Alle die Atmung beengenden Kleidungsstücke sind zu entfernen, Fremdkörper (Zahnersatzstücke) aus dem Munde zu 25 nehmen. Der Kranke soll zur Narkose horizontale Rückenlage, höchstens mit ganz leicht erhobenem Oberkörper einnehmen, aber womöglich mit nicht erhöhtem Kopf. Plötzliches Aufsetzen während der Narkose ist zu vermeiden.

Dem Narkotiseur stehen außer dem Narkosekorb und dem Be- 30 hältnis mit dem Narkotikum zur Verfügung: eine Heistersche oder Rosersche Mundsperre, eine Zungenzange, deren Stelle auch eine Kugelzange mit Sperrvorrichtung vertreten kann; ein kleines Gefäß und Tücher zur Aufnahme von Erbrochenem, kleine Tupfer in sperrbarer Zange zum Auswischen des Rachens. Es ist überdies 35 noch ein Gebot der Vorsicht, bei jeder Narkose zur Tracheotomie gerüstet zu sein.

Wir wollen im folgenden die Technik und den Ablauf der Chloroformnarkose besprechen, während weiter unten auf die wenigen Unterschiede, die bei der Äthernarkose in Betracht kommen, hingewiesen werden wird.

5 Die Chloroformnarkose wird auch heute noch vielfach mit der gewöhnlichen Esmarchschen Maske vorgenommen, einem Drahtgestell, das mit Flanell oder einem dichten Trikotstoff überzogen ist. Diese Maske hat zahlreiche Modifikationen erfahren; jene von Schimmelbusch ist deshalb zu empfehlen, weil sie ein 10 Auswechseln des Trikotstoffes auf einfache Weise ermöglicht. Die Maske wird aufgelegt und nun das Narkotikum aus einer Tropfflasche erst langsam, dann rascher aufgetropft, bis etwa 30–60 Tropfen in der Minute fallen. Der Patient soll dabei ganz ruhig atmen, allenfalls langsam zählen.

15 Der Ablauf der Narkose vollzieht sich im allgemeinen so, daß mit ziemlicher Regelmäßigkeit drei Stadien unterschieden werden können: das Anfangsstadium, das Exzitationsstadium und das Toleranzstadium.

Das Anfangsstadium steht unter dem Zeichen der Abwehr des 20 Patienten gegen das dargereichte Narkotikum. Das Bewußtsein ist dabei noch ganz oder teilweise erhalten. Meist sind die Kranken durch den Geruch des Mittels irritiert, sie halten den Atem an, wollen sich den Korb abreißen, rufen nach Luft u. dgl. Andere Kranke verstehen es — je nach Temperament und Erziehung — 25 sich im Beginne der Narkose noch zu bemeistern. Bald kommt es zu Flimmern vor den Augen, zu erhöhter Herzaktion mit dem Gefühle des Hämmerns in den Karotiden und im Kopfe, und gleichzeitig zu einer Herabsetzung des Bewußtseins. Dabei antworten die Kranken auf Fragen noch ziemlich zutreffend 30 und verstehen wohl auch, was in ihrer Umgebung gesprochen wird. Erregte Abwehrversuche können noch durch Zureden besänftigt werden. Manchmal finden wir in diesem Stadium Brechreiz (bei leerem Magen selten), öfter vermehrte Speichelsekretion, die aber beim Chloroform weniger wie beim Äther hervortritt. Die 35 Reflexe sind erhalten. — Nicht selten schlafen nun die Kranken ruhig ein, oft aber folgen mehr oder minder schwere Aufregungszustände (Exzitationsstadium).

Der Kranke erinnert im Exzitationsstadium zuweilen an einen schwer Betrunkenen. Er redet unsinniges Zeug, schreit, singt, spuckt in die Maske, schlägt um sich u. dgl. Manchmal wird unter starker Anspannung der Bauchmuskeln und krampfhaftem Aufeinanderpressen der Zähne die Atmung angehalten, wodurch es zu tiefer Zyanose kommen kann. Das Bewußtsein ist in diesem Stadium bereits mehr oder weniger geschwunden, aber die Schmerzempfindung meistens nur vermindert, so daß der Kranke, wenn man in diesem Stadium mit der Operation beginnen wollte, noch heftige Abwehrbewegungen machen würde. Später folgen wieder tiefe Inspirationen, und dann läßt die Muskelspannung nach und vollkommene Anästhesie tritt ein. Der Narkotisierte liegt da wie im tiefen Schlafe, atmet langsam und oberflächlich, der Puls ist langsam und regelmäßig, das Gesicht blaß (Toleranzstadium).

Dieser Zustand soll während der Operation erhalten werden. Es muß zu diesem Zwecke das Narkotikum stets in geringen Dosen weitergegeben werden. Gibt man zu wenig, so erwacht der Kranke, gibt man zu viel, so kann die Lähmung lebenswichtiger Zentren im verlängerten Marke die Folge sein und der Tod eintreten.

Wichtig für die Beurteilung des Stadiums der Narkose ist neben dem Verhalten des Pulses und der Atmung und dem Aussehen des Gesichtes die Beachtung des Pupillar- und Kornealreflexes. Während des Anfangsstadiums reagieren die etwas erweiterten Pupillen auf Lichteinfall, während des Erregungsstadiums wird die Reaktion geringer, während des Stadiums der Toleranz werden Pupillen wieder enger und reagieren nur sehr wenig oder gar nicht. Der Korneal- (Konjunktival) Reflex äußert sich in einem Zusammenkneifen der Lider bei Berührung der Kornea (Konjunktiva). Er ist im Anfangs- und im Exzitationsstadium erhalten, verschwindet im Toleranzstadium. Doch muß man beachten, daß durch zu häufiges Berühren der Kornea deren Reflexerregbarkeit herabgesetzt wird.

Tritt während des Toleranzstadiums der Kornealreflex wieder ein, so zeigt dies an, daß der Narkotisierte im Begriffe steht, zu erwachen. Man soll im allgemeinen den Kranken stets soweit narkotisiert halten, daß die Pupillen eben noch auf Lichteinfall reagieren, der Kornealreflex hingegen erloschen bleibt.

Das Erwachen der Narkotisierten vollzieht sich häufig unter Übelkeit, Erbrechen, manchmal unter Aufregungszuständen, Lach- und Weinkrämpfen: stundenlange psychische Depression mit Kopfschmerzen folgt ausnahmsweise nach. Manchmal, freilich bei einfacher Chloroform- oder Äthernarkose selten, erwachen die Kranken zu halbem Bewußtsein, um dann für einige Zeit in halben oder tiefen Schlaf zu verfallen.

Die weiteren Nachwirkungen, die gewöhnlich in Übelkeit, Mattigkeit, manchmal in Aufregungs- oder Depressionszuständen bestehen, sind meistens — je nach der Menge des dargereichten Narkotikums — in 1–2 Tagen überwunden. Man sorgt für tüchtige Lüftung des Krankenzimmers und läßt am besten, solange die Übelkeit andauert, den Kranken gar nichts zu sich nehmen, dann am 1. Tage höchstens löffelweise Flüssigkeiten. Schwere Kollapszustände, wie sie nach lange dauernden Narkosen und eingreifenden Operationen vorkommen, sind durch subkutane, rektale oder intravenöse Kochsalzinfusionen, Kampferinjektionen, Koffein u. s. w. zu bekämpfen.

Die Äthernarkose wurde früher mit der großen Julliard-Dumontschen Maske vorgenommen, die das ganze Gesicht bedeckt. Heute steht dieses Verfahren seltener in Gebrauch. Die Maske ist außen mit Wachstuch überzogen und trägt innen zur Aufnahme des Äthers einen Bausch Flanell.

Der Patient soll durch die Nase atmen. Man gießt etwa 20 ccm Äther in die Maske, legt diese aber anfangs nicht dicht auf, sondern läßt noch Luft einstreichen. Nach 1–2 Minuten gießt man neuerdings dieselbe Menge Äther, später nach Bedarf kleinere Mengen nach und legt die Maske so auf, daß sie mit ihren Rändern überall dicht an das Gesicht des zu Narkotisierenden anschließt. Es ist ein Nachteil, daß bei dieser Art der Narkose der Patient gezwungen ist, einen Teil seiner eigenen Exspirationsluft immer wieder einzuatmen, eine Tatsache, die dieser Narkose nicht ganz mit Unrecht die Bezeichnung „Erstickungsnarkose“ eingetragen hat. Ist die tiefe Narkose erreicht, so genügen sehr geringe Mengen zu ihrer Fortsetzung. Oft kommt es im Beginne der Narkose zu subjektivem Erstickungsgefühl und krampfhaftem Anhalten des Atems, weshalb man gut tut, die Maske anfangs zeitweise zu lüften und einen Atemzug reiner Luft zu gestatten.

Die Gefahren der Äthernarkose sind im allgemeinen dieselben wie die der Chloroformnarkose. Doch hat der Äther eine breitere Narkotisierungszone, d. h. der Unterschied zwischen der zur tiefen Narkose nötigen und der tötlichen Dosis ist beim Äther größer. Die Zahl der reinen Äthertodesfälle ist geringer als die der Chloro- 5 formtodesfälle. Während beim Chloroform die Störungen von seiten des Herzens häufiger sind, sind es beim Äther jene von seiten der Atmung. Die Todesfälle in der Narkose sind beim Äther seltener durch primären Herzstillstand, häufiger durch Atmungslähmung bedingt. Der Äther regt zuweilen die Speichel- 10 und Schleimsekretion im Munde und den Luftwegen mächtig an und bringt dadurch die Gefahr der Bronchitis und Pneumonie mit sich. Doch hat man gelernt, durch geeignete Narkosetechnik (Tropfnarkose, Gaze-Äther-Methode), dann auch durch sekretionshemmende Mittel (Atropin, Skopolamin) diese Gefahren sehr 15 weitgehend auszuschalten.

Die Frage, ob Chloroform oder Äther zu verwenden sei, ist, wie bereits erwähnt, heute für die meisten Chirurgen zugunsten des Äthers entschieden. Die Narkose mit reinem Chloroform ist wegen ihrer Gefahren wohl allgemein aufgegeben worden. Sie ist nur 20 dann gerechtfertigt, wenn gar kein anderes Narkosenmittel zur Verfügung steht, wie dies z. B. im Felde, in vorgeschobenen mobilen Sanitätsanstalten der Fall sein kann. Denn vom Chloroform ist zur einzelnen Narkose ein ungleich geringeres Quantum nötig als vom Äther und deshalb ist das erstere leichter in der erforderlichen 25 Menge mitzuführen.

Wegen seiner nachteiligen Wirkung auf das Herz soll das Chloroform bei Myocarditis, Fettherz und nicht kompensierten Klappenfehlern nicht einmal zu Mischnarkosen Anwendung finden.

Um die Gefahren der Narkose möglichst herabzudrücken, 30 empfiehlt sich unter Umständen die vorherige Verabreichung von Herztonicis, zuweilen auch die Beförderung ruhigen Schlafes am Vorabend durch Veronal oder dergleichen. Um eine hauptsächliche Gefahr jeder Narkose, die postoperativer Lungenkomplikationen, zu vermeiden, ist bei den Vorbereitungen zur Narkose eine 35 gründliche Reinigung des Mundes nicht zu übersehen. Nach der Operation müssen die Kranken zu tiefem Atmen und zum Aushusten sich ansammelnden Bronchialsekretes angehalten werden, auch wenn der Wundschmerz kräftiges Aushusten erschwert. Man läßt die Patienten je nach der Art des Krankheitsfalles möglichst frühzeitig sich im Bette frei bewegen, unter Umständen schon 5 wenige Tage nach der Operation das Bett verlassen.

II. WUNDHEILUNG, ENTZÜNDUNG

Wir verstehen unter einer Verletzung jede gewaltsame Trennung von lebendem Gewebe. Betrifft diese Trennung auch die äußeren Decken, die Haut oder Schleimhaut, so daß die verletzte Stelle mit der Außenwelt in Verbindung steht, so liegt nach dem 10 gewöhnlichen Sprachgebrauche eine offene Verletzung oder eine Wunde vor. Die äußeren Einflüsse, durch welche Wunden entstehen, sind mechanische, chemische und thermische.

Die weitaus häufigsten sind die auf mechanische Weise zustande gekommenen Wunden. Sie sind charakterisiert durch die nach 15 außen dringende Blutung und durch das Klaffen der verletzten Gewebsteile. Je nach ihrer Beschaffenheit kann man zwei Hauptgruppen solcher Wunden unterscheiden. Die der ersten Gruppe weisen scharfe Ränder und glatte Wundflächen auf. Sie entstehen durch scharfe Instrumente (Messer, Hiebwaffen, Glasscherben 20 u. s. w.) und werden von manchen als „einfache Wunden“ bezeichnet. Die gewöhnlichen Schnittwunden, viele Hieb- und Stichwunden gehören hierher. Die Wunden der zweiten Gruppe entstehen stets durch Einwirkung stumpfer Gewalten, wie Stockschlag, Steinwurf, Hundebiß, Überfahrenwerden u. dgl. Es 25 wird dabei das Gewebe in unregelmäßiger Weise zerrissen oder zerquetscht und mehr oder weniger in seiner Ernährung gestört. Dieser Gruppe stehen auch die Schußverletzungen nahe. — Ausnahmsweise erzeugen jedoch auch stumpfe Gewalten sogenannte einfache Wunden. Es kann ein Stockhieb auf den Kopf, 30 Fall gegen eine Tischkante die Kopfschwarte so zum Platzen bringen, daß der Arzt eine Schnittwunde vor sich zu haben glaubt.

Die Wunden der zweiten Gruppe werden vielfach als „komplizierte Wunden“ bezeichnet. Doch ist dieser Begriff nicht eindeutig, da er auch für jene Wunden gebraucht wird, bei denen neben 35 einer Verletzung der äußeren Haut noch eine solche von darunterliegenden Gebilden, wie Nerven, Knochen, Muskeln, Sehnen vorliegt.

Jede Wunde klafft, da ihre Ränder durch die Elastizität der Gewebe auseinander gezogen werden. Dieses Klaffen erreicht an der Haut je nach der Körperstelle und der Richtung der Wunde verschiedene Grade; je mehr die Wunde in der Spaltrichtung der Haut verläuft, um so weniger klafft sie. An einzelnen Geweben, wie Muskeln und Sehnen weichen wegen der starken Spannung, unter der diese stehen, die Wundränder beträchtlich auseinander. Ist in einer Wunde ein Teil des Gewebes durch Ablösung von der Unterlage vollkommen abgetrennt, so sprechen wir von einer Wunde mit Substanzverlust; hängt ein solcher Teil noch durch einen Stiel mit der Umgebung zusammen, von einer Lappenwunde.

Die Blutung aus einer Wunde richtet sich nach der Art und Größe der verletzten Gefäße. Wir unterscheiden darnach eine arterielle, venöse und kapillare Blutung. Bei der arteriellen Blutung spritzt hellrotes Blut rhythmisch im Strahle, während bei der venösen gewöhnlich ein dunkler Blutstrom unter gelindem Druck aus dem verletzten Gefäße quillt. Bei der kapillaren Blutung sickert das Blut gleichmäßig aus der Wunde. Die Blutung kann bei Wunden mit starker Gewebsquetschung oder -zerreißung ganz oder fast ganz fehlen, weil sich hier die zerrissenen Gefäße meistens bald kontrahieren und ihre Lumina besonders rasch durch Thromben verschlossen werden.

Ein Attribut sehr vieler Wunden ist der Wundschmerz. Er wird durch die Verletzung sensibler Nervenfasern ausgelöst und ist je nach der Lokalisation und der Ausdehnung der Verletzung von sehr verschiedener Intensität. Bestimmte Organe schmerzen, wenn sie verletzt werden, nicht oder wenig (z. B. Gehirn, Muskeln, Darm), wogegen andere sehr schmerzhaft sind, so die Haut, das Periost, das Peritoneum parietale. Bei stark gequetschten Wunden ist der Schmerz im allgemeinen heftiger und von längerer Dauer als bei Schnittwunden. Auch die Einwirkung der Luft (Austrocknung) verlängert seine Dauer.

Infolge der Verletzung der äußeren Haut kann eine Reihe von Schädlichkeiten auf die Wunde Einfluß nehmen, welche die Heilung, d. i. die dauernde Wiedervereinigung der getrennten

Teile, stören. Diese Schädlichkeiten bestehen in mechanischen, thermischen und chemischen Einflüssen verschiedener Art, vor allem aber in dem Eindringen lebender Mikroorganismen in die Wunde, welche allenthalben in unserer Umgebung vorhanden sind
5 und sich deshalb auch in der Wunde ansiedeln können. Bei jenen Wunden, die wir aus kurativen Gründen setzen, den operativen Wunden, pflegen wir allerdings eine Reihe von Maßnahmen zu treffen, durch welche solche Mikroorganismen von der Wunde fern gehalten werden; anders bei den nichtoperativen, den zu-
10 fällig entstandenen, „akzidentellen" Wunden. In diese geraten stets die verschiedensten Mikroorganismen in reichlicher Menge hinein. Insbesondere sind jene Wunden gefährdet, in die Schmutz oder verunreinigte Fremdkörper (Kleiderfetzen, Holzsplitter, Erde u. s. w.) gelangt sind und in denen infolge ihrer unregel-
15 mäßigen Beschaffenheit die eingedrungenen Mikroorganismen besonders leicht zwischen Gewebsfetzen, in Buchten und Taschen der Wunde haften bleiben.

Überdies pflegen in solchen Wunden die zertrümmerten Gewebsteile und das Blutextravasat den Mikroorganismen als
20 Nährboden zu dienen und dadurch die Entfaltung und Ausbreitung ihrer schädlichen Wirkung, der Entzündung, zu begünstigen.

Während einfache, nicht infizierte Wunden durch direkte Verklebung und Verwachsung der Wundränder heilen können, so daß wir schon nach kurzer Zeit oft nichts anderes mehr wahrneh-
25 men, als einen zarten, rötlichen Narbenstreifen (Heilung durch direkte Vereinigung, Heilung per primam intentionem, primäre Heilung,) ist dies bei allen infizierten und den meisten durch stumpfe Gewalt entstandenen Wunden nicht der Fall. Die eintretende Entzündung verhindert hier die primäre Heilung; es kommt zur
30 Abstoßung der gequetschten, von vornherein lebensunfähigen sowie jener Gewebsteile, die nachher infolge der Entzündung abgestorben sind. Solche Wunden füllen sich dann allmählich mit einem blutreichen und leicht blutenden Gewebe aus, das an der Oberfläche mit feinsten, dem freien Auge aber noch sichtbaren
35 Erhabenheiten bekleidet ist (Granulationsgewebe). Dieses Granulationsgewebe wird mit der Zeit vom Rande her von Epithel überzogen (Heilung per secundam intentionem, per granulationem,

sekundäre Heilung). Auch einfache, nicht infizierte Wunden, deren Ränder klaffen und nicht aneinander gelegt werden, und Wunden mit Substanzverlust heilen per secundam intentionem.

Die geschilderten Vorgänge der primären und sekundären Heilung erfahren eine Reihe von Störungen, sobald bestimmte von 5 außen kommende Schädlichkeiten dazwischen treten. Diese Schädlichkeiten sind, wie oben schon bemerkt, mechanischer, thermischer, chemischer oder bakterieller Natur.

Als mechanische Reize wirken Druck, Reibung, Zerrung u. s. w., die thermischen Reize bestehen in Einwirkung starker Hitze- und 10 Kältegrade; die chemischen in der Einwirkung bestimmter Substanzen, wie starker Säuren, Alkalien, Desinfektionsmittel u. s. w.

Weit bedeutungsvoller als diese ist aber der Eintritt eines anderen alltäglichen Ereignisses, nämlich das Eindringen und die Ansiedlung bestimmter Bakterien in der Wunde. Damit ist ein 15 Zustand gegeben, den wir als „ Wundinfektion " bezeichnen. Eine solche Wunde ist „ infiziert ". Wie jeder von außen kommenden Schädlichkeit, so setzt der Körper auch der gewebsfeindlichen Tätigkeit eingedrungener Mikroorganismen Widerstand entgegen, und es entspinnt sich zwischen Gewebe und Bakterien ein Kampf, 20 dessen Verlauf und Ausgang im allgemeinen von dem Maße der gegnerischen Kräfte abhängt, nämlich einerseits von der Virulenz der Mikroorganismen, das ist von dem Grade ihrer Fähigkeit, den Körper zu schädigen, anderseits von den vorhandenen und den für den speziellen Fall etwa neugebildeten Schutzkräften des Organis- 25 mus.

Die schädigende Wirkung der Bakterien ist bei Infektionen am Menschen fast ausschließlich dadurch begründet, daß die Bakterien giftige Stoffwechselprodukte liefern (Toxine) oder selbst giftig sind (Endotoxine). Während giftbildende Bakterien ihre 30 toxischen Substanzen durch ihre Lebenstätigkeit an die Umgebung abscheiden, werden die Endotoxine erst nach dem Zugrundegehen der Mikrobien frei.

Toxinen und Endotoxinen kommen mehr oder weniger spezifische Giftwirkungen zu. Daneben enthalten die Leiber der Bakte- 35 rien auch noch andere Stoffe eiweißartiger Natur, deren Wirkung nicht spezifisch, sondern vielen Arten gemeinsam zu sein scheint

(Proteine). Diese vermögen auf chemotaktischem Wege Leukozyten anzulocken und Eiterung zu erregen.

Die Abwehrtätigkeit des Organismus gegenüber den Bakterien geht von den zelligen und gelösten Bestandteilen des normalen 5 Blutes aus. Die Leukozyten beteiligen sich daran, indem sie einesteils (nach Metschnikoff) die Bakterien aufnehmen und töten (Phagozytose), andernteils, indem sie bakterienfeindliche (bakterizide) Stoffe erzeugen, welche hauptsächlich im Blute kreisen und die Bakterien vernichten.

10 Bei den Toxinen dagegen, die eine gewisse Affinität zu bestimmten Körperzellen besitzen, geht die Abwehr von diesen Zellen selbst aus, und es werden im Verlaufe einer Infektion, bei der die Toxine die Hauptschädlichkeit sind, gewisse Substanzen von diesen Zellen neu und im Überschuß gebildet, die man Antitoxine 15 nennt. Bekannt und therapeutisch verwendet sind das Diphtherie- und Tetanus-antitoxin.

Diejenigen Bakterien, welche nach ihrer Ansiedlung in der Wunde auf die Gewebszellen eine schädigende Wirkung auszuüben pflegen, nennt man Wundinfektionserreger.

20 Nach dem Eintritt von Bakterien in die Wunde entspinnt sich alsbald ein Kampf zwischen den Bakterien und den bakteriziden Kräften der in der Wunde vorhandenen flüssigen und zelligen Gewebsbestandteile, der bei kleinen Mengen und schwach virulenten Bakterien mit dem Untergange der letzteren endigen kann, 25 ohne daß überhaupt dieser Kampf eine äußerlich wahrnehmbare Form annimmt. Aber auch bei hochvirulenten Bakterien müssen zum mindesten mehrere Stunden vergehen, bis sie sich soweit vermehrt und vielleicht auch ihren neuen Lebensverhältnissen angepaßt haben, um Krankheitserscheinungen herbeizuführen 30 (Inkubationszeit).

Am Orte der Infektion verläuft der Kampf zwischen Gewebe und Bakterien unter dem Bilde der Entzündung, die je nach der Virulenz der Infektionserreger und dem Grade der Abwehrtätigkeit des Organismus schwächer oder stärker hervortritt.

35 Damit ist nun vom Körper die erste Linie zur Verteidigung aufgeboten, indem die zunächst verfügbaren bakteriziden Schutzkräfte (Serum und Leukozyten) vorgeschoben sind.

Gleichzeitig haben aber die Bakterien schon teilweise ihr Zerstörungswerk durchgeführt, indem sie eine Anzahl von Gewebszellen zur Degeneration bzw. zum Absterben gebracht haben. Weitere degenerative Veränderungen sind durch die mit der Entzündung zusammenhängende Zirkulationsstörung bedingt, durch 5 welche oft ausgedehnte Gewebspartien der Nekrose anheimfallen. Überdies kommt bei der eiterigen Entzündung noch hinzu, daß ein in den Eiterzellen enthaltenes Ferment frei wird, welches eine Art Verdauung (Peptonisierung) der Gewebe bewirkt. So entsteht bei oberflächlichen eiternden Wunden ein Geschwür, bei eiteriger 10 Entzündung im Innern der Gewebe ein mit Eiter gefüllter Hohlraum (Abszeß).

Auch das geronnene Fibrin fällt der Einwirkung dieses Fermentes zum Opfer; die infolge der Zirkulationsstörungen etwa entstandenen Gewebsnekrosen werden durch dasselbe von dem 15 umgebenden gesunden Gewebe abgelöst und teilweise eingeschmolzen. Das gesunde Gewebe setzt der Peptonisierung einen größeren Widerstand entgegen.

Hand in Hand mit diesen degenerativen Veränderungen gehen auch solche regenerativer Natur. Die letzteren beziehen sich vor 20 allem auf eine rasche, durch Zellteilung erfolgende Vermehrung der Bindegewebszellen, wohl auch auf Vermehrung von Zellen anderer Kategorie, namentlich der Endothelien der Gefäße.

Die Schnelligkeit des Verlaufes und die Intensität der Erscheinungen führt uns zu einer Einteilung der Entzündung in eine 25 akute und in eine chronische. In stürmischer Weise auftretende starke Hyperämie und Exsudation gelten uns als das Hauptmerkmal der akuten Entzündung, während bei der chronischen Entzündung die Erkrankung sich oft über Wochen und Monate erstreckt und die Hyperämie und Exsudatbildung zurücktritt 30 gegenüber einer oftmals sehr weitgehenden Gewebsneubildung.

Verlauf und Behandlung der Entzündung

Erweisen sich nach Eintritt einer Entzündung die Schutzkräfte des Körpers schon binnen kurzem als die stärkeren, so kann es ohne ausgedehnte Gewebsschädigung zur Überwindung der Infektionserreger kommen. Die Infektion bleibt lokal beschränkt 35 und die Entzündungserscheinungen können, kaum aufgetreten, wieder zurückgehen. In anderen Fällen breitet sich aber die Entzündung im Körper aus, entweder nur in der nächsten Umgebung des primären Entzündungsherdes oder auch weiterhin. Für die Ausbreitung in die Umgebung bieten sich zunächst jene Wege dar, auf welchen die Entzündung relativ wenig Widerstand findet, das Unterhautzellgewebe, die Muskelinterstitien, Sehnenscheiden (Phlegmone), dann die Lymphgefäße (Lymphangitis), in denen die Entzündung gewöhnlich bis zu den nächst gelegenen größeren Lymphdrüsenpaketen fortschreitet, welch letztere sich gleichfalls oft an der Erkrankung beteiligen (Lymphadenitis).

In wieder anderen Fällen treten die Bakterien auf dem Wege der Lymphbahn oder wenn sich am Orte der Infektion eine Entzündung der Blutgefäße, vor allem der Venen (Phlebitis) eingestellt hat, durch Vermittlung dieser in den Kreislauf und vermehren sich im Körper. Wir sprechen dann von einer Infektion des Gesamtorganismus, einer Allgemeininfektion, die man, da sie durch Eitererreger hervorgerufen ist, als „ pyogene " Allgemeininfektion bezeichnen kann. Solche Allgemeininfektionen gehen stets mit mehr oder weniger schweren klinischen Allgemeinerscheinungen einher.

Die Allgemeinerscheinungen, welche durch das Eindringen größerer Mengen von Bakterien in die Blutbahn herbeigeführt werden, sind der Ausdruck des Kampfes, den nunmehr der Gesamtorganismus gegen die eingedrungene Schädlichkeit aufnehmen muß. Die wesentlichste dieser Erscheinungen ist die Steigerung der Körpertemperatur, das Fieber. Daneben treten Störungen des subjektiven Befindens auf, wie Kopfschmerz, Appetitlosigkeit, Durstgefühl, Mattigkeit u. s. w.

Auch in diesem, auf ein erweitertes Gebiet übertragenen Kampfe können die Bakterien unterliegen. Denn auch außerhalb des lokalen Entzündungsherdes verfügt der Organismus noch über reiche Reserven an Abwehrkräften, die er nun in Aktion treten läßt. Oft genug geschieht dies mit dem Erfolge einer raschen Vernichtung der eingedrungenen Bakterien. In anderen Fällen freilich reichen die Schutzvorrichtungen des Organismus nicht aus. Bei hochgradiger Virulenz der Bakterien und besonders üppiger

Vermehrungstendenz derselben werden die im Blute vorhandenen Schutzkräfte nur zu leicht niedergerungen. Die Bakterien gewinnen dann die Oberhand, sie und ihre Gifte überschwemmen den ganzen Kreislauf und üben allenthalben auf die Organzellen ihre schädliche Wirking aus. Aber auch von dieser Schlappe, die sich 5 in einer Steigerung der Allgemeinerscheinungen, besonders des Fiebers, äußert, kann sich der Organismus schließlich doch noch erholen und genesen.

Die Allgemeininfektion kann klinisch unter zwei Formen verlaufen. Bei der einen kommt es zu einer gelegentlich massenhaften 10 Vermehrung und mehr kontinuierlichen Kreisen der Bakterien im Blute selbst, während bei der zweiten Form die Bakterien durch schubweises Eindringen in die Blutbahn an verschiedene Körperstellen gelangen und dort zur Bildung neuer Entzündungsherde führen, die wir als Metastasen bezeichnen. 15

Bei der metastasierenden Form der Allgemeininfektion (Pyämie) bildet die Blutbahn im wesentlichen bloß die Heerstraße für den Vormarsch der (häufig an vereiterte Venenthromben gebundenen) Bakterien, die sich in einzelnen Organen ansiedeln und daselbst im Kampfe mit den hier vorhandenen Schutzstoffen neue lokale 20 Entzündungsherde (Metastasen) hervorrufen. Nach solchen siegreichen Vorstößen der Bakterien kann es zu wiederholten Malen zu einer Regeneration der Schutzstoffe im Blute und einer vorübergehenden Säuberung desselben von Mikroorganismen kommen. Erst wenn diese Abwehrkräfte erschöpft sind, kommt 25 es zu einer Überschwemmung des Blutes mit Bakterien. Die schubweise Invasion der Blutbahn mit Infektionserregern bildet das Wesentliche der metastasierenden pyogenen Allgemeininfektion. Diesem schubweisen Überfluten des Blutes und der darauffolgenden Etablierung von Metastasen entsprechen auch die klinischen All- 30 gemeinerscheinungen bei der Pyämie. Mit jedem Nachschube von Infektionserregern kommt es zu einem Emporschnellen der Temperatur, meistens eingeleitet durch einen Schüttelfrost. Solange sich im Blute oder an irgendeiner Körperstelle eine kräftige Abwehrbewegung des Organismus geltend macht, bleibt das Fieber auf der 35 Höhe, um beim Zurückdrängen der Invasion (auch bei operativer Eröffnung metastatischer Eiterherde) wieder abzufallen. Dem

Durcheinanderwogen dieser Ereignisse entspricht schließlich die unregelmäßige Temperaturkurve, wie sie für die Pyämie charakteristisch ist: bald eine hohe Continua, bald ein jäher Absturz zur Norm, dem kurz darauf ein vielleicht rasch vorübergehender 5 neuerlicher Anstieg bis zu 40° und darüber folgen kann. Nicht selten zeigt das Fieber auch tägliche Remissionen von 2–3°. Die Pulsfrequenz, im allgemeinen erhöht, steigt und fällt mit der Temperaturkurve. Zuweilen, besonders bei prognostisch ungünstigeren Fällen, finden wir hohe Pulsfrequenz bei auffallend geringer 10 Fiebersteigerung.

Die sonstigen Erscheinungen bestehen in heftigem Kopfschmerz, Appetitlosigkeit, Übelkeit, Erbrechen, Durstgefühl, Gliederschmerzen, allenfalls Benommenheit, Delirien, unfreiwilligem Abgang von Kot und Urin: objektiv findet sich eine trockene, 15 heiße Haut, trockene, belegte Zunge, Puls- und Atembeschleunigung, manchmal Diarrhöen, dann Ikterus, Milztumor, ulzeröse Endokarditis. Dieses Krankheitsbild weist entsprechend den wechselnden Erfolgen von Bakterien und Organismus verschiedene Schwankungen auf, indem oftmals beträchtliche vorübergehende 20 Besserung eintritt, um dann wieder den schwersten Erscheinungen Platz zu machen. Ein jäher Abfall der Temperatur kann außer der gelungenen Abwehr der Bakterien auch die endgültige Niederlage des Organismus anzeigen, indem kurz vor dem Tode selbst subnormale Temperaturen auftreten können. In anderen Fällen 25 tritt der Exitus bei höchster Temperatur ein.

Die Metastasen können in allen Organen auftreten; am häufigsten entstehen sie in den Lungen, Nieren, Gelenken, serösen Höhlen und Häuten, dann im subkutanen Gewebe, den Muskeln, im Knochenmark u. s. w. Schwere Fälle von Pyämie führen rasch 30 zur Bildung von zahlreichen Metastasen in verschiedenen Körperorganen und in kürzester Zeit zum Tode. Manchmal erstreckt sich der Verlauf über Wochen, selten über Monate (chronische Pyämie). Solche Fälle nehmen dann zuweilen einen mehr gutartigen Charakter an, obwohl sich auch hier, ebenso wie bei allen 35 länger dauernden Eiterungen, auch den lokal gebliebenen, schwere degenerative Veränderungen parenchymatöser Organe, vor allem Amyloidose einstellen kann.

Die zweite Hauptform der Allgemeininfektion (Septikämie) unterscheidet sich von der eben beschriebenen vor allem durch das Ausbleiben der Metastasenbildung. Dafür tritt hier die Vermehrung der Infektionserreger und ihrer Gifte im Blut dauernd in den Vordergrund, so daß diese während der ganzen Erkrankung in größeren oder geringeren Mengen im Blute nachzuweisen sind. 5

In dem Krankheitsverlaufe dieser nicht metastasierenden Allgemeininfektion fehlt, was für die metastasierende Form so charakteristisch ist, der rasche Wechsel von Perioden erheblicher Besserung mit solchen schwerer Verschlimmerung. Demnach 10 pflegt bei dieser Form das Fieber mehr kontinuierlich zu sein; hohe Temperaturen, 39–40° und darüber, sind die Regel, Schüttelfröste selten; tiefe Morgenremissionen, bei der metastasierenden Form eine häufige Erscheinung, sind hier seltener. Auch die übrigen Allgemeinerscheinungen weisen keine sprunghaften Än- 15 derungen auf. Der Puls ist im Anfang frequent, aber voll. Er wird kleiner und rascher, je schlechter der Allgemeinzustand wird. Frühzeitig kleiner und hochfrequenter Puls ist eine Begleiterscheinung der schwersten, rasch tödlich verlaufenden Fälle.

Die Allgemeinerscheinungen sind im wesentlichen dieselben wie 20 bei der Pyämie, nur tritt hier, entsprechend der gleichmäßig andauernden und über den ganzen Körper ausgebreiteten Giftwirkung, die Schädigung bestimmter Organe mehr hervor. Es ist im Krankheitsbilde die Beeinflussung des Sensoriums mehr betont, es kommt eher zur Schädigung parenchymatischer Organe, wie der 25 Leber und der Nieren (Ikterus, Albuminurie), es können ausgebreitete Exantheme und Blutungen in der Haut und den Schleimhäuten auftreten u. s. w.

Die beiden Hauptgruppen der Allgemeininfektion, die metastasierende und nichtmetastasierende Form, gehen sehr häufig 30 ineinander über, indem z. B. Krankheitsfälle, die anfangs den Charakter der reinen Blutinfektion aufweisen, später doch zur Metastasenbildung neigen, und umgekehrt bei der metastasierenden Form oft auch eine andauernde Überschwemmung des Blutes mit Bakterien zu finden ist. Solche Mischformen hat man auch 35 als Septikopyämie bezeichnet.

Was die Erreger der verschiedenen Formen der Allgemeininfektion betrifft, so können alle oben angeführten Eitererreger zur Entstehung der einen wie der anderen Form Anlaß geben; doch überwiegt beim Zustandekommen der metastasierenden Form der Staphylococcus pyogenes aureus, während die Infektion mit 5 Streptokokken öfter ohne Metastasenbildung verläuft. Als Eintrittspforte kommt für uns in erster Linie die Wunde in Betracht. Es ist dabei nicht unbedingt nötig, daß die Wunde selbst schwere Entzündungserscheinungen aufweist; unter Umständen kann sogar eine geringfügige und ohne erkennbare entzündliche 10 Reaktion verlaufene Verletzung die Eintrittspforte für die Allgemeininfektion abgeben. Häufig bilden auch andere nicht auf dem Boden von Verletzungen entstandene Entzündungsherde, z. B. Furunkel, den Ausgangspunkt einer Allgemeininfektion. Auch durch die anscheinend unverletzte Haut und Schleimhaut 15 (insbesondere an den Tonsillen) können unter Umständen besonders virulente Bakterien eindringen und entweder direkt oder nach Erregung lokaler Entzündungsherde zu einer Blutinfektion führen.

Nicht selten vergesellschaftet sich mit der Infektion einer 20 Wunde durch Eitererreger, insbesondere durch Streptokokken, eine solche durch sogenannte Fäulnisbakterien. Die letzteren gehen in der Regel nicht in das Blut über, sie geben aber ihre Toxine dahin ab und vermehren dadurch die Giftwirkung der Eitererreger. So sind also die schweren Allgemeinerscheinungen bei faulenden 25 Wunden häufig zum größeren Teile auf Rechnung der durch die Fäulnisbakterien bedingten „Saprämie“ zu setzen.

Wir bezeichnen eine Infektion mit Fäulniserregern als putride oder faulige Infektion. Sie etabliert sich mit Vorliebe in Wunden mit starker Gewebsquetschung. Die klinischen Allgemeinerschei- 30 nungen decken sich dabei gewöhnlich recht vollkommen mit jenen der „pyogenen“ nichtmetastasierenden Allgemeininfektion. Der Unterschied liegt nur in den Veränderungen, die sich in der Wunde abspielen. Bei der „pyogenen“ Blutinfektion finden wir häufig eine trockene, nicht stinkende Wunde, in deren Umgebung zuweilen 35 eine nur wenig entzündliche Reaktion sich abspielt und an der wir durch längere Zeit überhaupt keinerlei Zeichen einer Abwehrtätigkeit des Organismus wahrzunehmen brauchen, keine Eiterung, keine

Abstoßung von Nekrosen, keine Granulationsbildung. Für die putride Infektion ist charakteristisch, daß die anfangs trockene, mißfarbige Wunde sich alsbald in einen Jaucheherd umwandelt. Die in der Wunde vorliegenden Gewebsnekrosen — traumatischen oder entzündlichen Ursprungs — werden infolge der Fäulnisvor- 5 gänge zu einer widerlich stinkenden und bald zerfließenden, schmierigen Masse. Stinkende Gase, die bei der Fäulnis entwickelt werden, entströmen teils der Wunde, teils dringen sie in die Gewebsspalten ein und ergeben dann das bekannte Emphysemknistern. Der Prozeß dehnt sich oft sehr rasch über weite Gebiete des 10 Körpers aus und ergreift in den schwersten Fällen schon innerhalb eines Tages ganze Extremitäten. Die Umgebung fauliger Wunden zeigt gewöhnlich starke entzündliche Schwellung. Das Gewebe ist von trüber, stinkender Flüssigkeit durchtränkt und von graugrünlichen Gangränherden durchsetzt. 15

Die putride Infektion stellt wohl die allerschwerste der angeführten Formen chirurgischer Allgemeinerkrankungen dar und gibt die schlechteste Prognose.

Die Behandlung der Allgemeininfektion soll vor allem die weitere Aufnahme von Bakterien und Bakteriengiften in den 20 Kreislauf verhüten. Es ist also bei eingetretener Allgemeininfektion eine ausgiebige Eröffnung entzündeter Wunden und eine möglichst gründliche Freilegung, auch der entlegensten Buchten derselben, geboten. Es dürfen dabei auch ausgedehnte Inzisionen, Freilegung von Knochenbrüchen und Resektion der Fragmente, 25 Aufklappen von Gelenken nicht gescheut werden. Dabei ist jede unnötige Zerrung und Quetschung des erkrankten Gewebes peinlich zu vermeiden, da sonst durch die Operation neues infektiöses Material in Lymph- und Blutgefäße gepreßt wird. Die Wunden sind mit trockener, gut aufsaugender Gaze auszulegen. 30 Zwischen die einzelnen Tampons werden zweckmäßige Drainröhren zur besseren Ableitung des Sekretes eingeführt. Geht die Allgemeininfektion von einem entzündeten Venengebiete aus, z. B. von Varizen am Unterschenkel, so kann die Spaltung derselben und die Unterbindung des Hauptstammes zentral von dem erkrankten 35 Gefäßbezirk unmittelbar Erfolg haben.

Der sicherste Weg, die weitere Aufnahme von Giftstoffen in

den Kreislauf zu verhindern, ist die Exstirpation des Entzündungsherdes, bei Extremitäten die Amputation. Die letztere ist in vereinzelten Fällen das einzige Mittel, das Leben zu erhalten, führt aber, rechtzeitig vorgenommen, mitunter rasch zum Ver-
5 schwinden aller Allgemeinerscheinungen.

Metastatische Abszesse müssen stets frühzeitig eröffnet werden, damit sie nicht ihrerseits eine neuerliche Quelle für die weitere Vergiftung des Körpers abgeben. Es ist deshalb bei Kranken mit Allgemeininfektion auf Symptome von Metastasen genau zu achten.
10 Bei schmerzhaften Anschwellungen der Weichteile, der Gelenke u. s. w. ist in zweifelhaften Fällen die Probepunktion oder -inzision zu machen. Metastasen in den inneren Organen, Lungen, Nieren u. s. w. entziehen sich leider häufig einem rechtzeitigen chirurgischen Eingriff.

15 Die Allgemeinbehandlung bezweckt vor allem, den Kräftezustand des Kranken und die Herztätigkeit zu heben.. Gute Ernährung, Anregung der Herztätigkeit und der Diurese ist die Hauptsache. Insbesondere sind reichliche und wiederholte Kochsalzinfusionen, subkutan oder rektal, zu empfehlen. Sorgfältige
20 Hautpflege zur Vermeidung des Dekubitus ist namentlich bei benommenen Kranken wichtig. Wenige unbewachte Stunden, längeres Liegen der Kranken in ihrem Urin können hinreichen, einen ausgedehnten Dekubitus zu erzeugen, dessen Beseitigung nicht mehr gelingt und der den Tod herbeiführt.

25 Über die Aussichten, bestimmte Allgemeininfektionen durch spezifische antitoxische Sera zu bekämpfen, läßt sich zur Zeit ein Urteil noch nicht abgeben. Vor allem hat man die Wirkung des Tetanus-Antitoxins gepriesen. Aber es gewinnt immer mehr den Anschein, als ob die Tetanusfälle, die auf die Antitoxinbehandlung
30 reagieren, selten wären. Mehr leistet hier die präventive Injektion vor Ausbruch der Krankheitserscheinungen. Bei chronischen Staphylokokkeninfektionen und bei gonorrhöischen Komplikationen wird die Behandlung mit autogener Vakzine, einer Vakzine, die von den aus dem bestimmten Falle gezüchteten Bakterien
35 gewonnen wird, von einzelnen Autoren gerühmt, während bei Infektionen mit Streptokokken, Kolibazillen u.a. die Vakzinbehandlung im Stiche zu lassen scheint. Die Einbringung chemischer

Substanzen in das Blut, wobei vor allem das Credesche Kollargol in Frage kommt, wurde vielfach versucht, aber von den meisten Chirurgen wieder fallen gelassen. Vielleicht wird die in neuerer Zeit empfohlene Verwendung großer Mengen dieses Mittels mehr Erfolg haben. 5

Erkrankungen der granulierenden Wunden

Eine unverletzte Granulationsfläche bietet im allgemeinen einen wirksamen Schutz gegen die Infektion. Es sind deshalb, wenn die Wunde bereits granuliert, schwere Wunderkrankungen selten. Freilich sind die Granulationen sehr leicht verletzlich, und deshalb werden sie mitunter doch zu Eingangspforten einer In- 10 fektion (z. B. eines Erysipels).

III. BLUTUNG, BLUTSTILLUNG

Wir haben oben ausgeführt, daß aus den anläßlich einer Verletzung eröffneten Gefäßen eine mehr oder minder heftige Blutung nach außen erfolgt. Man nimmt im allgemeinen an, daß der Mensch die Hälfte seiner gesamten Blutmenge verlieren kann, 15 ohne zugrunde zu gehen. Doch genügen unter Umständen schon weit geringere Blutverluste, um den Tod herbeizuführen. Je rascher der Blutverlust eintritt, desto größer ist die Gefahr. Kinder und Greise vertragen Blutverluste besonders schlecht, Frauen im allgemeinen besser als Männer. Der Blutverlust äußert sich in 20 Blässe des Gesichtes, Kleinerwerden des Pulses, Erschöpfung, Durst; in schwereren Fällen in Beklemmung, Flimmern vor den Augen, Ohrensausen, Schwindel, Übelkeit, Singultus, Erbrechen, Ohnmacht; oft findet man Lufthunger, Versiegen der Drüsensekretion, epileptiforme Konvulsionen. Der Tod erfolgt durch Herz- 25 stillstand, da das Herz nach der Systole keine neuerliche Dilatation durch rückströmendes Venenblut erfährt. Aber auch nach sehr schweren Blutverlusten, selbst wenn die Herzkraft sehr beträchtlich gesunken, der Puls kaum mehr fühlbar war, können sich die Kranken noch erholen. 30

Kapillare Blutungen stehen unter normalen Verhältnissen stets von selbst, da das aussickernde Blut auf der Wundfläche

gerinnt und der Thrombus sämtliche offenen Lumina verschließt. Der Druck in den Kapillaren ist viel zu gering, um diesen Thrombus wieder wegzuschwemmen. Auch bei kleineren Arterien genügt der Thrombus, der sich am Gefäßquerschnitt festsetzt, einen
5 pfropfartigen Fortsatz in das Lumen hinein aussendend. Bei größeren Arterien und höherem Blutdruck wird aber der Thrombus, der zum Verschluß des Gefäßes führen soll, durch den Blutstrahl immer wieder abgerissen. Bei Verletzungen größerer Venen liegen die Verhältnisse günstiger, weil der Druck in den Venen,
10 wenn er nicht durch Stauung gesteigert wird, geringer ist. Dafür ist aber das Lumen der Venen weiter, die Wand dünner, was die Verschließung durch den Thrombus wieder erschwert.

Wenn größere (nicht ganz große) Arterien durchtrennt sind, tritt naturgemäß oft erst mit dem Sinken der Herzkraft der Ver-
15 schluß der blutenden Gefäße durch Thrombenbildung ein. Sobald aber durch Resorption von Flüssigkeit aus den Geweben die verlorene Blutmenge teilweise wieder ersetzt ist und die Herzkraft sich hebt, besteht die Gefahr, daß die eben gebildeten Thromben sich wieder loslösen und damit eine neuerliche Blutung erfolgt.

20 Unter Nachblutungen verstehen wir Blutungen, die einige Zeit nach einer Operation oder nach Versorgung einer Verletzung aus der Wunde eintreten. Sie sind zumeist die Folge ungenügender Blutstillung, des Abgleitens von Ligaturen u. s. w., können aber auch nach gewissenhafter Blutstillung vorkommen. Wenn z. B.
25 am Schlusse einer Operation der Blutdruck stark gesunken war, so kann die Blutung vorübergehend stehen, um erst später, sobald sich der Blutdruck wieder gehoben hat, zurückzukehren. Solche Nachblutungen kommen meist schon nach wenigen Stunden zum Ausbruch. Seltener sind heute septische Nachblutungen geworden,
30 die der Vereiterung eines Thrombus oder einer durch den Entzündungsprozeß bewirkten Nekrose der Gefäßwand ihre Entstehung verdanken; sie werden, wenn sie nach Operationen auftreten, nicht vor dem 4. Tage beobachtet. Manchmal verursachen eingelegte Drainröhren, Trachealkanälchen u. s. w. Dekubitus an der Wand
35 größerer Arterien und Venen und infolgedessen beträchtliche Nachblutungen.

Der Arzt, der einer Blutung gegenübersteht, hat zwei Aufgaben zu erfüllen: erstens die Blutung zu stillen, zweitens die durch den erfolgten Blutverlust bedingte Anämie zu bekämpfen. Beschäftigen wir uns zunächst mit der Blutstillung. Sie ist entweder eine provisorische oder eine definitive.

Die provisorische Blutstillung hat den Zweck, die Blutung für den Augenblick zu beherrschen, um später endgültigen Maßnahmen Raum zu geben. Sie wird stets durch direkten Druck entweder auf die blutende Stelle selbst oder auf die zuführende Arterie zentral von der Verletzung vorgenommen. Man drückt sterile Verbandstoffe, im Notfall frisch gebügelte Wäschestücke (allenfalls vermittels einer Binde) fest gegen die Wunde an. Bei heftigeren arteriellen Blutungen ist es zweckmäßig, die Kompression der zuführenden Arterie vorzunehmen, indem man diese entweder mit den Fingern oder dadurch komprimiert, daß man die ganze Extremität zentral von der Verletzung bis zur vollkommenen Aufhebung des Blutumlaufes umschnürt (Esmarch).

Die Esmarchsche Umschnürung wird auch zur Blutsparung bei Operationen vorgenommen. Man verwendet hierzu gewöhnlich eine Gummibinde, mit der man die Extremität unter starker Spannung mehrmals umwickelt, im Notfalle aber auch einen Gummischlauch, Riemen, Hosenträger, Strick, ein Taschentuch oder dgl. Das Tuch kann über einen Stock geknotet werden, durch dessen Drehung man die Umschnürung so lange verstärkt, bis die Blutung steht. Die Umschnürung muß so stark sein, daß nicht nur die Venen, sondern auch die Arterien an der betreffenden Stelle vollkommen undurchgängig werden. Zu festes Anziehen verursacht aber leicht Nervenlähmungen. Die Dauer der Umschnürung soll keinesfalls länger als $2\frac{1}{2}$ Stunden betragen, da sonst Nervenlähmung, ischämische Muskellähmung und Gangrän drohen. Man soll deshalb bei länger dauernden Transporten die Esmarchsche Umschnürung niemals anwenden, wenn sie auf andere Weise ersetzt werden kann. Unter Umständen kann es in Frage kommen, während des Transportes mit der Stelle der Anlegung der Binde zu wechseln.

Bei Extremitätenblutungen in der Nähe des Beckens oder Schultergürtels und bei Operationen in diesen Gegenden ist es nicht immer leicht, ein Abgleiten der elastischen Binde zu ver-

hüten. Für die Gegend des Hüftgelenkes und das Becken ist deshalb die durch Momburg eingeführte elastische Umschnürung des Bauches anzuwenden. Die Kompression der Bauchaorta war schon in alter Zeit versucht worden, indem man durch um den Leib
5 gelegte Gurten Pelotten gegen die Wirbelsäule drückte; aber erst durch das Momburgsche Verfahren ist eine brauchbare Form dafür gefunden worden. Man legt einen gut fingerdicken Schlauch zwischen Beckenschaufel und unterem Rippenrand unter starker Spannung so oft um den Leib herum, bis der Puls der Arteria
10 femoralis nicht mehr fühlbar ist. Es wird auf diese Weise die Zirkulation in der ganzen unteren Körperhälfte aufgehoben, ohne daß die Umschnürung irgendwelche schädliche Nebenwirkungen auf die Bauchorgane entfalten würde. Vor der Lösung des Schlauches sind die unteren Extremitäten sowohl am Ober- als am
15 Unterschenkel durch elastische Binden abzuschnüren und nach Lösung des um die Taille liegenden Schlauches der Reihe nach abzunehmen, um die untere Körperhälfte nicht auf einmal, sondern allmählich wieder in den Kreislauf einzuschalten.

Das Verfahren hat sich in den Händen zahlreicher Chirurgen
20 und Geburtshelfer bewährt, doch bedingt seine Anwendung einen gewissen Grad von Leistungsfähigkeit des Herzens. Bei schwer erkranktem Herzen ist es infolge der Blutdruckschwankungen, die es herbeiführt, nicht ungefährlich.

Bei jeder Blutung an einer Extremität soll die Hochlagerung
25 derselben vorgenommen werden. Sehr oft genügt die dadurch bewirkte Herabsetzung des Blutdruckes, um auch ganz beträchtliche Blutungen zum Stehen zu bringen. Es gilt dies für kleine arterielle, insbesondere aber für venöse Blutungen, z. B. für geplatzte Varixknoten am Unterschenkel.

30 Auch zur definitiven Blutstillung ist häufig die Hochlagerung einer Extremität oder ein einfacher Druckverband hinreichend. Manchmal ist die Tamponade der Wunde, das ist eine feste Ausstopfung der Wunde, mit Gaze, nötig.

Bei Blutungen aus größeren Gefäßen ist das einfachste Mittel
35 die Unterbindung des offenen Lumens oder die Umstechungsligatur. Vor der Unterbindung (Ligatur) werden die Gefäße erst abgeklemmt. Zu diesem Zwecke dienen die sogenannten Schieber-

pinzetten, die wie starke anatomische Pinzetten gebaut sind, aber eine Sperrvorrichtung tragen, um die Branchen geschlossen zu halten, ferner die Arterienklemmen nach Péan, Käberlé u.a.

Bei Verletzung, selbst vollständiger Quertrennung großer Gefäßstämme, deren Unterbindung Gangrän oder ischämische Lähmung befürchten lassen, hat man in neuerer Zeit oftmals die Naht des betreffenden Gefäßes mit Erhaltung des Lumen gemacht. 5

Die Blutstillung bei akzidentellen Wunden wird im allgemeinen nach den gleichen Gesichtspunkten vorgenommen wie bei den operativen. Nur wird hier mit Rücksicht auf die Möglichkeit einer stattgehabten Infektion oder auf die Beschaffenheit der Wunde die Blutstillung durch Wundnaht sich öfters verbieten. An ihre Stelle tritt dann die offene Wundbehandlung mit Kompression oder Tamponade. 10

Die Anämie nach Blutverlusten kann oftmals, auch in schweren Fällen, durch eine entsprechende Behandlung erfolgreich bekämpft werden. Bei Ohnmacht ist der Kranke sofort horizontal zu lagern und die Herzkraft zu beleben (Kaffee, Alkohol innerlich; Kampfer, Koffein, Äther subkutan, Kochsalz intravenös oder subkutan.) Doch muß bei inneren Blutungen und bei solchen äußeren Blutungen, bei denen die blutende Stelle noch nicht verläßlich versorgt werden konnte, immer die Möglichkeit im Auge behalten werden, daß beim Wiederansteigen des Blutdruckes Thromben von den verletzten Gefäßen abgerissen werden und deshalb unter Umständen eine bereits zum Stillstand gekommene Blutung neuerdings angefacht werden kann. Man soll also in solchen Fällen bei erträglich gutem Puls mit der künstlichen Steigerung des Blutdruckes nicht zu sehr eilen. 15 20 25

Den Ersatz der verloren gegangenen Blutmenge besorgt der Organismus bis zu einem gewissen Grade selbst durch Herbeiholen von Flüssigkeit aus den Geweben. Man erleichtert diesen Vorgang durch Hochlagern der Beine und Einwickeln derselben mittels elastischer Binden (Autotransfusion). Auch per os aufgenommene Flüssigkeit wird von ausgebluteten Menschen gewöhnlich sehr rasch resorbiert. 30 35

In schweren Fällen empfehlen sich vor allem subkutane, intravenöse oder rektale Infusionen von physiologischer Kochsalzlösung.

IV. NAHT

Die Vereinigung wunder Flächen wird gewöhnlich durch die Wundnaht vorgenommen. Die gebräuchlichsten Nahtmaterialien sind Seide und Katgut, ferner Silkwormgut, ein Produkt der Seidenraupe, Zelluloidzwirn, Silberdraht, Aluminiumbronzedraht 5 u. s. w. Man pflegt bogenförmig gekrümmte, seltener gerade Nadeln zu benutzen, die an der Spitze (drei-) kantig zugeschliffen sind. Große Nadeln können mit der Hand geführt werden, für kleinere ist ein Nadelhalter nötig. Gestielte Nadeln sind im allgemeinen nur mehr für bestimmte Operationen, wie die Gaumen- 10 naht, üblich.

Es gibt eine Reihe von Nahtmethoden; die gebräuchlichste ist die Knopfnaht. Nach der Lage der genähten Teile unterscheiden wir versenkte (Muskel-, Faszien- u. s. w.) und oberflächliche (Haut- und Schleimhaut-) Nähte.

15 Bei starker Spannung werden sogenannte Entspannungsnähte angelegt, die beiderseits mehrere Zentimeter vom Wundrand entfernt das Gewebe parallel dem Wundrande fassen.

Für gewisse Zwecke recht empfehlenswert ist die fortlaufende Naht, namentlich in Form der sogenannten Kürschnernaht. 20 Will man recht zarte Narben erzielen, so kann die Kürschnernaht so ausgeführt werden, daß der Faden nur dort, wo er am Anfang und am Schluß geknotet wird, an der Oberfläche der Haut ein- und ausgestochen wird, während er sonst „ subkutan “ geführt, d. h. anstatt die Wunde zu überbrücken, genau am Wundrande der 25 Epidermis ein- und ausgestochen wird.

V. WUNDBEHANDLUNG

Obwohl unter normalen Umständen die Gewebe über mächtige Schutzkräfte den Bakterien gegenüber verfügen, so daß nicht jeder in eine Wunde eingedrungene, für Wunden pathogene Mikroorganismus zu einer Erkrankung derselben zu führen braucht, 30 müssen wir es dennoch jeder Wunde gegenüber als unsere Hauptaufgabe betrachten, das Hinzutreten von Bakterien zu verhindern, bzw. operative Wunden schon unter Bedingungen zu setzen, unter denen Bakterien von vornherein nach Möglichkeit ferngehalten sind.

Die aseptische Wundbehandlung hat sich von der Verwendung chemischer Desinfektionsmittel fast vollkommen emanzipiert und überall, wo es anging, physikalische Sterilisationsmethoden und mechanische Reinigung an ihre Stelle treten lassen. Für die Desinfektion der Hände des Chirurgen oder wenigstens der Haut des Patienten wollen allerdings die meisten Chirurgen auch heute die chemischen Desinfektionsmittel noch nicht ganz entbehren. Aber Instrumente, Verbandstoffe, Nahtmaterial u. s. w. werden fast ausschließlich durch Hitze sterilisiert. Die aseptische Wundbehandlung setzt sich zum Ziele, schon prophylaktisch Bedingungen zu schaffen, unter denen eine Infektion der zu setzenden Wunde nach Möglichkeit ausgeschlossen werden kann und verzichtet dafür bei jenen Wunden, die unter ihrem Schutze gesetzt werden, auf jede antiseptische Behandlung der Wunde selbst.

Wir haben es heute dahin gebracht, daß wir, günstige Außenverhältnisse vorausgesetzt, bestimmte Operationen mit fast absoluter Sicherheit ausführen können, ohne eine Wunderkrankung befürchten zu müssen. Man hat dabei die Erfahrung gewonnen, daß die mit der primären Heilung in der antiseptischen Zeit fast regelmäßig verbundenen leichten Entzündungserscheinungen im Bereiche der Wunde, Rötung, Schwellung, Schmerzhaftigkeit, welche man damals für eine unvermeidliche Reaktion des Organismus ansah, bei der aseptischen Wundbehandlung vermieden wurden. Es erklärt sich dies dadurch, daß erstens alle Desinfektionsmittel, die mit der Wunde in Berührung kommen, deren Gewebe schädigen und deshalb zu Entzündungserscheinungen führen, und daß zweitens die chemischen Desinfektionsmittel eben noch nicht imstande sind, alle vorhandenen Mikroorganismen abzutöten, so daß viele antiseptisch behandelten Operationswunden doch einer leichten Infektion anheimfallen.

Wir wollen im folgenden die Methodik der heutigen Asepsis, wie sie für Operationen üblich ist, in Kürze besprechen.

Zunächst die Desinfektion unserer Hände. Sie stellt den schwierigsten Teil unserer Maßnahmen dar, weil die menschliche Haut außerordentlich schwer keimfrei zu machen ist. Was wir anstreben, ist nicht nur die Entfernung der oberflächlich sitzenden Keime. Wir wollen auch verhüten, daß die in den tieferen

Schichten der Haut sitzenden Bakterien, dann jene in den der Reinigung schwer zugänglichen Unternagelräumen und Nagelfalzen, endlich der bakterienhaltige Inhalt der Ausführungsgänge der Drüsen während der Operation an die Oberfläche kommen und in die Wunde gelangen.

Die Haut des Operationsfeldes wird vor allem auch an anscheinend haarlosen Stellen rasiert. Zur weiteren Reinigung kann irgendeine der verschiedenen Methoden dienen, welche zur Händedesinfektion gebräuchlich sind. Doch hat sich für die Vorbereitung des Operationsfeldes ein viel einfacheres und gleichfalls verläßliches Verfahren, nämlich der von Großich empfohlene mehrmalige Anstrich mit Jodtinktur, allgemein eingebürgert. Um Hautreizung zu vermeiden, ist dabei eine 5 %ige der offizinellen 10 %igen Jodtinktur vorzuziehen. Das Jod dringt in alkoholischer Lösung gut in alle Spalten der Haut ein und entfaltet eine gewisse desinfizierende Kraft. Daneben wird wohl auch, ähnlich wie durch die Behandlung mit Alkohol allein, eine Fixierung tiefer gelegener Keime besorgt. Vor dem Jodanstrich pflegen wir die Haut, wo es angeht, trocken zu rasieren und mit Jodbenzin 1:1000 gründlich abzureiben und dadurch von allem Schmutz zu säubern. König verwendet statt der Jodtinktur 5 %igen Thymolalkohol.

Behandlung von Operationswunden

Eine unter aseptischen Kautelen gesetzte Operationswunde kann in der Regel ohne Bedenken durch die Naht geschlossen werden. Drainröhren werden gewöhnlich nicht eingelegt, höchstens, um die Ansammlung von Blut in der Wundhöhle zu verhindern, für 1–2 Tage ein Gummi- oder Glasdrain. Wenn man aber einmal seiner Asepsis nicht traut, oder wenn gequetschtes Gewebe in der Wunde zurückgelassen werden mußte, oder auch, wenn die Nähe von bakterienhaltigen Höhlen (Mundhöhle, Darm) oder die Kommunikation mit solchen eine Infektion der Wunde befürchten lassen, kann eine Drainage angezeigt sein, entweder durch Röhren oder durch aufsaugende Verbandstoffe (Gazestreifen), oder durch beides. Recht beliebt ist für große Höhlenwunden der sogenannte Mikulicztampon, bei dem alle die Wunde ausfüllenden Gazestreifen durch einen großen (Jodoform-) Gazeschleier zusammengehalten sind, mit dem zuerst die ganze Wunde ausgelegt worden war. Auch sogenannte Zigarettendrains (ein Gazedocht in einen undurchlässigen, glatten Stoff, z. B. Pergamentpapier, eingehüllt) sind vielfach in Gebrauch. Sie haben dem unverhüllten Gazedocht gegenüber den Vorzug, daß sie leicht und schmerzlos entfernt werden können.

Die weitere Wundbehandlung ist für die meisten aseptischen Operationen außerordentlich einfach. Sie besteht lediglich in einer Bedeckung der Wunde mit sterilen Verbandstoffen, die durch Heftpflaster, Mastixlösung (Mastisol v. Oettingen) oder Binden fixiert werden. Wo sich die Verbände schlecht anlegen lassen oder den Patienten stark belästigen (nach Gesichtsplastiken u. s. w.), kann man die genähte Wunde mit einem Streupulver, einer Salbe, v. Brunsscher Airolpaste, Perubalsam oder dergleichen bedecken oder einfach Blut und Wundsekret an der Nahtlinie eintrocknen lassen, wie dies Graser neuerdings wieder empfohlen hat. Natürlich müssen solche Wunden vor einer Berührung mit den Händen bewahrt werden. Die Hautnähte werden zwischen dem 5. und 9. Tag entfernt. Entfernt man sie zu früh, so besteht die Gefahr des Auseinanderweichens der Wundränder.

War die Wunde mit Gaze ausgelegt oder tamponiert worden, so kann dieser Verband 8–10 Tage liegen bleiben, bis die Wunde granuliert. Ein von Sekret durchtränkter Verband soll aber im allgemeinen, namentlich wenn das Sekret nicht alsbald eintrocknet, gewechselt, zum mindesten die oberflächlichen Verbandsschichten erneuert werden. Denn es ist wünschenswert, daß das Wundsekret kontinuierlich von der Wunde abgesaugt werde.

Behandlung akzidenteller Wunden

Akzidentelle Wunden kommen gewöhnlich unter Verhältnissen zustande, die es außerordentlich wahrscheinlich machen, daß die Wunde entweder im Momente der Verletzung oder bald nachher infiziert worden ist. Es ist deshalb jede akzidentelle Wunde von vornherein mit Wahrscheinlichkeit als infiziert zu betrachten. Leider gelingt es uns durch kein einziges Desinfektionsmittel, die betreffenden Keime abzutöten. Denn die Bakterien sind in der Wunde der Einwirkung von Desinfektionsmitteln nicht zugänglich, weil sie in der Regel durch Blutkoagula bedeckt oder in Gewebsspalten verborgen sind. Wollte man sie durch ein Desinfektionsmittel erfolgreich angreifen, so müßte man ein solches wählen das gleichzeitig das benachbarte Gewebe in schlimmster Weise 5 schädigen würde.

Wir sind deshalb heute von der Desinfektion der Wunden fast vollkommen zurückgekommen. Nur die in die Wunde eingedrungenen Fremdkörper, Kleiderfetzen, Haare, Erde u. s. w. werden mit der Pinzette vorsichtig entfernt oder durch einen matten Strahl 10 steriler Kochsalzlösung weggespült.

Was wir durch Desinfektionsmaßnahmen nicht erreichen, das erreicht oftmals der Organismus durch die ihm innewohnenden bakteriziden Kräfte. Wie bereits ausgeführt, kann der Körper mit geringen Mengen eingedrungener Bakterien fertig werden. Aus 15 diesem Grunde heilen nicht wenige akzidentelle Wunden, wenn sie genäht werden, in gleicher Weise per primam wie die unter aseptischen Kautelen gesetzten Operationswunden.

Damit aber dieser günstige Ausgang nicht vereitelt werde, gilt es als erstes Gebot, daß man nicht etwa durch gutgemeinte Behand-20 lungsversuche die Wunde nachträglich infiziere, weder anläßlich der ersten Hilfeleistung, noch bei der definitiven Versorgung der Wunde.

Die erste Hilfeleistung hat, abgesehen von der provisorischen Blutstillung und der Ruhigstellung von Knochenbrüchen nur in einem Bedecken der Wunde mit steriler Gaze zu bestehen. Wo 25 solche nicht zur Verfügung steht, können im Notfalle frisch gebügelte (geplättete) Wäschestücke verwendet werden.

Bei der definitiven Versorgung der Wunde gehen unsere Bestrebungen zunächst dahin, für die Dauer der Heilungsvorgänge die der Umgebung der Wunde anhaftenden Infektionsstoffe von der 30 Wunde fern zu halten. Dies kann entweder dadurch geschehen, daß wir sie wegschaffen oder daß wir sie an Ort und Stelle fixieren, so daß sie nicht mehr in die Wunde hinein geraten können.

Früher hat man die Entfernung des Schmutzes aus der Umgebung einer Wunde in derselben Weise vorgenommen, wie man 35 die Haut vor einer Operation desinfiziert hat, durch Waschungen u. dgl. Dabei werden aber gewöhnlich Schmutz und Bakterien in die Wunde hineingespült; während man die Umgebung desinfiziert, infiziert man die Wunde. Man hat deshalb mit dem Spülen und Waschen bei akzidentellen Wunden vollkommen gebrochen und beschränkt sich darauf, die Reinigung der Wundränder und deren Umgebung auf relativ trockene Weise mit Äther, Terpentin, Benzin, insbesondere Jodbenzin, vorzunehmen. Dabei muß die 5 Wunde selbst durch Einlegen von Gaze geschützt werden.

Ein anderes, in neuerer Zeit vielfach gebrauchtes Verfahren besteht in dem ausschließlichen Betupfen der Wundränder und ihrer Umgebung mit Jodtinktur; die Jodtinktur hat ein besonderes Penetrationsvermögen, dringt in alle Risse und Spalten an der 10 Hautoberfläche ein und füllt sie aus. Überdies soll das Jod eine nicht geringe desinfizierende Kraft sowie eine chemotaktische Wirkung auf Leukozyten und Gewebszellen entfalten, welche die Heilung begünstigt.

An stark behaarten Körperstellen ist die Haut, wenn möglich 15 auf trockenem Wege, zu rasieren. Wir nehmen dann gewöhnlich eine vorsichtige Reinigung mit Jodbenzin vor und machen, falls wir igendwelche Eingriffe in der Wunde vorzunehmen haben oder zu nähen beabsichtigen, schließlich einen Jodtinkturanstrich. Bei Wunden, die ohnedies offen behandelt werden müssen, ist im 20 allgemeinen entweder das Scheuern oder wenigstens der schmerzhafte Jodtinkturanstrich der Wundränder entbehrlich.

Ob eine akzidentelle Wunde genäht werden darf oder nicht, hängt von einer Reihe von Umständen ab, vor allem davon, ob und in welchem Maße wir die Wunde als infiziert betrachten müssen und ob in 25 der Wunde gequetschtes Gewebe vorliegt, das die Heilung stören würde. Je glattwandiger die Wunde ist, je reiner das verletzende Instrument war, je weniger nachher die Wunde mit schmutzigen Gegenständen in Berührung gekommen ist, desto eher dürfen wir nähen.

Bei Wunden mit gequetschtem oder zerrissenem Gewebe ver- 30 bietet sich die Naht zunächst deshalb, weil es in einer solchen Wunde ohnehin leicht zur Nekrose der geschädigten Teile kommt und die durch die Naht bedingte Zirkulationsstörung dem Eintritt der Nekrose Vorschub leisten würde; dann deshalb, weil bei offener Wundbehandlung (d. i. Offenhaltung der Wunde durch Auslegung 35 mit Verbandstoffen) das nunmehr ständig von der Wunde abgesaugte Wundsekret auch Infektionsstoffe und nekrotische Gewebspartikel u. dgl. in den Verband ableitet, während diese Dinge, durch die Naht in der Wunde zurückgehalten, zur Entzündung Veranlassung geben könnten.

In dubio empfiehlt es sich, zunächst bei offener Wundbehand-
5 lung zuzuwarten. Treten keine Entzündungserscheinungen auf, zeigen sich nirgends Nekrosen in der Wunde, so kann nach wenigen Tagen die Naht nachgetragen werden. Kommt es aber zur Entzündung und Eiterung, dann ist zunächst das Schwinden der Entzündung abzuwarten, und erst dann die Naht nachzutragen
10 (sekundäre Naht). Im allgemeinen gilt die Regel, daß Verletzungen an sehr reichlich vaskularisierten Stellen eher genäht werden dürfen. Es neigen z. B. Wunden an den Lippen, bei denen die primäre Naht schon aus funktionellen Gründen wünschenswert ist, nach der Naht auffallend wenig zur Vereiterung.
15 Im Gegensatz zu den unter aseptischen Kautelen gesetzten Operationswunden spielt die Drainage bei der Behandlung akzidenteller Wunden, auch wenn sie partiell genäht wurden, eine größere Rolle. Sie stellt für den Fall des Eintrittes von Eiterung in der Tiefe ein Sicherheitsventil dar, da sie dem Eiter die Möglichkeit
20 bietet, frei abzufließen, wodurch das Weitergreifen der Entzündung und eine pyogene Allgemeinerkrankung vermieden werden kann.

Unter Zuhilfenahme einer solchen Drainage ist bei sehr vielen auch gequetschten Wunden eine Annäherung der Hautränder, wenigstens an einzelnen Stellen, durch sogenannte Situationsnähte,
25 statthaft.

Die sonstige Behandlung einer akzidentellen Wunde richtet sich nach den jeweils vorliegenden Veränderungen. Zuerst kommt die Blutstillung, Unterbindung, Umstechung. Dann werden Verletzungen tiefer gelegener Gebilde versorgt, z. B. Sehnen und
30 Nerven genäht, sofern ihre Beschaffenheit die primäre Naht gestattet. Niemals darf die Haut genäht werden, ohne daß der Grund der Wunde genau revidiert worden wäre, damit nicht einmal eine Sehnenverletzung an den Extremitäten, eine Knochenimpression am Schädel, Eröffnung der Bauchhöhle bei einer Bauchdeckenver-
35 letzung od. dergl. unberücksichtigt bleibe.

Der erste Verband bleibt, wenn keine entzündliche Reaktion eintritt, gewöhnlich mehrere Tage, selbst eine Woche, liegen.

Bei Verdacht auf eine beginnende Entzündung der Wunde ist bei operativen und akzidentellen Wunden der Verband sofort zu entfernen und eine sorgfältige Revision der Wunde vorzunehmen. Wann dieser Verdacht begründet ist, läßt sich nicht durch kurze Regeln festlegen. 5

Bei eingetretener Wunderkrankung findet man lokal gewöhnlich mehr oder minder ausgeprägt die Kardinalsymptome der Entzündung, also gerötete, geschwollene Wundränder, Druckschmerzhaftigkeit in der Umgebung der Wunde. Manchmal quillt bereits aus einem oder mehreren Stichkanälen oder aus dem 10 Wundspalt Eiter hervor. In anderen Fällen findet sich die Eiteransammlung erst nach Lösung der Nähte in der Tiefe der Wunde. Zuweilen fehlt die Eiterung, und es finden sich nur mißfarbige, trockene Wundflächen, nach deren Abhebung man an einzelnen Stellen einen grauen, schmierigen Belag antrifft. 15

Bei allen schwereren Fällen von Wundentzündung besteht das Wesen der Behandlung, falls die Wunde nicht schon von vornherein offen behandelt worden war, in der Eröffnung derselben in der ganzen Ausdehnung des Entzündungsherdes. War die Wunde genäht, so sind die Nähte ganz oder teilweise zu entfernen, gege- 20 benenfalls ausgedehnte Inzisionen oder kleinere Einschnitte zur Einführung von Drainröhren anzulegen.

Die Eröffnung muß um so ausgiebiger sein, je schwerer die begleitenden Allgemeinerscheinungen, das Fieber, die Störung des subjektiven Wohlbefindens u. s. w. sind. Je geringer diese sind, 25 desto eher kann man es zunächst versuchen, mit nur teilweiser Eröffnung der Wunde oder mit kleinen Inzisionen auszukommen.

Hat der Eiter ungehinderten Abfluß, liegen die Entzündungsherde frei und ist das Gewebe entspannt, so ist damit und mit der Anlegung eines trockenen gut aufsaugenden Verbandes gewöhnlich 30 der Haupbedingung für die Behandlung solcher Prozesse entsprochen. Nun wird der verletzte Körperteil bequem und ruhig gelagert, bei Extremitätenverletzungen zur Verminderung der Zirkulationsstörung eine leichte Hochlagerung vorgenommen. Der Versuch einer besonderen Beeinflussung des entzündeten Gewebes 35 durch Applikation bestimmter Substanzen hat wenig Aussicht. Hingegen leisten zuweilen bei schwer eiternden, insbesondere fauligen Wunden mit Gewebsnekrosen permanente Bäder des betreffenden Körperteiles, auch permanente Vollbäder, treffliche Dienste. Es existieren recht praktische Hand- und Fußbadewannen, die sich zur Verabreichung solcher Bäder auch unter einfachen Verhältnissen gut eignen; durch öfteres Nachgießen warmen Wassers wird das Badewasser auf Körpertemperatur gehalten. Auch hydropathische Umschläge beschleunigen die Reinigung der Wunde, die Abstoßung von Nekrosen und die Ausbildung gesunder Granulationen.

Je nach der Ausdehnung vorhandener Gewebsnekrosen und dem Umfange der Eiterung ist die Wunde täglich oder alle paar Tage zu verbinden. Kleben die Verbandstoffe an der Wundfläche an, so pflegt Berieselung mit 3 %igen Wasserstoffsuperoxyd die Ablösung wesentlich zu erleichtern. In der Wunde angesammelter Eiter soll durch Neigen des betreffenden Körperteiles oder durch Spülungen (steriles Wasser, Kochsalz, Wasserstoffsuperoxyd) zum Ablaufen gebracht werden, da jedes Tupfen und Wischen in einer Wunde vermieden werden soll. Es verursacht zahlreiche kleine Verletzungen und kann zur Aufnahme von infektiösen Stoffen in Gewebsspalten und in den Kreislauf führen.

Neuanstieg der bereits abgefallenen Temperatur, neuerliche örtliche Beschwerden deuten, insbesondere wenn dabei auch das Allgemeinbefinden leidet, auf ein Fortschreiten der Entzündung oder auf eine Retention von Wundsekret innerhalb der Wunde. Es müssen dann unter Umständen neuerliche Inzisionen angelegt und Drainröhren eingeführt werden.

Die Behandlung von örtlichen Entzündungsprozessen durch Applikation von Kälte ist ziemlich allgemein verlassen worden. Sie entsprang dem Bestreben, mit der Hyperämie auch die Entzündung zum Schwinden zu bringen. Nun hat im Gegenteil Bier gezeigt, daß eine Steigerung der mit der Entzündung einhergehenden Hyperämie geradezu einen Heilfaktor bei entzündlichen Prozessen darstellen könne. Praktische Bedeutung für die Behandlung entzündeter Wunden liegt in der nun durch zahlreiche Erfahrungen sicher gestellten Tatsache, daß durch künstlich hervorgerufene Hyperämie zum mindesten viele beginnende Entzündungsprozesse zum Rückgang gebracht werden können.

KRANKHEITEN DES SCHÄDELS *

A. VERLETZUNGEN

a) *der äußeren Weichteile*

Die Verletzungen der Schädelweichteile haben eine größere Bedeutung als die anderer Körperteile, da ein Hinzutreten einer Entzündung stets die Gefahr des Übergreifens auf das Gehirn und damit eine Lebensgefahr mit sich bringt. Auch kann man in dem dichten Haarwuchs leicht Verletzungen übersehen, und endlich ist die Aufrechterhaltung der Asepsis bzw. Antisepsis am Kopf wegen der Haare sehr schwierig. Bei jedem Fall soll man sich aufs genaueste über den Hergang des Unfalles informieren, da sonst leicht falsche Beurteilungen vorkommen können. So z. B. kann eine Quetschwunde leicht als Stichwunde beurteilt werden und umgekehrt, was für die Behandlung und Prognose von Bedeutung werden kann.

1. *Hieb- und Schnittwunden*

Hieb- und Schnittwunden werden durch scharfe, schneidende Werkzeuge beigebracht, durch Säbel, Schläger und Messer. Sie klaffen meist weit, wenn die Galea durchtrennt ist, und pflegen stark zu bluten, da die Gefäße der Haut scharf durchtrennt sind. Das verletzende Instrument kann senkrecht oder schräg oder gleichsam abschälend einwirken. So entstehen Lappenwunden oder sogar Wunden mit Substanzverlust.

Die Prognose dieser Verletzungen ist eine gute, da sie nach Naht meist per primam heilen.

Bei der Behandlung macht die Blutstillung oft Schwierigkeiten, da in dem straffen Gewebe der Kopfhaut Ligaturen schlecht halten. Deshalb ist es das beste, sich hiermit nicht zu lange aufzuhalten,

* Aus — Professor Dr. Tilman, Aus der allgemeinen Chirurgie, Verlag von Gustav Fischer.

sondern gleich darauf zu rechnen, daß die Blutstillung mit der Naht derart kombiniert wird, daß die blutenden Gefäße durch die Naht mit abgeschnürt werden. Im allgemeinen wird man jede Hieb- und Schnittwunde nähen, wenn nicht eine ins Auge fallende
5 Verschmutzung der Wunde vorhanden ist, die eine primäre Naht unmöglich machen kann. Dann ist man zur Blutstillung oft gezwungen, die Gefäße zu umstechen. Derartig verschmutzte Wunde tamponiert man einige Tage und näht sie dann bei ausbleibender Eiterung sekundär. Auch bei Lappenwunden der
10 Schädelhaut näht man gewöhnlich primär und hat meist nicht nötig, an der Basis derselben eine Inzision zum Abfluß von Wundsekret zu machen, da die Lappen sich meist glatt anlegen. Indes ist zu bemerken, daß man sich stets überzeugen soll, ob in der großen Tasche nicht Fremdkörper vorhanden sind, welche später
15 zu schweren Komplikationen führen können.

Die Nähte legt man am besten nicht zu eng und fügt bei starker Spannung lieber eine Situationsnaht hinzu.

2. *Stichwunden*

Die Stichwunden dringen rechtwinklig oder schräg ein. Im letzteren Falle gleitet das Instrument oft ab, fährt an einer be-
20 nachbarten Stelle heraus und verursacht so zwei Stichwunden. Bemerkenswert ist, daß die Verletzung in der Tiefe oft größer ist als an der Oberfläche, sowie daß oft die Spitze des stechenden Instrumentes abbricht und im Knochen stecken bleibt. Man kann also aus der Hautwunde nicht schließen, wie es in der Tiefe aussieht.
25 Es kann vorkommen, daß ein arterielles Gefäß der Schädeldecke bloß teilweise angestochen ist; zunächst blutet es dann nicht besonders stark. Nachher kann aber eine Nachblutung kommen, oder es bildet sich ein Aneurysma, das noch zu Nachoperationen Veranlassung geben kann.

30 Aus diesen Gründen wird man bei jeder Stichwunde der Schädeldecke sondieren müssen, ob noch Teile des stechenden Instrumentes in der Wunde sind und festzustellen suchen, ob ein größeres arterielles Gefäß verletzt ist. Ist das der Fall, dann muß die Wunde erweitert, der Fremdkörper entfernt und das Gefäß unter-

bunden werden. Wenn nicht, dann ist es zweckmäßig, die Nähte möglichst weit und tief anzulegen, um jede Blutung zu stillen.

3. *Gequetschte und gerissene Wunden*

Alle Verletzungen, die durch stumpfe Gewalt geschehen, haben den Charakter der Quetschwunden; ist die Gewalt mit Spitzen oder Kanten ausgestattet, so entstehen Rißwunden. 5

Die gequetschten Wunden der äußeren Weichteile kommen entweder zustande durch Einwirkung einer Gewalt von außen, die mit größerer oder geringerer Geschwindigkeit ausgestattet ist oder durch Auffallen des Kopfes aus mehr oder weniger großer Höhe auf harten Boden. 10

Schließlich sind noch zu erwähnen die Abreißungen der Schädelhaut in mehr oder weniger größerer Ausdehnung bis zur völligen Skalpierung. Diese Verletzungen können dadurch zustande kommen, daß Frauen mit ihren Haaren in das Getriebe einer Maschine geraten; die Haare werden aufgerollt und schließlich die 15 ganze Schädelhaut abgerissen.

Bei diesen Verletzungen sind die Wundränder scharf, gezackt, aber nicht gequetscht. Sie zeigen also einen großen Unterschied von denjenigen Quetschwunden, welche von der einwirkenden Gewalt direkt gesetzt sind. Ebenso muß man die Skalpierungen 20 sehr wohl unterscheiden von denjenigen Lappenwunden, bei denen die Weichteile vom Schädel gleichsam abgedrängt wurden. In diesem Falle ist die Basis des Lappens bald am unteren, bald am oberen Rande gelegen. Die Aussicht auf Erhaltung dieser Lappen ist größer, je breiter die Basis, mit welcher sie haften und 25 je geringer die Quetschung ist. Im allgemeinen gilt es als günstig, wenn die Spitze des Lappens gegen den Scheitel gerichtet ist, weil dann die Blutversorgung desselben besser garantiert ist.

Schußwunden der Haut kommen am Schädel ohne Beteiligung der Knochen vor. Es handelt sich dann entweder um Nahschüsse 30 mit einer Pulverladung, die nicht stark genug war, um das Geschoß durch den Knochen durchzutreiben, so daß es nur die Weichteile verletzen konnte, oder bei Geschossen mit größerer lebendiger Kraft, um Streifschüsse. Jedoch können auch solche in der Nacken- und Schläfengegend vorkommen. 35

Die Beschaffenheit all dieser Quetsch- und Rißwunden ist je nach der Art der Entstehung eine verschiedene. Die Quetschung der Wundränder selbst ist verschieden groß, je nach der Breite, der Oberfläche und der Größe der Kraft, mit welcher der verletzende 5 Körper aufschlägt. Je geringer die Kraft, um so größer ist die Quetschung. Bei Rißwunden bemerkt man häufig eine Zahnung und Zackung des Wundrandes. War die Kraft eine sehr große, so kann die Wunde sich in nichts von einer Schnittwunde unterscheiden. Manchmal jedoch verraten die linearen, die beiden Wund- 10 ränder verbindenden Gewebsfetzen die Art der Entstehung. Die stärksten Zerfetzungen zeigen die durch Platzen der Haut entstandenen Wunden, die Folge von Gasexplosionen oder eines übermäßig gesteigerten Luftdruckes sind, z. B. bei Nahschüssen ohne Patrone.

15 Der Verlauf der Quetsch- und Rißwunden hängt von dem Grade der Verunreinigung der Wunde und von der Stärke der Quetschung des Wundrandes ab. Seit die aseptische Wundbehandlung eingeführt ist, hat man selbst sehr stark gequetschte Wundränder glatt nach erster Verklebung heilen sehen und kann 20 daraus den Schluß ziehen, daß man nicht mehr zu vorsichtig in der Anwendung der primären Naht zu sein braucht. Von besonderer Wichtigkeit für die Beurteilung des Verlaufes dieser Verletzungen ist die Feststellung, ob in der Umgebung der Wunde blutige Sufusionen der Schädelhaut stattgefunden haben.

25 Die Behandlung dieser Verletzungen erfordert zunächst eine sorgfältige Untersuchung derselben zur Feststellung, ob eine starke Beschmutzung der Wunde stattgefunden hat und vor allem, ob noch Fremdkörper in der Wunde vorhanden sind. So kann es z. B. vorkommen, daß durch einen Steinwurf eine Quetschwunde der 30 Haut gemacht wird; der Stein dringt durch die Haut bis zum Knochen, gleitet hier ab und wird noch eine kurze Strecke unter der Haut fortgeschleudert. Die oberflächliche Untersuchung läßt dann den Stein nicht erkennen, und es sind Fälle beobachtet, wo nach Wochen dieser Fremdkörper zu einer Usur der Schädel- 35 knochen, dann zu einer eiterigen Entzündung der Hirnhäute und schließlich zum Tode geführt hat. Es ist deshalb unbedingt erforderlich, daß man jede Schädelwunde auf Fremdkörper untersucht.

Im übrigen ist es bei dem dichten Haar auf dem Schädel notwendig, daß bei jeder Schädelwunde zunächst die Umgebung der Wunde rasiert und gereinigt wird. Dabei muß man darauf achten, daß kein Waschwasser in die Wunde kommt. Neuerdings wird das Waschen vermieden, und nach trockenem Rasieren die 5 Umgebung der Wunde einfach mit Jodtinktur gepinselt. Dann sind die Verunreinigungen aus der Wunde zu entfernen, was am zweckmäßigsten durch einfaches, trockenes Austupfen der Wundtiefe und der Wundränder geschieht. Sonst sucht man durch Spülungen mit abgekochtem Wasser oder physiologischer Koch- 10 salzlösung, nicht mit antiseptischen Mitteln, dasselbe zu erreichen. Ohne diese Spülung ist es häufig nicht möglich, allen Schmutz aus der Wunde zu entfernen. In zweiter Linie muß die Frage entschieden werden, ob die Wundränder lebensfähig sind. Ist die Quetschung der Wundränder eine sehr starke, besteht eine bläuliche 15 Verfärbung und bemerkt man an dem freien Wundrande abgerissene Gewebsfetzen, so wird man auf eine Vereinigung dieser Wunde durch Naht verzichten müssen. Bekommt man derartige Wunden frisch in die Behandlung, so erscheint es zweckmäßig, die Wundränder mit einem scharfen Messer anzufrischen und die 20 dann entstehende Wunde durch Naht zu vereinigen. Bei der vortrefflichen Gefäßversorgung der Weichteile des Schädels kann man in den meisten Fällen auf eine prima intentio rechnen, wenn man die Verletzung direkt in Behandlung bekommt und nicht zu grobe Verunreinigung stattgefunden hat. Selbst ausgedehnte Lappen- 25 wunden legen sich manchmal überraschend schnell an den Schädel an. Sind die Lappenwunden dagegen wegen Beschmutzung der Infektion verdächtig, so ist es zweckmäßig, wenn die Spitze des Lappens nach der Scheitelhöhe gerichtet ist, an der Basis derselben eine Inzision zu machen und durch sie einen Gazestreifen nach 30 außen zu leiten. Liegt die Spitze des Lappens nach unten, so genügt es, für einige Tage einen Gazestreifen aus der Wunde herauszuleiten. Man benutzt dann die Wunde selbst zur Drainage. Nach einigen Tagen wird sich dann schon entscheiden, ob wir eine prima intentio erwarten können oder ob eine Infektion stattge- 35 funden hat. Die Wunden, in denen Kot oder Straßenstaub, Gartenerde, Schlamm, Mörtel, Kohlen oder sonstige Gegenstände

geblieben sind, können in der Regel nicht primär genäht werden. Es wird sich in diesen Fällen empfehlen, zunächst nach sorgfältiger Reinigung der Wunde die Hautränder durch einige Situationsnähte zu vereinigen und zwischen ihnen durch Gaze zu drainieren, oder
5 man stopft die ganze Wunde aus. In letzterem Falle kann dann später die Sekundärnaht in Frage kommen.

Kommt die Wunde schon infiziert in unsere Behandlung, so wird es häufig nötig sein, durch große Inzisionen die Wunde zu erweitern und durch Tamponade für Abfluß des Eiters zu sorgen.
10 Die Blutung spielt bei den Quetsch- und Rißwunden in der Regel keine besondere Rolle und wird man selten zu Gefäßunterbindungen schreiten müssen. Es ist jedoch zweckmäßig, die oft in der Wunde liegenden, aus den Weichteilen herausgerissenen Gefäße, auch wenn sie nicht bluten, zu fassen und zu unterbinden, da
15 immerhin Nachblutungen eintreten können. Sind stärker spritzende Gefäße vorhanden, so wird man sie sofort nach Besichtigung der Wunde mit einer Arterienpinzette fassen, welche man bis nach Beendigung der Reinigung der Umgebung der Wunde liegen läßt. Dann hat sich meist ein Thrombus entwickelt; bluten sie doch
20 wieder, so werden sie mit der Naht gefaßt oder sie werden umstochen.

Bei dem Verband dieser Verletzungen ist darauf zu achten, daß man die Binde nicht zu stark anzieht, weil dadurch leicht der Abfluß des Wundsekretes behindert sein kann. Der Verband
25 soll nicht kompressionsartig die Wundlappen an den Schädel und die Wundränder gegeneinander pressen, sondern soll sie nur soweit andrücken, als nötig ist zur Aufsaugung der heraussickernden und die Gazelage durchtränkenden Wundprodukte. Es wird vielfach empfohlen, Wattelagen über der Gaze zu vermeiden, damit
30 eine bessere Aufsaugung und Austrocknung der Gaze stattfinden kann.

Besondere Erwähnung verdienen noch die großen Substanzverluste, welche bei totalen oder teilweisen Skalpierungen beobachtet werden. Seit Einführung der aseptischen Wundbehandlung
35 hat die Transplantationsmethode wahre Triumphe gefeiert. Es ist vielfach gelungen, einen gänzlich skalpierten Schädel, durch Transplantation in zahlreichen Sitzungen wieder vollständig zu

überhäuten. Früher wartete man in diesen Fällen mit der Transplantation, bis frische Granulationen den ganzen Defekt ausfüllten. In neuerer Zeit hat man begonnen, auf den frisch verletzten Schädel, auf das Periost oder die Galea, weniger zweckmäßig auf den bloßliegenden Knochen direkt Hautstücke zu transplantieren, und 5 in mehreren Fällen gute Erfolge erzielt. Man kann hierzu auch den in lange Streifen zerschnittenen Skalp benutzen. Die Haare wachsen auf solchen Transplantationen nicht wieder.

b) *Verletzungen der Knochen und des Schädels*

Die Brüche der Schädelknochen sind im allgemeinen seltene Verletzungen. Sie betragen 1,5–3,8% aller Knochenbrüche. 10 Darunter sind aber nur die Friedensverletzungen gerechnet, da im Kriege aus anderen Gründen die Schußverletzungen der Schädelknochen bis zu 12, 7% aller Verwundeten ausmachen.

Die große Bedeutung und die Wichtigkeit der Verletzungen der Schädelknochen liegt darin, daß sie meist mit Verletzungen des 15 Gehirns verbunden sind. Es ist deshalb für die ganze Beurteilung der Verletzung von der größten Bedeutung, daß man über die Beteiligung des Hirns Klarheit hat. Denn die Knochenverletzung allein braucht keine schweren Erscheinungen zu machen.

Bei keiner anderen Knochenverletzung des Menschen ist es so 20 wichtig wie beim Schädel, daß man über den Hergang des Unfalls, der zur Verletzung geführt hat, genau unterrichtet ist, weil man aus demselben sich schon vorher ein Bild der vorauszusetzenden Zerstörung des Schädels und des Gehirns machen kann.

1. *Stich- Hieb- und Schnittwunden der Schädelknochen*

Bei allen Schädigungen des Schädels durch scharfe, schneidende 25 und stechende Instrumente greift die Gewalt an umschriebener Stelle an. Bei Stichwunden mit Dolch oder Messer dringt zuerst die Spitze des Instrumentes in den Knochen ein, dann wird die allmählich breiter werdende Klinge nachgeschoben. Diese muß als Keil wirken und die beiden Knochenpartien des Schädels aus- 30 einander treiben. Als Zeichen der Keilwirkung sieht man von den Enden der Knochenstichwunde feine Fissuren auslaufen, die dann später blind endigen. Bei Stichwunden bleibt oft die Spitze des stechenden Instrumentes im Knochen stecken und bricht in Höhe der Knochenoberfläche ab. Man muß deshalb bei allen diesen Verletzungen durch Untersuchung des benutzten Instrumentes oder sonst der Wunde feststellen, ob an diese Möglichkeit zu 5 denken ist. Solche Messerspitzen können jahrelang im Schädel stecken bleiben, ohne Symptome zu machen, nur in vereinzelten Fällen tritt Meningitis hinzu.

Bei den Hieb- und Schnittwunden mit einem Säbel oder Messer entsteht entweder eine scharfe Rinne bis ins Gehirn hinein oder 10 bloß eine Rinne im Knochen. Es kann dabei vorkommen, daß in der Lamina externa ein scharf umrandeter Defekt ist, während die Lamina interna zersplittert ist. Oft liegen nur Schälwunden vor mit lappenförmiger Abhebung der Lamina externa bei intakter Interna oder mit Splitterung der Interna, oder endlich der Knochen 15 ist in seiner ganzen Dicke lappenförmig abgehoben oder in toto aus dem Schädel herausgehauen (Aposkeparnismus). Letztere Verletzung ist natürlich selten. Bei den Hiebwunden beobachtet man häufig von den Endpunkten derselben ausgehende feine Fissuren über den Schädel verlaufend. Im übrigen hängt der Cha- 20 rakter jeder Knochenhiebwunde von der Schärfe der Klinge und der Wucht der Führung ab.

Wichtig ist die Unterscheidung in penetrierende und nichtpenetrierende, sowie die in reine und gequetschte Hiebwunden. Je schärfer die Klinge und je größer ihre Geschwindigkeit, um so 25 reiner und tiefer sind die Wunden; je stumpfer das Instrument, desto mehr wird die Wunde einer Riß- und Quetschwunde ähnlich, desto wahrscheinlicher ist das gleichzeitige Entstehen weit ausstrahlender Fissuren und die Beteiligung des Gehirns.

Der Verlauf der Hiebwunden des Schädels ist im allgemeinen 30 günstig. Er hängt hauptsächlich ab von der Schädigung des Gehirns. Besteht in demselben nur ein scharfer Schnitt, so kann wohl die Blutung stören, es tritt aber meist glatte Heilung ein. Die Hauptgefahr ist die der Meningitis, die aber bei den glatten Hiebwunden geringer ist als bei den Quetschwunden des Hirns, die 35 öfter infiziert werden. Die beste Prognose haben die glatten Hiebwunden ohne Beteiligung des Hirns. Selbst schräge Knochenlappen können sich wieder anlegen, wenn sie auch am Rande durch

Abstoßung manchmal etwas an Umfang einbüßen. Auch wenn diese Knochenlappen selbst zersplittert sind, ist eine Anheilung möglich.

Die Behandlung der Hiebwunden hängt zunächst von dem Charakter der Wunde ab. Alle glatten Wunden gestatten dem Arzt 5 durch Naht die prima intentio der Weichteilwunden anzustreben. Die Knochenlappen reponiert man sorgfältig.

Findet sich in der äußeren Knochenlamelle ein einfacher Wundspalt, erregt aber die Größe der Gewalt, die eingewirkt hat, den Verdacht einer Splitterung der Lamina interna mit Depression, 10 so ist die Entfernung der Splitter notwendig, eventuell durch Trepanation. Sind beide Tafeln durchhauen, dann ist die Behandlung dieselbe wie bei Knochenbrüchen. Ist ein Knochenstück ganz herausgehauen, hängt aber noch mit den Weichteilen zusammen, so reponiert man es und näht darüber die Weichteile. 15 Ist der Knochenlappen ganz herausgehauen mit seinen Weichteilen, dann kann man auch noch versuchen, ihn zur Anheilung zu bringen, wenn er noch an seiner Stelle liegt oder noch an einem Lappen hängt. Derartige Anheilungen sind beobachtet worden. Ist er aber beschmutzt oder gequetscht, oder ist schon längere Zeit 20 seit der Verletzung verflossen, so ist der Versuch der Anheilung meist aussichtslos. In einzelnen Fällen hat man indes auch hier versucht, den Knochen in warmer physiologischer Kochsalzlösung zu reinigen und aufzubewahren und dann selbst noch nach 24 Stunden einzulegen. Es ist auch manchmal gelungen, ihn anzu- 25 heilen.

2. *Schußverletzungen*

Bei allen Arbeiten über Schußverletzungen haben die des Schädels stets ein besonderes Interesse hervorgerufen, einerseits wegen der Dignität des von den Schädelknochen eingeschlossenen Organs, dann, weil die Schädelschüsse der theoretischen Erklärung 30 gewisse Schwierigkeiten darboten. Diese Schwierigkeiten bestanden darin, daß man bei Nahschüssen enorme Zerstörungen am Schädel beobachtete, die in gewissen Entfernungen plötzlich aufhörten. Anderseits beobachtete man bei derselben einwirkenden Gewalt, also bei Schüssen aus derselben Entfernung, ganz 35 verschiedene Verletzungen des Schädels. Diese anscheinenden Widersprüche führten dazu, die zurzeit bestehenden Theorien als nicht richtig zu bezeichnen; die Schüsse selbst nannte man theoriewidrige.

5 Aus all diesen Gründen ist es unmöglich, auf einen Nahschuß oder einen Selbstmordschuß irgendeine wissenschaftliche Theorie anzuwenden, da seine mechanischen und physikalischen Verhältnisse durch das Hinzukommen der Einwirkung der Pulvergase vollkommen unberechenbare werden.

c) *Verletzungen des Gesichts*

10 Stich-, Hieb- oder Schnittwunden im Gesicht zeigen eine sehr gute Heilungstendenz wegen der reichlichen Gefäßversorgung der Gesichtshaut. Bei glatten Wunden sind Infektionen selten, wohl deshalb, weil das Gesicht als unbedeckter Körperteil reinlicher gehalten wird und die immerhin reichliche Blutung eventuelle 15 Infektionserreger aus der Wunde herausschwemmt. Auch Stichwunden, die in Mund-, Nasen- oder Oberkieferhöhle perforieren, pflegen selten entzündliche Erscheinungen zu zeigen, selbst wenn keine besonders aseptische Versorgung der Wunde vorgenommen worden ist. Trotz der reichlichen Bakterienflora der Mundhöhle 20 sieht man, daß selbst Lippenwunden sehr schnell reaktionslos verheilen. Die Kombination der verschiedenen Bakterien der Mundhöhle und der Speichel beeinflussen die Virulenz der einzelnen Bakterien, und nur wenn die Wunden stärker gequetscht werden, oder infolge entzündlicher Erkrankung der Mundschleimhaut 25 abnorme Bedingungen vorliegen, sieht man, daß sich die Lippenwunden mit dicken Pilzrasen bedecken und erst nach eingetretener Eiterung schließen.

Durch Hiebverletzungen kommen gänzliche Abtrennungen von Hautlappen, besonders an der Nase und am Ohr vor. Es gelingt, 30 solche abgetrennten Lappen oder Läppchen, unter Umständen noch mehrere Stunden nach der Verletzung, anzuheilen. Speziell nach Mensuren hat man Gelegenheit, Stücke, die schon mehrere Stunden abgetrennt waren, anheilen zu sehen. Man reinigt die Stückchen in erwärmter physiologischer Kochsalzlösung und fixiert sie nach völliger Blutstillung, die am besten durch längere Tamponade erfolgt, durch oberflächliche Nähte. Mißerfolge sind allerdings nicht selten. Man sieht zuweilen auch, daß die oberflächliche Partie der Nasenspitze oder des Ohrstückes, das abgehauen war, nekrotisiert und nur ein Teil des tieferen Gewebes des Lappens anheilt.

Sind bei Hieb- oder Stichverletzungen kleinere arterielle Gefäße verletzt, so genügt oft einfache Kompression oder das Fassen der Gefäße mit der Hautnaht. Die Hauptgefäße der A. maxillaris externa, temporalis superficialis u. s. w. müssen exakt unterbunden werden. Die Behandlung der Wunden im Gesicht ist die übliche; Reinigung der Umgebung der Wunde ist auch hier in der Regel angebracht, doch darf man niemals den Schmutz, der sich durch die Reinigung löst, in die Wunde hineinwaschen; besser als eine solche Prozedur ist es, die Wundränder überhaupt nicht zu waschen, sondern mit 5–10%iger Jodtinktur die Umgegend zu bepinseln und dann die vorher angefrischte und dadurch glattrandig gemachte Wunde durch Nähte zu vereinigen. Man soll hier zur Naht stets dünnes Fadenmaterial nehmen, damit die Stichkanäle nicht sichtbar bleiben; zudem darf man die Wunde nicht mit zu eng aneinander gelegten Nähten schließen, weil sonst das nachsickernde Sekret und Blut sich unter der Naht verhält und, als guter Nährboden für Bakterien, diesen Gelegenheit zum Auskeimen und Vermehren gibt. Eine Eiterverhaltung und Phlegmone, die sich durch Schwellung, Rötung und Fiebersteigerung ankündigt, verlangt dann eine frühzeitige Entfernung der Nähte und die Heilung per secundam hat viel entstellendere Narben zur Folge. Man sieht also, wie richtig es ist, die Wundränder durch Nähte nur so weit zu adaptieren, daß das eventuelle Sekret aus der Wunde in den Verband abfließen kann. Die glatten Wunden können ohne besonderen Verband unter dem trockenen Blutschorf glatt heilen, eventuell sind kleinere Kollodium- oder trockene Gazeverbande zu empfehlen. Will man bei kleineren Wunden die Umschneidung der Ränder nicht ausführen, so kann durch Einreiben der Wundränder mit Perubalsam das Auskeimen und die Verbreitung der Infektion beschränkt werden. Ein Erfolg dieser einfachen Prozedur ist in manchen Fällen eklatant, doch sollte

die oben zuerst angeführte ideale Wundbehandlung, wenn eben ausführbar, den Vorzug verdienen. Schürfungen der Haut, wie sie bei Geschleiftwerden entstehen, werden auch am besten nach gründlicher Reinigung mit Perubalsam behandelt. Prophylak-
5 tische Tetanusantitoxininjektion ist hier am Platze.

Von den Nervenverletzungen sind am schwierigsten zu korrigieren die Läsionen des N. facialis, bei dessen Schädigung eine ausgedehnte Lähmung der Gesichtsmuskeln eintritt. Stirnrunzeln ist nicht möglich, das Schließen der Augenlider unvollständig, die
10 Nasolabialfalte hängt herab. Das Pfeifen und Spitzen des Mundes, sowie das Zeigen der Zähne auf der kranken Seite ist ausgeschlossen, weil Wangen und Lippen nicht mehr bewegt werden können. Wegen des Verlaufes des Nervus facialis ist zu beachten, daß der unterste, die Unterlippe versorgende Ast zuweilen weit unterhalb
15 des Kieferrandes herunterreicht und durch Wunden, welche die Submaxillarisgegend treffen, lädiert werden kann. Die Wunden, die der Operateur zu setzen hat, haben die Nervenstämme stets zu vermeiden. Leider gelingt dies bei Drüsenextirpationen am Hals, wenn der unterste Ast in grossem Bogen über die Gegend der
20 Glandula submaxillaris hinweggeht, nicht immer. Heutzutage, wo die Drüsenoperationen mehr und mehr durch die guten Leistungen der Röntgentiefenbestrahlung verdrängt werden, werden diese Gefahren seltener und dadurch werden auch die oft so entstellenden Narben am Halse vermieden. Bei eventueller Läsion kann man
25 den entsprechenden Nerv der gesunden Seite auch durchtrennen, um durch die Doppelseitigkeit der Störung die Lähmung weniger auffallend zu machen. Die größeren, in der Parotis gelegenen Fazialisäste gelingt es, bei Verletzungen mit feinen Nähten zu vereinigen. Ist der Stamm hinter der Parotis lädiert, oder der
30 Fazialis im Verlauf des Ohres zerstört worden, so kann eine Nerventransplantation in Frage kommen, die schon mehrmals mit Glück ausgeführt worden ist.

In solchen Fällen hat man die halbseitige Gesichtslähmung mehr oder weniger vollständig beseitigt, indem man den N. accesso-
35 rius oder wohl besser den hypoglossus benutzt hat zur Verbindung mit dem peripheren Ende des Fazialis. Man kann den ganzen Nerv nehmen, oder nur ein Teil des gesunden Nerven abspalten

und mit dem gelähmten durch Naht vereinigen. Es dauert 3–4 Monate, ehe der Nerv in und an den Fazialisverzweigungen ausgewachsen ist und Muskelbewegungen wieder möglich sind. Zunächst zeigt sich dabei, wenn z. B. der Accessorius teilweise benutzt war, eine Mitbewegung der Schulter. Durch Übung vor dem Spiegel lernt aber mancher dieser Patienten die Gesichtsmuskeln auch ohne die Schultern zu bewegen und erreicht eine leidliche symmetrische Innervierung beim Lachen und Sprechen.

Läßt sich durch Nervenanastomose kein Ausgleich schaffen, so empfiehlt es sich, das am meisten entstellende Herunterhängen der Oberlippe und Wange mit Verstrichensein der Nasolabialfalte dadurch zu beseitigen, daß man durch plastische Operationen die Wange nach oben zieht. Es kann das durch Faszienimplantation geschehen, die die Nasolabialfalte nach dem Jochbogen heraufzieht. Stein empfiehlt die Implantation in Form von Zügel auszuführen. Die schmalen Faszienstreifen werden am Infraorbitalrand unter die Haut geführt. Die Schleife wird dann so stark angezogen, daß die Falte zuerst etwas über die Normallage gehoben wird.

Die Verletzungen des N. trigeminus, der nur sensible Nerven enthält, sind von bedeutenderen Störungen nicht gefolgt, doch können durch Narbenbildungen, die einen Druck auf die sensiblen Nerven ausüben, Schmerzen veranlaßt werden, die zu Neuralgien sich entwickeln, jenen periodisch auftretenden Schmerzattacken, die entweder nur einzelne Äste oder den ganzen Trigeminus befallen. Auch Fremdkörper, die in und am Nerven stecken geblieben, können zu derartigen Neuralgien Anlaß geben. Verschiedentlich ist durch eine Entfernung der Fremdkörper eine Heilung der Trigeminusneuralgie erzielt worden.

Bei Quetschungen im Gesicht richtet sich die Art der Wunde nicht nur nach der Kraft und Form des die Quetschung verursachenden Körpers, sondern auch danach, ob Knochen unter den Weichteilen sich befinden. Im letzteren Fall platzt die Haut oft in einer so scharfen Linie, als wäre die Wunde durch ein Messer bedingt. Für gutachtliche Äußerungen ist die Kenntnis dieser Tatsache wichtig. In der Gegend scharfer Kanten, wie an der Orbitalgrenze und auch im Bereich der Zahnreihe wird die Haut bei Quetschungen sehr gern von den Kanten oder Zähnen durchstoßen. Bei Verletzungen der Wange und Lippen kommen leicht Entzündungen der gequetschten Wundränder zustande. Trotzdem muß man von der gequetschten Haut möglichst viel zu erhalten suchen, selbst 5 zuweilen auf Kosten der Aseptik. So z. B. darf man bei Wunden, die durch die Augenbraue ziehen, die Wundflächen nicht breit anfrischen und so die Haare der Augenbrauen zum größten Teil entfernen, sondern man beschränkt sich hier auf die Entfernung möglichst schmaler Hautstreifen. Die Augenbrauen wachsen nur 10 sehr langsam nach, auch wenn sie nur abrasiert sind; also auch das muß vermieden werden.

Eine weitere wichtige Regel ist die, die Nähte nicht zu eng anzulegen, weil sonst bei eintretender Entzündung sich das Sekret verhält und unter der Wunde in den Weichteilen ausbreitet und 15 dadurch Phlegmonen mit schnelleinsetzender Schwellung und Temperatursteigerung entstehen. Legt man die Nähte weit an, so kann sich das entzündliche Sekret zwischen den Wundrändern in den Verband entleeren und die Heilung erfolgt in solchen Fällen oft glatt, während man bei eng angelegten Nähten und eintretender 20 Entzündung die Fäden entfernen muß und dann eine weitaus entstellendere Narbe zurückbleibt.

Bei verhaltenem Sekret und eintretender Entzündung sehen wir am Gesicht sehr schnell Ödeme auftreten, die sich am meisten im Bereich der Augenlider ausprägen, wo das lockere Zellgewebe 25 einer Ausbreitung sowohl von entzündlichem Ödem wie von Blutextravasat sehr günstig ist. Auch an der Stirn erscheinen oft ausgedehnte Schwellungen, selbst bei weiter abliegender Verletzung. So senkt sich von Kopfhautverletzungen her gern das Ödem bis zu den Augenlidern und noch tiefer und bildet dort teigige 30 Schwellungen, die das Öffnen der Lider erschweren. Bekanntlich sind die starken Sugillationen und Verfärbungen bei Quetschungen in der Gegend des Auges immer sehr ausgeprägt. Das ausgetretene Blut verändert sich in seinem Farbstoff langsam. Die Haut erscheint zuerst blaurot und macht alle Farbenschattierungen 35 durch bis zum Grün und Gelb. Bei den durch Quetschwunden entstehenden größeren Lappenwunden, wie man sie bei Überfahrenwerden zuweilen sieht, können plastische Operationen oder

Transplantationen notwendig werden. War der Knochen frei gelegt, so kann es zur Demarkation und Abstoßung von oberflächlichen Knochenschichten kommen, wodurch die Heilungsdauer verlängert wird.

Schußverletzungen des Gesichtes sind im Kriege ziemlich 5 häufig, da ja auch in gedeckter Stellung der Kopf den Geschossen preisgegeben ist. Fernschüsse verursachen keine besondere Sprengwirkung in den Weichteilen, höchstens wenn der Knochen zersplittert wird, sieht man starke Weichteilläsionen auftreten. Dagegen können Nahschüsse sehr schwere Zerreißungen des 10 Gesichtes und der Kiefer bewirken. Relativ häufig sieht man bei Selbstmordversuchen solche schweren Verletzungen des Gesichtes, am schwersten dann, wenn der Lauf, wie das hin und wieder geschieht, mit Wasser gefüllt und der Schuß in den Mund abgefeuert wurde. Es wird dann die ganze Gesichtspartie, Rachen und Nase 15 voneinander gesprengt und zerfetzt. Die meisten Patienten gehen infolge der starken Blutung oder durch Erstickung bei Verletzung der Zungenbasis und eintretendem Ödem der Glottis zugrunde. Bei schweren Zerreißungen der Mund- und Rachenregion ist die Blutstillung unter Umständen schwierig, Aufsuchen der Gefäße 20 in den zerfetzten Gewebspartien kaum möglich, so daß man sich auf Tamponade mit Jodoformgaze oder Umstechung beschränken muß. Unterbindung der Carotis externa kann in Frage kommen. Um Aspirationen von Blut und Erstickungsgefahr zu vermeiden muß die Tracheotomie zuweilen ausgeführt werden, doch ist 25 trotzdem natürlich das Auftreten von Lungenentzündung in manchen Fällen nicht zu vermeiden. Auch entstehen unter dem Einfluß der Infektion und Verjauchung der großen Wundhöhle septische Eiterungen mit allgemeiner Infektion des Organismus. Wendet man Jodoformgaze an zur Tamponade, so vermag das Jod 30 eine günstige Wirkung auf die zu reichliche Entwicklung der Flora der Mundhöhle auszuüben. Es kommt dann seltener zu ausgedehnter Entzündung.

Man muß bei den schweren Gesichtsverletzungen versuchen, nach Entfernung der stark zerfetzten Gewebsteile die Weichteile 35 soweit als möglich wieder zu vereinigen. Die reichliche Versorgung der Kopfweichteile mit Blutgefäßen ist der Heilung günstig.

Die Kugel selbst wird man oft an Ort und Stelle belassen, höchstens wenn Druck auf die Nerven Schmerzen veranlaßt, kann eine Entfernung in Frage kommen. Die Feststellung der Kugellage mit Röntgendurchleuchtung ist für Laien zuweilen eine Veranlassung,
5 über Schmerzen zu klagen, doch soll man sich dadurch nicht bestimmen lassen, größere Eingriffe in der Region der Wirbelsäule oder dem Rachenraum zur Entfernung eines unschädlichen Geschosses vorzunehmen. Ist das Geschoß leicht erreichbar, so ist gegen dessen Entfernung nichts einzuwenden. Eine Sondierung
10 der Schußkanäle ist möglichst zu vermeiden.

Auch andere Fremdkörper, wie Kugeln, werden nur dann aus den Weichteilen des Kopfes und Gesichtes entfernt, wenn sie Entzündungen oder durch ihren Sitz sonstige Störungen, speziell neuralgische Schmerzen, veranlassen. Man kann aus der Art,
15 Größe und Form der Wunde, um diese wichtige Tatsache hier einzuschalten, niemals auf das Vorhandensein von Fremdkörpern in der Tiefe schließen. Bei der Dehnbarkeit der Haut können auch größere Fremdkörper in die Tiefe eindringen, ohne ausgedehntere Hautverletzungen zu hinterlassen. Man ist zuweilen erstaunt,
20 unter relativ kleinen Wunden längere Stücke Holz, oder auch Teile von Geschossen oder Kleidungsstücken zu finden, die man leicht übersehen haben würde, wenn nicht die Anamnese bekannt oder eine Probeinzision ausgeführt wird. So fand man schon größere Stücke von Spazierstöcken oder Regenschirmen durch die Orbita
25 selbst bis in das Cerebrum eingedrungen, während außen nur eine relativ kleine Perforationsstelle sichtbar war. Verschiedentlich haben erst die Erscheinungen der Meningitis und die Sektion in solchen Fällen die Sachlage klar gestellt. An die Möglichkeit einer derartigen Fremdkörperverletzung, speziell im Bereich der Orbita,
30 muß bei Stich- oder Stoßverletzung immer gedacht werden. Zur Aufsuchung der im retrobulbären Gewebe gelegenen Fremdkörper ist die Krönleinsche temporäre Resektion der äußeren Orbitalwand zu empfehlen. Verletzungen des Auges selbst werden heutzutage konservativer behandelt wie früher; die Einzelheiten der Behand-
35 lung gehören aber nicht hierher.

Der **Erfrierung** sind Nasenspitze und Ohrmuscheln am meisten ausgesetzt, selbst Erfrierungen dritten Grades mit Zerstörung des

Knorpels und der Haut kommen an den Ohren häufig vor. Bei der Behandlung dieser Zustände ist zu beobachten, daß man bei der nach Erwärmung oft eintretenden Schwellung für Abfluß der Ödeme sorgen muß durch oberflächliche Inzisionen. Es kommt auch nach Erfrierung geringeren Grades an der Nase zuweilen zu einer Lähmung der Gefäßnerven, so daß sie späterhin stets gerötet erscheint. Von den Patienten, besonders von Frauen, wird diese Störung lästig empfunden, da sie stark ins Auge fällt. Da stark abstehende Ohren eher dem Frost ausgesetzt sind, empfiehlt es sich, das Abstehen der Ohren dadurch zu verbessern, daß man nach Gersuny mit einer horizontalen Inzision den Musculus auricularis posterior freilegt und ihn dann durch Nähte rafft.

Verbrennungen des Gesichtes kommen gewöhnlich zugleich mit Verbrennung der Hände bei Explosion oder beim Herausschlagen von Stichflammen zustande. In der Regel sind die Verbrennungen solche zweiten Grades, bedingen aber meist eine beträchtliche Schwellung, oft mit völligem Verschluß der Augenlider und starker Blasenbildung. Während die trockene Behandlung der Brandwunden mit Wismutpulver und sterilen Verbänden an anderen Körperstellen empfohlen werden kann, ist für das Gesicht eine Salbenbehandlung den Patienten angenehmer, da unter einem solchen Verband die Bewegungen der Gesichtshaut weniger empfindlich sind, als wenn unter den trockenen Verbänden die Haut mit Borken bedeckt ist und dadurch mit dem Verband verklebt. Am besten schneidet man eine Art Maske aus Kompressen, in der Auge, Nase und Mund freibleiben und bedeckt einfach mit dieser Kompresse, auf die man Salbe (Zink- oder Borsalbe) aufträgt, das Gesicht. Wenn nach der Verbrennung ausgedehnte Nekrosen entstehen mit späterer Narbenbildung, die ein Ektropium der Lider, des Mundes, der Nase u. s. w. bedingen, so wird man zu plastischen Operationen oder Transplantationen seine Zuflucht nehmen müssen. Bei tiefen Verätzungen ist die Behandlung die gleiche wie bei Verbrennung. Verbrennungsnarben zeigen im Gesicht Neigung zu hyperpläsieren und auch keloid zu degenerieren, was durch Röntgenbestrahlung vermindert werden kann.

d) *Die Frakturen der Gesichtsknochen*

Das Jochbein wird bei seiner vorstehenden Lage öfter durch Stoß oder Schlag getroffen. Da die Hauptwirkung direkt von außen erfolgt, so kommt bei Frakturen im Bereich dieses Knochens gern eine Verlagerung einzelner Knochenteile oder auch des ganzen 5 Jochbeines in die Tiefe zustande. Es wird der Knochen also eingedrückt, zuweilen erleiden auch die bei ihm benachbarten Teile des Oberkiefers oder der Fortsätze des Stirnbeines eine Impression. Wegen der mit dem Bruch verbundenen starken Schwellung fällt in der ersten Zeit die Depression kaum auf, verschwindet aber die 10 Schwellung, so fühlt man die Randzone der Knochen an der Grenze des normalen und des eingedrückten Skeletteiles. Am besten tastet man im Bereich des unteren Orbitalrandes die Verschiebung der Knochen, manchmal auch im Bereich des äußeren oder oberen Orbitalteiles, je nachdem, ob Stücke des Stirnbeines mit abge- 15 brochen sind oder nicht. Wenn der Oberkiefer, was nicht selten vorkommt, mit verletzt wird, so zeigt sich Blutung aus der Nase. Auch Luft kann von der Highmorshöhle unter die Haut treten, so daß ein Emphysem, ein Knistern der Haut palpierbar wird. Bei solch begleitenden Verletzungen des Jochbeinbruches kann der im 20 Canalis infraorbitalis verlaufende II. Ast des Nervus trigeminus geschädigt werden und Gefühllosigkeit der betreffenden Wange eintreten. Auch Brüche des Alveolarbogens vom Unterkiefer komplizieren die Jochbeinfraktur häufiger. Außerdem beobachtet man in manchen Fällen gleichzeitige Schädelbasisfrakturen mit 25 ihren Symptomen der Commotio und den charakteristischen Blutungen aus dem Ohr oder in die Orbita.

Ist die Depression der Knochen unbedeutend, so kann die Verschiebung ohne Schaden bestehen bleiben; bei stärkerer Depression läßt sich, wenn die Splitterung nicht zu reichlich ist, 30 das Jochbein leicht heben, dadurch, daß man mit einem scharfen Haken, ohne zu inzidieren, von unten her unter den Knochen geht und ihn emporzieht. Mit diesem, schon von Stromeyer angegebenen Verfahren haben wir die Depression völlig ausgleichen können. Eine blutige Reposition ist nur in seltenen Fällen an- 35 gezeigt.

Die Brüche des Nasengerüstes können sich anfangs unter starker Schwellung der Weichteile verstecken, selbst bei Dislokation nach der Seite fällt die falsche Richtung der Nase kaum auf. Erst später werden die Dislokationen der Knochen deutlicher. Bei starkem Trauma von vorn kann das Nasengerüst ganz eingedrückt werden, so daß eine traumatische Sattelnase entsteht. Häufig ist bei diesen schweren Verletzungen die vordere Wand der Stirnhöhle mit eingedrückt; auch Siebbein, Stirnbein u. s. w. können verletzt sein, so daß Infektionen der Meningen von der Nase aus möglich sind. Die Blutungen aus der Nase, die man bei Frakturen beobachtet, sind zuweilen beträchtlich und verlangen eine feste Tamponade, die in der Weise ausgeführt wird, daß ein Katheter durch die Nase durchgeführt, im Rachen gefaßt und vorgezogen wird. An ihn fixiert man einen starken Seidenfaden, an den ein Gazetampon befestigt wird. Nun zieht man letzteren, der in den Rachen vorgeschoben wird, mit Hilfe des Fadens bis in die Nase hinein; statt des Katheters kann auch das Bellocqsche Röhrchen verwendet werden.

Es ist notwendig, bei Dislokation der Nasenknochen gleich nach der Verletzung die falsche Stellung zu beseitigen. Dies gelingt leicht, wenn man ein Elevatorium in die Nase einführt und die Knochen damit zurechtschiebt. Das Heben der Sattelnase ist wesentlich schwieriger und muß bei gleichzeitiger Verletzung des Siebbeines oder Stirnbeines sehr vorsichtig ausgeführt werden; eventuell muß bei schlechtem Resultate eine spätere Plastik die Form korrigieren. Der Tränennasenkanal kann bei schweren Verletzungen obliterieren, wodurch ein Tränen des Auges eintritt.

Operative Korrekturen zur Beseitigung traumatischer Schiefnasen geben gute Resultate, wenn von dem Naseninnern aus durch Meißel die Knochen getrennt und dann gehoben werden. Auch das Septum muß dabei zuweilen inzidiert oder teilweise exzidiert werden.

Die Medizin

Die Medizin, vom lat. medicare, heilen, also Heilkunde, ist die Wissenschaft von der Beschaffenheit und Tätigkeit des tierischen und menschlichen Körpers im gesunden und kranken Zustand.

Die Grundlage der medizinischen Wissenschaft bildet die Ana-
5 tomie, die Lehre von dem Bau des Körpers. Sie wird geübt und gelehrt durch Zergliederung von Leichen. Einen Einblick in den feineren Bau der Körpergewebe gewährt die Histologie, die Gewebelehre, die mit Hilfe des Mikroskops große Erfolge erzielt hat.

Die Physiologie behandelt unter Zuhilfenahme von Beobach-
10 tungen an Tieren die Verrichtungen und Lebensäußerungen des gesunden und kranken Körpers, weshalb man sie in eine normale und eine pathologische Physiologie trennen kann. Sie verfolgt ihr Ziel teils mit Hilfe der Physik (physikalische Physiologie), teils mit Hilfe der Chemie (physiologische und pathologische
15 Chemie).

Anatomie und Physiologie sind, wiewohl selbstständige Wissenschaften, dennoch bloß Hilfsmittel der Medizin im engern Sinne, welche die Aufgabe hat, die Gesundheit zu erhalten und den kranken Körper zu heilen. Die Mittel, durch welche die Gesund-
20 heit erhalten werden kann, lehrt die Hygiene oder Gesundheitslehre.

Der Heilung der Krankheiten muß die Kenntnis derselben vorausgehen, ein Gegenstand, mit welchem sich die Pathologie beschäftigt. Die allgemeine Pathologie erforscht Wesen, Ursachen und Erscheinung der Krankheiten.

25 Die Lehre von der Krankheit zerfällt weiter in die sogenannte innere Medizin, welche die Krankheiten innerer Organe, des Stoffwechsels und der Infektionskrankheiten behandelt, und die äußere Medizin oder Chirurgie, die sich nur mit den durch operative Maßnahmen zu behandelnden Krankheiten äußerer und innerer
30 Körperteile befaßt. Nach dem besonderen Gegenstand zerfällt die Pathologie ferner in Ophtalmologie, oder Augenheilkunde, Orthopädie, die mechanische Korrektur von Mißbildungen der Gliedmaßen und des Skelettes überhaupt, Dermatologie, die Lehre von den Hautkrankheiten, Psychiatrie, die Lehre von den see-
35 lischen Erkrankungen, u. a.

Durch die Anamnese sucht man die Vorgeschichte der Krankheit zu erfahren. Mit der Erkennung und Unterscheidung der einzelnen Krankheiten befaßt sich die Diagnostik. Auf der Diagnose baut sich die Therapie, das Heilverfahren auf.

Von seiten der Bakteriologie, der Lehre von den (krankmachenden) Organismen, hat die Therapie eine bedeutende Bereicherung und Erweiterung erfahren in der Serumtherapie. Die Immunitätsforschung hat durch Darstellung der Heilsera große Erfolge erzielt. Der Bakteriologie verdankt die Therapie ferner die Entwicklung der operativen Behandlung, die mit den Methoden der Antisepsis und der Asepsis arbeitet. Die erstere ermöglicht es in infizierten Wunden die bakteriellen Zersetzungsprozesse einzuschränken; die letztere sucht durch die völlige Fernhaltung aller Mikroorganismen die Operationswunden vor jeder Verunreinigung zu schützen.

Geschichte der Medizin

In den ältesten Zeiten von Priestern ausgeübt erhielt die Medizin durch den Griechen Hippokrates (460–377) erst im fünften Jahrhundert vor Christo eine wissenschaftliche Grundlage. Wie primitiv die Heilkunde bis dahin gewesen sein muß, geht schon daraus hervor, daß die Beobachtung erst von ihm eingeführt wurde. Nach seiner Lehre soll das Bestreben des Arztes dahin gehen, in der Behandlung die „Natur“ zu unterstützen.

Am Ausgang der römischen Periode steht Galenos (131–201), der ein exaktes wissenschaftliches System der gesamten Heilkunde schaffen wollte. Er suchte die Prinzipien der Heilung zu begründen, und stellte den Satz auf: „contraria contrariis curantur,“ (Gegensätzliches wird durch Gegensätzliches geheilt), z.B. Hitze mit kalten Applikationen. Noch für die Heilkunde des Mittelalters dienten seine Schriften als Grundlage.

Die Renaissance zeitigte auch auf dem Gebiete der Medizin bedeutende Früchte. Im vierzehnten Jahrhundert beschäftigte man sich in Italien mit der Anatomie und begann menschliche Leichen zu sezieren. Vesalius (1516–64), durch den die Medizin zu einer selbständigen Wissenschaft erhoben wurde, fand durch Studien an der Leiche, daß die galenische Anatomie nur auf Beobachtung an Tieren beruhte, und wies ihr viele Irrtümer nach.

Paracelsus (1493–1541) lehrte eine neue, auf historischer Naturbetrachtung fußende Heilkunde (experimentum cum ratione). Er suchte die Lebensvorgänge auf chemischem Wege zu erklären und wollte die Krankheiten auch auf chemischem Wege heilen.

Die naturwissenschaftlichen Errungenschaften des sechzehnten und siebzehnten Jahrhunderts gaben dem medizinischen Denken eine neue Richtung. Um diese Zeit entdeckte Harvey (1578–1658) den Kreislauf des Blutes, verkündete die Lehre: omne vivum ex ovo, und wurde dadurch der Schöpfer der neueren Physiologie.

Die Entwicklung der modernen Medizin entspricht dem naturwissenschaftlichen Geist der Zeit. Den größten Einfluß auf die Weiterentwicklung der Medizin übte die neuerstandene Bakteriologie (Pasteur, 1822–1895; Robert Koch, 1843–1910) aus, durch die die vielumstrittene Frage nach dem Ursprung der Infektionskrankheiten und des Fiebers ganz neu beleuchtet wurde. Sie fand auch für die Behandlung neue Wege, sowohl in der Chirurgie durch die Einführung der Antisepsis, (Lister 1827–1913), an die sich dann die Asepsis schloß, als auch in der inneren Medizin durch die Antitoxin-Serum- und andere Arten der experimentellen Therapie.

NOTES

Page 5. — 3. **d.h., das heißt,** that is; see the list of abbreviations p. XVII.

5. The English passive voice is frequently rendered in German by:

a. The reflexive, as in **befinden sich,** are found.

b. **man** with a finite verb as in l. 8, **teilt man,** is divided.

14. **zeigt,** shows, has.

21. **das . . . Schlüsselbein,** translate by using the participle: The clavicle extending from . . . , see the note on participial constructions, p. XI.

6. — 6. **unterscheidet man,** one distinguishes. Compare the words: **Unterschied, verschieden.**

7. — 10. **setzt sich zusammen aus,** is composed of. See note p. 5, 5.

16. Read: **und der Lederhaut, die darunter liegt.** See p. XI.

19. **bildet sich . . . neu,** is continually developed anew from within. See note p. 5, 5. Notice that **bilden** means to develop, form.

24. **durch das Gehen,** by walking. Infinitives are frequently used as nouns, corresponding to the English verbal form in –ing.

8. — 12. **z.B., zum Beispiel,** for example.

14. Read: **Der Teil des Haares, der sich in der Haut befindet.** See p. XI.

18. **gewähren,** give, afford.

24. Read: **aus den Drüsen, die sich in ihr befinden.** See p. XI.

27. **bei gesunden Menschen,** in healthy persons. Note this use of **bei, in,** in the case of. It is very frequent.

29. **zusammenstoßen,** meet.

9. — 2. **bilden,** see note p. 7, 19.

5. Read: **ein dichtes Polster, das . . . dient.** See p. XI.

6. **bedingt,** produces.

indem . . . ausfüllt, by filling; **indem** is generally best translated *by*, omitting the subject (or making it possessive) and rendering the verb by the present participle.

15. **enthalten,** contain. Compare **behalten, erhalten.**

10. — 7. Read: **Die Höhle, gebildet durch diese acht Knochen.** See p. XI.

20. **laufen . . . spitz zu,** run to a point.

32. Read: **die Zähne, die . . . befestigt sind.** See p. XI.

33. **deren,** of which; genitive plural of the relative pronoun **der,** refers to **Zähne.**

11. — 15. **setzt sich zusammen,** see note p. 7, 10.

21. Read: **dem Bogen, der . . . umschließt.** See p. XI.

23. **Aufeinanderpassen,** infinitive used as a noun, fitting together, upon one another.

27. Read: **das Rückenmark, das aus der Schädelhöhle hinabsteigt.** See p. XI.

13. — 11. **sind beteiligt an der Bildung,** take part in forming.

26. **trägt . . . bei,** helps in the formation.

14. — 3. Read: **von den Mittelhandknochen, die . . . gehören.** See p. XI.

5. **für den Daumen bestimmt,** belonging to the thumb.

7. **deren drei,** three of these; genitive plural of the demonstrative pronoun **der.**

19. Read: **der Teil, der unter dem Kopfe liegt.** See p. XI.

22. Read: **zwei Fortsätze, die nebeneinander liegen.** See p. XI.

15. — 23. Read: **an den Knochenenden, die miteinander verbunden sind.** See p. XI.

16. — 24. Read: **Die Muskeln, die sich am Knochengerüst befinden.**

29. **Es liegt . . . vorn,** its position (direction) is somewhat oblique from the right above posteriorly to the left below anteriorly.

17. — 7. Supply **liegt** before **hinter dem Brustbein,** the subject being **der obere breitere Teil.**

13. **also,** then, therefore. Note carefully that this word never means "also" in English. English also = **auch.**

18. — 11. **vermittelt,** brought about.

13. Read: **Die Haupt-Körperschlagader, die . . . entspringt.** See p. XI.

25. Read: **das hellrote Blut, das . . . fließt.**

29. Read: **mit dem Sauerstoff der Luft, der . . . aufgenommen wird.**

19. — 10. **gelangt,** gets into, reaches; from **gelangen,** (weak verb), to be distinguished from the impersonal verb **gelingen, gelang, gelungen,** to succeed.

11. **Von hier aus,** from here.

23. Read: **die beiden Herzkammern, die sich erweitern; beide** here, as frequently, in the sense of *two.*

20. — 1. **Bei jeder Zusammenziehung,** at every contraction. **Bei . . . Menschen,** in . . . persons. See note p. 8, 27.

15. Read: **die Flüssigkeiten, vorhanden im menschlichen Körper.**

21. **in — Stoffe,** substances contained in the latter.

22. **Sind diese Stoffe . . . ,** Inverted order expressing a condition. Conditional sentences are usually introduced by **wenn,** and are subordinate clauses, with the verb at the end. **Wenn** may be omitted, and the condition expressed by the inverted order, as in English: Were he to come; should this happen. Notice that the conclusion in the conditional sentence is usually introduced by **so,** (literally *then*), which may be omitted in translation. Note the frequent use of inversion to express a condition.

21. — 19. **deren,** see note p. 10, 33.

22. **aus diesem,** from the latter.

22. — 18. **deren.** See note p. 14, 7.

23. — 2. Read: **die kleineren und größeren Wärzchen, sichtbar auf dem Zungenrücken.**

7. Read: **eine Höhle, gebildet von Knorpel und Knochen, geteilt durch eine Scheidewand in zwei Teile.**

12. **Zur Wahrnehmung . . . Stoffe,** only such substances are perceived.

24. — 7. Read: **zahlreiche Drüsen, die das Ohrenschmalz absondern.**

9. **aufweist,** shows, has; the subject is **der,** referring to **Gehörgang.**

19. **daher . . . Geschützen,** therefore it is advisable, when heavy guns are fired.

29. Read: **der Augapfel, der . . . liegt.**

31. **sind zu unterscheiden,** are to be distinguished. The infinitive with **zu** often stands after **sein,** and has the value of a passive infinitive.

25. — 1. Read: **Die Aderhaut, schwarzgefärbt an der Innenfläche.**

4. Read: **des Sehnerven, der . . . eintritt.**

6. Read: **des Raumes, umgeben von diesen Häuten.**

7. Read: **der Glaskörper, der aus . . . besteht.**

10. **sowie . . . ist,** both the anterior and posterior surfaces are convex.

12. Read: **durch die Regenbogenhaut, die . . . verschieden gefärbt ist.**

27. — 1. Read: **die Weichteile, die sich in . . . befinden.**

3. **je nach,** according to.

17. Read: **von dünnen Muskeln, ausgespannt zwischen —.**

29. **etwa anhängenden,** possibly adhering.

28. — 6. **befindlichen,** see note p. 8, 14.

29. — 8. **indem . . . werden,** the vocal cords being set in vibration.

Read: **die Stimmbänder ausgespannt im Innern.**

13. **erst,** only.

22. Read: **Die wichtigsten Werkzeuge, die in der Mundhöhle liegen und der Verdauung dienen.**

25. **bei . . . Munde,** when the mouth is opened wide.

30. — 16. Read: **der Saft, abgesondert von . . .**

25. **führt seinen Namen,** has its name, is so named.

26. **daher,** for this reason, introduces the explanatory clause with *weil.* Omit it in translating.

31. — 2. **diesem,** the latter.

5. Read: **in der Gallenblase, die . . .**

26. Read: **besonders beim Kauen, mit dem Speichel, abgesondert von . . .**

32. — 2. **Um . . . zu verhüten,** in order to prevent food particles from entering.

5. **dadurch,** " in this way," by the fact, introducing an explanatory clause with **daß,** is a very common construction. In translating omit **dadurch,** and render the verb in the **daß** clause by the participle: the soft palate . . . resting against the rear wall of the pharynx. Sometimes **dadurch, daß** + verb is to be rendered: by + participle: **dadurch, daß wir . . . bringen,** by bringing; or the subject may be used in the possessive: by our bringing.

11. **je nach . . . Speisen,** depending upon the nature of the food.

34. — 2. **läßt sich . . . zerlegen,** also that of the human can be divided into two equal halves merely by a section. Note the use of **sich lassen** (to let, allow itself) with an *active* infinitive, to be translated by *can* or *may* with a *passive* infinitive. **Das läßt sich tun,** that can be done.

6. **Würde man . . . ,** inverted order expressing condition. See note p. 20, 22.

7. **Sie halten . . . Gleichgewicht,** they balance.

8. **Wäre dies . . . Last.** If this were not the case, that is to say, if one side were more heavily loaded than the other, then the same condition would prevail as when one carries a load on one side.

13. **Wie notwendig,** how necessary.

20. **ihr** refers to **Säugetiere, der seine** to **Menschen.**

24. **Da,** (*conjunction*), since.

35. — 3. **Seinem Rumpfe fehlen,** his trunk lacks.

9. **Säugern,** mammals: here used of animals as distinct from man, as in l. 19, p. 34.

17. **Nimmt man . . .,** see note p. 20, 22.

26. **sich bewegen lassen,** see note p. 34, 2.

30. **u.a., unter anderem,** among other things.

31. **immer feinere,** finer and finer; **immer** + a comparative is rendered in English by a repetition of the comparative form.

36. — 14. **Dazu kommt, daß . . .,** in addition, a mucous prevents . . .

18. **also,** see note p. 17, 13.

22. **können . . . kommen,** may be displaced.

24. **Währt** —; **bleiben . . .,** see note p. 20, 22.

29. **Legt man . . .,** see note p. 20, 22.

31. Read: **die Bestandteile, enthalten in ihm.**

34. **Glüht man,** if one heats redhot; see note p. 20, 22.

37. — 2. **Die Knochenerde . . . zusammen,** bone-earth is composed of calcium-phosphate and calcium carbonate.

6. **ist widerstandsfähig . . .,** has a high degree of resistance.

10. **schwer,** not easily.

16. **leicht brüchig,** easily broken.

21. **zur Folge haben,** result in.

22. **indem . . . bildet,** a tissue forming, by the formation of a tissue.

30. **dadurch,** in this way.

38. — 3. **Boden,** base.

12. Read: **das Rückenmark, das . . . steht.**

39. — 3. **Da,** (*adverb*), there.

6. **an Größe zunehmen,** to increase in size.

9. **Hat das Gehirn,** see note p. 20, 22.

11. Read: **jener feste Verschluß der Kapsel, hergestellt durch die Nähte.**

13. **Aus diesen Tatsachen geht hervor,** from these facts it is evident.

40. — 8. **mit bilden helfen,** (also), help to form.

41. — 1. **Die Rückenwand . . . durchzogen,** along the entire length of the dorsal wall of the trunk extends a bony column.

3. **Sie nimmt . . . zu,** it gradually increases in size from above downward like the trunk of a tree.

4. **Da . . . wenig,** since it is twice curved in the form of the letter S, it is somewhat elastic.

10. **ist nun nicht etwa,** is not perchance, does not happen to be.
15. **Da . . . ist.** Since a cartilaginous disc is placed between each two vertebrae.
20. **beim Laufen,** in running, see note p. 7, 24.
33. **unter sich,** with one another.
35. **Wäre dies . . .** If this were not the case; see note p. 20, 22.
42. — 6. **zu . . . Fortsatze,** to a process directed downward and inward.
7. **Dadurch . . . bei,** in this way they help.
17. **nicht etwa,** not possibly.
19. **in erster Linie auf . . . beruht,** is due chiefly to the presence. **Vorhandensein,** infinitive used as noun.
21. **also,** then, see note p. 17, 13.
21. **zwei . . . Aufgaben,** two conflicting problems.
25. **während . . . herstellen,** while the joint processes directed upward and downward make the connection with the preceding or the succeeding vertebra.
28. **setzen sich,** are attached, see note p. 5, 5, a.
29. **ihrer Aufgabe entsprechend,** corresponding to their task.
32. **der der Sage nach,** who according to the legend.
36. **Daß er sich . . . läßt,** a substantive clause, object of **verdankt.** See note p. 34, 2. Translate: Besides this nodding it can also be turned sideways; this fact it owes to . . .
43. — 17. **stehen unter sich im Zusammenhange,** are connected with each other.
24. **fällt . . . weg,** is entirely absent because of the upright posture.
34. **Schwach S-förmig** is curved like a slender S, is slightly S-shaped.
44. — 4. **Elle und Schienbein** is the subject of **haben eine ähnliche Gestalt.**
13. **läßt . . . erkennen,** permits its value to be recognized, shows its value. Note the active infinitive in German corresponding to the passive infinitive in English.
16. **verhindern . . . , daß —,** prevent the arms from exerting a pressure on the chest.
18. Read: **die Organe, die in ihr liegen.**
20. **Der Oberarm . . . durchzogen.** A long, tubular bone, the humerus, extends through the upper arm.
21. **da,** (*conjunction*), since.
33. **Hierbei,** In this movement.
35. **je nach,** see note p. 27, 3 and p. 32, 11.
45. — 5. **entsprechend,** see note p. 42, 29.
15. **zusammenlegbar ist,** can be folded.
46. — 9. **ähnlich dem des Ellenbogens,** similar to that of the elbow.
12. **biegt . . . durch,** the knee-joint does not bend (through to the rear) backward.
18. **ohne . . . zu können,** without being able to exert friction . . .
23. **denn . . . Stab,** for a tube of not too slight wall strength can withstand the same pressure as an equally long, solid rod.
26. **Da . . . erweist,** but since the tube shows far more resistance against bending.

27. **so leuchtet ohne weiteres ein,** it becomes clear at once.

47. — 8. **Erheben wir . . .,** see note p. 20, 22.

10. **bieten . . . dar,** offer.

15. Read: **mit dem Fersenbeine, das . . .**

17. Read: **ein Gewölbe, gebaut aus Steinen.**

21. **also,** see note p. 17, 13.

48. — 3. **ein . . . Mensch,** a man living alone in the wilderness.

20. **die durch . . . werden,** which, by shutting out the light, help us to enjoy the benefit of refreshing sleep.

49. — 12. **Sie verteilt sich,** it is spread. See note p. 5, 5.

16. **je,** in each case.

20. **Werden sehr reichliche Tränen,** see note p. 20, 22.

32. **da,** (*conjunction*), since, also in line 35 below and p. 50, 3.

37. **Sie verhindert,** thus it prevents these from being reflected and disturbing . . .

50. — 1. **Dort,** there.

11. **also,** then. See note p. 17, 13.

17. **Die . . . Schicht der Netzhaut,** the layer of the retina adjacent to the choroid.

23. **Da,** (*adverb*), there.

27. **läßt sich,** see note p. 34, 2.

51. — 2. **Bringt man,** see note p. 20, 22.

6. **s.w.u., siehe weiter unten,** see below.

9. — 27. **der hinter der Linse,** the one behind the lens.

18. **Fällt es . . .,** see note p. 20, 22.

22. **Ruht das Auge . . .,** see note p. 20, 22.

52. — 3. **also,** then, as in line 18 below.

4. **Nähern wir . . .,** if we now bring the candle nearer to the lens.

5. **es würde . . . zustandekommen,** it would, (if this were possible), appear only behind the same.

6. **Ersetzen wir,** see note p. 20, 22.

13. **da,** (*adverb*), there.

18. **Schauen wir . . .,** see note p. 20, 22.

20. **so daß dieser . . .,** so that the latter is brought a little nearer to the lens.

21. **der von ihm . . . hört auf,** the pull exerted by it on the lens ceases.

24. **Wollen wir . . .,** see note p. 20, 22.

33. Read: **der Lichtstrahlen, die . . . eintreten.**

36. **Beim Lesen,** in reading.

53. — 2. **Bei zunehmendem Alter,** with increasing age.

4. **Ein klares Bild,** see note p. 52, 5.

5. **Indem . . . ausgeglichen.** By using glasses with convex lenses, the lacking refractive power of the lens in far-sighted individuals is equalized.

24. **Lassen wir . . .,** see note p. 20, 22.

28. **also,** see note p. 17, 13.

36. **Fallen die Bilder . . . ,** see note p. 20, 22.

54. — 4. **Ist dies . . . ,** see note p. 20, 22.

8. **sog.** = **sogenannte.**

10. **Um . . . zu beseitigen,** to remove the defect involved.

25. **vor allen Dingen,** above all.

26. **Bei,** in the case of. So also p. 55, 21, and p. 56, 26.

55. — 16. **Wäre dies . . . gepreßt,** if this were not the case, the tympanum would be pressed first inward, then outward.

26. **Wird das . . . ,** see note p. 20, 22.

30. **gerät . . . Schwingung,** this also begins to vibrate.

37. **lassen sich,** see note p. 34, 2.

56. — 3. **Gerät nun . . . Schwingung,** When the membrane begins to vibrate.

5. **Dies ist . . . kann,** This is made possible only by the fact that the liquid, which is enclosed on all sides, can give way at one point.

14. **also,** see note p. 17, 13.

18. **ist zu vernehmen,** see note p. 24, 31.

24. Read: **das Auge, das . . . liegt.**

28. **Wird Menschen . . . ,** see note p. 20, 22. Note the same construction in l. 39.

57. — 7. **dadurch, daß wir . . . einblasen,** by blowing.

9. **Wiederholen wir,** see note page 20, 22; cf. l. 12, **Treiben wir . . .** ; l. 17, **Blasen wir . . .** ; l. 22, **Wird der Austausch . . .** ; p. 58, 13, **Streicht nun . . .**

13. **erst,** only.

20. **Bei der Atmung,** in breathing.

27. **Hieraus geht hervor,** from this it is evident, this shows.

28. **die Gelegenheit wahrnehmen,** to take the opportunity.

31. **muß . . . gesorgt werden,** continuous renewal of the air must be provided, fresh air must be provided continuously.

58. — 2. **deren,** genitive singular of the demonstrative pronoun **die.**

3. **also beim Eintritt . . . ,** as it enters the body then.

10. Read: **einige papierdünne Knochenvorsprünge, die nach innen gerollt sind.**

20. **die . . . werden,** through which a continuous stream of air is passing.

21. **müßten,** would necessarily.

24. **geht . . . hervor,** is at once evident.

59. — 6. **Werden die beiden . . . ,** see note p. 20, 22; also l. 21, **Sprechen wir . . .**

8. **geraten in Schwingung,** see note p. 55, 30.

10. **je nachdem,** accordingly as . . .

15. **Unter Mithilfe,** with the aid.

30. **immer feiner, immer enger,** see note p. 35, 31; cf. 60, 8 **immer weiter.**

60. — 9. **es bedarf,** from **bedürfen,** which governs the genitive case.

15. **Sind die . . .** See note p. 20, 22; cf. l. 35 **Werden zwei . . .**

26. **Entzünden sich diese Schleimhaüte,** if these mucous membranes become inflamed.

27. **bzw., beziehungsweise,** respectively, or.

29. **ist umsponnen,** is surrounded.

34. Read: **Ein Versuch, der leicht anzustellen ist.**

61. — 21. **immer wieder,** again and again.

28. **Ziehen sich,** see note p. 20, 22.

62. — 14. Read: **von den Muskeln, die sich . . . ausspannen,** i.e. the intercostal muscles.

18. **Vor allen Dingen,** above all.

19. **mit . . . versetzt,** also brought into action.

20. **Hieraus, . . . ,** see note p. 57, 27.

21. **Turnen, Wandern . . . ,** infinitives used as nouns. See note p. 3, 11.

24. **u.dgl., und dergleichen,** and the like.

24. **Bei . . . Untätigkeit,** in the case of prolonged inactivity.

30. **immer mehr,** more and more; see note p. 35, 31.

34. **Ist doch . . . ,** inverted order for emphasis.

34. **fast der vierte Teil,** almost one fourth.

37. **dadurch, daß wir . . . einatmen,** by our inhaling. See note p. 32,

63. — 5. **dadurch, daß man . . . berührt, . . . nimmt,** by touching, . . . taking.

15. **walten lassen,** let prevail, observe.

16. **besonders leicht . . . befallen werden,** are especially susceptible to tuberculosis.

18. **Man sorge, meide,** etc., subjunctive imperatives: one should provide, one should avoid, etc.

20. **fleißig zu lüften ist,** is to be aired frequently; see note p. 24, 31.

31. **Häuft sich . . . an,** if too much carbon dioxide accumulates in the body. See note p. 20, 22; cf. l. 19, **Untersuchen wir . . .** ; l. 32, **Erhält der Körper . . .**

33. **also bei Personen,** thus in the case of persons . . .

36. **dafür Sorge tragen,** take care, see to it.

64. — 2. **Zu diesem Zwecke,** for this purpose.

15. **selbständig,** of his own accord.

16. **Darum darf . . . ,** therefore the one assisting must by no means cease his efforts before a physician has established the fact that death has occurred.

30. **hat man doch,** inverted order for emphasis.

65. — 21. **bei Verwundungen,** in the case of wounds.

32. **bedarf,** see note p. 60, 9.

67. — 4. **immer wieder,** see note p. 61, 21.

9. **Diese Verbindung . . . Haargefäße,** This connection is provided by the already mentioned capillaries.

68. — 6. **Bei,** in the case of.

12. Read: **Das Blut, beladen in den Lungen mit Sauerstoff . . .**

16. **Ziehen sich . . . ,** see note p. 20, 22; also l. 27, **Ist die Herzkammer . . . ;** l. 31, **Dehnt sich . . .**

23. **Da . . . also,** since this " door " then . . .

35. Read: **ein Ventil, bestehend aus . . .**

69. — 3. **immer feinere,** see note p. 35, 31.

28. **bei jeder Verbrennung,** in every combustion.

33. **Nur . . . Eigenwärme,** only when this body heat is present.
34. **vonstatten gehen,** take place.
70. — 1. **Sinkt die Temperatur,** see note p. 20, 22; also l. 8, **Wollen wir . . . ;** l. 10, **Versäumen wir . . .**
15. **gelöst,** in solution.
25. **Lagern sich . . . , werden mehr . . . ,** see note p. 20, 22.
29. Read: **Das (venöse) Blut, das in . . . geworden ist.**
32. **die oberflächlich liegenden,** those lying near the surface.
33. **ist . . . zu verspüren,** see note p. 24, 31.
37. **nach dem Herzen zu,** toward the heart.
71. — 7. **Ihm steht . . . gegenüber,** to this corresponds.
21. **von dem ab,** starting from which.
72. — 3. **Es sind . . . medizinische,** there are indeed many questions relating to bacteria that are strictly medical.
13. **so gut wie unmöglich,** practically impossible.
16. **daß dieser sie . . . zusammenfaßte;** that he grouped them into an order under the name chaos.
25. **das mit dem Wohl . . . zusammenhängt;** which profoundly affects the well-being of mankind.
26. **Dem Fortschritt. . . Krankheiten,** to the advance of such knowledge we owe the germ-theory of disease.
73. — 1. **deren Forschungsergebnisse,** the results of whose investigations.
3. **Unter,** among.
9. **also,** consequently.
10. **irgend ein . . . Zusammentreffen,** any happy concourse.
17. **generatio . . . spontanea,** (Latin) equivocal, or spontaneous generation.
21. **da diese . . . waren,** since these were, of course, unknown.
29. **allgemein gültig,** universally accepted.
34. **sollten,** were said to, were supposed to.
35. **sollten,** see note l. 34.
74. — 1. **sie taten . . . zugute,** they indulged in scornful and sarcastic comments at the expense of those.
10. **zu der . . . ist,** to which it is by formative power disposed.
10. **Hieran . . . zweifeln,** to doubt this is to doubt reason, sense and experience.
12. **da,** there.
19. **wäre sie . . . worden,** had it not been reopened.
24. **ein eigentümlicher . . . Umstand,** a curious circumstance, but one that throws a bright light on the intellectual development of that time.
27. **Dieser Frage . . . beizukommen,** to approach this question from the experimental side.
30. **brachte,** from **bringen,** put.
33. **und . . . Fliegen,** read: **Fliegen angelockt vom Geruche.**
75. — 3. **dadurch . . . entzogen,** this experiment destroyed the foundation of the generally accepted view.

6. **aber . . . vorauseilen,** but with acute scientific analysis never allowed his conclusions to run ahead of his observations.

9. **diese . . . herrühre,** this (production of life) was due to the introduction of germs from without.

13. **des . . . Lebens,** of life visible to the unaided eye.

25. **Esperienze . . . insetti,** (Italian) experiments concerning the generation of insects.

33. **sollte . . . erhalten,** was to take on a new aspect.

37. **Richtig gesagt,** strictly speaking.

76. — 5. **mit . . . Tiere,** of animals visible to the naked eye.

14. **Bei,** in.

21. **deren,** whose; genitive plural of the relative pronoun, **der.** Translate: the first results of which.

30. **Es bedurfte . . . Spallanzanis,** The epoch-making researches of Spallanzani were needed.

77. — 5. **sich . . . bediente,** made use of glass flasks.

14. **gewesen,** supply **waren.**

17. **brachte,** see note p. 74, 30.

17. **deren,** see note p. 76, 21.

20. **etwa . . . enthaltenen,** that might be contained.

24. **bildet sich,** is formed.

27. **. . . beim einfüllen,** when first poured into the vessel.

36. **begegnete . . . Einwand,** easily disposed of this objection.

36. **indem er nachwies,** by showing; see note p. 9, 6.

37. **daß . . . belebten,** that the infusoria reappeared when the infusions were again exposed to the air.

78. — 4. **Dabei . . . berücksichtigen,** it must be considered, however.

8. **den Beweis geführt,** gave proof, demonstrated.

9. **mehrere,** several.

13. **Ablehnung der Frage,** as a negative answer to the question.

19. **der darin enthaltene Sauerstoff,** the oxygen contained in them.

33. **in der Luft . . . zurückzuhalten,** to remove the germs contained in the air.

79. — 4. **bei Wiederholung,** in repeating.

5. **anderen . . . ergangen,** others have had the same experience.

15. **zwecks . . . Keime,** in order to kill all floating germs that might exist in the air.

20. **ein Etwas,** something.

24. **Es war . . . vorbehalten,** it remained for Helmholtz to show.

26. **also,** therefore, consequently.

33. **Die Fassung . . . verhängnisvoll,** Pouchet's conception of the problem (attitude) — was fatal to unbiased conclusions.

36. **Da ich . . . gelangt bin,** Since, *by meditation,* I have come to the conviction.

80. — 8. **den er . . . hielt,** which he supposed was conclusive.

11. **auf weite Entfernungen,** to a great distance.

13. **wenn ich . . . verwende,** while using artificial air instead of that of the atmosphere.

17. **derselben,** refers to **Flasche.**

20. **das durch . . . verdrängte,** which passed through the water, into the flask displacing (some of) the water.

27. **So . . . dar,** He thus produced a hay infusion in contact with pure oxygen.

30. Read: **auf den Versuch anscheinend vorgenommen mit größter Akkuratesse.**

32. **alle . . . Keime,** all germs that might have been contained in it.

81. — 1. **unter . . . Ansicht,** as Pouchet and his adherents held fast to their opinion.

8. **begann . . . abzugraben,** he began to remove all possible grounds for the conclusions of Pouchet and his followers.

16. **die oberflächlichen Körperchen,** the surface granules.

22. **sehr schwer . . . ist,** is very difficult to sterilize by heat.

25. Read: **die Partikel suspendiert in der Luft.**

34. **infolge . . . Zersetzung,** by chemical decomposition which they themselves produce.

35. **dieser,** refers to **Nährlösung.**

37. **nach . . . Sieden,** after several hours of boiling.

82. — 7. **die . . . Nährlösung,** the nutritive fluid that is to be tested.

17. **abgetan,** settled.

83. — 1. **Durch den Boden . . . offen,** Through the bottom projected test tubes with an air-tight surrounding, and through the top were inserted some coiled glass tubes, which were open at both ends.

5. Read: **eine Öffnung verschlossen durch einen Gummistopfen.**

6. **so enge durchbohrt,** with such a minute perforation.

16. Read: **Die Luft enthalten in der Kammer.**

16. **unterschied sich,** differed.

18. **Zwecks . . . diesen,** In order to prove the complete absence of these.

22. **etwa,** see note p. 77, 20.

23. Read: **da sie, hell erleuchtet durch . . .**

27. **nach Verlassen derselben,** after leaving it.

30. Read: **Durch das Trichterrohr, das . . .**

31. **indem . . . brachte,** by putting, see note p. 9, 6.

32. **die . . . Reagensgläser,** the tubes extending below.

84. — 3. **Hierdurch . . . Sieden,** this caused the contents of the test tubes to boil.

4. **sollten,** were to.

5. **etwa,** see note p. 77, 20.

8. **und bewiesen dadurch,** thus demonstrating.

13. **hätte . . . wären . . . hätten,** subjunctive of indirect discourse after *einwenden.*

18. **damit,** with it.

18. Read: **die Keime, die . . .**

22. **bei . . . Vorsichtsmaßregeln,** when the necessary precautions are observed.

28. **die da behaupten,** who maintain, **da** is omitted in translating.

30. **sollen,** are supposed to. See note p. 73, 34.

33. **keiner . . . unterwerfbar,** not amenable to scientific tests.

35. **ruhig sagen,** safely say.

85. — 1. **bedingt ist durch,** is due to.

8. **kam zur Aufnahme,** gained credit.

15. **Damit gelangen wir,** This brings us.

17. **die . . . Entstehung,** that concerning the origin.

22. **herrührten von,** were due to.

25. **Erst,** not until.

26. **Schon im Jahre,** as early as the year.

33. **zurückzuführen seien auf,** are due to.

34. **Diese Tatsache . . . Beweis,** The matter, however, did not receive experimental proof until 1877.

37. **Koch gelang es . . . zu behalten . . . zu verfolgen,** Koch succeeded in keeping . . . in tracing.

86. — 21. **auf Grund deren,** on the basis of which.

23. **verbreitetsten,** most widely circulated.

27. **indem er . . . vereinigte,** having received 1,338,425 votes of the 15,000,000 cast.

28. **so . . . ablief,** thus outranking.

87. — 8. **wie . . . wenn er auch,** such as he, who had fought in the legions of the First Empire, no doubt, had not been spared, even though he . . .

11. **sein Stolz auf . . . Laufbahn,** his justifiable pride in the latter's military service.

88. — 3. **Im Wunsche . . . bringen,** desiring to give grateful expression to these precious recollections.

13. **Er wies nach . . . verhalten,** he showed that crystals of certain tartrates, identical in chemical composition, acted differently upon polarized light transmitted through them.

17. **zurückzuführen sei,** see note 85, 33.

26. **Menge** is the object of **in Angriff zu nehmen,** to attack.

32. **wurde . . . in Anspruch genommen,** was claimed.

34. **brachte doch . . . dafür,** indeed it was at this time **that** Pasteur brought convincing proof of the fact. See note p. 62, 34.

89. — 8. **jedes neue Problem . . . stellen,** each new problem whose solution he undertook seemed of greater importance than the one just conquered.

11. **Bei all diesem,** in all this.

15. **Wenn ich . . . bedaure,** if I regret anything.

34. **Indem er . . . herstellte,** by making a succession of pure cultures of a disease-producing virus.

90. — 5. **Die Wirksamkeit . . . Einführung,** the efficacy of this form of inoculation.

10. **bei einer Person,** in a person.

12. **Damit . . .** now.

91. — 12. **fügte . . . Kette,** inserted four necessary links in the chain of evidence.

92. — 5. **ist . . . herzustellen,** see note p. 24, 31.

10. **ist . . . geschlossen,** this entire chain of evidence has been established.

14. **empfänglich für . . .** susceptible to.

25. **denen . . . verdankt,** to which it owes its dangerous quality.

28. **durch Anwendung . . . imstande ist,** by applying dressings the material of which is capable of . . .

93. — 4. **ist . . . zu berühren,** is not to be dealt with here because it is purely medical. See note p. 24, 31.

9. **Die bei . . . Ende,** the products broken down in the digestion of animals finally consist . . .

94. — 2. Read: **die Energie enthalten in diesen Endprodukten.**

6. **unter denen bestimmte,** among which certain ones.

16. **per se,** (Latin) in itself.

19. **seien . . . erwähnt,** others may be mentioned.

21. **eine Art Symbiose eingehen,** form a kind of association.

27. **wie es . . . steht,** as related to general biology in its broadest extent.

95. — 1. **zum Zweck . . . Zusammenhanges,** for the purpose of studying the relation.

3. **in dem Veränderten,** in that which is changed.

10. **unsrem . . . machen,** to make it clearer for us.

20. **Es ist nun Aufgabe . . . zu untersuchen, . . . festzustellen . . .**

22. **gilt,** holds true; from **gelten.** This verb occurs frequently. Its fundamental meaning is — to have a certain value, be valid, hence hold true.

24. **sich ableiten läßt,** can be deduced. See note p. 34, 2.

96. — 1. **als Zeugen . . . Organe,** as organs whose testimony cannot be questioned.

22. **bestimmend sind,** determine.

23. **bei allen,** in all.

23. **von . . . zusammengesetzt,** is composed of corresponding elements.

32. Read: **dessen Teile sichtbar von außen.**

97. — 8. **die hintern** modifies **Zungenbeinhörner.**

12. **Der vergleichenden Anatomie . . . ,** to comparative anatomy we owe an incontestable explanation of the development of this structure.

16. **Ohne . . . zu können,** without being able to go into detail concerning the various vicissitudes of the skull.

17. **mustern,** examine.

20. **verstehen zu lassen,** to help us understand.

22. **fehlt,** is lacking.

28. **also,** therefore.

37. **Daß auch die Kieferbogen . . . Kiemenbogen gewesen sind,** is a substantive clause, the subject of **wird bewiesen.**

98. — 1. **also bei den Vorfahren,** that is to say, in the ancestors.

5. **m.a.W., mit anderen Worten.**

12. **erst,** only.

14. **Daß dieser Bau und die Größe . . . hervorgerufen wurden,** is a substantive clause, the object of **hat bewiesen.**

17. **dadurch, daß,** by the fact that.

23. **Bei den Haifischen,** In the sharks.

33. **Anlagen,** rudiments; the first traces of an organ; this word *Anlage* is also used in English.

35. **sich anlegt,** adjoins.

99. — 4. Read: **die übrigen Hautzähne, eingeführt mit . . .**

9. **je kräftiger, . . . desto stärker,** the greater the development, . . . the more do they react.

14. **In je höherem Grade . . . destomehr,** the more . . . the more.

22. **Wie seine Herkunft es mit sich bringt . . .** due to its origin.

26. **damit, daß,** with the fact that.

31. **Werden die Zähne . . . ,** when the teeth . . . become.

100. — 2. Read: **einen Ursprung vollkommen getrennt vom Hirnteil.**

9. **wie wir gesehen,** supply **haben.**

14. **sich . . . anlegen,** are attached directly to.

16. **deren Ursprung,** whose origin.

17. Read: **die Knochen, die zuerst . . . auftreten.**

28. Read: **diesen Skeletteilen, die . . . kommen.**

29. **bei,** in.

31. Read: **diese Knochen, die . . . hervorgegangen sind.**

33. Read: **den Knochen, die . . . entstanden und . . . gewandert sind.**

101. — 2. **beim,** in the.

19. Read: **Während die Knochen, welche die Basis . . . bilden.**

33. **u.a., unter anderen.**

33. **beim Neugeborenen,** in the new born infant.

102. — 4. **sich . . . wahrnehmen läßt,** can be perceived; see note p. 34, 2.

8. **diese . . . Bildungsart,** this type of development, so completely different from the behavior in all other bones.

11. **zum Unterschied von,** in contradistinction to.

20. **unter anderem dadurch, daß.** Among other things by the fact that while in the former the mandible is articulated directly with the temporal bone.

27. **Wir . . . zu beantworten,** so we have this question to answer.

28. **beim Menschen und bei den Säugetieren,** in man and in mammals.

31. **da . . . zustande kommt,** since this joint is formed without their aid.

103. — 2. **sog., sogenannten.**

2. **sind . . . gelenkig vereinigt,** are joined (by articulation) to a chain.

15. **beim, bei,** see note p. 102, 28; notice how frequently **bei** is used in this sense. — Remember to translate it: in *or* in the case of.

20. **Aus diesen Tatsachen,** see note p. 39, 13.

23. **d.h., das heißt.**

23. **sie sind . . . getreten,** they have entered the service of a function originally quite foreign to them.

29. **Wie . . . hervorgeht,** as is clear from previous observations.

31. Read: **aus Knorpelteilen völlig getrennt vom Hirnschädel.**

104. — 3. **Auch . . . Lage,** also in the juxtaposition.

105. — 14. **stehen bleiben,** stop (developing).

17. **hat . . . Rolle ausgespielt,** has played its role, finished its part.

19. **geht . . . entgegen,** excepting a small remnant, it goes out of existence.

26. **an deren . . . anheften,** to whose adjacent surfaces they are attached.

28. **indem sie . . . vermitteln,** inasmuch as they provide the mobility of the spine by their ability to contract and expand.

106. — 5. **anzusehen ist,** is to be regarded.

8. **um . . . fortzubestehen,** to continue in the highest vertebrates.

18. **begegnet uns,** we meet.

23. **seine Entstehung . . . hat,** owes its origin and growth to the circumstance.

24. **sich . . . aneinanderlegen,** meet.

30. **fehlt,** is lacking.

107. — 1. **indem . . . auftreten,** a varying number. . . appearing.

4. **Erst,** only.

12. **kommt dadurch zustande, daß,** is due to the fact that.

14. **nicht . . . gelangen,** are not completely fused.

23. **Wie sehr auch immer,** however much.

25. **von der . . . zu genügen,** to accomplish the tasks demanded by the mode of life of the animals.

32. **nicht . . . gelangt ist,** has not reached an agreement.

36. **wie sehr auch,** however much, see note p. 107, 23.

108. — 19. **einer . . . anderseits,** on the one hand . . . on the other.

28. **Was ist nun aus . . . geworden ?** what has now become of ?

35. **der fragliche Knochen,** the bone in question.

109. — 3. Read: **ein kleiner Knochenfortsatz, verwachsen mit dem Schulterblatt.**

5. **der beschreibenden Anatomie,** of descriptive anatomy.

7. **Seine . . . Bedeutung und Selbständigkeit** are objects of **offenbart.**

9. **dadurch, daß,** by the fact that.

14. **Welche Vorstellung man auch . . . ,** whatever conception one may have.

19. **Tun und Lassen,** acts of commission and omission.

20. **Denn jeder . . . setzt . . . voraus,** For every thought expressed in words, every decision that has developed into action presupposes as an indispensable condition that the organs of the body obey the commands of the mind (spirit).

25. **welche . . . auslöst,** which the stimulus acting on the sense-organ causes.

34. **welcher . . . verleiht,** which this statement expresses.

37. **Die Menschenwerdung,** man's development.

110. — 3. **wie hoch . . . ist,** however high its development.

5. **sich ableiten läßt,** can be deduced.

12. **wo . . . ist,** where a brain is developed in a form (at all) recognizable as such.

14. **man . . . einig, ob,** there is namely no agreement concerning the fact.

14. Read: **ob das Gehirn des Lanzettfisches, das allerdings ungemein einfach ist.**

17. Read: **Bei dem Neunauge, das . . . gehört.**

18. **mehreren,** several.

18. Read: **aus mehreren, mehr oder weniger bläschenförmigen Abteilungen, die hintereinander liegen.**

21. Read: **Hinterhirn und Nachhirn, die hier . . . getrennt sind.**

31. **im großen und ganzen,** on the whole.

111. — 24. **Hieraus folgt wiederum,** from this it follows again that the higher the cerebrum is developed, the richer the spiritual life must be.

27. **auch bei den höchsten,** even in the highest.

112. — 10. **Anlage,** the same word is used in English. See note p. 98, 33.

13. **schon . . . offenbart,** already shows its superiority over the rest of the brain.

19. **zeitlebens . . . bleibt,** remains for life.

20. **um so vollständiger, als . . . ,** the more complete, as.

24. **denselben Parallelismus,** is the object of **weist . . . auf.**

26. **den . . . konnten,** which we have already been able to observe above concerning several other organs.

29. **Daß aber das Übergewicht . . . der Ausdruck . . . ist,** substantive clause, object of **beweisen.** The subject is **Funde.**

31. **in der Tat . . . ist,** is, in fact, the expression, not merely of an imaginary, but of a real historical process.

113. — 4. **dies gilt,** this holds true. See note p. 95, 22.

5. **vielleicht . . . erlangen,** (a parenthetic sentence) perhaps the extinction of some of these stands in causal connection with their inability to attain a higher brain development.

11. **liegt . . . an,** lies adjacent to, adjoins.

13. Read: **aus zwei seitlichen, abgerundeten und länglichen Lappen, verbunden durch ein schwächeres Mittelstück.**

16. **das Fehlen,** the absence.

27. **zur Folge haben,** see note p. 37, 21.

33. **außerdem ist zu bemerken,** further it is to be noted.

37. **nach sich ziehen,** cause, result in.

114. — 3. **Anderseits ist es gelungen,** on the other hand, the injurious effects . . . have been successfully prevented by . . .

10. **d.h., dadurch, daß . . . ,** that is, by secreting and transferring.

19. **aufgehoben wird,** is suspended.

19. **giebt der Annahme Raum,** permits the assumption.

21. **also wohl zunächst,** perhaps then, in the first place.

26. **bisher bekannten,** heretofore known.

115. — 6. **ganz abgesehen davon,** quite aside from the fact.

7. eine Rückbildung erfährt, undergoes involution.

9. **indem sie . . . entsteht,** arising as . . .

12. Read: **ein paariger oder unpaarer, stets kleiner und funktionsloser Körperteil völlig getrennt vom Darme.**

14. **Erst,** only.

16. Read: **mit Funktionen äußerst wichtig für die Lebenstätigkeit.**

20. Read: **eine Darmpartie umgebildet auf besondere Art.**

23. **indem . . . wird,** the connection with the intestine being severed.

30. **zu bezeichnen ist,** is to be designated.

31. **Im vorigen,** In the foregoing.

35. **gegebenen Falles,** in some cases.

37. **in wie hohem Grade . . . auch . . . mögen,** however much the findings . . . may vary.

116. — 4. **sich . . . herleiten lassen,** can be deduced.

9. **können . . . beschränken,** we can limit ourselves to the above, the more.

16. **der . . . bisweilen . . . gelangen,** which is, at times, accorded the deciding voice, when the highest questions concerning the processes of life are under discussion.

21. **Erst . . . nachzuweisen,** Not before the middle of the 17th century was it successfully demonstrated.

24. **betreffs der Art und Weise,** concerning the manner (and way); cf. ways and means.

27. **Noch bis zur zweiten Hälfte,** as late as the second half.

31. **ihn,** refers to **Organismus.**

35. **sollte . . . stattfinden,** was accordingly not supposed to take place.

117. — 7. **ins Unendliche,** to infinity, ad infinitum.

12. **gegen . . . trat . . . auf,** this theory of preformation was opposed by Wolff.

14. **geb. . . . gest., geboren, gestorben.**

18. **Gestützt auf,** relying upon.

21. **Erst lange . . . durchzudringen,** Only long after the death of its author, however, was this doctrine, . . . , generally accepted.

24. **Die Schuld . . . lag nicht nur daran,** The slow tempo was due not only to the fact.

118. — 3. **von Baer, Karl Ernst,** see preceding paragraph and p. 116, 24.

7. Read: **eine höchst bedeutsame Erscheinung für das Verständnis . . . nachwies.**

28. **zu denen . . . gab,** which were started by the theory of evolution.

119. — 12. **Aus . . . Gründen,** For reasons easy to understand.

14. **Was . . . verdanken,** what we know, we owe rather to a happy chance than to such carefully planned investigations.

20. **können . . . annehmen,** we can assume with a probability bordering on certainty.

24. **der Hauptsache nach,** in the main, on the whole.

120. — 12. **Untersuchen wir, . . . gibt,** let us investigate, (imperative subjunctive) . . . one of the simplest creatures there is.

121. — 11. **sog., sogenannte.**
14. **eine Weglänge . . . vermag,** can cover a distance.
16. **vor sich gehen können,** can occur.
30. **u.dgl., und dergleichen.**
122. — 8. **Hat die Amöbe;** when the amœba.
12. **zieht sich . . . Länge,** is elongated.
14. **Auf diese Weise,** in this way.
16. **abgesehen von . . . Grösse,** aside from the size, which is less in the beginning.
33. **sie legen sich . . . aneinander,** they join one another.
123. — 11. **der Hauptsache nach,** see note p. 119, 24.
12. **Anders liegt die Sache,** It is another matter.
25. **die . . . entbehren,** which lack the vibrating cilia.
33. **Da so,** since thus.
124. — 6. **anzusehen wäre,** might be regarded.
13. **eine . . . Arbeitsteilung,** a more or less sharply defined division of labor.
125. — 5. **Moment,** element.
9. **machen sich . . . geltend,** two factors assert themselves.
11. **hervorgehen soll,** is to result.
20. **diese . . . Aufgaben,** these (mutually antagonistic) conflicting tasks.
127. — 9. **mit denen . . . haben,** which we have had no occasion to study before this.
128. — 23. **sprechen dafür,** indicate.
26. **sei besonders betont,** it may be especially mentioned.
129. — 1. **Die beiden** = **die zwei.**
9. **Ist schließlich . . . zerfallen,** when finally the protoplasm has divided . . .
16. **Wenden wir uns . . . zu,** let us turn to.
22. **immer noch,** still.
130. — 9. **Ohne daß . . . übergehen,** without their passing over.
24. **Erwähnt sei,** it may be mentioned.
131. — 3. **im einzelnen,** in detail.
4. **der Hauptsache nach,** see note p. 119, 24.
8. **gelingt es . . . einer,** only one succeeds.
19. **um welches herum,** about which.
33. Read: **An Eiern, besonders günstig für . . .**
133. — 1. Read: **die Anzahl Chromosomen typisch für . . .**
7. **die . . . zukam,** which, according to our assumption, belonged to the species investigated.
19. **allgemeingültiger Natur sind,** are universal in nature.
28. **sei . . . erwähnt,** may be mentioned.
35. **je jünger . . . , um so mehr,** the younger . . . the more.
134. — 4. **dürfte . . . hervorgehen,** must be evident.
10. **müssen . . . Ertrag gehabt haben,** must have produced slight results.
16. **im allgemeinen . . . müssen,** in general must possess the same power to transmit characteristics.

21. **läßt erkennen,** shows.
23. **im großen und ganzen,** see note p. 110, 31.
31. **höchst wahrscheinlich,** most likely.
36. **dürften . . . genügen . . . können,** may perhaps meet all claims that can justly be required of . . .

135. — 1. **Vor allem,** above all.
3. **um wie viel kleiner . . . auch,** however much smaller.
16. **Ist demnach . . . ,** if then . . .
20. **daß . . . können,** that the descendants may differ more or less as well from their parents as among themselves.
29. **in sich schließen,** include.
32. **Wie sehr . . . auch,** however much this conception . . .
35. **nicht . . . kann,** can not be ascribed.

136. — 9. **deren Wand,** whose wall.
15. **das . . . darstellt,** which represents the final goal . . .
29. **in allem wesentlichen,** essentially.
33. **von denen jedes,** each of which.

137. — 4. Read: **die eine bestimmte Arbeit, erforderlich für . . .**
6. **je größer . . . in umso vollkommener Weise,** The greater the number . . . the more perfectly.
9. **den denkbar einfachsten,** the simplest imaginable.
20. **in ihren Windeln liegt,** is still in swaddling clothes, in its infancy.
29. **schafft,** brings, carries.
34. **dessen . . . genügt,** see note p. 134, 36.

138. — 1. **u.dgl., und dergleichen.**
6. **wie wir gesehen,** supply **haben.**
6. **dadurch . . . , daß,** characterized by the fact that.
11. **durch . . . Umwandlungen,** by transformations that take place gradually.
18. **einschließlich des Menschen,** including man.
22. **die . . . nach,** which in their origin and structure.
30. **der Hauptsache nach,** in the main.
34. **die . . . begegnet ist,** which we have met.
34. **ich erinnere daran,** to remind you.

139. — 24. **daß dem so sein muß,** that this must be the case.
36. **Je mehr . . . um so treuer,** the more . . . the more faithful.

140. — 5. **Deutung . . . Parallelismus,** interpretation of the parallelism, observed before the acceptance of the theory of evolution.
9. **vor ganz kurzem,** just recently.
13. **die . . . fortschreiten,** which advance from the simple to the more complex.
18. **zum Ausdruck kommen,** find expression.
19. **jedes beliebigen höheren Tieres,** of any higher animal whatsoever.
33. Read: **für Geschöpfe, die . . . stehen.**

141. — 6. **Sie sind es,** it is they.
8. **auf . . . Weise,** in a somewhat different manner.

12. **Indessen . . . Zweifel,** however, there can be no doubt.
14. **bis . . . Ausnahmen,** with few exceptions.
30. **Ein nähereres Eingehen, auf . . . ,** a closer study of.
33. **Seit lange,** long ago.
142. — 16. **große Mühe darauf verwendet,** made a great effort.
18. **wenn es uns schwer fällt,** if we find it difficult.
21. **auf unserem . . . Auge,** due to the fact that our eyes are not yet sufficiently trained for such fine distinctions.
23. **Für jedermann . . . können,** For anyone with ordinary judgment it should be evident (at once) that from absolutely identical *Anlagen,* under conditions otherwise equal, nothing but absolutely identical products can arise.
35. **gewisse . . . Übertreibungen,** certain exaggerations stated by his opponents.
143. — 15. **gilt,** see note p. 95, 22.
17. **sehr ins Einzelne gehenden,** very detailed.
23. **als . . . Körperteile,** as, at the same time exceedingly important and exceedingly sensitive parts of the body.
31. **wird . . . angelegt,** is laid down, (begins); cf. **Anlage.**
144. — 11. **um . . . anzunehmen,** gradually assuming the nature.
145. — 5. **m.a.W., mit anderen Worten.**
15. **diese,** refers to **Welt,** as does **dieser** in l. 17.
146. — 4. **sie bilden . . . Wirbeltiere,** they rather represent characteristics common to all vertebrates.
15. **indem . . . ausgespannt ist,** a thin membrane extending.
24. **Diese . . . Hautauswüchse,** these cutaneous outgrowths resting on the pharyngeal arches.
29. Read: **Als unentbehrlich für Wassertiere.**
37. **Daß es sich . . . handelt,** substantive clause, object of **zeigt,** that it is a question of.
147. — 7. **deren Anzahl . . . entspricht,** whose number corresponds to that of the gill-arches.
11. **Mit . . . erreicht,** with the above described stage, however, this whole gill-apparatus and the vessels belonging to it have reached the highest point in their development in the lung-breathing animals.
24. **in den Dienst . . . tritt,** enters the service of another manifestation of life which was originally foreign to it.
34. **vor vollständigem Untergang,** from complete extinction.
148. — 6. **die die Verbindung . . . vermitteln,** which provide the connection.
26. **die im vorstehenden angeführten,** mentioned above.
30. **wenn . . . wollen,** if indeed we wish to hold to explanations lying within the realm of possibility.
149. — 18. **Beiläufig . . . Gesicht,** incidentally, it may be mentioned, that, however different the face.
150. — 21. **beruht darauf,** is due to the fact.

34. **kommt dadurch zustande,** results from the fact.

151. — 6. **unmittelbar . . . anliegt,** lies directly adjacent to.

34. **wenn . . . absehen,** if we, for the present, disregard . . .

37. **das gleiche gilt,** the same holds true.

152. — 20. **wohin . . . kann,** where no nourishment can be supplied to the embryo from without.

24. **je nach Bedarf,** as needed.

153. — 15. **nichts zu schaffen hat,** has nothing to do.

23. **eine Bestätigung erfahren,** has been confirmed.

154. — 12. Read: **die an dem Teile sitzen, der der Gebärmutterhöhle zugekehrt ist.**

15. Read: **an dem Teil des Eies, der der Gebärmutter anliegt.**

155. — 8. **Ohne . . . zu können,** without being able to enter upon.

34. **Bis vor kurzem . . . sein,** Until recently it was considered justifiable to assert.

37. **sollte sich demnach . . .** according to this belief the human embryo was said to differ.

156. — 9. **die . . . wollen,** who would reserve a special place for man.

13. **besonders . . . Selenka,** especially those of the German zoölogist, Emil Selenka, who died several years ago.

29. **die . . . ausgehen,** which aim essentially.

32. **tritt . . . entgegen,** we find.

157. — 7. **behufs . . . Vergleichung,** for the sake of more convenient comparison.

158. — 20. **ließe sich . . . zusammenfassen,** might be summed up as follows.

24. **etwas,** anything, subject of **findet sich.**

159. — 5. **so dürften . . . genügen,** then these facts might suffice.

11. **etwas anderes,** something else.

160. — 3. **mit an erster Stelle,** also (with others) in the front rank.

6. **setzt uns in die Lage operative Eingriffe vorzunehmen,** enables us to undertake operations.

7. **bei völliger Aufhebung,** with complete suspension.

12. **Der allgemeinen Narkose . . . gegenüber,** in contrast to the general narcosis we have the local anæsthesia.

22. **hat . . . bewahrt,** has maintained a certain field of importance.

161. — 4. **Für sich allein verwendet,** used alone.

5. **Seitdem . . . gelangt ist, . . . zu ergänzen,** since one has adopted the practice of supplementing.

14. **genau Bescheid weiß über,** is thoroughly informed concerning.

15. **über deren Vorboten,** concerning their preliminary symptoms.

17. **soll,** is to; see also l. 26 and p. 162, 13.

30. **Dem Narkotiseur . . . Verfügung,** the anæsthetist has at his disposal.

31. **Heister, Lorenz,** German anatomist, 1683–1758.

Roser, Wilhelm, German surgeon, 1817–1888.

34. **zur Aufnahme von Erbrochenem,** to take up vomited matter.

162. — 3. **in Betracht kommen,** come into consideration.

6. **Esmarch, Johannes,** German surgeon, 1823–1908.

9. **Schimmelbusch, Curt,** German surgeon, b. 1860.

19. **steht . . . Abwehr,** is marked by the struggling.

24. **je nach,** depending upon.

25. **Bald kommt . . .** it begins to dance before one's eyes.

163. — 3. **unter . . Zähne,** accompanied by strong tension of the abdominal muscles and convulsive setting of the teeth.

15. **soll,** see note p. 161, 17.

27. **äußert sich . . .,** manifests itself in a compression of the lids.

28. **bei Berührung,** when one touches.

34. **im Begriffe steht,** is about to.

35. **soll,** see note p. 161, 17.

164. — 2. **unter,** accompanied by.

6. **um dann,** only to.

10. **je nach,** see note p. 162, 24.

20. **Heute . . . Gebrauch,** this procedure is used more rarely today.

23. **soll,** see note p. 161, 17.

25. **läßt . . . einstreichen,** still permits air to enter.

27. **nach,** construe with **gießt,** adds.

31. **eine Tatsache . . .,** a fact which has given this narcosis, not entirely with injustice, the name . . .

34. **Oft kommt es . . . zu,** often in the beginning of the narcosis there is a subjective feeling of suffocation.

165. — 4. **nötigen,** adjective modifying **Dosis.**

22. **wie dies . . . kann,** as this may be the case, for example on the battlefield, with transportable equipment in advanced positions.

31. **empfiehlt sich,** is advisable.

31. **von Herztonicis** (dative plural), of heart tonics.

166. — 1. **angehalten werden,** be encouraged.

3. **je nach,** see note p. 162, 24.

3. **möglichst frühzeitig,** as soon as possible.

13. **Die . . . Wunden,** most frequent are the wounds caused by mechanical means.

16. **Je nach,** see note p. 162, 24; also p. 167, 5.

21. **viele . . . hierher,** many sword-cuts and stab-wounds belong to this class.

24. **Es,** expletive, the subject follows the verb; also in l. 18.

35. **noch eine . . . vorliegt,** another (such) of forms lying beneath it . . . is present.

167. — 6. **je mehr . . . um so weniger,** the more . . . the less.

8. **unter der diese stehen,** to which these are subjected.

14. **richtet sich nach,** varies according to.

20. **kann . . . fehlen,** may be entirely or almost entirely absent.

168. — 6. **die . . . setzen,** which we make for curative purposes. Compare the expression: **wir setzen eine Wunde** with the English expression: we make an incision.

7. **pflegen . . . treffen,** to be sure, we usually observe a number of precautions.

10. **In diese geraten,** there enter into these, these are invaded by.

18. **pflegen . . . zu dienen,** usually serve.

27. **ist dies,** introduces the main clause.

29. **es kommt . . . Gewebsteile,** a sloughing-off takes place of the tissue-parts that were non-viable from the beginning, as well as of those . . .

169. — 6. **dazwischen treten,** interfere.

17. **jeder . . . Schädlichkeit,** is in the dative case after **setzt Widerstand entgegen,** just as the body offers opposition to every malignancy from without, it also opposes . . .

24. **anderseits . . . Organismus,** depend on the other hand, on the existing protective forces of the organism and on those perhaps newly formed for the particular case.

27. **dadurch begründet,** due to the fact.

34. **Toxinen und Endotoxinen,** dative plural after **zukommen,** toxins and endotoxins exercise more or less specific poisonous effect.

170. — 6. **Metschnikoff, Ilya,** 1845–1916, Russian biologist.

22. Read: **der flüssigen und zelligen Gewebsbestandteile, vorhanden in der Wunde.**

32. **je nach,** see note p. 162, 24.

35. **Damit . . . vorgeschoben sind,** (note the military terminology), here then the first line of defense is called into action by the body, the most easily available bactericidal protective forces being advanced.

171. — 2. **indem sie . . . gebracht haben,** by having brought about the degeneration or the extinction.

13. **fällt . . . zum Opfer,** falls victim to the influence . . .

14. Read: **die Gewebsnekrosen, die infolge der Zirkulationsstörungen etwa** (perhaps) **entstanden sind.**

27. **gelten uns,** we consider.

30. **zurücktritt gegenüber,** recedes before.

33. **binnen kurzem,** within a short time.

33. **so kann es . . . kommen,** literally: it may come to a victory over; translate: victory over . . . may result.

172. — 1. **kaum aufgetreten,** scarcely having appeared.

10. **sich . . . beteiligen,** share *or* are involved in the disease.

30. **Auch . . . Kampfe,** also in this struggle, transferred to a wider field.

32. **verfügt . . . Abwehrkräften,** the organism has at its disposal large reserves in defensive forces.

35. **eingedrungenen,** invading.

173. — 10. **Bei der einen kommt es zu . . . ,** in the one there occurs occasionally an abundant increase . . .

12. **durch schubweises Eindringen,** by intermittent invasion.

22. **kann es . . . kommen,** repeatedly a regeneration . . . may result. See note p. 171, 33; also l. 10 above and l. 25 below.
35. **geltend macht,** asserts itself.
36. **um . . . wieder abzufallen,** only to recede.
174. — 19. **indem . . . zu machen,** a decided improvement often occurring temporarily, only to give way again to the most serious symptoms.
22. **der gelungenen Abwehr,** the successful defense against . . .
175. — 9. **der rasche Wechsel . . .,** the sudden variation from periods of marked improvement to serious changes for the worse.
30. **gehen . . . über,** very frequently overlap.
37. **Was . . . betrifft,** as far as . . . are concerned.
176. — 2. **doch überwiegt . . .,** however, in the development of . . . the staphylococcus . . . predominates.
6. **kommt . . . Betracht,** see note p. 162, 3.
22. **sie geben . . . ab,** but they deposit their toxins there.
25. **auf Rechnung . . . zu setzen,** to be ascribed to.
177. — 24. **geboten,** indicated.
24. **dürfen . . . nicht gescheut werden,** must not be avoided.
34. **kann . . . Erfolg haben,** may show immediate results.
178. — 4. **rechtzeitig vorgenommen,** if undertaken promptly.
8. **Es ist . . . zu achten,** symptoms of metastases are to be carefully watched.
13. **entziehen sich . . . Eingriff,** unfortunately often escape prompt surgical attention.
26. **läßt sich . . . abgeben,** judgment cannot be passed at present.
28. **es gewinnt . . . Anschein,** it appears more and more.
34. Read: **die von den Bakterien gewonnen wird, die aus dem bestimmten Falle gezüchtet werden.**
36. **u.a.,** **unter anderen.**
37. **im Stiche zu lassen scheint,** seems to leave us in the lurch, seems to be ineffective.
179. — 1. **Crede, Benno C.,** German surgeon, b. 1847.
12. **aus den . . . Gefäßen,** from the vessels opened by an injury.
31. **stehen,** stop.
180. — 7. **führen soll,** is to lead.
10. **Dafür,** on the other hand.
14. **erst,** only.
37. **der . . . gegenübersteht,** who faces *or* has to treat.
181. — 2. **Beschäftigen wir uns zunächst mit . . .,** let us consider first.
7. **Raum zu geben,** to give way to.
8. **zuführende,** supplying.
13. **indem man . . .** either by compressing . . . or by tying off . . .
25. **vollkommen undurchgängig werden,** are completely closed.
32. **kann es in Frage kommen . . .** change of the position of the bandage may be advisable.

182. — 2. **Momburg, Fritz August,** German physician, b. 1870.

4. **indem man . . . ,** by pressing pads against the vertebral column by means of straps placed about the body.

11. **ohne daß . . . würde,** without permitting the ligation to cause . . .

16. **der Reihe nach,** successively.

20. **bedingt seine Anwendung,** its application presupposes.

183. — 3. **Péan, Jules,** French surgeon, 1830–1898.

10. **wird . . . sich öfters verbieten,** will frequently be inadvisable.

11. **stattgehabten Infektion,** infection that has occurred.

17. **ist . . . zu lagern,** is to be placed in a horizontal position.

22. **die Möglichkeit im Auge behalten,** consider the possibility.

25. **neuerdings angefacht werden kann,** can be started again.

33. **per os,** (Latin) through the mouth.

34. **von ausgebluteten Menschen,** by persons who have lost an excessive amount of blood.

184. — 5. **man pflegt . . . zu benutzen,** one customarily uses.

26. **über . . . verfügen,** command strong defensive forces against the bacteria.

30. **jeder Wunde gegenüber,** in the face of every wound.

32. **bzw. beziehungsweise,** respectively, or.

32. **Wunden . . . zu setzen,** see note p. 168, 6.

185. — 3. **wo es anging . . . lassen,** wherever feasible, adopted . . . in their stead.

7. **entbehren,** do without.

11. **der zu setzenden Wunde,** of the incision to be made.

12. **verzichtet dafür . . . auf,** foregoes instead.

15. **Wir haben . . . gebracht,** we have advanced so far.

24. **Es erklärt sich . . . ,** this is explained by the fact . . .

25. **deren,** genitive plural of the demonstrative pronoun, their.

186. — 1. **jene,** refers to **Bakterien; den** modifies **Unternagelräumen.**

9. **hat sich . . . allgemein eingebürgert,** has been generally adopted.

11. **Grossich, Antonio,** German surgeon.

20. **König, Franz,** 1832–1910, German surgeon.

22. **gesetzte Operationswunde,** see note p. 168, 6.

23. **in der Regel ohne Bedenken,** as a rule without hesitation.

27. **einmal . . . oder,** on the one hand . . . or.

34. **Mikulicz, Johann von Mikulicz-Radecki,** 1850–1905, Polish surgeon.

187. — 10. **Oettingen, Karljohann von,** obstetrician at Heidelberg, Germany.

11. **Wo . . . anlegen lassen,** where it is difficult to apply bandages.

14. **Bruns, Paul von,** 1846–1916, German surgeon.

16. **Graser, Ernst,** b. 1860, German surgeon.

33. **Leider gelingt es . . . ,** unfortunately no disinfectant can successfully . . .

188. — 7. **zurückgekommen,** abandoned.

12. **innewohnenden,** inherent.

13. **mit . . . fertig werden,** dispose of.

18. **gilt es als erstes Gebot,** it is considered the first commandment.

20. **anläßlich . . . Hilfeleistung,** while applying first aid.

27. **gehen . . . dahin . . . fern zu halten,** our first efforts aim at keeping away . . .

189. — 1. **Man hat . . . vollkommen gebrochen mit,** one has completely given up.

11. **soll,** is said to.

16. **auf trockenem Wege,** dry.

30. **verbietet sich,** see note p. 183, 10.

34. **Vorschub leisten,** promote, favor.

190. — 4. **In dubio, . . . zuzuwarten,** in case of doubt it is advisable to delay, leaving the wound open.

10. **Im allgemeinen gilt die Regel,** generally the rule holds.

12. **Es neigen . . . auffallend wenig,** show remarkably little tendency.

22. **Unter Zuhilfenahme,** with the aid.

26. **richtet sich nach . . . Veränderungen,** varies according to the changes occurring in the given case.

31. **ohne daß . . . wäre,** without a thorough examination of the base of the wound.

35. **od. dergl., oder dergleichen.**

191. — 1. **Bei Verdacht . . . Entzündung,** if one suspects the beginning of inflammation.

6. **Bei . . . Wunderkrankung,** where a wound has become infected.

26. **mit . . . auszukommen,** to do with only partial opening of the wound.

29. **so ist . . . der Hauptbedingung . . . entsprochen,** the main condition is satisfied.

37. **leisten . . . treffliche Dienste,** perform excellent service.

192. — 29. **Bier, August,** surgeon in Berlin, b. 1861.

33. **in der . . . Tatsache,** in the fact which has been proved by numerous experiences.

36. **zum Rückgang . . . können,** can be forced to recede.

193. — 3. **die Gefahr . . . auf das Gehirn,** the danger of involving the brain.

24. **sich . . . aufzuhalten . . . abgeschnürt werden,** not to spend too much time on this, but to rely on combining the hæmostasis with the suture in such a way that the bleeding vessels are tied off by the suture.

194. — 4. **ins Auge fallende,** visible.

8. **bei ausbleibender Eiterung,** if suppuration is absent.

26. **angestochen,** from **anstechen,** puncture.

195. — 12. **in . . . Ausdehnung,** more or less extensive.

26. **Im allgemeinen . . . günstig,** in general it is considered favorable.

29. **ohne Beteiligung der Knochen,** without involving the bones.

30. **es handelt sich . . . um,** it is a question of.

196. — 1. **je nach . . . Entstehung,** according to the kind of cause.

8. **in nichts . . . unterscheiden,** be no different.

34. **Usur der Schädelknochen,** breaking down of the skull-bones.

197. — 13. **In zweiter Linie,** in the second place.

18. **Bekommt man . . . in die Behandlung,** if such a wound is still fresh when it comes to us for treatment. Cf. l. 24 below and p. 198, 7.

198. — 5. **kann . . . in Frage kommen,** may be considered.

17. **welche man . . . liegen läßt,** which is left in place until the surroundings of the wound have been cleansed.

22. **ist darauf zu achten, . . . anzieht,** one must be careful not to draw the bandage too tight.

35. **hat . . . Triumphe gefeiert,** has celebrated real triumphs, has been very successful.

35. **Es ist vielfach gelungen,** one has frequently succeeded.

199. — 17. **daß man über die Beteiligung . . . Klarheit hat,** that one knows how far the brain is involved.

23. **der vorauszusetzenden Zerstörung,** of the injury to be assumed.

200. — 4. **ob . . . zu denken ist,** whether this possibility is to be thought of.

15. **in toto herausgehauen,** cut out completely.

28. **die Beteiligung des Gehirns,** the implication of the brain.

201. — 1. **an Umfang einbüßen,** lose in extent.

31. **darboten,** from **darbieten,** to present.

203. — 1. **die am besten . . . erfolgt,** which is best accomplished.

22. **sich unter der Naht verhält,** is suppressed under the suture.

23. **diesen,** refers to **Bakterien,** gives these . . .

27. **hat . . . zur Folge,** results in.

204. — 2. **Schürfungen der Haut, wie sie . . . entstehen,** abrasions of the skin, such as occur when a person is dragged along (the ground).

5. **ist hier am Platze,** is proper here.

7. **bei dessen Schädigung,** through the injury of which.

16. **Die Wunden, . . . zu setzen hat,** the incisions which the surgeon has to make.

27. **Die größeren . . . gelingt es . . . zu vereinigen,** the larger branches . . . can be successfully united.

30. **kann . . . in Frage kommen,** see note p. 198, 6.

205. — 6. **mancher dieser Patienten,** many (a one) of these patients.

9. **Läßt sich . . . kein Ausgleich schaffen,** if equalization is not attained through anastomosis of the nerves, it is advisable to remove . . .

15. **Stein, Stanislav Aleksander von,** Russian otologist, b. 1855.

27. **können . . . Anlaß geben zu,** can cause.

30. **richtet sich die Art . . . Körpers,** the character of the wound varies not only according to the force and form of the body causing the contusion.

35. **Für gutachtliche Äußerungen,** for an expert expression of opinion, for diagnosis.

206. — 1. **sehr gern,** very readily.

sich . . . verhält, see note p. 203, 22.

22. **Bei verhaltenem Sekret . . . ,** If the secretion is suppressed and inflammation occurs . . .

27. **selbst bei . . . Verletzung,** even in case of more remote injury.

208. — 1. **An Ort und Stelle belassen,** leave in place.

5. **doch soll man . . . ,** but one must not (permit himself to) be induced by this.

8. **so ist . . . nichts einzuwenden,** there is no objection to removing the same.

14. **Man kann . . . niemals auf das Vorhandensein . . . schließen,** one can never infer the presence . . .

15. **um . . . hier einzuschalten,** to insert this important fact here.

28. **An die Möglichkeit . . . muß . . . gedacht werden,** the possibility must be considered.

32. **Krönlein, Rudolf Ulrich,** 1847–1910, surgeon in Zurich.

209. — 8. **da sie stark ins Auge fällt,** as it is very noticeable.

31. **seine Zuflucht nehmen müssen,** must have recourse.

210. — 3. **kommt . . . gern eine Verlagerung . . . in die Tiefe zustande,** a depression readily results.

32. **Stromeyer, Georg Friedrich,** 1804–1876, German surgeon.

211. — 17. **Bellocq, Jean Jacques,** 1732–1807, French surgeon.

VOCABULARY

A

Aal, *m.* **–e,** eel
Abbildung, *f.*, **–en,** sketch, cut
abbrechen, to break off
abdrängen, to push off, force off
Abdruck, *m.*, **–e,** impression
Abend, *m.*, **–e,** evening
aber, but, however
abermals, once more, again
Abfall, *m.*, fall, decline; **—stoff,** *m.*, **–e,** waste matter
abfallen, to fall, decline
abfeuern, to fire off, discharge
abflachen, to level *or* flatten down
abfließen, to flow off, escape
Abfluß, *m.*, discharge, outlet; **—rohr,** *n.*, discharge-tube
Abgabe, *f.*, **–n,** delivery, loss
Abgang, *m.*, loss
abgeben, to give off; emit; deliver, furnish, supply; afford, serve as, provide
abgehen, to go off, pass, proceed
abgeplattet, flattened
abgleiten, to slip off, glance off
abgraben, to dig off, cut off, remove
abgrenzen, to mark off, limit, define, separate
abhalten, to keep off, restrain, hold away
abhangen (von), to depend upon
abhängig, dependent
Abhärtung, *f.*, the process of hardening, [inuring
Abhärtungsmittel, *n.*, hardening *or* strengthening agent
abhauen, to cut off
abheben, to lift off, remove
Abhebung, *f.*, removal
Abiogene′se, *f.*, abiogenesis
abklemmen, to pinch off, clamp off
abkochen, to boil (thoroughly)
abkühlen, to cool (off)
Abkühlung, *f.*, cooling (off)
abkürzen, to shorten, abbreviate
ablagern, to deposit
Ablauf, *m.*, issue, termination, course
ablaufen, to run off, escape
ablegen, to lay aside, lay down; pass; **Zeugnis —,** give evidence
Ablehnung, *f.*, refusal, rejection
ableiten, to lead off, carry off, drain; deduce, deduct, derive
Ableitung, *f.*, drainage; deduction
abliegen, to lie at a distance; **—d,** remote
ablösen, to loosen, free, sever
Ablösung, *f.*, loosening, separation, amputation
abmessen, to measure off
Abnahme, *f.*, decrease, diminution
abnehmen, to take off, remove; decrease
abnorm′, abnormal
abnutzen, to wear (off)
abrasieren, to shave off
abreiben, to rub off
abreißen, to tear off
Abreißung, *f.*, **–en,** pulling off, tearing off, rending
abrunden, to round off
absaugen, to suck off, absorb
abschälen, to peel off
abschätzen, to estimate
abscheiden, to separate, set off; secrete
Abscheidung, *f.*, separation
abschilfern, to scale off, exfoliate
abschließbar, which can be shut off
abschließen, to shut off, separate; end, settle
Abschluß, *m.*, conclusion, end; shutting off, exclusion

abschneiden, to cut off
Abschnitt, *m.*, **–e,** section
abschnüren, to tie off
abschwächen, to weaken, lessen, soften
Abschweifung, *f.*, **–en,** deviation, excursion
absehen, to turn one's eyes from, leave out of account, disregard; **abgesehen von,** aside from, excepting, not considering
absetzen, to put off, take off; separate; **sich —,** to settle; **abgesetzt,** deposited, implanted
Absicht, *f.*, **–en,** intention
absichtlich, intentional
absolut′, absolute
absondern, to separate, **secrete**
Absonderungsprodukt, *n.*, **–e,** secretory product
abspalten, to split off
absperren, to shut off
abspiegeln, to mirror, reflect; **sich —,** to be reflected
abspielen: sich —, to occur, take place, be enacted
absplittern, to split *or* splinter off, come off in splinters
abspülen, to wash off, rinse
abstammen, to descend from, be derived from
Abstammung, *f.*, descent, origin
Abstand, *m.*, **⸗e,** distance, interval
abstehen, to stand off; stick out; **—de Ohren,** projecting ears
absterben, to die off; **abgestorben,** dead
abstimmen, to vote
abstinent′, abstinent
abstoßen, to knock off; repel
Abstoßung, *f.*, casting off *or* shedding, breaking off, crumbling, sloughing
abstreifen, to strip off
abstumpfen, to blunt (off); **abgestumpft,** blunt
Absturz, *m.*, (headlong) fall, rapid downfall
Abszeß, *m.*, **–e,** abscess
abtasten, to touch (at various places) count off
Abteilung, *f.*, **–en,** division, section
abtöten, to kill off, destroy
Abtötung, *f.*, killing, destruction
abtrennen, to separate, sever
Abtrennung, *f.*, **–en,** severance, separation
abtun, to put off, dismiss, settle
abwarten, to wait for
abwärts, downward; **sich — senken,** to pass downward
abwechseln, to alternate; **—d,** alternating
Abwechslung, *f.*, **–en,** change, variety
Abwehr, *f.*, defence; protest
Abwehr: — bewegung, *f.*, **–en,** prevention *or* defensive movement, movement of protest, struggling; **—tätigkeit,** *f.*, defensive activity; **—kraft** *f.*, **⸗e,** defensive force; **—versuch,** *m.*, **–e,** attempt at defense *or* protest
abweichen, to deviate, vary, diverge
Abweichung, *f.*, **–en,** deviation, variation
abwenden, to avert
abwerfen, to throw off, cast off
Abwesenheit, *f.*, absence
Abzieher, *m.*, abductor muscle
Academie′ des Sciences, Academy of Sciences
Accessorius, *m.*, accessory; **N. —,** accessory nerve
Achse, *f.*, **–n,** axis; axle
Achsel, *f.*, **–n,** shoulder
Achselhöhle, *f.*, **–n,** armpit
acht, eight
achten, to consider; **—auf,** pay attention to
achtstündig, lasting eight hours
Adamsapfel, *m.*, Adam's apple.
adaptieren, to adapt; **sich —,** to be adapted, fit
Ader, *f.*, **–n,** vein, bloodvessel
Äderchen, *n.*, **—,** little bloodvessel
Aderhaut, *f.*, choroid
Affe, *m.*, **–n,** ape
Affenembryo, *m.*, **–nen,** embryo of an ape
Affenform, *f.*, **–en,** ape form
Affinität′, *f.*, affinity
After, *m.*, anus

Afteröffnung, *f.*, anal aperture
Agens, *n.; pl.* **Agenzien,** agency
Ägypten, *n.*, Egypt
ähneln, to resemble
ähnlich, similar; — **wie,** similar to
Ähnlichkeit, *f.*, similarity
Airolpaste, *f.*, airol ointment
Akademie′, *f.*, academy
Akkommodations′fähigkeit, *f.*, power of accommodation
akkomodieren: sich —, to adapt itself
Akkurates′se, *f.*, accuracy
Aktion′, *f.*, action
aktiv′, active
akut′, acute
akzidentell′, accidental
Albuminurie, *f.*, albuminuria
Alge′, *f.*, **–n,** alga, seaweed
Alka′li, *n.*, **–en,** alkali
alka′lisch, alkaline
Alkohol, *m.*, alcohol; **—genuß,** *m.*, indulgence in alcohol
alkoholisch, alcoholic
all, all; **vor —em,** above all
Allantois, *f.*, Allantois; **—sack,** *m.*, allantoic sac; **—blase,** *f.*, allantoic vesicle
allein′, *adj.*, alone; *adv.*, only; **für sich —,** (by itself) alone
allenfalls, if need be, at the most, at best, perhaps
allenthalben, everywhere
aller: —dings, to be sure, of course, at all events; **—erst,** very first; **—frühest,** very earliest; **—größt,** very greatest; **—hand,** all sorts of; **—lei,** all kinds; **—meist,** most (of all); **—niedrigst,** lowest of all; **—schwerst,** most difficult; **—wichtigst,** most important
Allesfresser, *m.*, —, omnivorous animal
allgemein, general, universal; **im —en,** in general
Allgemein: —befinden, *n.*, general health; **—behandlung,** *f.*, general treatment; **—erkrankung,** *f.*, constitutional affection, general disease, diathesis; **—erscheinung,** *f.*, **–en,** general phenomenon; **—infektion′,** *f.*, general infection; **—zustand,** *m.*, general condition
allgemeingültig, universally applicable
all: —mählig, gradual; **—seitig,** on all sides; universal; **—täglich,** daily, of daily occurrence; commonplace
als, as, as if, when; than; **—bald,** forthwith, directly; **—dann,** then
also, therefore, then, thus, consequently
alt, old, ancient
Alter, *n.*, age; old age; **seit alters her, von alters her,** from ancient times
alterssichtig, presbyopic
Aluminiumbronzedraht, *m.*, aluminum-bronze wire
Alveolarbogen, *m.*, alveola arch
Amboß, *m.*, anvil, incus
Ameisenbär, *m.*, **–en,** ant-eater
Ammoniak, *n.*, ammonia
Amnionsack, *m.*, sack of amnion
Amöba, Amöbe, *f.*, **–n,** amoeba
Amphi′bie, *f.*, **–n,** amphibium
Amputation′, *f.*, **–en,** amputation
Amyloido′se, *f.*, amyloidosis, amyloid degeneration
an, at, by, to, on, in
Anämie′, *f.*, anaemia
Anamne′se, *f.*, anamnesis, history of the case as given by the patient
Anästhesie′, anaesthesia
Anästhe′tikum, *n.; pl.*, **Anästhetika,** *dat. pl.* **Anästheticis,** anaesthetic
Anatom′, *m.*, anatomist
anato′misch, anatomical
Anblick, *m.*, sight, view; **auf den ersten —,** at first blush *or* glance
andauern, to last, continue; **—d,** lasting, continuous
Andenken, *n.*, memory
ander, other, different
andererseits, anderseits, on the other hand
ändern, to change, vary, alter
andernfalls, otherwise
andernteils, on the other hand
anders, otherwise, differently
Änderung, *f.*, **–en,** change, alteration

andeuten, to indicate
andrücken, to press against
aneinander, to *or* on one another
aneinanderlegen: sich —, to come together
aneinanderstoßen, to border on each other, to be contiguous *or* adjacent
anerkennen, to recognize, acknowledge
Anerkennung, *f.*, recognition
Aneurys′ma, *n.*, aneurysm
anfachen, to breathe upon, rouse, kindle, fan, start
Anfang, *m.*, **⸗e,** beginning; **— nehmen,** to arise, begin
anfangen, to begin
anfangs, at first; in the beginning
Anfangsstadium, *n.*, **–ien,** initial stage
Anfangsteil, *m.*, initial section
anfassen, to seize, take hold of
anfeuchten, to moisten
anfrischen, to freshen up, renew
anfühlen: sich —, to feel
anführen, to mention, quote; **oben angeführt,** above mentioned
anfüllen, to fill
Angabe, *f.*, **–n,** statement
angeben, to give, indicate, suggest
angeboren, congenital, inborn
angebracht, appropriate
angehen, to apply to, concern; be feasible, possible
angehören, to belong to
Angel, *f.*, **–n,** hinge
Angelegenheit, *f.*, **–en,** affair, cause
Angeln, *n.*, fishing
angenehm, agreeable
angreifen, to take hold of, attack
Angriff, *m.*, **–e,** attack; **in —nehmen,** to attack
Angriffspunkt, *m.*, **–e,** point of application
Angriffswaffe, *f.*, **–n,** weapon of attack
anhaften, to cling to
anhalten, to stop; last, continue; encourage; **den Atem —,** to hold one's breath
Anhang, *m.*, **⸗e,** appendix; following
anhängen, to hang up, suspend; adhere
Anhänger, *m.*, **—,** adherent, follower
anhäufen, to heap up; **sich —,** accumulate
Anhäufung, *f.*, **–en,** accumulation
anheben, to begin
anheften, to attack, fasten
Anheftung, *f.*, attachment
anheilen, to heal on, agglutinate, to be united by healing
Anheilung, *f.*, **–en,** healing up, agglutination
anheimfallen, to fall prey to
ankleben, to adhere
ankündigen, to announce
Anlage, *f.*, **–n,** germ, rudiment; predisposition; Anlage, foundation
Anlagerung, *f.*, apposition
Anlaß, *m.*, **⸗e,** cause, rise, occasion
anläßlich, on the occasion of, because of, occasioned by
anlegen, to put on, apply, attach; lay down, construct, make; **sich —,** to lean against, attach itself to, become attached
Anlegung, *f.*, application
anliegen, to adjoin, adhere to, be contiguous to
anlocken, to attract
annähernd, approximate
Annäherung, *f.*, approach, approximation
Annahme, *f.*, **–n,** assumption
Annalen, *f. pl.*, annals
annehmen, to accept, assume
anordnen, to arrange
Anordnung, *f.*, **–en,** arrangement
anorganisch, inorganic
anpassen, to accommodate, adjust, suit; **sich —,** to adapt oneself
Anpassung, *f.*, **–en,** adaptation, adjustment
Anpassungsfähigkeit, *f.*, ability of accommodation
anprallen, to strike against
anpreisen, to commend
anregen, to stimulate, incite
Anregung, *f.* **–en,** stimulation
ansammeln, to gather, collect
Ansammlung, *f.*, **–en,** accumulation

Ansatz, *m.*, ⸗e, appendage, insertion, attachment; beginning, suggestion; **—ende,** *n.* **–n,** attachment end; **—fläche,** *f.*, **–n,** surface of attachment
ansaugen, to suck in
anschauen, to look at
Anschauung, *f.*, **–en,** view, conception
Anschein, *m.*, appearance
anscheinend, seeming, apparent
anschlagen, to strike, hit
anschließen, to join, connect; fit closely; **sich —,** to be joined to
Anschluß, *m.*, connection
anschneiden, to cut into; to begin
anschwellen, to swell (up)
Anschwellung, *f.*, **–en,** swelling
ansehen, to look at, regard
ansetzen: sich —, to attach oneself, become attached
Ansicht, *f.*, **–en,** view, opinion
ansiedeln, to settle, locate
Ansiedlung, *f.*, **–en,** settlement, lodging
Anspannung, *f.*, tightening, tension
Anspruch, *m.*, ⸗e, claim, requirement, demand; **in — nehmen,** to engage, claim, take
anstatt, instead
anstechen, to prick, puncture
anstecken, to infect
Ansteckung, *f.*, **–en,** infection
anstellen, to arrange, perform, make
Anstieg, *m.*, rise
Anstoß, *m.*, ⸗e, impulse, impetus; **— geben,** to start
anstreben, to strive for, aim at
anstreichen, paint
anstrengen, to exert, strain; **angestrengt,** intense, strenuous
Anstrengung, *f.*, **–en,** exertion, effort
Anstrich, *m.*, painting
Anteil, *m.*, **–e,** part, share
Anthrax, *n.*, anthrax; **—keim,** *m.*, **–e,** anthrax germ
Antisepsis, *f.*, antisepsis
antiseptisch, antiseptic
Antitoxin′, *n.*, **–e,** antitoxin; **—therapie,** antitoxin therapy
Antitoxin′behandlung, *f.*, antitoxin treatment
antitoxisch, antitoxic
Antlitz, *n.*, **–e,** face
antreffen, to meet with, come across, find
antreiben, to drive, propel
antreten, to enter on, undertake
Antrieb, *m.*, impulse, drive, impetus, operation
Antriebstelle, *f.*, place of stimulation, pumping station
Antwort, *f.*, **–en,** answer
antworten, to answer, reply, respond
anwachsen, to grow to, adhere to
anweisen, to direct, refer; **auf etwas angewiesen sein,** to be dependent upon something
anwendbar, applicable, practical
anwenden, to apply, use
Anwendung, *f.*, **–en,** application, use
Anwesenheit, *f.*, presence
Anzahl, *f.*, number
Anzeichen, *n.*, **—,** sign, symptom
anzeigen, to indicate; advise; **angezeigt,** indicated, expedient, advisable
anziehen, to attract, draw, pull
Anzieher, *m.*, adductor muscle
Anziehung, *f.*, attraction
anzünden, to light
Aorta, *f.*, aorta
Aposkeparnismus, *m.*, separation of a portion of the skull by a cut *or* blow
Apothe′ke, *f.*, **–n,** drug-store
Apparat′, *m.*, **–e,** apparatus, contrivance
Appetit′losigkeit, *f.*, want of appetite
Applikation′, *f.*, application
Arbeit, *f.*, **–en,** work; article, paper
Arbeits: —kraft, *f.*, energy; **—leistung,** *f.*, performance of work, work performed; **—teilung,** *f.*, division of labor
arbeiten, to work, function
Archiv′, *n.*, archives
Argumentation′, *f.*, argumentation
arm, poor, weak, thin
Armbruch, *m.*, ⸗e, fracture of the arm
Art, *f.*, **–en,** kind, species, nature, manner, method
Arteria femoralis, *f.*, arteria femoralis, femoral artery

Arte'rie, *f.*, **–n,** artery
Arterien: —klemme, *f.*, **–n,** artery forceps; **—pinzette,** *f.*, **–n,** arterial tweezers
arteriell', arterial
Arznei', *f.*, **–en,** medicine
Arzt, *m.*, **⸗e,** doctor, physician
ärztlich, medical
Asche, *f.*, ashes
Asep'sis, *f.*, asepsis
Asep'tik, *f.*, asepsis
asep'tisch, aseptic
Aspiration', *f.*, **–en,** aspiration, inhaling
Aspirations'pneumonie', *f.*, pneumonia due to inhaling irritating substances, aspiration pneumonia
Aspira'tor, *m.*, inhaler
Assimilation', *f.*, assimilation
Assistent', *m.*, **–en,** assistant
Ast, *m.*, **⸗e,** branch
Astigmatis'mus, *m.*, astigmatism
Atem, *m.*, breath; **—beschleunigung,** *f.*, acceleration of respiration; **—bewegung,** *f.*, **–en,** respiratory movement; **—luft,** *f.*, respiratory air, air to breathe; **—muskel,** *m.*, **–n,** respiratory muscle; **—organ,** *n.*, **–e,** respiratory organ; **—rohr,** *n.*, **⸗e,** respiratory tube, trachea; **—tätigkeit,** *f.*, respiratory activity, respiration; **—wasser,** *n.*, water inhaled through the gills; **—weg,** *m.*, **–e,** air-passage; **—zug,** *m.*, **⸗e,** breath, gasp
Äther, *m.*, ether
Äthernarko'se, *f.*, ether narcosis, etherization
Äthertodesfall, *m.*, death caused by ether
Atlas, *m.*, Atlas
atmen, to breathe
Atmosphä're, *f.*, atmosphere
atmosphä'risch, atmospheric
Atmung, *f.*, breathing, respiration
Atmungs: —apparat', *m.*, respiratory apparatus; **—lähmung,** *f.*, respiratory paralysis; **—organ,** *n.*, **–e,** respiratory organ, lung; **—prozeß,** *m.*, breathing process, respiration; **—werkzeug,** *n.*, **–e,** respiratory organ
Atom', *n.*, **–e,** atom
Atropin', *n.*, atropine
Attribut', *n.*, **–e,** attribute
Ätzung, *f.*, **–en,** cauterization
auch, also, too, even; **welch —,** whichever, whatever; **wenn —,** even if; **wie sehr —,** however much
auf, on, upon, to, in, for
Aufbau, *m.*, structure, construction; assimilation
aufbauen, to build up, construct
aufbewahren, to keep, preserve
Aufbewahrung, *f.*, keeping, preservation, storing
aufbieten, to levy, call out
aufblähen, to puff up, swell, inflate
aufblasen, to inflate
aufdecken, to disclose, reveal
aufeinander, upon one another *or* each other
Aufeinanderpassen, *n.*, fitting upon one another
aufeinanderpressen, to press together
Aufenthalt, *m.*, residence; stay, sojourn
auffallen, to strike; fall upon; attract attention; **—d,** strange, striking, curious
auffangen, to gather, collect
auffassen, to conceive; understand, regard
Auffassung, *f.* **–en,** conception, idea, understanding
auffinden, to find, discover
auffordern, to ask, invite
aufführen, to build, erect
Aufgabe, *f.*, **–n,** task, problem
aufgeben, to give up, abandon
aufgerichtet, upright
Aufguß, *m.*, **⸗e,** infusion
aufhalten: sich —, to stay, stop
aufhängen, to hang, suspend
aufheben, to lift; suspend, remove; neutralize
Aufhebung, *f.*, suspension
aufhören, to stop, cease
aufklappen, to open
Aufl., Auflage, *f.*, **–n,** edition
aufleben, to revive, be revived

auflegen, to lay on, put in place
aufliegen, to lie *or* rest on
auflösen, to dissolve, resolve, break up; **sich —,** to be dissolved, resolved
aufmerksam, attentive; **— machen,** to call attention to
Aufnahme, *f.*, reception; assimilation, absorption; acceptance
aufnehmen, to take up, admit; absorb
aufrecht, upright; **—erhalten,** to maintain
Aufrechterhaltung, *f.*, maintenance
aufrechtgehend, walking upright
Aufregungszustand, *m.*, excited condition
aufreißen, to tear open, be torn
aufrollen, to roll up
Aufruf, *m.*, call, invitation
aufsaugen, to suck up, absorb
Aufsaugung, *f.*, absorption
aufschlagen, to set up; strike
Aufschluß, *m.*, **⸚e,** solution; explanation; **— über etwas geben,** to throw light upon something
aufschreiben, to write down
aufsetzen, to set up, raise
aufsitzen, to sit *or* rest upon; **—d,** resting upon, sessile
aufsteigen, to arise
aufstellen, to set up
aufsuchen, to search for
Aufsuchung, *f.*, search
Auftrag, *m.*, commission; **im —,** by order of
auftragen, to lay on, apply
auftreiben, to blow up
auftreten, to step, put down one's foot; appear, occur
Auftreten, *n.*, appearance, occurrence
auftropfen, to drop, let fall in drops
aufwachsen, to grow upon
aufwärts, upward
Aufwärtsbewegung, *f.*, moving upward, rise
aufweichen, to soften, soak
aufweisen, to exhibit, show, present, produce, possess
aufwerfen, to raise
aufwirbeln, to stir up
aufzählen, to count up
aufzeichnen, to sketch, note
Aufzeichnung, *f.*, **–en,** note
Augapfel, *m.*, eye-ball
Auge, *n.*, **–n,** eye
Augen: —achse, *f.*, axis of the eye; **—blick,** *m.*, **–e,** moment, instant; **—braue,** *f.*, **–n,** eyebrow; **—butter,** *f.*, secretion of Meibomian glands; **—fläche,** *f.*, surface of the eye; **—gegend,** *f.*, ophthalmic region; **—haut,** *f.*, tunic of the eye; **—heilkunde,** *f.*, ophthalmology; **—höhle,** *f.*, **–n,** eye-socket; **—innere,** *n.*, viscera of the eye-ball; **—kammer,** *f.*, chamber of the eye; **—krankheit,** *f.*, **–en,** disease of the eye; **—licht,** *n.*, sight; **—lid,** *n.*, **–er,** eyelid; **—linse,** *f.*, crystalline lens; **—muskel,** *m.*, **–n,** muscle of the eye; **—stern,** *m.*, **–e,** pupil; **—tierchen,** *n.*, **—,** infusorium; **—wimper,** *f.*, **–n,** eyelash; **—winkel,** *m.*, canthus; **—zahn,** *m.*, **⸚e,** eye-tooth
augenblicklich, just now, immediate
augenfällig, visible, evident
aus, out, out of, from
ausatmen, to breathe out, exhale, give up
Ausatmung, *f.*, exhalation
ausbilden, to form, develop
Ausbildung, *f.*, formation, development
Ausbildungs: –grad, *m.*, **–e,** degree of development; **—stufe,** *f.*, **–n,** stage of development
ausbleiben, to stay away, not appear
Ausbleiben, *n.*, absence
ausbluten, to cease bleeding
ausbohren, to drill
ausbreiten, to spread out, diffuse, extend
Ausbreitung, *f.*, spreading, diffusion
Ausbruch, *m.*, **⸚e,** outbreak
Ausbuchtung, *f.*, **–en,** diverticulum, pouch, bulging
ausdehnen, to expand, extend; **ausgedehnt,** extensive
Ausdehnung, *f.*, expansion, extent
Ausdruck, *m.*, **⸚e,** expression; **zum — bringen,** to express
Ausdrucksweise, *f.*, mode of expression

ausdrücken, to express
Ausdünstung, *f.*, **–en,** evaporation, perspiration, exhalation
auseinander, apart, asunder
auseinanderweichen, to separate
ausfallen, to fall out
ausführbar, practicable
ausführen, to make, perform, execute; state
Ausführgang, *m.*, **⸚e,** excretory duct
ausführlich, detailed, in detail, ample
Ausführungsgang, *m.*, **⸚e,** excretory duct
ausfüllen, to fill (out); spend
Ausgang, *m.*, **⸚e,** exit, end, close
Ausgangs: **—punkt,** *m.*, **–e,** starting point; **—stadium,** *n.*, **–ien,** initial stage
ausgehen, to go out, proceed; **— auf,** aim at; **— von,** begin with, proceed from
ausgeprägt, distinct, pronounced
ausgeschlossen, out of the question
ausgestorben, extinct
ausgezackt, indented
ausgezeichnet, excellent, distinguished
ausgiebig, extensive, abundant
Ausgleich, *m.*, **–e,** arrangement, adjustment; compensation
ausgleichen, to equalize, neutralize
ausglühen, to cease glowing, be consumed by fire; **ausgeglüht,** extinct
Ausguß, *m.*, **⸚e,** cast, effusion
aushalten, to hold out, endure, withstand
aushebern, to empty; **den Magen —,** to pump out the stomach
aushöhlen, to hollow out
Aushöhlung, *f.*, **–en,** excavation, hollow
aushusten, to cough up, expectorate
auskeimen, to germinate
auskleiden, to cover, line
auskommen, to come out; **— mit,** to make last *or* do
auskriechen, to crawl out
auslaufen, to radiate
Ausläufer, *m.*, **—,** ramification, branch
auslegen, to line, pack
Auslegung, *f.*, packing
auslösen, to loosen, set free; cause, excite
ausmachen, to amount to, constitute
Ausnahme, *f.*, **–n,** exception; **—fall,** *m.*, **⸚e,** exceptional case; **—stellung,** *f.*, exceptional position
ausnahmsweise, by way of exception, in exceptional cases
Ausnutzung, *f.*, utilization
ausprägen, to mark; **sich —,** to show
auspressen, to press (out); expel
ausreichen, to suffice; **—d,** sufficient
ausreißen, to tear out
ausruhen, to rest
ausrüsten, to equip, provide
ausschalten, to dispense with, displace, do away with, eliminate
Ausschaltung, *f.*, elimination, removal
ausscheiden, to separate; excrete, secrete
Ausscheidung, *f.*, separation, elimination
Ausscheidungs: **—produkte,** *n. pl.*, eliminated products; **—prozeß,** *m.*, process of elimination; **—stoff,** *m.*, **–e,** secreted substance; **—werkzeug,** *n.*, **–e,** secretory organs, organs of elimination
Ausschlag, *m.*, **⸚e,** turn, result; **den — geben,** to turn the scale
ausschlaggebend, decisive, deciding
ausschließen, to shut out, exclude
ausschließlich, exclusively
aussehen, to look, appear
Aussehen, *n.*, appearance
aussenden, to send forth, emit
außen, outside; **nach —,** outward; **von —,** from without
Außen: **—fläche,** *f.*, external surface; **—luft,** *f.*, outer air; **—rand,** *m.*, outside rim; **—schicht,** *f.*, external layer; **—seite,** *f.*, outside, surface; **—temperatur,** *f.*, external temperature; **—verhältnisse,** *n. pl.*, external conditions; **—wand,** *f.*, outer wall; **—welt,** *f.*, external world
außer, except, besides; **— dem,** besides, moreover; **—halb,** outside of; **—or-**

dentlich, extraordinary; —stande sein, to be unable
äußer, outer, external
äußerlich, external
äußern, to express, manifest
äußerst, outermost, utmost; extreme; exceedingly
Äußerung, *f.*, **–en,** expression, observation, declaration, diagnosis, manifestation
aussetzen, to expose
Aussicht, *f.*, **–en,** view, prospect
aussichtslos, hopeless, without prospect
aussickern, to ooze, trickle out
ausspannen, to stretch out, extend
ausspeien, to spit, expectorate
ausspielen, to play to the end; **sie hat ihre Rolle ausgespielt,** she has played her part
aussprechen, to say, express; **ausgesprochen,** pronounced, expressed
Ausspruch, *m.*, **⸗e,** statement
ausspülen, to wash, rinse
ausstatten, to equip; endow
Ausstattung, *f.*, **–en,** equipment
ausstechen, to prick out, draw out
aussterben, to die out; to become extinct
ausstopfen, to pack
Ausstopfung, *f.*, packing
ausstoßen, to thrust out, cast out, expel, discharge, secrete
ausstrahlen, to radiate
ausstrecken, to stretch *or* throw out
Ausstülpung, *f.*, **–en,** protrusion, extroversion
Austausch, *m.*, exchange
austauschen, to exchange
austreiben, to drive out, expel
austreten, to go out, escape
Austritt, *m.*, exit, egress
austrocknen, to become dry, exsiccate, desiccate, dry
Austrocknung, *f.*, drying, desiccation, dehydration
austupfen, to touch lightly, to dab out
ausüben, to practice, perform, exercise, exert
auswachsen, to attain full growth, grow out
Auswahl, *f.*, selection, choice
auswaschen, to wash out
auswechseln, to exchange
ausweichen, to evade, give way
auswischen, to wipe out, sponge
Auswurf, *m.*, sputum, spitting, expectoration
auszeichnen, distinguish, decorate
ausziehen, to draw out
Auszug, *m.*, **⸗e,** extract
autogen′, autogenous, self-generated
Autor, *m.*, **–en,** author, writer
Autotransfusion′, *f.*, **–en,** autotransfusion

B

Backe, *f.*, **–n,** cheek
Backen: **—knochen,** *m.*, **—,** malar bone; **—zahn,** *m.*, **⸗e,** molar
backen, to bake
Bad, *n.*, **⸗er,** bath
baden, to bathe
Badewasser, *n.*, bath-water
Bahn, *f.*, **–en,** track, path, course
Bahnbrecher, *m.*, **—,** pioneer
bahnen, to prepare, open up
Bakte′rie, *f.*, **–n,** bacterium
bakteriell′, bacterial
bakte′rienfeindlich, bactericidal
bakte′rienhaltig, containing bacteria
Bakte′rien: **—flora,** *f.*, flora of bacteria; **—forschung,** *f.*, investigation of bacteria; **—gift,** *n.*, **–e,** bactericide
Bakteriologie′, *f.*, bacteriology
bakterizid′, bactericidal
balancie′ren, to balance
bald, soon; **— . . . —,** now . . . now
Balken, *m.*, **—,** beam, **(im Gehirn),** corpus callosum
Ballen, *m.*, **—,** ball (of the foot)
Band, *m.*, **⸗e,** volume
Band, *n.*, **⸗er,** band, ligament
bandartig, bandlike
Bandwurm, *m.*, **⸗er,** tape-worm
Bank, *f.*, **⸗e,** bench; **—lehne,** *f.*, back of a bench

Barte, *pl.*, whalebone
Bartenwal, *m.*, –**e,** right whale
Barthaar, *n.*, –**e,** hair of the beard
Basis, *f.*, **Basen,** basis
Bau, *m.*, structure; —**material,** *n.*, –**ien,** building material; —**stoff,** *m.*, –**e,** building material
Bauch, *m.*, abdomen; —**aorta,** *f.*, abdominal aorta; —**atmung,** *f.*, abdominal respiration; —**eingeweide,** *n. pl.*, abdominal viscera; —**fell,** *n.*, peritoneum; —**gefäß,** *n.*, –**e,** abdominal vessel; —**gegend,** *f.*, abdominal region; —**höhle,** *f.*, abdominal cavity; —**muskel,** *m.*, –**n,** abdominal muscle; —**organ,** *n.*, –**e,** abdominal organ; —**schmerzen,** *m. pl.*, stomach-ache; —**seite,** *f.*, ventral side; —**speichel,** *m.*, pancreatic juice; —**speicheldrüse,** *f.*, pancreas; —**stiel,** *m.*, pedicle of allantois; —**wand,** *f.*, abdominal wall
Bauchdeckenverletzung, *f.*, –**en,** injury of abdominal wall
bauen, to build, construct
Baum, *m.*, ⸚**e,** tree; —**stamm,** *m.*, ⸚**e,** tree-trunk
Baumwollenstoff, *m.*, cotton material
Bausch, *m.*, pad
beabsichtigen, to intend, contemplate
beachten, to heed, notice, consider
Beachtung, *f.*, consideration, observation
beantworten, to answer
beauftragen, to charge, commission, entrust
Becken, *n.*, —, basin; pelvis; —**gürtel,** *m.*, pelvic girdle; —**höhle,** *f.*, pelvic cavity; —**knochen,** *m.*, —, pelvic bone, os innominatum; —**schaufel,** *f.*, sacral hollow of pelvis
bedacht, mindful
Bedarf, *m.*, need, requirement
bedauern, to regret
bedecken, to cover
Bedeckung, *f.*, covering, protection
bedenken, to consider, reflect
Bedenken, *n.*, —, consideration, doubt, objection
bedeuten, to mean, signify; —**d,** important, considerable
Bedeutung, *f.*, –**en,** meaning, significance, importance
bedeutungsvoll, weighty, important
bedienen, to serve; **sich einer Sache** —, to make use of a thing
bedingen, to limit, restrict; presuppose, stipulate, determine; cause, produce, involve
Bedingung, *f.*, –**en,** condition
bedürfen, (*with gen.*), to need, have need of, require
Bedürfnis, *n.*, –**se,** want, need, demand
beeinflussen, to influence
Beeinflussung, *f.*, influence
beeinträchtigen, to impair
Beeinträchtigung, *f.*, prejudice, injury, detraction, disturbance
beenden, to end, finish
Beendigung, *f.*, conclusion, termination, completion
beengen, to oppress, restrain, restrict, bind
befähigen, to enable, qualify
befähigt, capable, qualified
Befähigung, *f.*, ability
befallen, to attack, seize, affect
befassen, to deal (with)
Befehl, *m.*, –**e,** command
befestigen, to fasten, fix
Befestigung, *f.*, fastening, strengthening
befinden, to find; **sich** —, to be, be situated
Befinden, *n.*, state of health
befindlich, present, being, situated
befördern, to forward, convey
Beförderung, *f.*, promotion, conveyance
befreien, to set free, release, relieve
befriedigen, to satisfy; —**d,** satisfactory
befruchten, to fructify, fertilize
Befruchtung, *f.*, fertilization
Befruchtungs: —**akt,** *m.*, –**e,** act of fertilization; —**phänomen,** *n.*, phenomenon of fertilization; —**verlauf,** *m.*, course of fertilization; —**vorgang,** *m.*, ⸚**e,** act of fertilization

befruchtungsfähig, capable of fertilization
Befund, *m.*, –**e,** state, condition; finding
befürchten, to fear
begabt, gifted
begegnen, to meet; prevent, avert
begehen, to commit, perpetrate
Begeisterung, *f.*, enthusiasm
Beginn, *m.*, beginning
beginnen, to begin, commence
begleiten, to accompany
Begleiterscheinung, *f.*, –**en,** accompanying symptom
begreiflich, comprehensible, conceivable
begrenzen, to limit, bound, circumscribe, enclose, surround
Begrenzung, *f.*, boundary
Begriff, *m.*, –**e,** idea, conception; **im — sein, im — stehen,** to be about to
begriffen, (to be) engaged in, to be
begründen, to found, establish, base
Begründer, *m.*, —, founder
begünstigen, to favor, promote
behaart, hairy, hirsute
Behaarung, *f.*, hair, hairiness, hirsuteness
behalten, to keep, retain
Behälter, *m.*, —, **Behältnis,** *n.*, –**se,** container, receptacle
behandeln, to treat
Behandlung, *f.*, treatment, discussion
Behandlungsversuch, *m.*, –**e,** attempt at treatment
behaupten, to declare, assert
Behauptung, *f.*, –**en,** assertion
beherrschen, to control, master
behindern, to hinder, delay
behufs, (*prep. with gen.*), with a view to, for the sake of
behüten, to guard; — **vor,** to shield from
bei, at, by, with, in, in the case of
beibehalten, to keep, retain
beibringen, to produce; inflict
beide, both
beiderseits, on either side, on both sides
beifügen, to add, append
Beihilfe, *f.*, assistance
beikommen, to get at, attack, approach
beiläufig, incidentally
Beimengung, *f.*, –**en,** admixture
Bein, *n.*, –**e,** leg; —**haut,** *f.*, periosteum
beinahe, almost, nearly
beischreiben, to write by the side of, on the margin
beiseitelassen, to leave aside, leave out of account
Beispiel, *n.*, –**e,** example
beispielsweise, for example
beißen, to bite
Beißbewegung, *f.*, –**en,** biting movement
Beistand, *m.*, assistance; — **leisten,** to give assistance
Beitrag, *m.*, ⸗**e,** contribution
beitragen, to contribute
bekämpfen, to fight, oppose, combat
bekannt, familiar, (well) known; —**ermassen,** —**lich,** as is well known
bekannterweise, as everyone knows
Bekanntschaft, *f.*, –**en,** acquaintance
bekleiden, to clothe, cover, line
Bekleidung, *f.*, covering, casing
Beklemmung, *f.*, oppression, anxiety, depression
bekommen, to get, receive, obtain
Bekömmlichkeit, *f.*, usefulness, wholesomeness
beladen, to load; *p.p.*, laden
Belag, *m.*, covering, coating
belassen, to leave
belasten, to load, weight
Belastung, *f.*, load
belästigen, to irritate, annoy
beleben, to restore, revive; **sich —,** become enlivened
belegen, to cover, coat; **belegte Zunge,** coated tongue
beleuchten, to illumine, clear up
Beleuchtung, *f.*, illumination
beliebig, any desired, any whatsoever
beliebt, favorite
bemeistern, to master, control
bemerkbar, perceptible, noticeable
bemerken, to notice, observe, note
bemerkenswert, remarkable, noteworthy

Bemühung, *f.*, **–en,** exertion, effort
benachbart, neighboring, adjacent
beneidenswert, enviable
benetzen, to moisten
Benetzung, *f.*, moistening
benommen, benumbed, dazed, unconscious
Benommenheit, *f.*, numbness, stupor
benutzen, to use, employ
Benzin′, *n.*, benzine
beobachten, to observe, notice
Beobachtung, *f.*, **–en,** observation
bepinseln, to paint
bequem′, comfortable, convenient; suitable
Berater, *m.*, **—,** adviser
berauben, to rob, deprive of
berechnen, to calculate
Berechnung, *f.*, **–en,** calculation
berechtigt, justified; **—erweise,** legitimately
Bereich, *m.*, **–e,** reach, sphere, region, area
bereichern, to enrich
Bereicherung, *f.*, enrichment
bereiten, to prepare, make
bereits, already, previously
Bereitung, *f.*, preparation
Berg: —bewohner, *m.*, **—,** mountaineer; **—steigen,** *n.*, mountain-climbing; **—steiger,** *m.*, **—,** mountain climber
bergen, to hide, conceal
Bericht, *m.*, **–e,** report, account
berichten, to report, inform
Berieselung, *f.*, irrigation, soaking
berücksichtigen, to consider
Beruf, *m.*, **–e,** calling, profession
Berufung, *f.*, calling
beruhen, to rest, be founded; **— auf,** be due to
berühmt, famous
berühren, to touch
Berührung, *f.*, contact, touch
besagen, to indicate
besänftigen, to calm, pacify
Beschaffenheit, *f.*, composition, constitution, character, quality, nature
beschäftigen: sich —, occupy oneself, work at, be concerned
Beschäftigung, *f.*, **–en,** occupation, work
Beschäftigungsart, *f.*, kind of work
Bescheid, *m.*, intelligence, information; **— wissen,** to be well informed
beschleunigen, to hasten, accelerate
Beschluß, *m.*, **⸚e,** resolution, decision
beschmutzen, to soil, pollute, infect
Beschmutzung, *f.*, pollution, contamination
beschneiden, to cut, trim
beschränken, to limit, restrict, confine
beschreiben, to describe
Beschreibung, *f.*, **–en,** description
beschreiten, to enter upon
Beschwerde, *f.*, **–n,** discomfort, complaint
beseitigen, to remove; remedy
Beseitigung, *f.*, removal
besetzen, to fill, occupy, cover
Besichtigung, *f.*, inspection
besitzen, to possess, have
besonder, especial, particular, separate, [peculiar
besonders, especially
besorgen, to perform, do, take care of
besprechen, to discuss
Besserung, *f.*, improvement
best, best; **am —en,** best
beständig, durable, constant, continual
Bestandteil, *m.*, **–e,** constituent, element, ingredient
bestätigen, to confirm, prove
Bestätigung, *f.*, confirmation
bestehen, to exist; consist; **— aus,** to consist of
Bestehen, *n.*, existence
bestimmen, to induce, determine, decide; **—d,** decisive, determinant
bestimmt, definite, certain; intended
Bestrahlung, *f.*, irradiation
bestreben, to strive, endeavor; **bestrebt sein,** to try, endeavor
Bestreben, *n.*, tendency, endeavor
Bestrebung, *f.*, **–en,** endeavor, effort
bestreuen, to sprinkle, cover
besuchen, to visit, attend
betasten, to touch, feel
betätigen: sich —, to work
Betätigung, *f.*, exercise, operation

betäuben, to stun, make unconscious
beteiligen: sich —, to participate, share; **beteiligt sein,** to have a share, be involved
Beteiligung, *f.*, participation; implication, involvement
betiteln, to entitle
betonen, to emphasize
Betracht, *m.*, consideration, account; **in — kommen,** to come into consideration
betrachten, to consider, observe, regard
beträchtlich, considerable
Betrachtung, *f.*, **–en,** consideration, observation
betragen, to amount to
betrauen, to confide, entrust
betreffen, to concern, relate to; involve; **—d,** concerned, respective, in question
betreffs, (*with gen.*), in regard to, concerning
betrunken, drunk, intoxicated
Bett, *n.*, **–en,** bed
betupfen, to dab, touch gently
beugen: sich —, to bend; **gebeugt,** bent
Beuger, *m.*, flexor muscle
Beugung, *f.*, **–en,** bending, flexion
beunruhigen, to disturb
beurteilen, to judge, estimate; diagnose
Beurteilung, *f.*, **–en,** judging, judgment; diagnosis
Beute, *f.*, booty, prey
Beuteltier, *n.*, **–e,** marsupial
bevölkert, populated
bevor, before
bewahren, to guard, protect, maintain
bewähren: sich —, to stand the test
bewegen, to move, set in motion
beweglich, movable
Beweglichkeit, *f.*, mobility
Bewegung, *f.*, **–en,** motion, movement, exercise
Bewegungs: —faser, *f.*, **–n,** motor fiber; **—nerv,** *m.*, **–en,** motor nerve; **—organ,** *n.*, **–e,** motor organ; **—vermögen,** *n.*, faculty of motion; **—werkzeug,** *n.*, **–e,** motor organ; **—zentrum,** *n.*, center of motion
bewegungslos, motionless
bewehren, to arm
Beweis, *m.*, **–e,** proof; **—führung,** *f.*, demonstration, reasoning; **—kette,** *f.*, chain of evidence; **—kraft,** *f.*, power of proving, conclusive authority; **—material,** *n.*, evidence
beweisen, to prove, show
bewirken, to effect, cause, bring about
bewohnen, to inhabit
bewundernswert, marvelous
bewunderungswürdig, admirable, wonderful
bewußtlos, unconscious
Bewußtsein, *n.*, consciousness
bezeichnen, to mark, designate; **—d,** significant, characteristic
beziehen, to procure, obtain, order; enter; **sich — auf,** refer to, relate to
beziehentlich, respectively
Beziehung, *f.*, **–en,** relation, respect
beziehungsweise, respectively
Bezug, *m.*, reference, respect; **in — auf,** with respect to
bezüglich, (*with gen.*), respecting, regarding
bezwecken, to have in view; aim at, intend
biegen, to bend, curve
biegsam, flexible
Biegsamkeit, *f.*, flexibility
Biegung, *f.*, bending
Bier, *n.*, beer
bieten, to offer, afford; indicate
Bild, *n.*, **–er,** picture, image
Bildchen, *n.*, **—,** little picture
bilden, to form, make, cultivate
Bildung, *f.*, formation
Bildungs: —art, *f.*, kind of formation; **—weise,** *f.*, manner of development
Billion, *f.*, **–en,** a million millions
Binde, *f.*, **–n,** bandage
Bindegewebe, *n.*, connective tissue; **—substanz,** *f.*, connective tissue substance; **—zelle,** *f.*, **–n,** connective tissue cell

Bindehaut, *f.*, conjunctiva; connective membrane
binden, to bind
Bindfaden, *m.*, twine, string
binnen, within; — **kurzem,** shortly, before long
Biogene'se, *f.*, biogenesis
biogene'tisch, biogenetic
Biographie', *f.*, –n, biography
Biolo'ge, *m.*, –n, biologist
Biologie', *f.*, biology
biolo'gisch, biological
Biopho'ren, *pl.* biophores
bis, till, until, to, as far as; — **auf,** up to, except, with the exception of; —**her,** —**lang,** heretofore, hitherto, as yet, so far; —**weilen,** sometimes
Bissen, *m.*, —, mouthful, portion
bitter, bitter
Bläschen, *n.*, —, vesicle, small bubble
bläschenförmig, vesicular
Blase, *f.*, –n, blister, vesicle, bubble; bladder
Blasebalg, *m.*, bellows
blasen, to blow
Blasenbildung, *f.*, formation of blisters
blaß, pale
Blässe, *f.*, paleness, pallor
Blastula, *f.*, blastula
Blatt, *n.*, ⸗er, leaf, sheet
Blättchen, *n.*, —, little leaf, leaflet
blau, blue; —**grün,** bluish green; —**rot,** bluish red
bläulich, bluish; —**rot,** bluish red; —**weiß,** bluish white
Blechbüchse, *f.*, tin box *or* can
bleiben, to remain, stay; **haften** —, to cling; **stehen** —, to stop; —**d,** lasting, enduring, permanent
Bleichsucht, *f.*, green-sickness, chlorosis
Bleiessig, *m.*, extract of lead, Goulard's extract
Blende, *f.*, –n, diaphragm, dark lantern, screen
Blick, *m.*, –e, look, glance
blicken, to look, glance
blind, blind; **ein Blinder,** a blind man
Blinddarm, *m.*, cæcum; —**entzündung,** *f.*, typhlitis, appendicitis
blinken, to blink
blinzeln, to blink, wink
Blitz, *m.*, lightning
bloß, bare, mere; naked; *adv.* only, merely
bloßliegend, lying bare, exposed
Blume, *f.*, –n, flower
Blut, *n.*, blood; —**ader,** *f.*, –n, vein; —**armut,** *f.*, anemia; —**bahn,** *f.*, blood-channel; —**bildner,** *m.*, —, blood-former; —**druck,** *m.*, blood-pressure; —**druckschwankung,** *f.*, –**en,** variation of blood-pressure; —**egel,** *m.*, —, leech; —**extravasat,** *n.*, extravasation of blood; —**farbstoff,** *m.*, blood-pigment, hemochrome; —**flüssigkeit,** *f.*, blood-plasma; —**gefäß,** *n.*, –**e,** blood-vessel; —**gefäßendigung,** *f.*, –**en,** ending of bloodvessel; —**gefäßnetz,** *n.*, network of bloodvessels; —**gefäßsystem,** *n.*, vascular system; —**infektion,** *f.*, –**en,** blood infection; —**koagulum,** *n.*, –**a,** coagulum of blood, blood-clot; —**körperchen,** *n.*, —, blood-corpuscle; —**kreislauf,** *m.*, circulation of blood; —**kuchen,** *m.*, clot of blood, crassamentum; —**menge,** *f.*, amount of blood; —**schorf,** *m.*, scab; —**sparung,** *f.*, blood saving, hemostasis; —**stillung,** *f.*, arrest of hemorrhage; —**strahl,** *m.*, jet of blood; —**strom,** *m.*, blood-stream; —(s)**tropfen,** *m.*, drop of blood; —**umlauf,** *m.*, circulation of blood; —**verlust,** *m.*, loss of blood; —**versorgung,** *f.*, blood supply; —**wasser,** *n.*, blood-serum, lymph; —**zufluß,** *m.*, —**zufuhr,** *f.*, blood supply
bluten, to bleed
blut: — **gefüllt,** filled with blood; —**leer,** bloodless; —**reich,** rich in blood, plethoric
blutig, bloody
Blutung, *f.*, –**en,** bleeding, hemorrhage
Boden, *m.*, ⸗, ground, soil; floor, bottom, base; —**bakterien,** *n. pl.*, soil bacteria; —**satz,** *m.*, sediment

Bogen, — *or* ⁼, *m.*, curve, arch, arc; **–ende,** *n.*, **–n,** end of an arch; **—fachwerk,** *n.*, arched framework; **—gang,** *m.*, **⁼e,** semicircular canal; **—stück,** *n.*, **–e,** arched piece
bogenförmig, arched, bow-shaped
bohnenförmig, bean-shaped
Bohnengröße, *f.*, the size of a bean
Borke, *f.*, **–n,** scab
Borsalbe, *f.*, boracic ointment
Borste, *f.*, **–n,** bristle, chæta
Borstenwurm, *m.*, chætoped
Branche, *f.*, **–n,** branch, arm
Brandwunde, *f.*, **–n,** burn, scald
Branntwein, *m.*, spirits, brandy
braten, to roast, bake
brauchbar, useful, practical; practicable, serviceable
brauchen, to need, require; use
braun, brown
brechen, to break; refract; — **mit,** to abandon
Brechkraft, *f.*, power of refraction
Brechreiz, *m.*, nausea
Brechung, *f.*, breaking; refraction
Brei, *m.*, pap, pulp
breit, broad, wide
Breite, *f.*, breadth
brennen, to burn
Brennstoff, *m.*, **–e,** fuel
Brief, *m.*, **–e,** letter
Brille, *f.*, **–n,** spectacles
Brillenglas, *n.*, **⁼er,** spectacle-glass, lens
bringen, to bring; put; **es dahin** —, to manage, accomplish, succeed; **etwas zuwege** —, to effect, accomplish; **es mit sich** —, to bring about, cause, necessitate; **zum Stehen** —, to stop
Bronchialkatarrh, *m.*, bronchial catarrh
Bronchialsekret′, *n.*, bronchial secretion
Bronchien, *f. pl.*, bronchi
Bronchi′tis, *f.*, bronchitis
Brot, *n.*, bread
Bruch, *m.*, **⁼e,** fracture, crack; **—stelle,** *f.*, place of fracture; **—stück,** *n.*, **–e,** fragment
brüchig, brittle, fragile
Brücke, *f.*, **–n,** bridge, pons
brummen, to hum, buzz
Brunssche, of Dr. Bruns
Brüssel, Brussels
Brust, *f.*, **⁼e,** breast, thorax; **—atmung,** *f.*, thoracic breathing; **—bein,** *n.*, sternum; **—beingegend,** *f.*, sternal region; **—beinspalte,** *f.*, sternal cleft; **—eingeweide,** *n. pl.*, thoracic viscera; **—fell,** *n.*, pleura; **—fläche,** *f.*, surface of the chest; **—gürtel,** *m.*, thoracic girdle; **—höhle,** *f.*, thoracic cavity; **—korb,** *m.*, thorax; **—mitte,** *f.*, center of the chest; **—seite,** *f.*, thoracic side; **—wand,** *f.*, thoracic wall; **—warze,** *f.*, **–n,** nipple; **—warzengegend,** *f.*, region of the nipple; **—wirbel,** *m.*, —, thoracic vertebra
Brütezeit, *f.*, hatching time
Buch, *n.*, **⁼er,** book
Bucht, *f.*, **–en,** bay; corner, curve, recess, fossa
bügeln, to iron
Bündel, *n.*, —, bundle fascicle
Bürger, *m.*, —, citizen
Bürste, *f.*, **–n,** brush
Butter, *f.*, butter; **—fett,** *n.*, butter-fat
bzw., beziehungsweise, respectively, as the case may be, or

C

C., Celsius, Centigrade
ca., cirka, approximately
Camera obscura, camera obscura
Canalis infraorbitalis, *m.*, infraorbital canal
Carotis externa, *f.*, external carotid
cbm, Kubikmeter, *m.*, cubic meter
ccm, Kubikzentimeter, *m.*, cubic centimeter
cm. Centimeter, *m.*, centimeter
C-förmig, C-shaped
Cerebrum, *n.*, cerebrum
Chamäleon, *n.*, chameleon
Chaos, *n.*, chaos
Charakter, *m.*, **–e,** character, nature
charakterisieren, to characterize
charakteristisch, characteristic, distinctive

Chef, *m.*, chief, head
Chemie′, *f.*, chemistry
Chemiker, *m.*, —, chemist
chemisch, chemical
chemotak′tisch, chemotaxic
Chirurg′, *m.*, surgeon
Chirurgie′, *f.*, surgery
chirur′gisch, surgical
Chitin′, *n.*, chitin; **—schicht,** *f.*, chitin layer; **—skelett,** *n.*, chitin skeleton
chitinartig, chitin-like
Chlor, *n.*, chlorine
Chloroform, *n.*, chloroform; **—narko′se,** *f.*, chloroform narcosis; **—todesfall,** *m.*, death caused by chloroform
Chlorophyll, *n.*, chlorophyll
Choa′nen, *pl.*, posterior nares
Cholera, *f.*, cholera
Christo (*dative*); **vor —,** before Christ
Chromatin, *n.*, chromatin; **—masse,** *f.*, mass of chromatin
Chromosom, *n.*, **–en,** chromosome; **—enzahl,** *f.*, number of chromosomes
chronisch, chronic
Chylus, *m.*, chyle
cm., Zentimeter, *m.*, centimeter
Commotio, *f.*, commotio
continua, continuous, not interrupted
Contagium vivum, *n.*, *lat.* living contagion
Coracoideum, *n.*, coracoid bone

D

da, *adv.*, there, here, then; *conj.*, as, since; **—bei,** thereby, incidentally, moreover; **—durch,** through it, thereby, in this way; **—für,** for it; **—gegen,** against it, on the other hand; **—her,** therefore; **—hin,** thither, to it; **bis dahin,** till then; **—hinter,** behind it; **—mals,** at that time; **—mit,** therewith, with it; *conj.*, in order that; **—nach,** after that, accordingly; **—neben,** besides; **—von,** therefrom; **—zu,** to it, to this, for that; **—zwischen,** between them
Dach, *n.*, **″er,** roof; cranium
dachziegelartig, like roof tiles
da′hingehen, to be directed toward, tend to
dahingleiten, to glide along
Damm, *m.*, perineum
Dämmerung, *f.*, twilight
Dampf, *m.*, vapor, steam; **—form,** *f.*, form of vapor; **—maschine,** *f.*, **–n,** steam engine; **—menge,** *f.*, **–n,** quantity of water-vapor
dank, (*prep. with gen. or dat.*), thanks to, owing to; **—bar,** grateful
dann, then
daran, to it, thereon
darauf, thereupon, then, afterwards, to it, on it; **—folgend,** ensuing
darbieten, to offer, present
darin, therein, in it, in that
darlegen, to show, explain
Darm, *m.*, **″e,** intestine; **—bein,** *n.*, ilium; **—drüse,** *f.*, **–n.,** intestinal gland; **—erkrankung,** *f.*, **–en,** intestinal affection; **—inhalt,** *m.*, intestinal contents; **—kanal,** *m.*, intestinal canal; **—leiden,** *n.*, intestinal complaint; **—partie,** *f.*, portion of intestine; **—pflege,** *f.*, care of intestine; **—rohr,** *n.*, intestinal tube; **—saft,** *m.*, **″e,** intestinal juice; **—wand,** *f.*, intestinal wall; **—zotte,** *f.*, **–n,** villus of intestine
darreichen, to present, offer; administer
darstellen, to represent, show, form, make up
Darstellung, *f.*, **–en,** description, presentation, representation preparation
darüber, above it, over it, during this
darum, therefore
darunter, under it, underneath; among these; **—liegend,** lying beneath
Daseinsbedingung, *f.*, **–en,** conditions of existence
daselbst, there
daß, that, so that, in order that
Datum, *n.*, **–ten,** date
Dauer, *f.*, duration, period
dauern, to last, endure, take, require; **—d,** enduring, permanent
Daumen, *m.*, —, thumb; **—seite,** *f.*, thumb-side

davontragen, to carry off
Dazwischentreten, *n.*, intercession, intervention
Decke, *f.*, **–n,** cover, covering; sheath
decken, to cover; **sich —,** to be identical
Deckfedern, *f. pl.*, coverts, tetrices
Dedikation, *f.*, dedication
Defekt′, *m.*, **–e,** defect
definitiv′, definite, permanent
Degeneration′, *f.*, degeneration
degenerativ′, degenerative
degenerieren, to degenerate
dehnbar, extensible, tensile
Dehnbarkeit, *f.*, extensibility, elasticity
Deku′bitus, *m.*, decubitus, bed-sore
Deli′rium, *n.*, **–ien,** delirium
dem: —entsprechend, corresponding to this, correspondingly; **—gemäß,** accordingly; **—nach,** therefore, accordingly; **—zufolge,** accordingly
Demarkation′, *f.*, demarcation
denkbar, conceivable
denken, to think, imagine
denn, for
dennoch, still, nevertheless
Depression′, *f.*, depression
Depression′szustand, *m.*, depressed condition
derart, such, in such a way; **—ig,** such, so, of that kind
derb, firm, strong
dergl., dergleichen, such, the like
derjenige, that one, that
Dermatologie′, *f.*, dermatology
derselbe, the same
desgleichen, similarly, in like manner
deshalb, therefore, for that reason
Desinfektion′, *f.*, disinfection
Desinfektions: —maßnahme, *f.*, **–n,** disinfecting measure; **—mittel,** *n.*, **—,** disinfectant
desinfizieren, to disinfect
desto, the; **je . . . —,** the . . . the
deswegen, for that reason, therefore
Deszedenz′: — prinzip, *n.*, principle of evolution; **—theorie,** *f.*, theory of transmission *or* evolution
deuten, to point, explain, interpret
deutlich, clear, distinct
deutsch, German
Deutung, *f.*, **–en,** interpretation
dgl., dergleichen, the like
d.h., das heißt, that is
Diagno′se, *f.*, diagnosis
Diagnos′tik, *f.*, diagnostics
Dia′stole, *f.*, **–n,** diastole
dicht, tight, thick, dense, close, near, compact
dick, thick, heavy; **—flüssig,** viscous, viscid, semifluid
Dickdarm, *m.*, large intestine, colon
Dicke, *f.*, thickness
dickwandig, thick-walled
dienen, to serve
Dienst, *m.*, **–e,** service, duty
dies, this; **–er, –e, –es,** this, the latter
differenzieren, to differentiate
Differenzierung, *f.*, differentiation
Diffusion′, *f.*, diffusion
Dignität′, *f.*, dignity, importance
Dilatation′, *f.*, dilatation
Dimension′, *f.*, **–en,** dimension
Ding, *n.*, **–e,** thing
Diphthe′rie, *f.*, diphtheria; **—antitoxin,** *n.*, diphtheria antitoxin
Diphtheri′tis, *f.*, diphtheritis
direkt′, direct, immediate
Direk′tor, *m.*, **–en,** director
Dislokation,′ *f.*, **–en,** dislocation
doch, yet, however, nevertheless, after all, indeed
Dogma, *n.*, **—men,** dogma
Doktor, *m.*, **–en,** doctor
Dokument′, *n.*, **–e,** document
Dolch, *m.*, **–e,** dagger
dolchartig, daggerlike
Doppelseitigkeit, *f.*, doublesidedness
doppelt, double, twofold
Dorf, *n.*, **⁼er,** village
Dornfortsatz, *m.*, **⁼e,** spinous process
dort, there
Dose, *f.*, **–n, Dosis,** *f.*, dose
Dotter: —masse, *f.*, **—material,** *n.*, yolk substance; **—sack,** *m.*, vitelline sac
Draht, *m.*, **⁼e,** wire; **—geflecht,** *n.*,

wire-work, wire-mesh; **—gestell,** *n.*, wire frame; **—netz,** *n.*, wire net
Draina'ge, *f.*, drainage
drainieren, to drain
Drainröhre, *f.*, **–n,** drain-tube
drängen, to crowd, push
draußen, outside
drehbar, capable of being revolved, [turning, rotary
Dreh: —bewegung, *f.*, rotary motion; **—muskel,** *m.*, rotator muscle; **—punkt,** *m.*, pivot, fulcrum
drehen, to turn, rotate, twist
Dreher, *m.*, rotator, axis
Drehung, *f.*, turning, rotation
drei, three; **—eckig,** triangular; **—kantig,** three-edged
dringen, to press, penetrate
dritt, third
Drittel, *n.*, **—,** third
drohen, to threaten
Druck, *m.*, **–e,** pressure; **—empfindung,** *f.*, sense of pressure; **—schmerzhaftigkeit,** *f.*, sensitiveness to pressure; **—verband,** *m.*, **⸚e,** compressive bandage
drücken, to press
Drüse, *f.*, **–n,** gland
Drüsen: —extirpation', *f.*, extirpation of a gland; **—gewebe,** *n.*, gland tissue; **—körper,** *m.*, body of a gland; **—masse,** *f.*, glandular mass; **—operation,** *f.*, **–en,** gland operation; **—schlauch,** *m.*, **⸚e,** gland-duct; **—sekretion,** *f.*, gland secretion; **—substanz,** *f.*, glandular substance
dubio, in —, (*lat.*), in doubtful cases
Duft, *m.*, **⸚e,** fragrance
Dummheit, *f.*, stupidity
Dune, *f.*, **–n,** down
Düngerhaufen, *m.*, **—,** dung-heap, manure heap
dunkel, dark; **—rot,** dark red
Dunkelheit, *f.*, darkness
Dunkelkammer, *f.*, **–n,** dark-room
Dunkle, *n.*, dark; **im —n,** in the dark
dünn, thin; **—wandig,** thin-walled
Dünndarm, *m.*, small intestine
Dural'sack, *m.*, dural sac
durch, through, by, by means of; **—aus,** throughout, thoroughly, by all means; **—aus nicht,** by no means
durchbiegen, to bend through
durchbohren, to perforate, pierce
Durchbohrung, *f.*, **–en,** perforation
durchbrechen, to pierce
Durchbruch, *m.*, breaking through; triumph, victory; **zum — kommen,** to burst forth; come into full operation, find acceptance
durchdringen, to penetrate; prevail
durcheinanderschütteln, to shake together
Durcheinanderwogen, *n.*, confusion, jumble, complication
durchfeuchten, to moisten well, soak
Durchfeuchtung, *f.*, moistening, soaking
durchfließen, to flow through, pass
durchführen, to carry through; pass through; carry out, execute, accomplish
Durchgang, *m.*, **⸚e,** passage, passing through
durchgreifend, decisive
durchhauen, to cut through
durchkreuzen, to cross
durchlaufen, to pass through
durchlesen, to read through, peruse
durchmachen, to pass through
Durchmengung, *f.*, thorough mixing
Durchmesser, *m.*, diameter
durchmustern, to examine
durchscheinen, to shine *or* gleam through; **—d,** translucent, transparent
durchschimmern, to shine through
durchschneiden, to cut through, intersect
Durchschnitt, *m.*, cross-section; average; **im —,** on the average
durchschütteln, to shake well
durchsetzen, to pass through; **durchsetzt mit,** interspersed with
durchsichtig, transparent
Durchsichtigkeit, *f.*, transparency
durchstoßen, to pierce
durchströmen, to flow through, penetrate

durchtränken, to soak with, saturate, infiltrate
durchtreiben, to drive through
durchtrennen, to separate, cut through
Durchtritt, *m.*, passage, entrance
durchziehen, to traverse, pass through
dürfen, to be permitted, may, can; must
dürftig, scanty
Durst, *m.*, thirst; **—gefühl,** *n.*, feeling of thirst
düster, dark, gloomy

E

eben, even, level, plane; *adv.*, just, indeed; **—erwähnt,** just mentioned; **—falls,** likewise; **—so,** just as, so, also, likewise; **—solch,** like, similar; **—soviele,** just so many; **—sowenig,** just as little
Ebene, *f.*, **–n,** plane
Eckzahn, *m.*, **⸗e,** canine tooth
edel, noble; vital
ehe, *conj.*, before; *adv.*, well, soon; **—mals,** formerly
Ehrenlegion, *f.*, legion of honor
Ei, *n.*, **⸗er,** egg, ovum; **—dotter,** *m.*, (*n.*), yolk of an egg, vitellus; **—furchung,** *f.*, segmentation of ovum; **—hülle,** *f.*, egg-sheath; **—kern,** *m.*, nucleus of ovum, germinal vesicle; **—körper,** *m.*, body of ovum; **—oberfläche,** *f.*, surface of ovum; **—protoplasma,** *n.*, protoplasm of ovum; **—schale,** *f.*, **–n,** egg-shell; **—stadium,** *n.*, egg-stage; **—teilung,** *f.*, segmentation of ovum; **—weiß,** *n.*, albumen; **—zelle,** *f.*, **–n,** egg-cell
Eidechse, *f.*, **–n,** lizard
eierlegend, egglaying, oviparous, oviferous
Eierstock, *m.*, ovary
Eifer, *m.*, zeal
eiförmig, oval
eigen, own, special, peculiar; **—artig,** peculiar, singular; **—tümlich,** peculiar
Eigen: —art, *f.*, **–en,** peculiarity; **—heit,** *f.*, **–en,** peculiarity; **—schaft,** *f.*, **–en,** property, characteristic, quality; **—tümlichkeit,** *f.*, **–en,** peculiarity, characteristic; **—wärme,** *f.*, specific heat, body heat
eigentlich, real, proper, true
eignen: sich —, to be adapted, be suitable
eilen, to hasten
Eimer, *m.*, **—,** pail, bucket
einander, one another, each other
einarmig, one-armed
einatmen, to inhale, inspire
Einatmung, *f.*, inspiration
einbegreifen, to include
einbetten, to imbed; **eingebettet,** imbedded
einblasen, to blow in
Einblick, *m.*, insight, look
einbohren, to bore in, penetrate
Einbringung, *f.*, introduction
Einbuchtung, *f.*, rounding, inflection
einbürgern: sich —, to become adapted
einbüßen, to lose, forfeit
eindeutig, of one meaning
eindringen, to penetrate, enter, rush in, invade, infiltrate
Eindringen, *n.*, entrance, invasion
Eindringling, *m.*, **–e,** invader, intruder
Eindruck, *m.*, **⸗e,** impression
eindrücken, to press in, crush in
einengen, to narrow, compress
einerseits, einesteils, on the one hand
einfach, simple
Einfachheit, *f.*, simplicity
einfallen, to fall in; occur
einfetten, to grease
einfließen, to flow in
Einfluß, *m.*, **⸗e,** influence
einfügen, to insert, set in
einführen, to introduce
Einführung, *f.*, **–en,** introduction
einfüllen, to fill in
Eingang, *m.*, **⸗e,** entrance
Eingangs: —öffnung, *f.*, **–en,** opening of entrance; **—pforte,** *f.*, **–n,** portal of entrance; hilus
eingebettet, imbedded
eingebuchtet, indented

eingedickt, thickened
eingehen, to enter; arrive; be received; **—d,** thorough, exhaustive
eingelagert, imbedded
Eingeweide, *n. pl.*, entrails, bowels, viscera; **—nervensystem,** *n.*, visceral nervous system
eingießen, to pour in
eingreifen, to catch, fit, interlock; interfere; **—d,** effective, extensive
Eingriff, *m.*, **–e,** action, interference
Einheit, *f.*, unity, unit
einheitlich, united, uniform
einhergehen, to move along, proceed, accompany
einherschreiten, to walk along
einhüllen, to wrap (up in), envelop, enclose
einig, in agreement, unanimous
einiger, **(–e, –es)** some, any, several, a few; **—maßen,** to some extent, somewhat
Einimpfung, *f.*, **–en,** inoculation
einkeilen, to wedge in
Einlagerung, *f.*, **–en,** deposit
einlassen, to admit; **sich —,** to enter into
einlegen, to lay in, add; introduce, insert
einleiten, to introduce, begin
Einleitung, *f.*, **–en,** introduction, starting
einlenken, to articulate
einleuchten, to be evident
einmal, once; even; on the one hand; **auf —,** at one time, at once, suddenly; **nicht —,** not even
einmünden, to run into, empty into; inosculate, anastomose
Einmündung, *f.*, **–en,** inosculation, anastomosis, orifice
einnehmen, to take in, take up, occupy; assume
einrechnen, to include
einreiben, to rub (in)
einrichten, to arrange, adapt
Einrichtung, *f.*, **–en,** arrangement, contrivance, equipment
einsam, solitary, lonely
einsaugen, to suck in, absorb
einschalten, to insert; connect up; introduce
einschlafen, to fall asleep
einschlagen, to include; **diesen Weg —,** to take this course
einschließen, to include, enclose
einschließlich, including, with inclusion of
Einschluß, *m.*, inclusion
einschmelzen, to melt up, absorb
Einschnitt, *m.*, **–e,** incision, cut, indentation
einschnüren, to lace; **sich —,** constrict; **eingeschnürt,** constricted
einschränken, to limit, check
einsehen, to see into, understand, comprehend
einseitig, one-sided, unilateral
einsenden, to send in
einsenken, to sink, depress; **sich —,** to sink
einsetzen, to set in, begin
Einsicht, *f.*, insight, understanding
Einspritzung, *f.*, **–en,** injection
einstechen, to stick in, insert
einstellen, to set in; begin; stop, suspend; adjust, focus; **sich —,** to appear, be
Einstellung, *f.*, **–en,** adjustment, regulation
einstimmig, unanimous
einstreichen, to enter, sift in
einstreuen, to strew in
einströmen, to stream in, flow in
einstülpen, to turn inwards; **sich —,** to invaginate
Einstülpung, *f.*, **–en,** inversion, invagination
eintauchen, to dip in, immerse
eintauschen, to exchange
einteilen, to divide
Einteilung, *f.*, **–en,** division, classification
eintragen, to produce, bring in; **den Namen —,** to give a name
eintreffen, to arrive, occur
eintreten, to step in, enter; **occur,** take place

Eintritt, *m.*, entrance; appearance, occurrence
Eintrittspforte, *f.*, place of entry, portal of entry
eintrocknen, to dry up [assimilate
einverleiben, to embody; **sich —,** to
Einwand, *m.*, **⸗e,** objection
einwandern, to immigrate
einwandfrei, free from objection, incontestable
Einweihungsfeier, *f.*, dedication ceremony
einwenden, to object, protest; reply
einwickeln, to wrap (up)
einwirken, to act, affect; **auf etwas —,** to influence, affect
Einwirkung, *f.*, action, effect, influence
Einwohner, *m.*, **—,** inhabitant
einwurzeln, to root; **fest eingewurzelt,** firmly rooted
Einzel: **—auge,** *n.*, cyclops; **—bildchen,** *n.*, **—,** individual image; **—entdekkung,** *f.*, **–en,** individual discovery; **—heit,** *f.*, **–en,** detail
Einzellenstadium, *n.*, unicellular stage
einzellig, single-celled
einzeln, single, individual, separate, isolated; **im —en,** in detail; **ins einzelne gehend,** down to the minutest details
einziehen, to draw into; enter
einzig, only, single, unique
Eis, *n.*, ice
Eisen, *n.*, iron; **—bahnwagen,** *m.*, **—,** railway car; **—feilspan,** *m.*, **⸗e,** iron filing
eisern, iron, of iron
eisig, icy
Eiter, *m.*, pus; **—ansammlung,** *f.*, accumulation of pus; **—erreger,** *m.*, **—,** exciting cause of suppuration; **—herd,** *m.*, **–e,** suppurative focus; **—verhaltung,** *f.*, retention of pus; **—zelle,** *f.*, **–n,** pus-corpuscle
eiterig, purulent, puriform
eitern, to suppurate
Eiterung, *f.*, suppuration
eiweiß: **— artig,** of albuminous nature; **—haltig,** containing albumen
Eiweiß: **—lösung,** *f.*, albumen solution; **—stoff,** *m.*, **–e,** albumen, proteid
eklatant′, brilliant, striking
Ektro′pium, *n.*, ectropium, eversion of the edge (as of an eyelid)
elas′tisch, elastic
Elastizität′, *f.*, elasticity
Elefant′, *m.*, **–en,** elephant
elek′trisch, electric
Element′, *n.*, **–e,** element
Elementar′teil, *m.*, **–e,** elementary part
Elend, *n.*, misery
Elevato′rium, *n.*, elevator
Elfenbein, *n.*, ivory
Elle, *f.*, ulna
Ell(en)bogen, *m.*, elbow; **—bein,** *n.*, ulna; **—gelenk,** *n.*, elbow joint
Ellenseite, *f.*, ulnar side
Eltern, *pl.*, parents; **—paar,** *n.*, parental pair
email′artig, enamel like
emanzipieren, to emancipate
Embryo, *m.*, **–nen,** embryo; **—blut,** *n.*, blood of the embryo; **—körper,** *m.*, body of the embryo, fœtal body
embryonal′, embryonal, embryonic
Embryonal′: **—entwicklung,** *f.*, fœtal development; **—gehirn,** *n.*, embryonic brain; **—hülle,** *f.*, embryonic sheath; **—körper,** *m.*, embryonic body; **—leben,** *n.*, embryonic life; **—monat,** *m.*, embryonic month; **—organ,** *n.*, embryonic organ; **—periode,** *f.*, embryonic period; **—stadium,** *n.*, embryonic stage; **—woche,** *f.*, **–n,** embryonic week; **—zeit,** *f.*, embryonic period; **—zustand,** *m.*, embryonic condition
Embryologie′, *f.*, embryology
embryolo′gisch, embryological
eminent′, eminent, distinguished
empfangen, to receive
empfänglich, susceptible
empfehlen, to recommend; **sich —,** to be advisable
empfehlenswert, commendable
empfinden, to feel, perceive
empfindlich, sensitive, delicate; severe
Empfindlichkeit, *f.*, sensitiveness
Empfindung, *f.*, **–en,** sensation; **—sfa-**

ser, *f.*, –n, sensory fiber; —snerv, *m.*, –en, sensory nerve; —svermögen, *n.*, perceptivity, sensitive faculty
empfindungslos, insensible, without sensation
Emphysem′, *n.*, emphysema; **—knistern,** *n.*, emphysema crackling
emporheben, to lift, raise
emporragen, to rise above, project
Emporschnellen, *n.*, sudden rise, jumping
emporsteigen, to rise, ascend
emporwachsen, to grow up
emporziehen, to raise, draw up
End: **—abschnitt,** *m.*, –e, end section; **—glied,** *n.*, –er, terminal member; **—igung,** *f.*, –en, ending, termination; **—produkt′,** *n.*, –e, final product; **—punkt,** *m.*, –e, extreme point; **—ung,** *f.*, –en, ending, termination; **—ziel,** *n.*, final goal
Ende, *n.*, –n, end, conclusion
enden, to end, terminate
endgültig, final, conclusive
endigen, to end, terminate
endlich, final
Endokardi′tis, *f.*, endocarditis
Endothe′liom, –ien, endothelium
Endotoxin′, *n.*, –e, endotoxin
eng, narrow, close, small; **aufs —ste,** most closely
Engländer, *m.*, —, Englishman
englisch, English
enorm′, enormous
Entartung, *f.*, degeneration
entbehren, (*with gen.*), to do without, dispense with, lack, be deprived of
entbehrlich, dispensable, superfluous
entdecken, to discover
Entdeckung, *f.*, –en, discovery
Entdeckungsreihe, *f.*, series of discoveries
Ente, *f.*, –n, duck
Entenschnabel, *m.*, duck's bill
entfallen, to fall to, be apportioned to
entfalten, to develop, display
Entfaltung, *f.*, development
entfernen, to remove, withdraw, separate
entfernt, removed, remote
Entfernung, *f.*, –en, distance, removal
entgegenbringen, to offer
entgegeneilen, to hasten toward
entgegengehen, to go to meet, approach
entgegengesetzt, opposite, reverse
entgegensetzen, to set against, oppose, set up in opposition
entgegentreten, to meet, face
enthalten, to contain; **sich —,** to abstain
enthäuten, to skin
entkalken, to decalcify
Entkräftigung, *f.*, **Entkräftung,** *f.*, weakening, exhaustion
entlang, along
entleeren, to empty, evacuate
entlegen, remote, distant
entnehmen, to take from, withdraw, draw, derive from
entscheiden, to decide, determine; **—d,** decisive, conclusive
Entscheidung, *f.*, –en, decision
entschieden, decided
entschlossen, determined, decided
Entschluß, *m.*, ⸗e, decision
entspannt, relaxed
Entspannungsnaht, *f.*, ⸗e, interrupted suture (to relieve tension)
entspinnen: **sich —,** to arise, begin
entsprechen, to answer, correspond to; comply with; **—d,** corresponding, suitable; according, in accordance with
entspringen, to arise (from)
entstammen, to spring from, come from
entstehen, to arise, result; originate; occur
Entstehung, *f.*, origin, formation
Entstehungsweise, *f.*, manner of origin
entstellen, to disfigure, distort
entströmen, to flow from, issue from
entweder, either
entweichen, to escape
entwickeln, to develop
Entwicklung, *f.*, development
Entwicklungs: **—art,** *f.*, kind of development; **—erscheinung,** *f.*, –en, phenomenon of development;

—**form,** *f.*, form of development; —**gang,** *m.*, course of development; —**geschichte,** *f.*, embryology, ontogeny; —**kreis,** *m.*, circle of development; —**periode,** *f.*, –**n,** period of development; —**prozeß,** *m.*, process of development; —**stadium,** *n.*, –**ien,** stage of development; —**stufe,** *f.*, –**n,** stage of development; —**verlauf,** *m.*, course of development
entziehen, to extract, remove, withdraw, withhold
entzünden, to ignite, inflame; **sich —,** to become inflamed
entzündlich, inflammatory, inflammable
Entzündung, *f.*, inflammation
Entzündungs: —**erscheinung,** *f.*, –**en,** symptom of inflammation; —**herd,** *m.*, focus of inflammation; —**prozeß,** *m.*, process of inflammation
epilep'tiform, epilepticlike
Epithel', *n.*, epithelium
epo'chemachend, epoch making
erben, to inherit
Erblichkeit, *f.*, heredity, transmissability
Erblichkeitsträger, *m.*, carrier of heredity
erblicken, to perceive, discover
erbrechen, to vomit
erbringen, to produce
Erbschaft, *f.*, inheritance, legacy
erbsengroß, as large as a pea
Erd: —**ball,** *m.*, earth, globe; —**boden,** *m.*, soil; —**masse,** *f.*, –**n,** quantity of earth
Erde, *f.*, earth; ground, soil
erdig, earthy
Ereignis, *n.*, –**se,** event
ererben, to inherit
erfahren, to experience, undergo; learn
Erfahrung, *f.*, –**en,** experience, knowledge
erfahrungsgemäß, as known from experience
erfassen, to seize; understand
Erfolg, *m.*, –**e,** result, success
erfolgen, to follow, result, arise, take place
erfolgreich, successful
erforderlich, required, requisite, necessary
erfordern, to require, demand
erforschen, to investigate
Erforschung, *f.*, investigation
erfreulich, pleasing, gratifying
Erfrierung, *f.*, freezing
erfüllen, to fill, fulfill
ergänzen, to complete, supplement; restore
ergeben, to give, yield, show; result in; **sich —,** to result, follow, be shown
Ergebnis, *n.*, –**se,** result, conclusion
ergehen, to happen
ergießen, to pour forth, empty
ergreifen, to seize, take hold of, attack
erhaben, elevated, convex
Erhabenheit, *f.*, –**en,** elevation, convexity
Erhalt, *m.*, saving
erhalten, to receive, get, obtain; assume; support, maintain, preserve
Erhaltung, *f.*, preservation, conservation
erhängen: sich —, to hang oneself
erheben, to raise, lift; **sich —,** to rise, arise
erheblich, considerable
Erhebung, *f.*, –**en,** elevation
erhellen, to light up, elucidate; become evident
erhitzen, to heat
Erhitzen, *n.*, heating
Erhitzung, *f.*, heating
erhöhen, to raise, elevate; increase
Erhöhung, *f.*, rise, increase
erholen: sich —, to recover
Erholung, *f.*, recreation
erinnern, to remind; **sich —,** to remember, recall
Erinnerung, *f.*, –**en,** memory
erkälten: sich —, to catch cold
Erkältung, *f.*, cold, chill, catarrh
erkennbar, recognizable
erkennen, to recognize, perceive, notice; **sich zu — geben,** to make oneself known

Erkenntnis, *f.*, **–se,** knowledge, recognition
Erkennung, *f.*, recognition
erklären, to explain
erklärlich, explainable, evident
Erklärung, *f.*, **–en,** explanation
erklimmen, to climb up, ascend, reach
erkranken, to fall ill, become diseased
Erkrankung, *f.*, **–en,** malady, sickness, disease
erlangen, to obtain, get, attain
erlauben, to permit
erleben, to go through, undergo, experience
erledigen, to finish, settle
erleichtern, to make easy, facilitate
erleiden, to suffer, undergo
erleuchten, to illuminate
erliegen, to succumb
erlöschen, to go out, be extinguished
ermitteln, to ascertain, determine
ermöglichen, to make possible
ermüden, to tire
ernähren, to nourish, support
Ernährung, *f.*, nourishment, nutrition
Ernährungs: **—flüssigkeit,** *f.*, nutritive fluid, lymph; **—organ,** *n.*, organ of nutrition; **—werkzeug,** *n.*, organ of nutrition
ernennen, to appoint
erneuern, to renew, replace
Erneuerung, *f.*, renewal
Ernst, *m.*, earnestness
ernsthaft, serious
ernstlich, earnestly
Eroberung, *f.*, **–en,** conquest
eröffnen, to open
Eröffnung, *f.*, **–en,** opening
Erörterung, *f.*, **–en,** discussion
erproben, to try, test
erquicken, to refresh, recreate
erregen, to arouse, excite
Erreger, *m.*, —, exciter, exciting cause
Erregung, *f.*, **–en,** exciting, excitement, excitation, production
Erregungsstadium, *n.*, stage of excitation
erreichbar, within reach, accessible, [attainable
erreichen, to reach, attain, accomplish
errichten, to erect
Errungenschaft, *f.*, **–en,** achievement
Ersatz, *m.*, **⸗e,** substitute, supply; **—mittel,** *n.*, —, substitute
erscheinen, to appear, seem
Erscheinung, *f.*, **–en,** sight; appearance; phenomenon, manifestation, symptom
erschlaffen, to relax
Erschlaffung, *f.*, relaxing, debility
erschließen, to open, render accessible
erschöpfen, to exhaust
Erschöpfung, *f.*, exhaustion
erschüttern, to shake
Erschütterung, *f.*, shaking, concussion, shock, disturbance
erschweren, to render difficult
ersetzen, to replace; substitute; compensate
ersichtlich, evident, apparent
ersinnen, to devise, conceive, plan
ersparen, to spare, remit
Ersparnis, *f.*, **–se,** saving
erst, *adj.*, first; *adv.*, at first, only, not until; **der erstere,** the former
erstanden, (*from* **erstehen**) arisen
erstaunen, to astonish; be astonished
erstaunlich, astonishing, wonderful
ersticken, to suffocate, smother, stifle, go out
Erstickung, *f.*, smothering, suffocation
Erstickungs: **—gefahr,** *f.*, danger of suffocation; **—gefühl,** *n.*, sensation of suffocating; **—narko'se,** *f.*, suffocating narcosis
erstlich, first, in the first place
erstrecken: **sich —,** to extend, stretch
erteilen, to impart, give
Ertrag, *m.*, **⸗e,** yield, produce, fruits
erträglich, tolerable, passable
erwachen, to awaken
erwachsen, to grow up; *p.p.*, grown up, adult
erwähnen, to mention, refer to
Erwähnung, *f.*, mention
erwärmen, to warm, heat
Erwärmung, *f.*, heating, warming
erwarten, to await, expect
erwecken, to awaken

erweichen, to soften
erweisen, to prove, show, demonstrate
erweitern, to widen, enlarge, extend, expand
Erweiterung, *f.*, enlargement, extension, expansion
erweiterungsfähig, dilatable
Erwerb, *m.*, gain
erwerben, to acquire, attain
erwünscht, desired
Erysi'pel, *n.*, erysipelas
erzeugen, to produce, generate
Erziehung, *f.*, education, training
erzielen, to attain, obtain
essen, to eat
Essig, *m.*, vinegar
etablieren: sich —, to establish oneself
Etablierung, *f.*, establishment
etwa, about, perhaps, possibly, perchance, for instance
etwas, something, some; somewhat
Euro'pa, *n.*, Europe
eusta'chisch, Eustachian
Eva, Eve
eventuell', *adj.*, possible; *adv.*, eventually, if need be, possibly
Evolution', *f.*, evolution
exakt', exact, accurate
Exanthem', *n.*, **–e,** exanthem
Existenz', *f.*, existence
existieren, to exist
Exitus, *m.*, exitus, death
Exkurs', *m.*, digression
Experiment', *n.*, **–e,** experiment
Experimenta'tor, *m.*, **–en,** experimenter
experimentell', experimental
Expirations'luft, *f.*, exhaled air
Explosion', *f.*, **–en,** explosion
Exstirpation', *f.*, extirpation
Exsudat'bildung, *f.*, development of exudation
Exsudation', *f.*, exudation
Extrakt', *m.*, **–e,** extract
Extrem', *n.*, **–e,** extreme
Extremität', *f.*, **–en,** extremity
Extremitäten: —blutung, *f.*, **–en,** bleeding of extremity; **—verletzung,** *f.*, **–en,** injury to extremity
exzent'risch, eccentric
exzidieren, to excise
Exzitationsstadium, *n.*, stage of excitation

F

Fach, *n.*, **⸚er,** compartment, branch, subject
Fädchen, *n.*, **—,** small thread, filament
Faden, *m.*, **⸚,** thread, filament; **—form,** *f.*, **–en,** filament; **—material,** *n.*, thread material; **—netz,** *n.*, filamentary net
fadenförmig, threadlike, filiform
fähig, capable
Fähigkeit, *f.*, **–en,** ability, qualification, [faculty
fahrbar, portable, movable
fahren, to go, move, ride, travel
Fährlichkeit, *f.*, **–en,** peril
Fährte, *f.*, **–n,** track, trace; **der — folgen,** to follow the scent
Faktor, *m.*, **–en,** factor
Fall, *m.*, **⸚e,** fall; case; event; **auf keinen —,** on no account, by no means; **gegebenen —es,** in some instances; **—tür,** *f.*, **–en,** trap-door
fallen, to fall, drop
falls, in case that, provided
falsch, false, wrong
fälschen, to counterfeit, falsify
fälschlich, falsely
Falte, *f.*, **–n,** fold
Faltenpaar, *n.*, **–e,** pair of folds
Faltung, *f.*, **–en,** folding
falten, to fold
Fami'lie, *f.*, **–n,** family
Fangarm, *m.*, **–e,** tentacle
fangen, to catch
Farbe, *f.*, **–n,** color
Farbenschattierung, *f.*, **–en,** shade of [color
färben, to color, dye
farbig, colored
farblos, colorless
Farbstoff, *m.*, **–e,** coloring matter, dye
Färbung, *f.*, **–en,** coloring, color
Faser, *f.*, **–n,** fiber, thread
faserig, fibrous
fassen, to seize, grasp, hold
Fassung, *f.*, **–en,** wording, formulation

fast, almost
Faszie, *f.*, –**n,** fascia; —**implantation,** *f.*, implantation of fascia; —**streifen,** *m.*, —, fascia-strip
faulen, to rot, decay, putrefy; —**d,** putrescent, septic
faulig, putrefied, putrid
Fäulnis, *f.*, decay, putrefaction; —**bakterien,** *pl.*, putrefactive bacteria; —**erreger,** *m.*, —, exciter of putrefaction; —**pflanze,** *f.*, –**n,** putrefactive plant; —**vorgang,** *m.*, ⸚**e,** process of putrefaction
fäulnisfähig, capable of decaying, putrescible, septic
Faust, *f.*, ⸚**e,** fist
faustgroß, as big as a fist
Fazia'lis, *m.*, facial nerve; —**ast,** *m.*, ⸚**e,** branch of facial nerve; —**verzweigungen,** *f. pl.*, ramifications of facial nerve
Feder, *f.*, –**n,** feather
federkieldick, thick as a quill
federn, to be elastic, spring
fehlen, to lack, be lacking, be absent
Fehlen, *n.*, absence
Fehler, *m.*, —, mistake, error; —**quelle,** *f.*, –**n,** source of error
Feierlichkeit, *f.*, –**en,** festivity, ceremony
feiern, to honor, celebrate
fein, fine; —**gekörnt,** –**körnig,** fine-grained
Feld, *n.*, –**er,** field
Felsenbein, *n.*, petrous portion of the temporal bone
Fenster, *n.*, —, window
Ferment', *n.*, ferment
fern, far, distant; –**er,** further, moreover
Ferne, *f.*, distance
fernhalten, to keep away, keep at a distance
Fernhaltung, *f.*, keeping off, prevention
Fernschuß, *m.*, ⸚**e,** shot at long range
Ferse, *f.*, –**n,** heel
Fersenbein, *n.*, –**e,** os calcis
fertig, ready, finished, complete; —**gebildet,** finished, completed; —**werden mit,** to manage, settle, handle
fesseln, to fetter, bind
Fest, *n.*, –**e,** festival, celebration
fest, fast, firm, fixed, solid, tight
festbinden, to bind fast, tie
festhalten, to hold fast, keep
Festhalten, *n.*, adherence
Festigkeit, *f.*, solidity, stability, strength, rigidity
festlegen, to establish, fix, determine
festsetzen, to establish, settle, fix, fasten
feststehend, fixed, stationary
feststellen, to establish, determine
Feststellung, *f.*, determination, establishment
festwachsen, to grow fast, become attached
Fett, *n.*, fat, grease; —**herz,** *n.*, fatty heart; —**masse,** *f.*, mass of fat, fat substance; —**polster,** *n.*, cushion of fat, panniculus adiposus; —**schicht,** *f.*, –**en,** layer of fat; —**überzug,** *m.*, covering of fat
fett: —**ähnlich,** fatlike; —**ig,** fatty; —**reich,** rich in fat
feucht, damp, moist, serous
Feuchtigkeit, *f.*, dampness, moisture
Feuer, *n.*, fire
ff., folgende, following
Fibrin', *n.*, fibrin
Fieber, *n.*, fever; —**steigerung,** *f.*, increase of fever
figurieren, to figure, appear
Filter, *m.*, —, filter
Filtrier'apparat', *m.*, –**e,** filtering apparatus
finden, to find, discover; **sich** —, to be
Finger, *m.*, —, finger; —**druck,** *m.*, pressure of the finger; —**glied,** *n.*, –**er,** phalanx; —**knochen,** *m.* —, digital phalanx; —**kuppe,** *f.*, –**n,** finger-tip
finger: —**dick,** as thick as a finger; —**lang,** as long as a finger
Fisch, *m.*, –**e,** fish; —**gattung,** *f.*, –**en,** species of fish; —**herz,** *n.*, –**en,** heart of a fish
Fischer, *m.*, —, fisher
Fissur, *f.*, –**en,** fissure

Fissura sterni, sternal cleft
fixieren, to fix, fasten
Fixierung, *f.*, fixation, fixing
flach, flat, level; shallow
Fläche, *f.*, **–n,** surface
flackern, to flicker, flare
Flamme, *f.*, **–n,** flame
Flanell, *m.*, flannel
Flasche, *f.*, **–n,** flask, bottle
Flaumfeder, *f.*, **–n,** down (feather)
Fleck, *m.*, **–e,** spot
Fledermaus, *f.*, **≛e,** bat
Fleisch, *n.*, flesh, meat; **—bildner,** *m.*, **—,** flesh-former; **—brühe,** *f.*, beef tea, broth; **—dekokt,** *n.*, meat decoction, juice of meat; **—fresser,** *m.*, **—,** carnivorous animal; **—kost,** *f.*, meat diet; **—lage,** *f.*, **–n,** layer of flesh
fleischfressend, carnivorous
fleischig, fleshy
Fleiß, *m.*, diligence, industry, application
fleißig, industrious, diligent; frequent
Fliege, *f.*, **–n,** fly
fliegen, to fly
fließen, to flow
Flimmer: —haar, *n.*, **–e, —härchen,** *n.*, **—,** vibrating cilium; **—zelle,** *f.*, **–n,** ciliated cell
flimmern, to glitter; **vor den Augen —,** to dance before one's eyes
Flora, *f.*, flora
Flosse, *f.*, **–n,** fin
flossenförmig, finlike
flottieren, to float
flüchtig, volatile
Flügel, *m.*, **—,** wing
Flugwerkzeug, *n.*, **–e,** organ of flight
Fluß, *m.*, **≛e,** river
flüssig, liquid, fluid
Flüssigkeit, *f.*, **–en,** liquid
Flüssigkeits: —blase, *f.*, **–n,** fluid vesicle; **—menge,** *f.*, **–n,** amount of liquid, liquid mass
Folge, *f.*, **–n,** result, consequence; obedience; sequence; **—leisten,** to respond, obey; **etwas zur — haben,** to bring about, cause
folgen, to follow, result; **im folgenden,** in the following discussion
folgendermaßen, as follows
Folgerichtigkeit, *f.*, logical accuracy, consistency
folgern, to infer, deduce
Folgerung, *f.*, **–en,** inference, conclusion
Fons, *f.*, fons
Fontanelle, *f.*, **–n,** fontanel
fordern, to demand, require
Forderung, *f.*, **–en,** demand, necessity
Förderung, *f.*, promotion, advancement
Form, *f.*, **–en,** form, shape; **—gestaltung,** *f.*, shaping, moulding; **—veränderung,** *f.*, **–en,** change of form
formen, to form, fashion
Formenreihe, *f.*, **–n,** series of forms
formulieren, to formulate
Formulierung, *f.*, formulation
Forscher, *m.*, **—,** investigator, scientist
Forschung, *f.*, **–en,** investigation, research
Forschungs: —arbeit, *f.*, research work; **—ergebnis,** *n.* **–se,** result of investigation; **—gebiet,** *n.*, field of investigation; **—reisender,** *m.*, explorer
fort, away, forth; **—an,** henceforth
Fortbestand, *m.*, continuance
fortbestehen, to continue (to exist)
fortbewegen, to move away, along
Fortbewegung, *f.*, moving forward, progression
Fortbewegungsweise, *f.*, manner of locomotion
fortführen, to carry away; continue
fortgesetzt, continued, continual
fortlaufen, to run away; **—d,** continuous
fortleiten, to lead over, carry over, transmit
fortpflanzen, to transmit, propagate
Fortpflanzung, *f.*, **–en,** transmission, propagation
Fortsatz, *m.*, **≛e,** appendage, process
fortschleudern, to hurl on, cast forth, carry along
fortschreiten, to progress, continue; **—d,** progressive
Fortschritt, *m.*, **–e,** step forward, progress, advance
fortsetzen, to continue
Fortsetzung, *f.*, **–en,** continuation

forttragen, to carry away, transport
forttreiben, to drive forward
fortwachsen, to continue to grow
fortwährend, continual, constant
fossil′, fossil, petrified
Fötal′: **—leben,** *n.*, fœtal life; **—monat,** *m.*, **–e,** fœtal month; **—organ,** *n.*, **–e,** fœtal organ; **—woche,** *f.*, **–n,** fœtal week
Fötus, *m.*, **Föten,** fœtus
Frage, *f.*, **–n,** question; **in — kommen,** to be a question of; be mentioned; be considered
fragen, to ask, inquire
fraglich, doubtful, questionable; in question, under discussion, concerned, above
Fragment′, *n.*, **–e,** fragment
Fraktur′, *f.*, **–en,** fracture
Franc, *m.*, **—s,** franc
Frankreich, *n.*, France
Fransen, *f. pl.*, fimbriæ
fransenähnlich, fringelike
Franzo′se, *m.*, **–n,** Frenchman
franzö′sisch, French
Frau, *f.*, **–en,** wife, woman
frei, free; open, vacant
freibleiben, to remain exposed
Freie, *n.*, open air
freilebend, free-living
freilegen, to lay open, expose
Freilegung, *f.*, clearing; laying open, exposing
freilich, of course, indeed
freiwillig, voluntary, spontaneous
fremd, strange, foreign
Fremdkörper, *m.*, **—,** foreign body; **—verletzung,** *f.*, **–en,** injury caused by a foreign body
frequent′, frequent
Friedensverletzung, *f.*, **–en,** injury in peace time
frieren, to freeze
frisch, fresh
Frontal′scheibe, *f.*, front pane
Frosch, *m.*, **⸚e,** frog; **—larve,** *f.*, frog-larva
Frost, *m.*, frost
Frucht, *f.*, **⸚e,** fruit; result
früh, early; soon; **—er,** earlier, sooner, former; **—zeitig,** early, betimes, untimely, premature
Frühstadium, *n.*, early stage
fügen, to add
fühlbar, perceptible, felt
fühlen, to feel
Fühler, *m.*, **—,** feeler, antenna
führen, to lead, conduct, bring, carry; **zum Tode —,** to prove fatal
Führung, *f.*, leading, driving, wielding; conduct
füllen, to fill
Füllung, *f.*, filling
Fund, *m.*, **–e,** finding, discovery
fünf, five; **—t,** fifth; **—fach,** fivefold
fungieren, to act
Funke, *m.*, **–n,** spark
Funktion′, *f.*, **–en,** function; **sich in — befinden,** to exercise a function
funktionell′, functional
funktionieren, to act, function, work
funktions′los, functionless
Funktionswechsel, *m.*, functional change
für, for
Furche, *f.*, **–n,** furrow, sulcus
furchen: sich —, to become furrowed *or* sulcated
Furcht, *f.*, fear
Furchung, *f.*, **–en,** segmentation
Furchungskern, *m.*, **–e,** segmentation nucleus
Furunkel, *m.*, **—,** boil
Fuß, *m.*, **⸚e,** foot; **—badewanne,** *f.*, **–n,** foot bathtub; **—boden,** *m.*, floor; **—gelenk,** *n.*, ankle-joint; **—gewölbe,** *n.*, plantar arch; **—knochen,** *m.*, **—,** bone of the foot; **—muskel,** *m.*, **–n,** muscle of the foot; **—platte,** *f.*, base, foot; **—rücken,** *m.*, dorsum of the foot; **—sohle,** *f.*, sole (of the foot); **—wurzel,** *f.*, tarsus; **—wurzelknochen,** *m.*, **—,** tarsal bone
fußend, founded, based
fußlos, footless

G

g, Gramm, gram
Gabe, *f.*, **–n,** gift

Gabel, *f.*, **–n,** fork
gabeln, to fork, divide
Galea, *f.*, galea
Galle, *f.*, gall, bile
Gallenblase, *f.*, gall-bladder
gallertartig, gallertig, gelatinous
Gallertschicht, *f.*, gelatinous layer
Gang, *m.*, **⸗e,** walk, gait, posture; passage, path; **in — setzen,** to start, set in motion
gangbar, passable
Ganglien, *n. pl.*, ganglia; **—knoten,** *m.*, **—,** ganglion; **—paar,** *n.*, **–e,** pair of ganglia
Gangrän, *f.*, gangrene; **—herd,** *m.*, **–e,** gangrene focus
Ganoid, ganoid
ganz, whole, entire; *adv.*, quite, wholly
Ganze, *n.*, the whole, unit
gänzlich, entire, complete
gar, even, very; **— nicht,** not at all; **— nichts,** nothing at all
garantieren, to guarantee
Garten, *m.*, **⸗e,** garden; **—erde,** *f.*, garden-mould, earth
Gärung, *f.*, **–en,** fermentation
Gärungserreger *m.*, **—,** ferment, exciter of fermentation
Gas, *n.*, **–e,** gas; **—austausch,** *m.*, exchange of gases; **—explosion,** *f.*, **–en,** gas explosion; **—form,** *f.*, form of gas
gasförmig, gaseous
Gasträa, *n.*, gastræa, primeval larval form
Gasträatheorie, *n.*, theory of gastræa
Gastrula, *n.*, gastrula
Gastrulastadium, *n.*, gastrula stage
Gattung, *f.*, **–en,** kind, species
Gaumen, *m.*, palate; **—bein,** *n.*, **–e,** palatine bone; **—bogen,** *m.*, **⸗,** palatine arch; **—naht,** *f.*, palatine suture
Gaze, *f.*, gauze; **—Äther-Methode,** *f.*, gauze ether method; **—docht,** *m.*, **–e,** wick of gauze; **—streifen,** *m.*, **—,** strip of gauze; **—schleier,** *m.*, **—,** gauze veil; **—tampon,** *n.*, gauze tampon
gebären, to bear, give birth to
Gebärmutter, *f.*, womb; **—höhle,** *f.*, uterine cavity; **—schleimhaut,** *f.*, uterine mucous membrane, endometrium; **—wand,** *f.*, uterine wall
geben, to give; **es gibt,** there is, there are
Gebiet, *n.*, **–e,** field, sphere, domain, territory
gebieten, to order, demand
Gebilde, *n.*, **—,** form, formation, structure, product, creation
Gebiß, *n.*, set of teeth
gebogen, (of the nose) hooked, Roman
geboren, born
Gebot, *n.*, **–e,** command, commandment; **zu —e stehen,** to be at one's disposal
Gebrauch, *m.*, **⸗e,** use, employment; custom
gebräuchlich, usual, customary, commonly used
gebühren, to be due to
Geburt, *f.*, **–en,** birth
Geburtshelfer, *m.*, **—,** obstetrician
Gedanke, *m.*, **–n,** thought, idea
gedeihlich, prosperous, successful
gedrängt, concise, condensed
geeignet, suitable, proper, adapted
Gefahr, *f.*, **–en,** danger
gefährden, to endanger, imperil, expose to risk *or* injury
gefährlich, dangerous
Gefährlichkeit, *f.*, dangerousness
Gefäß, *n.*, **–e,** vessel, receptacle; **—bezirk,** *m.*, vascular region; **—chen,** *n.*, **—,** little vessel; **—nerv,** *m.*, **–en,** vascular nerve; **—querschnitt,** *m.*, cross-section of a vessel; **—ring,** *m.*, vascular ring; **—stamm,** *m.*, **⸗e,** vascular trunk; **—system,** *n.*, vascular system; **—unterbindung,** *f.*, **–en,** vascular ligature; **—versorgung,** *f.*, supply of vessels; **—wand,** *f.*, **⸗e,** vessel wall
Gefolge, *n.*, suite, train; **im — haben,** to lead to, result in
Gefühl, *n.*, **–e,** feeling; **—losigkeit,** *f.*, insensibility

Gefühls: —sinn, *m.*, sense of touch; **—werkzeug,** *n.*, –e sensory organ
gegebenenfalls, in a given case, should the opportunity arise, if necessary
gegen, against, toward, for; **—seitig,** opposite; mutual, reciprocal; **—wärtig,** present; *adv.*, at present
Gegend, *f.*, –en, region, area
Gegendruck, *m.*, counter pressure
gegeneinander, against, toward one another, each other
Gegengift, *n.*, antidote, counterpoison
Gegensatz, *m.*, ⸗e, contrast; opposition
Gegensätzliches, opposite
Gegenstand, *m.*, ⸗e, object, subject
Gegenteil, *n.*, contrary, reverse; **im —,** on the contrary
gegenüber, against, toward, over against
Gegenüber, *n.*, opposite neighbor, the one opposite
gegenüberstehen, to be opposed *or* opposite, contrast; face; correspond
gegenüberstellen, to place opposite
Gegenwart, *f.*, presence, present
gegenwärtig, present
Gegner, *m.*, —, foe, opponent
gegnerisch, opposed
Gehalt, *m.*, contents, amount
gehen, to go, walk; **von statten —,** advance, progress; **vor sich —,** take place, continue, proceed
Gehirn, *n.*, brain; **—form,** *f.*, **–en,** brain form; **—erschütterung,** *f.*, concussion of the brain; **—kapsel,** *f.*, cranium; **—teil,** *m.*, brain portion
Gehör, *n.*, hearing; **—empfindung,** *f.*, **–en,** auditory impression; **—gang,** *m.*, auditory canal; **—knöchelchen,** *n.*, —, auditory ossicle; **—nerv,** *m.*, auditory nerve; **—organ,** *n.*, **–e,** organ of hearing; **—sinn,** *m.*, sense of hearing; **—wasser,** *n.*, liquor of inner ear, liquor Cotunnii; **—werkzeug,** *n.*, **–e,** organ of hearing
gehorchen, to obey
gehören, to belong, belong to, appertain to, be counted among
gehörig, belonging to, pertaining to; proper; *adv.*, well, thoroughly, properly
Geist, *m.*, **–er,** spirit, mind
Geisteskraft, *f.*, power of mind
geistig, mental, intellectual; spirituous, alcoholic
gekörnelt, granulated, granular
Gekröse, *n.*, mesentery
gelangen, to reach, attain, get, come, arrive; gain access
gelb, yellow; **—lich,** yellowish; **—rot,** yellowish red
Geld, *n.*, money; **—summe,** *f.*, **–n,** sum of money
gelegen, (*p.p.*, *of* **liegen**), situated, located
Gelegenheit, *f.*, **–en,** opportunity, occasion
gelegentlich, occasional, incidental
gelehrt, learned
Gelenk, *n.*, –e, joint; **—bein,** *n.*, sesamoid bone; **—ende,** *n.*, **–n,** joint end; **—fläche,** *f.*, **–n,** articular surface; **—fortsatz,** *m.*, **⸗e,** articular process; **—höcker,** *m.*, **—,** articular eminence, condyle; **—kapsel,** *f.*, capsular ligament; **—kopf,** *m.*, head of a bone; **—pfanne,** *f.*, **–n,** articular cavity, joint-socket; **—schmiere,** *f.*, synovia; **—verbindung,** *f.*, **–en,** articulation
gelenkig, jointed, articulate; flexible
gelenkt, articulated
gelind, soft, mild, slight, gentle
gelingen, to succeed
gelten, to hold true, serve, have value, be considered; be a question of; **sich —d machen,** to assert oneself, make one's influence felt
Geltung, *f.*, value, worth; acceptance
Geltungsgebiet, *n.*, field of importance
gemäß, according to
gemäßigte Zone, *f.*, temperate zone
gemeinsam, *adj.*, common, joint, mutual; *adv.*, in common
Gemeinschaft, *f.*, community
Gemisch, *n.*, **–e,** mixture
Gemüse, *n.*, **—,** vegetable

Gemütsbewegung, *f.*, **–en,** emotion, excitement
genau, exact, accurate; careful
Genauigkeit, *f.*, exactness, accuracy
Genealogie′, *f.*, genealogy
genealo′gisch, genealogical
generatio spontanea, (*Lat.*) spontaneous generation
genesen, to recover, be restored (to health)
genießen, to enjoy; eat, consume
genug, enough, sufficient
genügen, to suffice, satisfy; **—d,** sufficient, satisfactory
Genuß, *m.*, enjoyment, treat; indulgence; **—mittel,** *n.*, condiment
gerade, *adj.*, straight, exact; *adv.*, exactly, just; **—zu,** directly, positively, downright, even
geraten, to be, get; come
geräumig, spacious, roomy
Geräusch, *n.*, **–e,** noise
Gerber, *m.*, tanner
gering, small, slight, little; **—fügig,** little, trifling, slight
gerinnen, to coagulate, congeal
Gerinnsel, *n.*, coagulated mass
Gerippe, *n.*, **—,** skeleton
Germanis′tik, *f.*, Germanistics
gern, gladly, readily, with pleasure
Geruch, *m.*, **⸗e,** smell, odor; sense of smell
geruchlos, odorless
Geruchs: **—empfindung,** *f.*, sensation of odor; **—nerv,** *m.*, olfactory nerve; **—organ,** *n.*, olfactory organ; **—sinn,** *m.*, sense of smell; **—werkzeug,** *n.*, organ of smell
Gerüst, *n.*, **–e,** frame, scaffolding
gesamt, entire, total, all
Gesamt: **—bild,** *n.*, total picture; **—gestaltung,** *f.*, entire figure, whole form; **—heit,** *f.*, totality, whole; **—organisation,** *f.*, total organization; **—organismus,** *m.*, whole organism
geschehen, to happen, occur, take place, be done
Geschichte, *f.*, **–n,** story, history
geschichtlich, historical
Geschick, *n.*, ability, skill; fate, chance
Geschicklichkeit, *f.*, skill
Geschlecht, *n.*, **–er,** sex, gender
Geschlechts: **—sgegensatz,** *m.*, sex-contrast; **—merkmal,** *n.*, **–e,** sex-characteristic; **—teile,** *m.*, *pl.*, genitals; **—zelle,** *f.*, **–n,** sex-cell, spermatoblast
geschlechtsreif, pubescent, having arrived at puberty
Geschleiftwerden, *n.*, being dragged along
Geschmack, *m.*, taste
geschmacklos, tasteless
Geschmacks: **—eindruck,** *m.*, **⸗e,** taste impression; **—empfindung,** *f.*, **–en,** sensation of taste; **—nerv,** *m.*, **–en,** gustatory nerve, nerve of taste; **—organ,** *n.*, **–e,** organ of taste; **—sinn,** *m.*, sense of taste; **—werkzeug,** *n.*, **–e,** organ of taste
geschmeidig, supple, pliant
Geschöpf, *n.*, **–e,** creature
Geschoß, *n.*, **–e,** shot, projectile
geschult, trained
Geschütz, *n.*, **–e,** cannon, gun
Geschwindigkeit, *f.*, velocity, speed
Geschwister, *pl.*, brothers and sisters
Geschwür, *n.*, **–e,** ulcer, abscess
gesellen (sich), to unite, join
Gesellschaft, *f.*, **–en,** society
Gesetz, *n.*, **–e,** law
gesetzmäßig, according to law, regular, normal
Gesicht, *n.*, sight; face
Gesichts: **—haut,** *f.*, facial skin; **—knochen,** *m.*, **—,** facial bone; **—lähmung,** *f.*, facial paralysis; **—muskel,** *m.*, **–n,** facial muscle; **—partie,** *f.*, facial part; **—plastik,** *f.*, plastic operation on face; **—punkt,** *m.*, **–e,** point of view, aspect; **—schädel,** *m.*, facial portion of the skull; **—sinn,** *m.*, sense of vision: **—teil,** *m.*, facial portion **—verletzung,** *f.*, **–en,** facial injury; **—zug,** *m.*, **⸗e,** facial feature
gesondert, separate
Gestalt, *f.*, **–en,** form, shape

gestalten, to form, fashion, make, shape; **sich —,** to assume a form; proceed
gestatten, to permit, allow
gestielt, pedunculated
gestreift, striped, striated
gesund, sound, healthy, well
gesunden, to recover
Gesunderhaltung, *f.*, preservation of health
Gesundheit, *f.*, health
Gesundheits: **—lehre,** *f.*, sanitary science, hygiene; **—pflege,** *f.*, care of health, hygiene; **—zustand,** *m.*, condition of health
Getränk, *n.*, –e, drink, beverage
Getreide, *n.*, grain, corn; **—feld,** *n.*, **—er,** grain field; **—korn,** *n.*, **⸗er,** grain
Getriebe, *n.*, —, driving gear, mechanism
gewähren, to grant, furnish, give
gewährleisten, guarantee
Gewalt, *f.*, power, force
gewaltig, powerful; immense
gewaltsam, violent
Gewebe, *n.*, —, tissue, fabric; **—lehre,** *f.*, histology
Gewebs: **—bestandteil,** *m.*, –e, tissue constituent; **—fetzen,** *m.*, —, shred of tissue; **—nekrose,** *f.*, necrosis of tissue; **—neubildung,** *f.*, tissue neoplasm; **—partie,** *f.*, –n, section of tissue; **—partikel,** *f.*, –n, particle of tissue; **—quetschung,** *f.*, crushing of tissue; **—schädigung,** *f.*, injury to tissue; **—spalte,** *f.*, –n, cleft in tissue; **—teil,** *m.*, –e, particle of tissue; **—zelle,** *f.*, –n, tissue cell
gewebsfeindlich, tissue-destroying
Gewicht, *n.*, –e, weight, importance
gewinnen, to win, obtain, gain
gewiß, certain
gewissenhaft, conscientious
Gewißheit, *f.*, certainty
gewöhnen, to accustom
gewohnheitsgemäß, customary
gewöhnlich, usual, ordinary
gewohnt, accustomed
Gewölbe, *n.*, —, arch, vault
Gewürz, *n.*, –e, spice, seasoning
gezackt, jagged
Gibbon, *m.*, –s, gibbon
gießen, to pour, cast
Gift, *n.*, –e, poison; **—schlange,** *f.*, –n, poisonous snake; **—stoff,** *m.*, –e, poisonous matter; **—wirkung,** *f.*, –en, effect of poison; **—zahn,** *m.*, **⸗e,** poison-fang
giftbildend, poison-producing;
giftig, poisonous
gipfeln, to culminate
Giraffe, *f.*, –n, giraffe
Gitterbrücke, *f.*, –n, lattice bridge
Glandula submaxillaris, *f.*, submaxillary gland
glänzend, brilliant, shining, splendid
Glas, *n.*, **⸗er,** glass; **—drain,** *n.*, glass drainage tube; **—fenster,** *n.*, —, glass window; **—flasche,** *f.*, –n, glass flask; **—gefäß,** *n.*, –e, glass receptacle; **—körper,** *m.*, vitreous humour; **—platte,** *f.*, –n, glass plate; **—rohr,** *n.*, –e, glass tube; **—röhre,** *f.*, –n, glass tube; **—röhrchen,** *n.*, —, small glass tube; **—scheibe,** *f.*, –n, glass plate *or* disc, pane of glass; **—scherbe,** *f.*, –n, fragment of glass; **—zylinder,** *m.*, —, test-tube
glasartig, glassy, vitreous
glatt, smooth; **—randig,** smooth-edged; **—wandig,** smooth-walled
Glaube, *m.*, belief
glauben, to believe, think
gleich, like, equal, same; *adv.*, at once, immediately; **—artig,** homogeneous, of the same kind; **—falls,** likewise, similarly; **—förmig,** uniform, symmetrical; **—groß,** equally large, of the same size; **—gültig,** indifferent, of no account, regardless, no matter; **—lang,** of equal length; **—mäßig,** even, uniform; symmetrical; **—namig,** of the same name; **—sam,** as it were, so to speak; **—viel,** just as much, equally; **—warm,** of uniform temperature; **—wertig,** of the same value, equivalent; **—wie,** just as; **—zeitig,** at the same time, simultaneous

gleichen, to be like, resemble
Gleichförmigkeit, *f.*, uniformity
Gleichgewicht, *n.*, equilibrium
Gleichgültigkeit, *f.*, indifference
gleiten, to glide, slip
Glied, *n.*, **–er,** limb, member, joint; link
Glieder: **—schmerz,** *m.*, **–en,** pain in limbs; **—tier,** *n.*, **–e,** articulate animal; **—zahl,** *f.*, number of joints
gliedern, to divide (into articulated parts)
Gliederung, *f.*, arrangement of the parts, construction, articulation
Gliedmaße, *f.*, **–n,** limb
Gliedmaßen: **—paar,** *n.*, **–e,** pair of limbs; **—skelett,** *n.*, skeleton of the limbs
Glockentierchen, *n.*, **—,** campanularium
Glottis, *f.*, glottis
Glück, *n.*, fortune, success
glücklich, fortunate
glühen, to glow; cause to glow, make red-hot
Glühhitze, *f.*, glowing heat
glycerinähnlich, glycerinelike
gönnen, to grant
gonorrhöisch, gonorrheal
Grab, *n.*, **⸚er,** grave
graben, to dig
Grabwerkzeug, *n.*, **–e,** digging organ
Grad, *m.*, **–e,** degree, grade; measure
Gramm, *n.*, **–e,** gram
Granulation, *f.*, **–en,** granulation
Granulations: **—bildung,** *f.*, development of granulation; **—fläche,** *f.*, granulation surface; **—gewebe,** *n.*, granulation tissue
granulieren, to granulate
Gras, *n.*, **⸚er,** grass
grau, gray; **—grünlich,** grayish-green
Greif: **— organ,** *n.*, **–e,** **—werkzeug,** *n.*, **–e,** grasping organ
greifen, to grip, grasp, seize, catch hold of; **ineinander—,** to interlace
Greis, *m.*, **–e,** one advanced in years, old man
grell, harsh, dazzling [edge
Grenze, *f.*, **–n,** limit, boundary, border,
grenzen, to border on
Grimmdarm, *m.*, colon
grob, coarse, rough, bad
groß, large, great, eminent; **im —en und ganzen,** taken all in all, on the whole, generally speaking; **—artig,** grand, splendid
Größe, *f.*, size, magnitude
Größen: **—unterschied,** *m.*, **–e,** difference in size; **—zunahme,** *f.*, **—n,** increase in size
Großherzog, *m.*, **⸚e,** grand-duke
Großhirn, *n.*, cerebrum
Großmachtstellung, *f.*, position as a great power
grün, green; **—lich,** greenish
Grund, *m.*, **⸚e,** ground, bottom, base, basis; reason; **im —e,** in reality; **—bedingung,** *f.*, **–en,** fundamental condition; **—bestandteil,** *m.*, **–e,** elementary constituent, element; **—fläche,** *f.*, bottom (surface); **—form,** *f.*, **–en,** fundamental form; **—gesetz,** *n.*, **–e,** fundamental law; **—lage,** *f.*, **–n,** foundation, basis; **—masse,** *f.*, basic mass; **—satz,** *m.*, **⸚e,** truth, basic principle; **—stoff,** *m.*, **–e,** element, basic material; **—substanz,** *f.*, **–en,** basic substance
gründen, to found, establish
grundlegend, fundamental
gründlich, thorough
Gründung, *f.*, founding, foundation
grundwesentlich, essential
Gruppe, *f.*, **–n,** group
gültig, valid, current
Gummi: **—binde,** *f.*, **–n,** rubber bandage; **—drain,** *n.*, rubber drainage tube; **—schlauch,** *m.*, **⸚e,** rubber tube; **—stopfen,** *m.*, rubber stopper
günstig, favorable, proper
Gurt, *m.*, **–e,** belt, strap, girdle
gut, good; well; **—achtlich,** in form of an expert's opinion; authoritative, expert; **—artig,** benignant, mild; **—gemeint,** well-meant
Gut, *n.*, good, possession
Gymnasium, *n.*, **–ien,** Gymnasium, public school (in Germany)

H

Haar, *n.*, –e, hair; —**boden,** *m.*, hair-bed; —**erzeugungsmittel,** *n.*, —, hair-restorer; —**gefäß,** *n.*, –e, capillary (vessel); —**gefäßnetz,** *n.*, net of capillaries; —**kleid,** *n.*, hairy covering; —**losigkeit,** *f.*, hairlessness, baldness; —**papille,** *f.*, –n, hair-papilla; —**schaft,** *m.*, hair-shaft; —**wuchs,** *m.*, growth of hair; —**wurzel,** *f.*, –n, root of hair; —**zwiebel,** *f.*, hair-bulb

haar: —**fein,** fine as a hair; —**förmig,** hairlike, capillary, piliform; —**los,** hairless

haften, to cling, adhere

Hai, *m.*, –e, shark; —**fisch,** *m.*, –e, shark; —**fischembryo,** *m.*, embryo of the shark

Haken, *m.*, —, hook

halb, half; —**kugelig,** hemispherical, semiglobular; —**seitig,** halfsided

Halb: —**kreis,** *m.*,– e, semicircle; —**kugel,** *f.*, –n, hemisphere

halbieren, to halve, divide into halves

Halbierung, *f.*, halving

Hälfte, *f.*, –n, half

Halm, *m.*, –e, stalk, blade

Hals, *m.*, ⸗e, neck; —**fistel,** *f.*, cervicle fistula; —**haut,** *f.*, skin of the neck; —**schlagader,** *f.*, carotid; —**teil,** *m.*, neck portion; —**wirbel,** *m.*, —, cervical vertebra

Halt, *m.*, hold, support

halten, to hold, keep, maintain; consider; **sich — an,** to keep to; **sich das Gleichgewicht —,** to balance

hämisch, malicious

Hammelfleischbrühe, *f.*, mutton broth

Hammer, *m.*, ⸗, hammer; malleus

hämmern, to hammer, pound

Hämostasis, *f.*, hemostasis, arrest of the flow of blood

Hand, *f.*, ⸗e, hand; —**arbeit,** *f.*, manual labor, handwork; —**badewanne,** *f.*, –n, hand-bathtub; —**buch,** *n.*, ⸗er handbook, book of reference; —**fläche,** *f.*, –n, palm (of the hand); —**gelenk,** *n.*, –e, wrist; —**knochen,** *m.*, —, bone of the hand; —**rücken,** *m.*, back of the hand; —**teller,** *m.*, —, palm of the hand; —**wurzel,** *f.*, carpus, wrist-joint; —**wurzelknochen,** *m.*, —, carpal bone

Händedesinfektion, *f.*, disinfection of the hands

handeln, to act, treat, deal; **sich um etwas —,** to be a question of

Handlung, *f.*, –en, act, deed, action

Handlungsweise, *f.*, procedure

hangen, to hang, be suspended

Härchen, *n.*, —, small hair

harmonieren, to harmonize

Harn, *m.*, urine; —**blase,** *f.*, urinary bladder; —**kanälchen,** *n.*, —, tubulus uriniferus; —**leiter,** *m.*, ureter, catheter; —**stoff,** *m.*, urea, carbamido; —**werkzeug,** *n.*, –e, urinary organ

hart, hard; —**gekocht,** hardboiled

Härte, *f.*, hardness

Hauch, *m.*, breath

hauen, to hew, cut

häufig, frequent

Haupt, *n.*, ⸗er, head; —**aufgabe,** *f.*, –n, main task; —**bedingung,** *f.*, –en, main condition; —**bestandteil,** *m.*, –e, chief constituent, essential part; —**form,** *f.*, –en, principal form; —**gefahr,** *f.*, –en, chief danger; —**gefäß,** *n.*, –e, principal vessel; —**gruppe,** *f.*, –n, principal group; —**haar,** *n.*, hair of the head; —**lymphstamm,** *m.*, ductus thoracicus; —**masse,** *f.*, bulk; —**merkmal,** *n.*, –e, distinctive feature; —**moment,** *n.*, –e, main point; —**nährstoff,** *m.*, –e, chief nutritive substance; —**sache,** *f.*, –n, main point, chief thing; **in der —sache,** in the main, principally; **der —sache nach,** in substance, substantially; —**schädlichkeit,** *f.*, principal noxious agent *or* influence; —**stamm,** *m.*, ⸗e, principal stem, chief trunk; —**stütze,** *f.*, main support; —**teil,** *m.*, –e, principal part; **—wirkung,** *f.*, **–en,** principal effect; **—zug,** *m.*, **⁻e,** principal feature; **—zweig,** *m.*, **–e,** main branch

Haupt-Körperschlagader, *f.*, main body artery

hauptsächlich, chief, principal, main

Haus, *n.*, **⁻er,** house; **—flur,** *m.*, hallway; **—maus,** *f.*, **⁻e,** house-mouse; domestic mouse; **—tier,** *n.*, **–e,** domestic animal

Haut, *f.*, **⁻e,** skin, membrane; **—atmung,** *f.*, cutaneous respiration; **—ausdünstung,** *f.*, evaporation from the skin; **—auswuchs,** *m.*, **⁻e,** cutaneous outgrowth; **—drüse,** *f.*, **–n,** cutaneous gland; **—einstülpung,** *f.*, **—en,** infolding *or* invagination of the skin; **—falte,** *f.*, **–n,** fold of the skin; **—gebilde,** *n.*, **—,** skin formation; **—krankheit,** *f.*, **–en,** skin disease; **—lappen,** *m.*, **—,** flap of skin; **—muskel,** *m.*, **–n,** cutaneous muscle; **—naht,** *f.*, **⁻e,** cutaneous suture; **—oberfläche,** *f.*, cutaneous surface; **—pflege,** *f.*, care of the skin; **—poren,** *pl.*, pores of the skin; **—reizung,** *f.*, irritation of the skin; **—schicht,** *f.*, **–en,** cutaneous layer; **—schmiere,** *f.*, sebaceous humour; **—stelle,** *f.*, **–n,** place on the skin; **—streifen,** *m.*, **—,** strip of skin; **—stück,** *n.*, **–e,** piece of skin; **—talg,** *m.*, sebaceous matter; **—übel,** *n.*, **—,** skin disease; **—verknöcherung,** *f.*, **–en,** ossification of skin; **—verletzung,** *f.*, **–en,** injury to the skin; **—warze,** *f.*, **–n,** cutaneous wart *or* papilla; **—wunde,** *f.*, **–n,** skin wound; **—zahn,** *m.*, **⁻e,** skin tooth

Häutchen, *n.*, **—,** membrane

häutig, membranous

Häutung, *f.*, shedding of skin, desquamation

Hebel, *m.*, lever; **—arm,** *m.*, lever arm; **—gesetz,** *n.*, **–e,** law regarding levers

heben, to lift, raise; **sich —,** to rise, revive

Heer, *n.*, **–e,** army; **–straße,** *f.*, **–n,** strategic road; highway, main road

Hefepilz, *m.*, yeast fungus

heftig, violent, fierce

Heftpflaster, *n.*, adhesive plaster, court-plaster

hegen, to entertain, hold, cherish

heilen, to heal

Heilfaktor, *m.*, **–en,** healing factor

Heilkunde, *f.*, science of medicine

Heilserum, *n.*, *pl.*, **—sera,** antitoxin

Heilung, *f.*, healing, cure

Heilungs: —dauer, *f.*, time of healing; **—tendenz,** *f.*, healing tendency; **—vorgang,** *m.*, **⁻e,** healing process

Heilverfahren, *n.*, medicinal *or* therapeutic treatment

Heimat, *f.*, home, native country

heiß, hot

heißen, to be called

heizen, to heat

helfen, to help, aid

hell, bright, light; **—rot,** bright red

Helle, *n.*, clearness, light

hemmen, to check, retard

her, here, hither

herabdrücken, to depress, force down

herabgehen, to extend downward

herabhangen, to hang down

herabsetzen, to lower, reduce

Herabsetzung, *f.*, lowering, reduction

herabsinken, to sink down, fall

herabsteigen, to descend

heranbringen, to bring near

herantreten, to approach

heraufziehen, to draw up

heraus, out

herausfahren, to pass out

herausfallen, to fall out

herausgeben, to publish

heraushauen, to cut out

herausleiten, to lead out

herausragen, to project

herausreißen, to tear out

herausschlagen, to burst forth, leap up

herausschneiden, to cut out

herausschwemmen, to wash out

heraussickern, to trickle **out**

heraustreiben, to drive out

heraustreten, to come out, emerge

herbeiführen, to bring about, cause
Herbeiführung, *f.*, the bringing about, production
herbeiholen, to fetch in, procure, introduce
herbeirufen, to call in
Hergang, *m.*, occurrence
hergebracht, handed down, traditional
Herkunft, *f.*, descent, origin
herleiten, to deduce
Herr, *m.*, **–en,** master
herrschen, to rule, prevail; be
herrühren, to arise, originate; **— aus,** be due to
herstammen, to descend from, develop out of
herstellen, to make, prepare, form, produce; **wieder —,** restore
Herstellung, *f.*, production
herum, around, about
herumlegen, to place about
herumschweifen, to wander about, rove
herunter, down
herunterhängen, to hang down
herunterreichen, to reach down
hervorbringen, to produce, cause
Hervorbringung, *f.*, production
hervorgehen, to go forth, arise, issue; follow, become clear; **daraus geht hervor,** hence it follows
hervorheben, to raise; mention, emphasize
hervorkommen, to come forth, appear
hervorquellen, to well forth
hervorragen, to project, stand forth; **—d,** prominent, projecting
Hervorragung, *f.*, protuberance, promontory
hervorrufen, to call forth, produce, cause
hervorspringen, to project
hervorstreckbar, capable of being stretched forth, extendible
hervortreten, to step forth, arise, occur, appear; project; become evident
Hervortreten, *n.*, appearance
Herz, *n.*, **–en,** heart; **—aktion,** *f.*, heart action; **—beutel,** *m.*, pericardium; **—druck,** *m.*, pressure of the heart; **—gegend,** *f.*, cardiac region; **—grube,** *f.*, pit of the stomach; **—hälfte,** *f.*, half *or* side of the heart; **—kammer,** *f.*, **–n,** ventricle; **—kammeröffnung,** *f.*, **–en,** ventricular opening; **—klopfen,** *n.*, palpitation of the heart; **—kraft,** *f.*, strength of the heart; **—muskel,** *m.*, **–n,** cardiac muscle; **—schlag,** *m.*, **⸗e,** heart-beat; **—spitze,** *f.*, apex of the heart; **—stillstand,** *m.*, heart failure, perisystole; **—tätigkeit,** *f.*, heart activity; **—ton,** *m.*, **⸗e,** cardiac sound; **—ventil,** *n.*, **–e,** heart valve
Herzensgüte, *f.*, kindness of heart
Heterogenesis, *f.*, heterogenesis
Heu, *n.*, hay; **—infus,** *m.*, hay infusion; **—schrecke,** *f.*, **–n,** locust, grasshopper
heute, today
heutig, of today, present
heutzutage, nowadays, at the present time
Hieb: **—verletzung,** *f.*, **–en,** injury caused by a blow *or* cut; **—waffe,** *f.*, **–n,** weapon for cutting; **—wunde,** *f.*, **–n,** wound from a cut, sword wound
hier, here; **—an,** in this; therein; **—auf,** hereupon; **—aus,** from this, hence; **—bei,** herewith, in this; **—durch,** through this, thereby; **—für,** for it, for this; **—her,** here, in this category; **—in,** herein, in this; **—mit,** herewith, with this; **hierzu,** hereto, moreover
Highmorshöhle, *f.*, antrum of Highmore
Hilfe, *f.*, help, aid, assistance; **—leistung,** *f.*, aid
Hilfs: **—einrichtung,** *f.*, **–en,** auxiliary arrangement; **—mittel,** *n.*, **—,** aid, means, remedy; **—werkzeug,** *n.*, **–e,** accessory organ
Himmel, *m.*, heaven, sky
hin, thither, away, toward; **— und her,** to and fro; back and forth; **— und wieder,** now and then, occasionally
hinabdrücken, to press down
hinabsteigen, to descend
hinabziehen, to extend down

hinauf, up
hinaus, out; **über etwas —,** above, beyond
hinausgelangen, to reach, arrive; **über etwas —,** to get beyond
hinausragen, to project out
Hinblick, *m.*, regard, consideration; **in — auf,** in regard to
hindern, to hinder, prevent
hindurch, through
hindurchführen, to pass through
hindurchgehen, to pass through
hindurchragen, to project through
hindurchstreichen, to pass through
hindurchströmen, to pass through
hindurchtreten, to pass through
hinein, in, into
hineinbeziehen, to draw in, incorporate, include
hineinbringen, to carry in, introduce
hineinerstrecken (sich), to extend into
hineingelangen, to get in, enter
hineingeraten, to get in, enter
hineinkommen, to come into
hineinpressen, to press into
hineinragen, to project into
hineinrücken, to move into
hineinspülen, to wash into
hineintauchen, to dip in, immerse
Hineintragung, *f.*, introduction
hineintreten, to enter
hineinwaschen, to wash into
hineinziehen, to draw in
Hingabe, *f.*, devotion
hingegen, on the contrary
hingleiten, to glide along
hinkommen, to come there, arrive; **wo sind — hingekommen,** what has become of —
hinleiten, to lead *or* conduct to
hinreichen, to suffice; **—d,** sufficient
Hinsicht, *f.*, regard, respect
hinsichtlich, in regard to, in respect to
hinten, behind, posteriorly; **nach —,** toward the rear
hinter, behind; *adj.*, posterior; **—einander,** one after *or* behind the other
Hinter: **—ansicht,** *f.*, rear view; **—backen,** *m.*, —, buttock; **—fläche,** *f.*, rear surface; **—gliedmaße,** *f.*, -n, posterior limb; **—grund,** *m.*, background; **—haupt,** *n.*, back of the head, occiput; **—haupt(s)bein,** *n.*, occipital bone; **hauptgegend,** *f.*, occipital region; **—haupt(s)loch,** *n.*, occipital foramen; **—hirn,** *n.*, hindbrain, epencephalon; **—kopf,** *m.*, occiput; **—rand,** *m.*, posterior border; **—seite,** *f.*, rear side; **—wand,** *f.*, back wall
hinterlassen, to leave behind, leave
hinunter, down
hinunterschlucken, to swallow
hinweggehen, to pass over
hinweggleiten, to glide over
hinweglaufen, to run along, extend
hinwegtreten, to go, pass
hinwegziehen: sich —, to pass over, envelop
hinweisen, to indicate, show, refer; point to, point out
hinzufügen, to add
hinzukommen, to join, be added; supervene
Hinzukommen, *n.*, addition
hinzutreten, to join, be added; supervene
Hinzutreten, *n.*, accession, addition
Hirn, *n.*, brain; **—abschnitt,** *m.*, -e, brain section; **—abteilung,** *f.*, -en, section of the brain; **—ausbildung,** *f.*, development of the brain; **—bau,** *m.*, structure of the brain; **—blasen,** *f. pl.*, brain vesicles; **—dach,** *n.*, cranium; **—gefäß,** *n.*, -e, cerebral vessel; **—haut,** *f.*, cerebral meninges (**harte,** dura mater; **weiche,** pia mater; **mittlere,** (arachnoid); **—höhle,** *f.*, brain cavity; **—masse,** *f.*, brain substance; **—schädel,** *m.*, brain-pan, cranium; **—schale,** *f.*, skull-cap, cranium; **—stock,** *m.*, brain-stem, peduncle; **—teil,** *m.*, brain portion; **—windung,** *f.*, -en, convolution of the brain
hirnartig, brainlike

Histologie′, *f.*, histology
histo′risch, historical
Hitze, *f.*, heat; **—grad**, *m.*, **–e**, degree of heat
Hitzschlag, *m.*, heat-stroke
hoch, high; **—entwickelt**, highly developed; **—frequent**, highly frequent; **—geehrt**, highly honored; **—gradig**, of high degree; **—stehend**, standing high; **—virulent**, highly virulent
hochlagern, to raise, elevate
Hochlagerung, *f.*, elevation
höchst, extremely, exceedingly
höchstens, at most
höchstwahrscheinlich, in all probability
höckerig, uneven, bumpy, dented
Hof, *m.*, **⸚e**, yard
Hoffnung, *f.*, **–en**, hope
Höhe, *f.*, **–n**, height, altitude, level; in die —, up, upward; **—punkt**, *m.*, high point, culmination
hohl, hollow; **—geschliffen**, hollow-ground, concave
Hohl: **—blutader**, *f.*, vena cava; **—hand**, *f.*, palm; **—muskel**, *m.*, hollow muscle; **—raum**, *m.*, **⸚e**, hollow space; cavity, chamber; **—tier**, *n.*, **–e**, cœlentera; **—vene**, *f.*, vena cava
Höhle, *f.*, **–n**, cavity
Höhlenwandung, *f.*, **–en**, wall of a cavity
Höhlenwunde, *f.*, **–n**, hollow wound
Höhlung, *f.*, **–en**, hollow, cavity
hohlwerden, to become hollow, decay
Holz, *n.*, **⸚er**, wood; **—splitter**, *m.*, **—**, splinter of wood
homolog′, homologous
Homologie′, *f.*, **–n**, homology
Hör: **—apparat**, *m.*, hearing apparatus; **—nerv**, *m.*, auditory nerve; **—organ**, *n.*, organ of hearing
hören, to hear
Hörer, *m.*, hearer, auditor
horizontal′, horizontal
Horn: **—auge**, *n.*, **–n**, horny eye; **—gebilde**, *n.*, **—**, horny formation; **—haut**, *f.*, cornea; **—lage**, *f.*, horny layer; **—masse**, *f.*, horny substance; **—plättchen**, *n.*, **—**, horny plate; **—platte**, *f.*, **–n**, horny plate; **—scheide**, *f.*, **–n**, horny sheath; **—schicht**, *f.*, **–en**, horny layer; **—teilchen**, *n.*, **—**, horny particle; **—überzug**, *m.*, **⸚e**, horny covering
hornartig, hornlike
hornig, horny
Hosenträger, *m. pl.*, suspenders
Huf, *m.*, **–e**, hoof
Hüft: **—bein**, *n.*, **–e**, hip-bone, coxal bone, os innominatum, ilium; **—(en)-gegend**, *f.*, region of the hip; **—gelenk**, *n.*, hip-joint
Hüfte, *f.*, **–n**, hip
Hühnerauge, *n.*, **–n**, corn
Hühnercholera, *f.*, chicken cholera
Hühnereiweiß, *n.*, white of a hen's egg
huldigen, to render homage, favor
Hülle, *f.*, **–n**, sheath, cover
Hülsenfrucht, *f.*, **⸚e**, legume
Hund, *m.*, **–e**, dog
Hunde: **—biß**, *m.*, dog-bite; **—embryo**, *m.*, dog embryo; **—gattung**, *f.*, **–en**, dog species
Hunger, *m.*, hunger; **—tod**, *m.*, starvation
hürnen, horny
husten, to cough
hüten (sich), to guard against, beware of
Hydra, *f.*, hydra, water-snake
hydropathisch, hydropathic
Hygiene, *f.*, hygiene
Hyperämie, *f.*, hyperæmia
hyperpläsieren, to increase the number of tissue elements abnormally, tend to hyperplasia
hypoglossus, hypoglossal, situated under the tongue
Hypothe′se, *f.*, **–n**, hypothesis
hypothe′tisch, hypothetical

I

ideal′, ideal
iden′tisch, identical
Igel, *m.*, **—**, hedgehog
ihrerseits, in their turn

ihresgleichen, her *or* their kind
Ikterus, *m.*, jaundice
Ileus, *m.*, ileus
illustrieren, to illustrate
immer, always, ever, continually; **—fort,** continually, constantly; **—hin,** always; still, nevertheless; **—mehr,** more and more; **— wieder,** again and again
immun′, immune
Immunität′, *f.*, immunity; **—forschung,** *f.*, immunity research
impfen, to inoculate
Impfform, *f.*, inoculation form
Impfung, *f.*, **–en,** inoculation
Implantation′, *f.*, **–en,** implantation
imponieren, to impress, strike
Impression′, *f.*, **–en,** impression
Impuls, *m.*, **–e,** impulse
imstande sein, to be able
indem, while, as, by, in that, in as much as
indes, indessen, meanwhile, however
individualisieren, to individualize
Individualität′, *f.*, **–en,** individuality
Individuum, *n.*, **–uen,** individual
ineinander, in, into one another
Infektion, *f.*, **–en,** infection
Infektions: **—erreger,** *m.*, **—,** exciting cause of infection; **—krankheit,** *f.*, **–en,** infectious disease; **—stoff,** *m.*, **–e,** infective material
infektiös′, infectious
infizieren, to infect
infolge, in consequence of; **—dessen,** consequently
informieren, to inform
Infraorbitalrand, *m.*, infra-orbital border
Infusion′, *f.*, **–en,** infusion
Infuso′rien, *n. pl.*, infusoria
Ingredienz′, *f.*, **–en,** ingredient
Inhalt, *m.*, contents
inhaltsreich, full of substance; significant
Injektion′, *f.*, **–en,** injection
Inkubations′zeit, *f.*, time of incubation
innehaben, to have, possess, hold
innen, within, inside; **nach —,** inward; **von — nach außen,** from within outward
Innen: **—fläche,** *f.*, inner surface; **—raum,** *m.*, interior; **—seite,** *f.*, inside, inner wall; **—wand,** *f.*, inner wall
inner, inner; **—halb,** inside of, within; **—lich,** inner, internal, inward
Innere, *n.*, interior
Innervierung, *f.*, innervation
innewohnen, to dwell within, be inherent
innig, intimate, close; **auf das —ste,** most intimately
insbesondere, in particular, especially
Insekt′, *n.*, **–en,** insect
Insekten: **—fresser,** *m. pl.*, insectivores, entomophagans; **—stich,** *m.*, **–e,** sting *or* bite of an insect
insofern, in so far (as)
Inspiration′, *f.*, **–en,** inspiration, inhalation
instand setzen, to get ready, arrange, set up
Institut′, *n.*, **–e,** institute; **— Pasteur,** Pasteur Institute
Instrument′, *n.*, **–e,** instrument
intakt′, intact
intellektuell′, intellectual
Intelligenz′, *f.*, intelligence
Intensität′, *f.*, intensity
intensiv′, intensive, intense; exceedingly
interessant′, interesting
Interes′se, *n.*, **–n,** interest; attention
Interna, *f.*, interna
intim′, intimate
intravenös′, intravenous
Invasion′, *f.*, invasion
inwiefern, in how far, to what extent
inzidieren, to incise
Inzision′, *f.*, **–en,** incision
irgend, any, some; **–ein,** any (whatsoever); some; **—welch,** any (whatever); **—wie,** in some way
Iris, *f.*, iris
irritieren, to irritate
Irrtum, *m.*, **⸚er,** error, mistake
irrtümlich, erroneous

ischä'misch, of local anemia
isolieren, to isolate, insulate
isomer', isomeric
Italien, *n.*, Italy
Italiener, *m.*, —, Italian
italienisch, Italian

J

ja, yes, indeed
Jacke, *f.*, –n, jacket
jagen, to hunt, chase
jäh, sudden, abrupt
Jahr, *n.*, –e, year; **—hundert,** *n.*, –e, century; **—zehnt,** *n.*, –e, decade
jahrelang, for years
Jahreszeit, *f.*, –en, season
jahrtausendelang, of thousands of years
Jaucheherd, *m.*, focus of ichorous suppuration
je, each; ever; in each case; **— . . . desto,** the . . . the; **— nach,** according to; **— nachdem,** according as, accordingly; depending upon
jedenfalls, at all events
jeder, each, every, any; **—mann,** everyone, anybody; **—seits,** on each side; **—zeit,** at any time
jedesmal, every time
jedesmalig, at every time, taking place every time
jedoch, yet, however
jemals, ever
jener, that one
jetzt, now
Jetztzeit, *f.*, present time
jeweils, occasional, in each case
Jochbein, *n.*, –e, malar bone, zygoma; **—bruch,** *m.*, **—fractur,** *f.*, fracture of the zygoma
Jochbogen, *m.*, zygomatic arch
Jod, *n.*, iodine; **—benzin,** *n.*, iodized benzine; **—tinktur,** *f.*, tincture of iodine; **—tinkturanstrich,** *m.*, painting with tincture of iodine
Jodoformgaze, *f.*, iodoform gauze
Journal', *n.*, –e, newspaper
Jugend, *f.*, youth
Juli, *m.*, July
jung, young, new, recent
Junge, *n.*, –n, young one

K

Kabel, *n.*, —, cable
Käfer, *m.*, —, beetle
Kaffee, *m.*, coffee
Kaiserl., Kaiserlich, imperial
Kaiserreich, *n.*, empire
Kaka'o, *m.*, cocoa
Kalamität', *f.*, –en, calamity
Kalbshirn, *n.*, calf's brain
Kalilauge, *f.*, solution of caustic potash
Kalk, *m.*, lime; **—milch,** *f.*, milk of lime, slaked lime; **—salz,** *n.*, calcium salt; **—schale,** *f.*, –n, shell of calcium; **—wasser,** *n.*, lime-water
kalt, cold
Kälte, *f.*, cold; **—empfindung,** *f.*, sensation of cold; **—grad,** *m.*, –e, degree of cold; **—reiz,** *m.*, irritation due to cold
Kalzium, *n.*, calcium
Kamerad', *m.*, –en, comrade
kämmen, to comb
Kammer, *f.*, –n, chamber, room
Kampf, *m.*, ⸚e, combat, struggle; **— ums Dasein,** struggle for existence
Kampfer, *m.*, camphor; **—injektion,** *f.*, injection of camphor
Kanal', *m.*, ⸚e, canal, duct
Kanäl'chen, *n.*, —, little canal
Kanin'chen, *n.*, —, rabbit
Kanonier', *m.*, –e, cannoneer, artilleryman
Kante, *f.*, –n, edge, corner
kantig, with edges, angular
kapillar', capillary
Kapilla're, *f.*, –n, capillary vessel
Kapillar'gefäß, *n.*, –e, capillary vessel
Kapillarität', *f.*, capillarity
Kapi'tel, *n.*, —, chapter
Kapsel, *f.*, –n, capsule; **—raum,** *m.*, capsular space
Karbol'säure, *f.*, carbolic acid
Kardinal': **—frage,** *f.*, –n, cardinal

question; **—symptom,** *n.*, **-e,** cardinal symptom
Karoti'de, *f.*, carotid artery
Kartof'fel, *f.*, **-n,** potato
Käse, *m.*, —, cheese; **—stoff,** *m.*, casein
Kategorie', *f.*, **-n,** category, class
Katgut, *n.*, catgut
Kathe'ter, *m.*, —, catheter
katho'lisch, catholic
Katze, *f.*, **-n,** cat
Kau: —bewegung, *f.*, **-en,** masticatory movement; **—muskel,** *m.*, **-n,** masseter; **—organ,** *n.*, **-e,** organ of mastication
kauen, to chew, masticate
käuflich, purchaseable, for sale
Kaulquappe, *f.*, **-n,** tadpole
kaum, scarcely, hardly
Kautel', *f.*, precaution
kegelförmig, conical
Kehl: — deckel, *m.*, epiglottis; **—gegend,** *f.*, laryngeal region; **—grube,** *f.*, suprasternal fossa; **—kopf,** *m.*, larynx; **—kopfdeckel,** *m.*, laryngeal cover; **—kopföffnung,** *f.*, upper orifice of larynx.
Kehle, *f.*, throat
kehren, to turn
Keil, *m.*, **-e,** wedge; **—bein,** *n.*, sphenoid bone; **—wirkung,** *f.*, wedge-effect
Keim, *m.*, **-e,** germ; **—bläschen,** *n.*, —, germinal vesicle, blastocyst; **—blatt, ⸚er,** cotyledon, a germinal layer; (**äußeres —,** ectoderm; **inneres —,** entoderm; **mittleres —,** mesoderm); **—blätterbildung,** *f.*, formation of cotyledon, development of germinal layer; **—fleck,** *m.*, germinal spot, nucleolus of ovum; **—kraft,** *f.*, germ-strength; **—schicht,** *f.*, germ-layer, blastostroma; **—theorie,** *f.*, germ theory
keimen, to germinate
Keimes: —entwicklung, *f.*, germ development; **—geschichte,** *f.*, history of the germ
keimfrei, free from germs
Keimung, *f.*, germination
kein, no, none; **—erlei,** of no kind, no manner of, not any; **—esfalls, —eswegs,** by no means
keloid, *n.*, keloid, cheloid
kennen, to know
kenntlich, distinguishable, recognizable
Kenntnis, *f.*, **-se,** knowledge, information
kennzeichnen, to characterize, distinguish; **—d,** characteristic
Kern, *m.*, **-e,** kernel, core, heart, center, nucleus; **—durchmesser,** *m.*, nuclear diameter; **—haut,** *f.*, nuclear membrane; **—körper,** *m.*, —, **körperchen,** *n.*, —, nuclear corpuscle; nucleolus; **—netz,** *n.*, nuclear net, **—spindel,** *f.*, **-n,** spindle figure formed in nucleus undergoing karyokinesis, mitotic spindle; **—substanz,** *f.*, nuclear substance; **—teil,** *m.*, **-e,** segment of nucleus; **—teilung,** *f.*, segmentation of nucleus
Kerze, *f.*, **-n,** candle
Kessel, *m.*, —, kettle, boiler
Kette, *f.*, **-n,** chain
ketten, to chain, join
kg, Kilogram, *n.*, kilogram
kgm, Kilogrammeter, *m.*, kilogrameter
Kiefer, *m.*, —, jaw (-bone), maxilla; **—apparat,** *m.*, maxillary apparatus; **—bogen,** *m.*, — *or* **-⸚,** jaw arch, inferior maxillary arch; **—füße,** *m. pl.*, transitional form of legs on the jaws of anthropods; **—gelenk,** *n.*, temporo-maxillary articulation; **—rand,** *m.*, edge of jaw
Kieme, *f.*, **-n,** gills, branchiæ
Kiemen: —apparat, *m.*, gill-apparatus; **—atmer,** *m.*, gill-breather; **—atmung,** *f.*, gill-breathing; **—blutgefäß,** *n.*, **-e,** branchial bloodvessel; **—bogen,** *m.*, —, *or* **⸚—,** gill-arch, branchial arch; **—spalt,** *f.*, **-en,** gill-cleft
kiemenatmend, breathing through the gills
kiementragend, bearing gills
Kieselstein, *m.*, **-e,** pebble
Kind, *n.*, **-er,** child; **—heit,** *f.*, childhood

Kindes: **—alter,** *n.*, infancy; **—kind,** *n.*, **–er,** grandchild; **—kindeskind,** *n.*, **–er,** great grandchild
kindlich, childlike
Kinn, *n.*, chin; **—backenkrampf,** *m.*, lock-jaw; **—gegend,** *f.*, mental region
Kirche, *f.*, **–n,** church
kirchlich, ecclesiastical
klaffen, to gape, stand apart
klagen, to complain
Klappe, *f.*, **–n,** valve
Klappenfehler, *m.*, **—,** valvular defect
klar, clear, evident
Klarheit, *f.*, clearness
Klärung, *f.*, explanation, elucidation
Klasse, *f.*, **–n,** class, order
Klavier', *n.*, **–e,** piano
kleben, to cleave, stick, adhere
Kleber, *m.*, gluten
klebrig, sticky
Kleid, *n.*, **–er,** garment, dress, clothes
kleiden, to clothe, dress
Kleiderfetzen, *m.*, **—,** shred of clothing
Kleidung, *f.*, clothing, clothes
Kleidungs: **—stück,** *n.*, **–e,** article of clothing; **—zweck,** *m.*, **–e,** purpose of clothing
klein, little, small
Kleinerwerden, *n.*, decrease, diminution
Kleinfingerseite, *f.*, little finger side
Kleinheit, *f.*, littleness, minuteness
Kleinhirn, *n.*, cerebellum
Kleister, *m.*, paste
klettern, to climb
Klima, *n.*, climate
Klinge, *f.*, **–n,** blade
Klinik, *f.*, clinic
klinisch, clinical
Kloa'kentier, *n.*, **–e,** monotreme
Knäuel, *n.*, **—,** ball, cluster
Knie, *n.*, **–e,** knee; **—gelenk,** *n.*, knee-joint; **—kehle,** *f.*, popliteal space; **—scheibe,** *f.*, **–n,** patella
knistern, crackle
Knöchel, *m.*, **—,** knuckle, malleolus
Knochen, *m.*, **—,** bone; **—bau,** *m.*, bone structure; **—bogen,** *m.*, bone arch; **—bruch,** *m.*, **⸚e,** bone fracture; **—ende,** *n.*, **–n,** end of a bone; **—erde,** *f.*, bone-earth; **—entwicklung,** *f.*, development of bone; **—fisch,** *m.*, **–e,** fish having bones; **—fortsatz,** *m.*, bony process; **—gerüst,** *n.*, framework of bone, skeleton; **—gewebe,** *n.*, bone-tissue; **—haut,** *f.*, periosteum; **—höhle,** *f.*, bone cavity; **—impression,** *f.*, depression of a bone; **—kapsel,** *f.*, **–n,** bony capsule; **—kern,** *m.*, **–e,** center of ossification; **—knorpel,** *m.*, primitive cartilage (from which a bone is developed); **—lamelle,** *f.*, bone-lamella; **—lappen,** *m.*, bone-flap; **—leim,** *m.*, animal matrix of bone, gelatine; **—mark,** *n.*, bone-marrow; **—masse,** *f.*, bony mass, osseous substance; **—oberfläche,** *f.*, surface of a bone; **—paar,** *n.*, **–e,** pair of bones; **—partie,** *f.*, **–en,** part of a bone; **—platte,** *f.*, **–n,** bone-plate; **—punkt,** *m.*, **–e,** point on a bone; **—säule,** *f.*, bony column; **—scheibe,** *f.*, bony disc; **—schicht,** *f.*, **–en,** bone layer; **—stichwunde,** *f.*, stab-wound in a bone; **—stück,** *n.*, **–e,** fragment of a bone; **—teil,** *m.*, **–e,** bony part, section of bone; **—verletzung,** *f.*, **–en,** bone injury; **—vorsprung,** *m.*, **⸚e,** bony prominence; **—wand,** *f.*, osseous wall; **—zapfen,** *m.*, tab-shaped piece of bone, bony pivot; **—zelle,** *f.*, **–n,** bone-cell
knochenartig, bonelike
knöchern, bony, of bone, osseous
Knöchlein, *n.*, **—,** little bone
Knöllchenbakterien, *n. pl.*, tubercle bacteria
knopfartig, button-shaped, knobbed
Knopfnaht, *f.*, **⸚e,** button suture, interrupted suture
Knorpel, *m.*, cartilage; **—belag,** *m.*, cartilaginous covering; **—bildung,** *f.*, formation of cartilage; **—fisch,** *m.*, **–e,** cartilaginous fish; **—fortsatz,** *m.*, cartilaginous process; **—gerüst,** *n.*, framework of cartilage; **—gewebe,** *n.*, cartilaginous tissue; **—kapsel,** *f.*,

cartilage capsule; —**partie,** *f.*, cartilage part, portion of cartilage; —**platte,** *f.*, –**n,** cartilaginous plate; —**scheibe,** *f.*, –**n,** cartilaginous disc; —**spange,** *f.*, –**n,** tongue of cartilage; —**stück,** *n.*, –**e,** fragment of cartilage; —**teil,** *m.*, –**e,** cartilaginous portion; —**zelle,** *f.*, –**n,** cartilage cell
knorpelähnlich, resembling cartilage, cartilaginous
knorpelig, cartilaginous
Knorren, *m.*, —, protuberance, condyle
Knoten, *m.*, —, knot
knoten, to knot, tie
knüpfen, to tie, join
kochen, to cook, boil
Kochsalz, *n.*, common salt, sodium chloride; —**infusion,** *f.*, –**en,** injection of common salt; —**lösung,** *f.*, –**en,** common salt solution
Koffein, *n.*, caffein
Kohle, *f.*, –**n,** coal, charcoal, carbon; —**hydrat,** *n.*, carbohydrate
Kohlen: —**dioxyd,** *n.*, carbon dioxide; —**säure,** *f.*, carbonic acid, carbon dioxide; —**stoff,** *m.*, carbon
kohlendioxydreich, rich in carbon dioxide
kohlensauer, carbonic
kohlensäurehaltig, carbonic
kohlenstoffhaltig, carbonaceous
Kolibazillen, *f. pl.*, bacilli coli
Kollapszustand, *m.*, ⸚**e,** condition of collapse
Kollargol, *n.*, collargol
Kollodiumverband, *m.*, ⸚**e,** collodion bandage
Kolonie′, *f.*, –**en,** colony; —**bildung,** *f.*, colony formation; —**stadium,** *n.*, colony stage
Kombination′, *f.*, –**en,** combination
kombinieren, to combine
Komitee′, *n.*, –**n,** committee
kommen, to come; **dazu kommt, daß,** it must be added that, moreover
Kommunikation′, *f.*, –**en,** communication
kompensieren, to compensate, counterbalance; **kompensiert,** compensated
Komplikation′, *f.*, –**en,** complication
komplizieren, to complicate
kompliziert′, complicated, intricate
Kompres′se, *f.*, –**n,** compress
Kompression′, *f.*, compression
kompressions′artig, in the manner of compressing
komprimieren, to compress
Konjunkti′va, *f.*, conjunctiva
Konjunktival′reflex, *m.*, conjunctival reflex
konkav′, concave
können, to be able, can
Konsequenz′, *f.*, –**en,** consequence
konservativ′, conservative
konservieren, to preserve
Konservieren, *n.*, preservation, preserving
Konsistenz′, *f.*, consistency
konstatieren, to verify, observe
konstruieren, to construct
Kontakt′, *m.*, contact
Kontinent′, *m.*, continent
kontinuier′lich, continuous
kontrahieren, to contract
kontrollieren, to control, check
konvex, convex
Konvulsion′, *f.*, –**en,** convulsion
konzentrieren, to concentrate
konzen′trisch, concentric
Kopf, *m.*, ⸚**e,** head; —**bedeckung,** *f.*, –**en,** head covering; —**haut,** *f.*, scalp; —**hautverletzung,** *f.*, –**en,** scalp injury; —**naht,** *f.*, cranial suture; —**schmerzen,** *m. pl.*, headache; —**schwarte,** *f.*, scalp; —**weichteile,** *m. pl.*, soft parts of the head
Korb, *m.*, ⸚**e,** basket; mask, inhaler
Kork, *m.*, cork
korkzieherartig, like a corkscrew
Korn, *n.*, ⸚**er,** grain, corn, granule
Körnchen, *n.*, —, granule
Kornea, *f.*, cornea
Kornealreflex′, *m.*, corneal reflex
Körnelung, *f.*, granulation
Körnerfresser, *m.*, —, graniverous bird
Körper, *m.*, —, body; —**abschnitt,** *m.*,

—e, section of the body; —achse, *f.*, axis of the body; —arterie, *f.*, (große) aorta; —bau, *m.*, structure of the body; —bedeckung, *f.*, –en, body covering; —chen, *n.*, —, small body, particle; corpuscle; —ende, *n.*, end of the body; —form, *f.*, form of the body; —gewebe, *n.*, connective tissue of the body; —gewicht, *n.*, body weight; —hälfte, *f.*, –n, half of the body; —haltung, *f.*, deportment, carriage, bearing; —haut, *f.*, skin of the body; —höhle, *f.*, –n, cavity of the body; —hohlraum, *m.*, ⸚e, the hollow space in the body; —kreislauf, *m.*, systemic circulation; —länge, *f.*, length of the body; —mitte, *f.*, center of the body; —öffnung, *f.*, –en, orifice of the body; —organ, *n.*, –e, organ of the body; —pflege, *f.*, care of the body, hygiene; —pulsader, *f.*, aorta; —region, *f.*, –en, region of the body; —saft, *m.*, ⸚e, fluid of the body; —schaft, *f.*, –en, body, organization; —schlagader, *f.*, aorta; —stelle, *f.*, –n, region of the body, place on the body; —teil, *m.*, –e, part of the body; —temperatur, *f.*, body temperature; —wärme, *f.*, body heat, body temperature; —zelle, *f.*, –n, body cell

körperlich, physical

Korrektur′, *f.*, –en, correction

korrigieren, to correct

Kost, *f.*, food, diet; —art, *f.*, –en, kind of diet

Kosten, *pl.*, cost; auf —, at the expense of

Kot, *m.*, fæces

Kraft, *f.*, ⸚e, force, strength, power; —äußerung, *f.*, –en, demonstration of power

Kräftezustand, *m.*, condition of strength

kräftig, strong, powerful, vigorous

kraftlos, without strength, powerless

Kralle, *f.*, –n, claw, talon

krampfhaft, convulsive

krank, sick, ill; —machend, causing disease

Kranke, *m.*, –n, patient

Krankenhaus, *n.*, ⸚er, hospital

Krankenzimmer, *n.*, —, sick-room

krankhaft, diseased, abnormal

Krankheit, *f.*, –en, sickness, malady, disease

Krankheits: —anfall, *m.*, attack of illness; —bild, *n.*, aspect of a disease, disease picture; —erreger, *m.*, —, excitant of a disease; —erscheinung, *f.*, –en, symptom of a disease; —fall, *m.*, ⸚e, case of illness; —kontagium, *n.*, disease contagion; —stoff, *m.*, –e, contagious matter; —verlauf, *m.*, course of a disease

Kranz, *m.*, ⸚e, wreath

Kreide, *f.*, chalk, carbonate of lime

Kreis, *m.*, –e, circle; —lauf, *m.*, circulation

kreisen, to circulate

kreisförmig, circular

Kreuz, *n.*, –e, cross; small of the back

Kreuzbein, *n.*, os sacrum; —gegend, *f.*, sacral region; —wirbel, *m.*, —, sacral vertebra

kreuzen: sich —, to cross, intersect

kriechen, to crawl

Kriechtier, *n.*, –e, reptile

Krieg, *m.*, –e, war

Kristall′, *n.*, –e, crystal; —linse, *f.*, crystalline lens

kristallogra′phisch, crystallographic

Kritik′, *f.*, criticism

kritisch, critical

Krokodil, *n.*, –e, crocodile

Krone, *f.*, –n, crown

Krönleinsche, of Dr. Krönlein

Krönung, *f.*, crowning

Kropf, *m.*, ⸚e, crop, gizzard; goiter

Kröte, *f.*, –n, toad

Krummdarm, *m.*, ileum

krümmen, to bend, curve

krummsitzen, to stoop in sitting

Krümmung, *f.*, –en, bend, curvature

Kubikmillimeter, *m.*, cubic millimeter

Kugel, *f.*, –n, sphere, bullet; —gelenk, *n.*, –e, ball and socket joint; —lage, *f.*, position of a bullet; —zange, *f.*, ball-extractor, bullet-forceps

kugelförmig, spherical
kugelig, spherical
Kuhdünger, *m.*, cow-dung
kühl, cool
kühn, bold, daring, rash
Kunde, *f.*, knowledge, information, notice
kundgeben, to make known, show, manifest
kunstfertig, skilful
künstlich, artificial
kunstvoll, artistic
Kunstwerk, *n.*, **–e,** work of art
kuppelartig, dome-shaped
kurativ′, curative
Kürschnernaht, *f.*, **⸚e,** glover's suture
kurz, short; **—andauernd,** brief, of brief duration; **—sichtig,** shortsighted, myopic; **vor —em,** recently
Kürze, *f.*, shortness, brevity; **in —,** shortly, briefly, soon
kürzlich, lately, recently
Kurzsichtigkeit, *f.*, shortsightedness, myopia

L

Laborato′rium, *n.*, **–ien,** laboratory
Labyrinth′, *n.*, labyrinth
lachen, to laugh
lächerlich, ridiculous
Lachkrampf, *m.*, **⸚e,** paroxysm of laughter, convulsive laughter
Lackmuspapier, *n.*, litmus paper
lädieren, to injure
Lage, *f.*, **–n,** position, location; layer
lagern, to lay, place; deposit; lie, be deposited
Lagerung, *f.*, lying down; stratification, collection
Lähmung, *f.*, paralysis
Laie, *m.*, **–n,** layman
lamina externa, *f.*, lamina externa
Lampe, *f.*, **–n,** lamp
Lampenlicht, *n.*, lamp-light
Land, *n.*, **⸚er,** land, country; **—bewohner,** *m.*, **—,** one living in the country; countryman; **—salamander,** *m.*, salamander; **—tier,** *n.*, **–e,** terrestrial animal; **—wirt,** *m.*, farmer
Landsmann, *m.*, (*pl.*, **—leute**), country man
lang, long; **–e,** for a long time, long; **—gestreckt,** long drawn out, extensive
Länge, *f.*, length
länglich, elongated; **—rund,** oval
Längs: —furche, *f.*, longitudinal furrow *or* sulcus; **—leiste,** *f.*, longitudinal ridge; **—scheidewand,** *f.*, longitudinal partition *or* septum; **—schnitt,** *m.*, longitudinal section; **—spalt,** *m.*, **—spaltung,** *f.*, longitudinal cleft *or* fissure; **—wand,** *f.*, longitudinal wall
langsam, slow
Lanzettfisch, *m.*, **–e,** lancelet
Lanzettfischchen, *n.*, **—,** lancelet
Läppchen, *n.*, **—,** little flap
Lappen, *m.*, **—,** lobe, flap; **—wunde,** *f.*, **–n,** flap-wound
lappenförmig, flaplike
Lärm, *m.*, noise
Larve, *f.*, **–n,** larva
Läsion′, *f.*, **–en,** lesion
lassen, to let, leave, allow, cause (something to be done); **sich tun —,** can be done
Last, *f.*, **–en,** weight, load
lasten, to weigh, press down
lästig, troublesome, disagreeable
lat., lateinisch, Latin
Lauf, *m.*, **⸚e,** course; barrel (of a gun); **—bahn,** *f.*, career
laufen, to run
Läufer, *m.*, **—,** runner
Lauge, *f.*, **–n,** lye
Laut, *m.*, **–e,** sound; **—sprache,** *f.*, articulate language
laut, loud; **—los,** soundless
leben, to live
Leben, *n.*, life, existence
leben′dig, living
Lebens: —alter, *n.*, period of life, age; **—aufgabe,** *f.*, **–n,** vital task; **—äußerung,** *f.*, **–en,** manifestation of life; **—erscheinung,** *f.*, **–en,** phenomenon of life; **—erzeugung,** *f.*, production of life; **—fähigkeit,** *f.*, vitality; **—füh-**

rung, *f.*, conduct of life, manner of living; —**funktion,** *f.*, **–en,** vital function; —**gefahr,** *f.*, danger to one's life; —**jahr,** *n.*, **⁼e,** year of life; —**keim,** *m.*, ue, vital germ; —**kraft,** *f.*, **⁼e,** vitality; —**prozeß,** *m.*, **–e,** process of life, vital function; —**substanz,** *f.*, **–en,** vital substance; —**tätigkeit,** *f.*, vital activity, vitality; —**verhältnis,** *n.*, **–se,** condition of life; —**vorgang,** *m.*, **⁼e,** life process; —**weise,** *f.*, mode of life; —**zeit,** *f.*, lifetime; —**zusammenhang,** *m.*, vital connection
lebens: —**fähig,** capable of living, viable; —**tätig,** active, vital; —**unfähig,** incapable of living, nonviable; —**wichtig,** vital
Leber, *f.*, liver; —**fleck,** *m.*, **–e,** liver-spot, chloasma
Lebewesen, *n.*, —, living being, organism, creature
lebhaft, lively, active, energetic; vivid; *adv.*, readily
lecken, to lick
Leder, *n.*, leather; —**haut,** *f.*, true skin, corium
lediglich, only, merely
leer, empty, vacant
Leerdarm, *m.*, jejunum
legen, to lay, place, put
Legionär', *m.*, legionary
Legumin, *n.*, legumin
Lehramt, *n.*, teaching profession
Lehre, *f.*, **–n,** doctrine, theory; science; rule, precept
lehren, to teach, inform, show
Lehrgebäude, *n.*, —, scientific *or* philosophical system
lehrreich, instructive
Lehrsatz, *m.*, **⁼e,** doctrine, tenet
Leib, *m.*, **–er,** body
Leibeshöhle, *f.*, body cavity
Leichdorn, *m.*, corn
Leiche, *f.*, **–n,** body, corpse
Leichenbegängnis, *n.*, funeral
leicht, light, easy, slight; —**fertig,** thoughtless, careless; —**lich,** easily
Leichthorn, *n.*, **⁼er,** light horn
Leichtigkeit, *f.*, ease
leiden, to suffer, permit, allow
Leiden, *n.*, affliction, ailment, malady
leider, unfortunately, alas
leidlich, tolerable, passable
Leim, *m.*, glue, gelatine
Leinenstoff, *m.*, linen material
leise, soft, light
Leiste, *f.*, **–n,** border, ridge; groin, helix
Leisten: —**beuge,** *f.*, the flexure of the groin; —**gegend,** *f.*, inguinal region
leisten, to perform, do, accomplish, provide, give; **Beistand** —, to lend aid; **Folge** —, to obey
Leistung, *f.*, **–en,** work, performance, accomplishment
leistungsfähig, efficient, productive
Leistungsfähigkeit, *f.*, efficiency, power
leiten, to lead, conduct, carry; direct
Leiter, *m.*, —, leader, director
Leitung, *f.*, guidance, control; conduct; transmission, conduit
Lende, *f.*, **–n,** loin, hip
Lenden: —**gegend,** *f.*, lumbar region; —**wirbel,** *m.*, lumbar vertebra; —**wirbelsäule,** *f.*, lumbar portion of the spine
lernen, to learn; **etwas kennen** —, to become acquainted with something
lesen, to read
Leser, *m.*, —, reader [named
letzt, last; **–er,** latter; —**genannt,** last
leuchtend, luminous, bright
leugnen, to deny
Leukozyten, *pl.*, white blood corpuscles
Leute, *pl.*, people
Licht, *n.*, **–er,** light; —**eindruck,** *m.*, **⁼e,** impression *or* sensation caused by light; —**einfall,** *m.*, incidence of light; —**empfindung,** *f.*, **–en,** impression caused by light; —**schirm,** *m.*, **–e,** screen; —**strahl,** *m.*, **–en,** light-ray, ray of light
lichtempfindlich, sensitive to light
Lid, *n.*, **–er,** lid
lieben, to love [vide, deliver
liefern, to furnish, yield, produce, pro-
liegen, to lie, be situated, be

Ligatur′, *f.*, **–en,** ligature
lindern, to ease, allay
linear′, linear
Linie, *f.*, **–n,** line; **in erster —,** primarily, chiefly
Linin′, *n.*, linin
link, *adj.*, left; **—s,** *adv.*, to the left
Linse, *f.*, **–n,** lentil, lens
linsenförmig, lens-shaped, lenticular
Lippe, *f.*, **–n,** lip
Lippen: **—blütler,** *m.*, labiate (flower); **—gegend,** *f.*, labial region; **—wunde,** *f.*, **–n,** wound on the lip
lippenartig, liplike
litera′risch, literary
Loch, *n.*, **⸗er,** hole, opening
locker, loose, spongy
Löffel, *m.*, **—,** spoon
löffelweise, by spoonfuls
Logik, *f.*, logic
lokal′, local
Lokomoti′ve, *f.*, **–n,** locomotive
los, loose, free
lösen, to loosen, detach, dissolve; solve; sever, throw off
löslich, soluble
loslösen, to loosen
Lösung, *f.*, **–en,** solution; loosening, separation
Lücke, *f.*, **–n,** gap, opening
Luft, *f.*, **⸗e,** air, atmosphere; **—art,** *f.*, kind of air *or* gas; **—atmer,** *m.*, **—,** air-breather; **—austausch,** *m.*, exchange of air; **—druck,** *m.*, air pressure; **—durchlässigkeit,** *f.*, perviousness to air, porousness; **—hunger,** *m.*, air-hunger; **—masse,** *f.*, air mass; **—raum,** *m.*, **⸗e,** air-space; **—röhre,** *f.*, trachea; **—röhrenast,** *m.*, **⸗e,** bronchus; **—röhrenkatarrh,** *m.*, tracheal catarrh; **—schicht,** *f.*, **–en,** layer of air; **—strom,** *m.*, **⸗e,** current of air; **—teilchen,** *n.*, **—,** air particle; **—tier,** *n.*, **–e,** animal of the air; **—wechsel,** *m.*, exchange of air; **—weg,** *m.*, air passage; **—zug,** *m.*, **⸗e,** draught, current of air
luft: **—dicht,** air-tight; **—durchlässig,** pervious to air, porous; **—gefüllt,** filled with air; **—verdünnt,** rarified
lüften, to lift, raise; ventilate
Lüftung, *f.*, ventilation
Lumen, *n.*, (*pl.*, **Lumina**) lumen
Lunge, *f.*, **–n,** lung
Lungen: **—abschnitt,** *m.*, **–e,** section of the lung; **—arterie,** *f.*, pulmonary artery; **—atmer,** *m.*, **—,** pulmonary breather; **—bläschen,** *n.*, **—,** alveolus, pulmonary air-vesicle; **—blutader,** *f.*, pulmonary vein; **—entzündung,** *f.*, pneumonia; **—fell,** *n.*, pleura pulmonalis, visceral pleura; **—fellentzündung,** *f.*, (pulmonary) pleurisy; inflammation of visceral pleura; **—komplikation,** *f.*, **–en,** complication in the lungs; **—kreislauf,** *m.*, pulmonary circulation; **—schlagader,** *f.*, pulmonary artery; **—schwindsucht,** *f.*, pulmonary tuberculosis; **—spitze,** *f.*, **–n,** apex of the lung; **—vene,** *f.*, pulmonary vein
lungenatmend, breathing through the lungs
Lurche, *m.*, **–e,** **Lurche,** *f.*, **–n,** batrachian, amphibious animal
Lymph: **—adenitis,** *f.*, lymphadenitis; **—angitis,** *f.*, lymphangitis; **—bahn,** *f.*, lymph-track; **—drüse,** *f.*, **–n,** lymphatic gland; **—drüsenpaket,** *n.*, **–e,** packet of lymph glands; **—gefäß,** *n.*, **–e,** lymphatic vessel; **—gefäßstamm,** *m.*, lymphatic duct; **—körperchen,** *n.*, **—,** lymph-corpuscle; **—strom,** *m.*, **⸗e,** lymph-stream
Lymphe, *f.*, lymph
Lysol, *n.*, lysol

M

machen, to make, do, render
mächtig, mighty, powerful
Mädchen, *n.*, **—,** girl
Made, *f.*, **–n,** maggot, worm
Magen, *m.*, stomach; **—ausgang,** *m.*, outlet of the stomach; **—erkrankung,** *f.*, **–en,** gastric affection;

—gegend, *f.*, gastric region; —grube, *f.*, pit of the stomach, scrobiculus cordis; —grund, *m.*, fundus of the stomach; —inhalt, *m.*, contents of the stomach; —kranke, *m. f.*, sufferer from gastric complaint; —mund, *m.*, upper orifice of the stomach, cardiac orifice; —saft, *m.*, gastric juice; —verdauung, *f.*, gastric digestion; —wand, *f.*, wall of the stomach
mager, lean, thin
Magnet′, *m.*, –e, magnet
mahlen, to grind, pulverize
Mahlzahn, *m.*, ⁻e, molar tooth
Mahlzeit, *f.*, –en, meal
Makak, *m.*, macaque, ape-baboon
mal, time, times
Mal, *n.*, –e, time; **zum ersten —,** for the first time
Malpighisch, Malpighian
man, one, they, people
manch, many a, many, some; **—erlei,** many kinds of, different; **—mal,** sometimes
Mandel, *f.*, –n, almond; *pl.*, tonsils
Mangel, *m.*, ⁻—, lack, scarcity; defect
mangelhaft, deficient, incomplete
mangeln, to lack, be wanting
Mann, *m.*, ⁻er, man
Männchen, *n.*, —, male
Männigfach, manifold, varied
mannigfaltig, manifold, varied, various
männlich, masculine, male
Mantelfläche, *f.*, surface of the mantle
Mark, *n.*, marrow, core; **verlängertes —,** medulla oblongata; **—schicht,** *f.*, medullary layer
Masche, *f.*, –n, mesh
Maschine, *f.*, –n, machine
Maske, *f.*, –n, mask, inhaler
Maß, *n.*, –e, measure, rate, extent; proportions; **—nahme,** *f.*, –n, measure, precaution; **—stab,** *m.*, ⁻—, measure, scale
Masse, *f.*, –n, mass, quantity
massenhaft, numerous, abundant
maßgebend, authoritative, influential
Mäßigkeit, *f.*, moderation
massiv′, massive, large, strong
Mastdarm, *m.*, rectum
Mastix: —harz, *n.*, (gum) mastic; **—lösung,** *f.*, resin solution
Material′, *n.*, –ien, material; **—vorrat,** *m.*, ⁻e, supply of substance
Mate′rie, *f.*, matter
materiell′, material, physical
matt, dull, faint; exhausted, feeble, weak, gentle; **—schwarz,** dull black
Mattigkeit, *f.*, exhaustion
Maturitäts′examen, *n.*, final examination
Maul, *n.*, ⁻er, mouth
Maulwurf, *m.*, mole
Maus, *f.*, ⁻e, mouse
m.a.W., mit anderen Worten, in other words
Mecha′niker, *m.*, —, mechanic
mecha′nisch, mechanical
Medikament′, *n.*, –e, medicine, drug
Medizin′, *f.*, medicine
medizi′nisch, medical
Medullafurche, *f.*, medullary groove
Meerschweinchen, *n.*, —, guinea pig
Mehl, *n.*, flour, meal
mehr, more; **immer —,** more and more; **–ere,** several; **—fach,** manifold; *adv.*, repeatedly; **—malig,** repeated; **—mals,** several times, repeatedly; **—zellig,** multicellular
Mehrzahl, *f.*, majority
meiden, to avoid
meinen, to think, suppose, mean
Meißel, *m.*, –n, chisel
meißelförmig, chisel-shaped
meist, most, mostly; generally; **–ens,** mostly, usually
Membran′, *f.*, –e, membrane
Menge, *f.*, –n, multitude, quantity, amount
mengen, to mingle, mix
Mengung, *f.*, –en, mixing, mixture
Meningen, *pl.*, meninges
Meningitis, *f.*, meningitis
Mensch, *m.*, –en, man, mankind, human being; **–heit,** *f.*, mankind
Menschen: —alter, *n.*, —, generation; **—embryo,** *m.*, –nen, human embryo; **—fötus,** *m.*, human fœtus; **—ge-**

schlecht, *n.*, human race; —hirn, *n.*, human brain; —knochen, *m.*, —, human bone; —körper, *m.*, —, human body; —schädel, *m.*, —, human skull; —werdung, *f.*, transformation into human species, anthropogenesis, evolution
menschenähnlich, manlike, anthropoid
menschlich, human
Mensur′, *f.*, **–en,** fencing bout
merken, to notice, perceive
Merkmal, *n.*, **–e,** characteristic, feature
merkwürdig, remarkable, curious
messen, to measure
Messer, *n.*, **—,** knife; **—spitze,** *f.*, **–n,** point of a knife
metal′len, metal, metallic
Metall′mantel, *m.*, metal mantle
metaphy′sisch, metaphysical
Metasta′se, *f.*, **–n,** metastasis
Metastasenbildung, *f.*, metastatic formation
metastasie′rend, metastatic
metasta′tisch, metastatic
Meter, *m.*, **—,** meter
Metho′de, *f.*, **–n,** method
Metho′dik, *f.*, methodics, methodology
Mienenspiel, *n.*, play of the features
Mikroben: **— forschung,** *f.*, investigation of microbes; **—impfung,** *f.*, **–en,** microbe inoculation
Mikro′bien, *f. pl.*, microbes
Mikroorgani′smus, *m.*, **—men,** microorganism
Mikroskop′, *n.*, **–e,** microscope; **—linse,** *f.*, **–n,** lens of microscope
mikrosko′pisch, microscopic
Milch, *f.*, milk; **—brustgang,** *m.*, thoracic duct; **—gebiß,** *n.*, set of milk-teeth; **—saft,** *m.*, chyle; **—zucker,** *m.*, milk-sugar, lactose
milchig-trüb, milky-turbid
Milchsäuregärung, *f.*, lactic acid fermentation
mild, mild
mildern, to soften, reduce
militä′risch, military
Millimeter, *m.*, **—,** millimeter
Million′, *f.*, **–en,** million
Milz, *f.*, spleen; **—brand,** *m.*, anthrax; **—brandbakterien,** *pl.*, anthrax bacteria; **—brandfieber,** *n.*, anthrax fever; **—tumor,** *m.*, tumor due to anthrax
minder, less; **—wertig,** of inferior value
mindest, least; **zum —en,** at least
minera′lisch, mineral
Mineral′stoff, *m.*, **–e,** mineral substance
Miniatur′, *f.*, miniature; **—ausgabe,** *f.*, **–n,** miniature edition; **—bild,** *n.*, miniature picture
Minu′te, *f.*, **–n,** minute
mischen, to mix, combine
Mischform, *f.*, **–en,** mixed form
Mischnarko′se, *f.*, mixed narcosis
Mischung, *f.*, **–en,** mixture
Miß: **—bildung,** *f.*, **–en,** malformation, disfigurement; **—erfolg,** *m.*, **–e,** failure, ill success; **—verhältnis,** *n.*, disproportion, disparity
mißfarbig, mißfärbig, discolored
Mißgeschick, *n.*, misfortune, adversity
Mission′, *f.*, mission
mit, with; along, accompanied by; also; **—einander,** with one another, each other; **—hin,** therefore, consequently; **—samt,** (together) with
Mitbewegung, *f.*, accompanying movement
Mitesser, *m.*, **—,** comedo, acne punctata
mitführen, to take *or* carry along
Mitglied, *n.*, **–er,** member
Mithilfe, *f.*, aid, coöperation
mithin, therefore, accordingly
mitnehmen, to carry along
mitreißen, to carry along
mitschwingen, to vibrate in sympathy
Mitte, *f.*, middle, center
mitteilen, to impart, communicate, give
Mittel, *n.*, **—,** medium, means; **—alter,** *n.*, middle ages; **—bauch,** *m.*, mesogastrium; **—finger,** *m.*, middle finger; **—fuß,** *m.*, metatarsus; **—fußknochen,** *m.*, **—,** metarsal bone; **—hand,** *f.*, metacarpus; **—handknochen,** *m.*, **—,** metacarpal bone; **—hirn,** *n.*, mid-brain, mesocephalon;

—**linie,** *f.*, middle line; —**ohr,** *n.*, middle ear; —**punkt,** *m.*, central point, center; —**stellung,** *f.*, intermediate position; —**stück,** *n.*, **–e,** central portion; —**stufe,** *f.*, **–n,** intermediate stage
mittelbar, indirect, mediate
mittels(t), by means of
mittler, middle, central
mitunter, sometimes
mitwirken, to cooperate, assist in
Mitwirkung, *f.*, cooperation, participation
mm, Millimeter, *m.*, millimeter
mobil′, movable
Mode, *f.*, **–n,** style
Modell′, *n.*, **–e,** model, pattern
modern′, modern
Modification, *f.*, **–en,** modification
mögen, mochte, gemocht, may, like, care to
möglich, possible; **möglichst,** as far as possible
möglicherweise, possibly
Möglichkeit, *f.*, **–en,** possibility; **nach —,** as far as possible
Mohnöl, *n.*, poppy-oil
Molekül, *n.*, **–e,** molecule
Molekularphysik′, *f.*, molecular physics
Moment′, *m.*, **–e,** moment, instant; point, element, factor
Monat, *m.*, **–e,** month
monatelang, for months
Morgenremission, *f.*, **–en,** morning remission
Mörtel, *m.*, mortar
motivieren, to motivate
Mühe, *f.*, trouble, labor, difficulty
Mühlstein, *m.*, **–e,** mill-stone
mühsam, laborious, difficult
Mühseligkeit, *f.*, hardship, misery
Mund, *m.*, **–e,** mouth; —**flüssigkeit,** *f.*, fluid of the mouth; —**grube,** *f.*, oral diverticulum; —**höhle,** *f.*, cavity of the mouth, oral cavity; —**öffnung,** *f.*, opening of the mouth; —**region,** *f.*, mouth region; —**schleim,** *m.*, oral mucus; —**schleimhaut,** *f.*, mucous membrane of the mouth; —**speichel,** *m.*, saliva of the mouth; —**speicheldrüse,** *f.*, **–n,** salivary gland; —**sperre,** *f.*, mouth-gag; —**teil,** *m.*, **–e,** part of the mouth; —**wasser,** *n.*, **—,** mouth-wash; —**winkel,** *m.*, **—,** corner of the mouth; —**zahn,** *m.*, **⸚e,** tooth (of the mouth)
münden, to open into, discharge
mundgerecht, fit for eating, suitable
Mündung, *f.*, mouth, opening, orifice
munter, lively; wide-awake
Muschel, *f.*, **–n,** mussel; —**bein,** *n.*, **–e,** turbinated bone
Musculus auriculatis posterior, *m.*, muscle drawing back the ear
Muse′um, *n.*, **–een,** museum
Musik′instrument′, *n.*, **–e,** musical instrument
Muskel, *m.*, **–n,** muscle; —**bewegung,** *f.*, **–en,** movement of muscle; —**bündel,** *n.*, **—,** fascicle of muscle; —**bauch,** *m.*, belly of a muscle; —**faser,** *f.*, **–n,** muscle fiber; —**hülle,** *f.*, **–n,** muscular membrane *or* sheath; —**interstitien,** *n. pl.*, interstices in the muscles; —**masse,** *f.*, muscular mass; —**lähmung,** *f.*, paralysis of muscle; —**spannung,** *f.*, muscular tension; —**tätigkeit,** *f.*, muscle activity; —**zug,** *m.*, **⸚e,** muscular fasciculus
Muskulatur′, *f.*, musculature
muskulös′, muscular
müssen, mußte, gemußt, must, to be compelled to, have to
mustergültig, model, ideal
mustern, to examine, inspect
Mutter, *f.*, **⸚,** mother; —**amöbe,** *f.*, mother amœba; —**kuchen,** *m.*, placenta; —**milch,** *f.*, mother's milk; —**tier,** *n.*, mother animal; —**zelle,** *f.*, **–n,** mother cell
Myocarditis, *f.*, myocarditis

N

N., Nervus, nerve
N. accessorius, accessory nerve

N. trigeminus, trigeminal nerve
Nabel, *m.*, navel, umbilicus; **—blase,** *f.*, umbilical vesicle; **—gegend,** *f.*, umbilical region; **—strang,** *m.*, umbilical cord
nach, after, according to, by, to; **— und —,** gradually, little by little
nachahmen, to imitate
nacharten, to take after, be like
Nachblutung, *f.*, **–en,** secondary bleeding
nachdem, after; **je —,** according as, accordingly
Nachdenken, *n.*, reflection, meditation, (deep) thought
nacheinander, one after the other, in turn, successively
nachfolgen, to follow; **—d,** subsequent
Nachfolger, *m.*, **—,** follower, successor
nachgehen, to go after, follow, trace
nachgießen, to pour after, add
nachher, afterwards
Nachkomme, *m.*, **–n,** descendent
nachlassen, to diminish, slacken, cease
Nachoperation, *f.*, **–en,** secondary operation
nachprüfen, to test
Nachricht, *f.*, **–en,** news, report, information
nachschieben, to push after
Nachschub, *m.*, new batch, fresh force
nachsickern, to trickle after
nachspüren, to track, pursue
nächst, next, nearest; **—höher,** next higher; **—stehend,** standing nearest, next in order
Nacht, *f.*, **⸗e,** night; **—ruhe,** *f.*, night's rest
Nachteil, *m.*, **–e,** disadvantage
nachteilig, disadvantageous, harmful, injurious
nachtragen, to add
nachträglich, additional, subsequent
nachwachsen, to grow again *or* afresh
Nachweis, *m.*, **–e,** proof
nachweisbar, traceable; manifest
nachweisen, to point out, show, prove, demonstrate, indicate
Nachwirkung, *f.*, **–en,** after-effect
Nacken, *m.*, nape of the neck, cervix; **—gegend,** *f.*, cervical region
nackt, naked, bare
Nadel, *f.*, **–n,** needle; **—halter,** *m.*, **—,** needle-holder
Nagel, *m.*, **⸗,** nail; **—bett,** *n.*, nail-bed; **—falz,** *m.*, nail-groove; **—wurzel,** *f.*, root of a nail
Nager, *m.*, **—,** rodent
Nagetier, *n.*, **–e,** rodent
Nagezahn, *m.*, **⸗e,** gnawing tooth
nah, near, close, direct
Naharbeit, *f.*, close work
Nähe, *f.*, neighborhood, vicinity; **in der —,** close by
nähen, to sew
nähern, to approach; bring near; **sich —,** to come nearer, approach
nahezu, almost, nearly
Nähr: —boden, *m.*, nutrient medium; **—gelatine,** *f.*, nutrient gelatine; **—lösung,** *f.*, **–en,** nourishing solution, nutrient fluid; **—material,** *n.*, nutritive substance; **—saft,** *m.*, **⸗e,** nutrient juice, chyle; **—stoff,** *m.*, **–e,** nutritive material, food; **—substanz,** *f.*, nutritive substance, food; **—wert,** *m.*, nutritive value
nähren, to nourish; **sich —,** to feed, nourish; **— von,** to live on
Nahrung, *f.*, nutriment, food
Nahrungs: —aufnahme, *f.*, absorption of food; **—bedürfnis,** *n.*, need of nourishment; **—dotter,** *m.*, food-yolk, deutoplasm; **—flüssigkeit,** *f.*, nutritive juice, chyle; **—masse,** *f.*, quantity of nutriment; **—mittel,** *n.*, **—,** food, pabulum; **—saft,** *m.*, **⸗e,** nutritive juice; **—stoff,** *m.*, **–e,** nutriment, food; **—störung,** *f.*, **–en,** disturbance of nutrition, alimentary disorder; **—teil,** *m.*, **–e,** nutritive element; **—teilchen,** *n.*, **—,** nutritive element; **—weg,** *m.*, channel of nutrition; **—zerkleinerung,** *f.*, mastication of food; **—zufuhr,** *f.*, food supply
Nahschuß, *m.*, **⸗e,** shot at close range

Naht, *f.*, ⁼e, seam; suture; **—linie,** *f.*, **–n,** suture line; **—material,** *n.*, **–ien,** suture material; **—methode,** *f.*, **–n,** suture method
Nähzeug, *n.*, sewing utensils, sewing things
Name, *m.*, **–n,** name
namentlich, especially
nämlich, *adj.*, same; *adv.*, namely; of course
Napf, *m.*, ⁼e, basin, bowl
Narbe, *f.*, **–n,** scar, cicatrix
Narben: **—bildung,** *f.*, cicatrization; **—streifen,** *m.*, cicatrical line
Narko'se, *f.*, narcosis; **—korb,** *m.*, ⁼e, narcosis mask; **—technik,** *f.*, narcosis technique
Narkosenmittel, *n.*, —, narcotic
Narko'tikum, *n.*, narcotic
Narkotiseur', *m.*, anæsthetist
narkotisieren, to narcotize
Narkotisierungszone, *f.*, narcotizing zone
Nase, *f.*, **–n,** nose
Nasen: **—bein,** *n.*, **–e,** nasalbone; **—bluten,** *n.*, bleeding at the nose; **—gegend,** *f.*, nasal region; **—gerüst,** *n.*, frame of the nose; **—höhle,** *f.*, **–n,** nasal cavity; **—innere,** *n.*, interior of the nose; **—katarrh,** *m.*, nasal catarrh; **—knochen,** *m.*, —, nasal bone; **—loch,** *n.*, ⁼er, nostril; **—muschel,** *f.*, **–n,** turbinated bone, turbinal; **—rücken,** *m.*, —, bridge of the nose; **—scheidewand,** *f.*, ⁼e, nasal septum; **—schleim,** *m.*, nasal mucus; **—schleimhaut,** *f.*, nasal mucous membrane; **—spitze,** *f.*, **–n,** tip of the nose
Nasolabialfalte, *f.*, naso-labial fold
naß, wet, moist
national', national
Natrium, *n.*, sodium
Natur', *f.*, nature; **—betrachtung,** *f.*, observation of nature; **—forscher,** *m.*, —, natural scientist; **—körper,** *m.*, —, physical body; **—kraft,** *f.*, ⁼e, natural force; **—reich,** *n.*, **–e,** realm of nature; **—wissenschaft,** *f.*, **–en,** natural science; **—wissenschaftler,** *m.*, —, natural scientist
natur'gemäß, naturally
natur'historisch, of natural history
natür'lich, natural, naturally
natur'wissenschaftlich, physical, scientific
neben, near, beside, besides; **—einander,** side by side
Nebenast, *m.*, ⁼e, accessory branch
Nebenwirkung, *f.*, **–en,** secondary effect, incidental effect
Neger, *m.*, —, negro
nehmen, to take; **Nahrung zu sich —,** to take food
neigen, to incline, tend
Neigung, *f.*, **–en,** inclination, tendency
Nekro'se, *f.*, **–n,** necrosis
nekro'tisch, necrotic
nekrotisieren, to necrose
nennen, to name, call, mention
Nerv, *m.*, **–en,** nerve
Nerven: **—anastomose,** *f.*, anastomosis of the nerve; **—ende,** *n.*, **–n,** nerve ending; **—endigung,** *f.*, **–en,** nerve ending; **—faser,** *f.*, **–n,** nerve fiber; **—kabel,** *n.*, nerve cable; **—knoten,** *m.*, —, nerve ganglion; **—knotenpaar,** *n.*, **–e,** pair of nerve ganglia; **—lähmung,** *f.*, neuroparalysis; **—paar,** *n.*, **–e,** pair of nerves; **—rohr,** *n.*, ⁼e, nerve tube; **—scheide,** *f.*, **–n,** nerve sheath, neurilemma; **—schwäche,** *f.*, nervousness, neuresthenia; **—stamm,** *m.*, ⁼e, nerve trunk; **—strang,** *m.*, ⁼e, fasciculus of nerves; **—system,** *n.*, nervous system; **—tätigkeit,** *f.*, nerve function; **—transplantation,** *f.*, **–en,** transplantation of nerve; **—verletzung,** *f.*, **–en,** injury to a nerve; **—zelle,** *f.*, **–n,** nerve-cell
Nervosität', *f.*, neuresthenia, nerve debility
Nervus facialis, *m.*, facial nerve
Nervus trigeminus, *m.*, trigeminal nerve
Nesselzelle, *f.*, **–n,** thread-cell
Netz, *n.*, **–e,** net, netting, reticule;

omentum; —**haut,** *f.*, retina; —**werk,** *n.*, –**e,** network
neu, new, recent; **von —em,** again, once more
Neu: —**anstieg,** *m.*, renewed rise; —**aufnahme,** *f.*, reassumption, renewal; —**bildung,** *f.*, –**en,** new formation, new growth, rebuilding, reformation
neuerdings, anew, recently
neuerlich, new, fresh
neugebildet, newly developed
neugeboren, new-born
neulich, recently
Neunauge, *n.*, –**n,** (river) lamprey
Neunaugenlarve, *f.*, larva of lamprey
Neuralgie′, *f.*, –**n,** neuralgia
neural′gisch, neuralgic
neutralisieren, to neutralize
nicht, not
Nichtgebrauch, *m.*, disuse
nichtmetastasi′erend, non-metastatic
nichtoperativ′, non-operative
nichts, nothing
Nicht-Säugetier, *n.*, –**e,** non-mammal
nichtsdestoweniger, nevertheless
Nichtstun, *n.*, idleness
nicken, to nod
nie, never; —**mals,** never
nieder, low, lower
niederknieen, to kneel down
Niederlage, *f.*, –**n,** defeat
niederringen, to overcome
Niederschlag, *m.*, ⸗**e,** deposit, precipitate
niederschlagen, to cast down, precipitate
niedrig, low
Niere, *f.*, –**n,** kidney
Nieren: —**becken,** *n.*, pelvis of the kidney; —**gegend,** *f.*, renal region; —**masse,** *f.*, substance of the kidney
Nil, *m.*, Nile; —**schlamm,** *m.*, mud of the Nile
nirgends, nowhere
Nitrat′, *n.*, –**e,** nitrate
nitrifizieren, to nitrate
Nitrit′, *n.*, –**e,** nitrite
Niveau′, *n.*, level
noch, still, yet, even; —**mals,** again, once more
nordisch, northern
Norm, *f.*, norm, standard
normal′, normal; —**sichtig,** of normal sight, emmetropic
Normal′lage, *f.*, normal position
Norwegen, *n.*, Norway
Not, *f.*, ⸗**e,** need, distress, affliction; —**fall,** *m.*, ⸗**e,** emergency; —**verband,** *m.*, ⸗**e,** temporary dressing *or* bandage; —**wendigkeit,** *f.*, necessity
nötig, necessary; — **haben,** to need
notwendig, necessary; —**erweise,** necessarily
nun, now; —**mehr,** now
nur, only, just
Nuß, *f.*, ⸗**e,** nut
nutzbar, useful; — **machen,** to utilize
Nutzen, *m.*, use
nützlich, useful
nutzlos, useless

O

ob, whether, if
oben, above; **nach —,** up, upward; —**erwähnt,** above-mentioned; **von — nach unten,** from above downward
ober, upper, higher; —**halb,** above; —**st,** highest, uppermost
Ober: —**arm,** *m.*, –**e,** upper arm; —**armbein,** *n.*, humerus; —**armknochen,** *m.*, —, humerus; —**armschlagader,** *f.*, brachial artery; —**bauch,** *m.*, upper part of abdomen, epigastrium; —**fläche,** *f.*, –**n,** surface, outside; —**hand,** *f.*, upper hand; —**haut,** *f.*, epidermis; —**hautgebilde,** *n.*, epidermic formation; —**hautschuppen,** *f. pl.*, epidermic scales; —**kiefer,** *m.*, upper jaw, superior maxilla; —**kieferbein,** *n.*, maxilla; —**kieferfortsatz,** *m.*, process of maxilla; —**kieferhöhle,** *f.*, antrum of Highmore, maxillary sinus; —**kleid,** *n.*, –**er,** outer garment; —**körper,** *m.*, upper part of the body; —**lippe,** *f.*, upper lip; —**schenkel,** *m.*, thigh; —**schenkelbein,** *n.*, —**schenkel-**

knochen, *m.*, femur; —schenkelkopf, *m.*, head of femur; —schenkelschlagader, *f.*, femoral artery; —schlüsselbeingrube, *f.*, supraclavicular fossa; —seite, *f.*, upper side
oberflächlich, superficial, shallow, light, on the surface
obgleich, although
Obhut, *f.*, care, charge
obig, above (-mentioned)
objektiv′, objective
Objekt′träger, *m.*, —, mount, slide
obliterieren, to obliterate, be obliterated
obwohl, although
Ödem′, *n.*, –e, edema
oder, or [the like
o. dgl., od. dergl., oder dergleichen, or
Ofen, *m.*, ″—, stove; oven
offen, open, public; —**bar**, evident, manifest; —**baren**, to manifest, make known, reveal
Offenhaltung, *f.*, holding open
öffentlich, public
offiziell′, official
offizinell′, officinal, official
öffnen, to open
Öffnung, *f.*, –en, opening
oft, often; —**mals**, frequently; **öfter**, oftener, more frequently
ohne, without; —**dies**, besides, moreover; —**hin**, besides, moreover; — **weiteres**, at once, forthwith
Ohnmacht, *f.*, fainting, swoon
Ohr, *n.*, –en, ear; —**muschel**, *f.*, –n, external ear, auricle, pinna; —**öffnung**, *f.*, ear-hole, external auditory meatus; —**stück**, *n.*, piece of the ear; —**trompete**, *f.*, Eustachian tube
Ohren: —**sausen**, *n.*, buzzing in the ears, tinnitus aurium; —**schmalz**, *n.*, ear-wax, cerumen
Oktav′band, *m.*, ″e, octavo volume
Okto′ber, *m.*, October
Öl, *n.*, –e, oil
ölen, to oil
Oli′venöl, *n.*, olive oil
omne vivum ex ovo, all life (comes) from an egg [eny
Ontogene′se, *f.*, **Ontogenie′**, *f.*, ontog-
Operateur′, *m.*, –e, operator, surgeon
Operation′, *f.*, –en, operation
Operations: —**feld**, *n.*, field of operation; —**wunde**, *f.*, –n, operation wound
operativ′, operative
Opfer, *n.*, —, sacrifice, victim; **zum —fallen**, to fall a victim to
opfern, to sacrifice
Ophryostrocha, *pl.*, ophryostrocha
Ophtalmologie′, *f.*, ophthalmology
optisch, optical
Orbita, *f.*, orbit, eye-socket
Orbital: —**rand**, *m.*, orbital border; —**teil**, *m.*, orbital portion; —**wand**, *f.*, orbital wall
ordnen, to arrange
Organ′, *n.*, –e, organ; —**bildung**, *f.*, development of organs; —**system**, *n.*, system of organs; —**zelle**, *f.*, –n, cell of an organ
Organisation′, *f.*, organization
Organisations′: —**stufe**, *f.*, –n, stage of organization; —**verhältnis**, *n.*, –se, condition of organization
orga′nisch, organic
Organis′menwelt, *f.*, world of organisms
Organis′mus, –men, organism
orientieren, to inform, right
Ort, *m.*, ″er, place, spot
Ortsveränderung, *f.*, change of place, locomotion
Orthodoxie′, *f.*, orthodoxy
Orthopädie′, *f.*, orthopædics
örtlich, local [mouth
os, (*Latin*), mouth; **per os**, through the
Ostern, Easter
Oxydation′, *f.*, oxydation

P

Paar, *n.*, –e, pair, couple; **alle paar Tage**, every few days
paarig, in pairs, paired
Paarzeher, *m.*, —, artiodactyl
Paläontologie′, *f.*, palæontology
palpierbar, palpable
Papier′, *n.*, paper
papier′dünn, thin as paper

Papil′le, *f.*, **–n,** papilla
Pappschirm, *m.*, pasteboard screen
Paradies′, *n.*, paradise
parallel′, parallel
Parallelis′mus, *m.*, parallelism
Parasit′, *m.*, parasite
parenchyma′tisch, parenchymatös′, parenchymatous
Paro′tis, *f.*, parotid
Partie′, *f.*, **–en,** part, section
partiell′, partial
Parti′kel, *f.*, **–n, Parti′kelchen,** *n.*, **—,** particle
passen, to fit, suit; **—d,** suitable
passieren, to pass
passiv′, passive
pathogen′, pathogenic
Pathologie′, *f.*, pathology
patholo′gisch, pathological
Patient′, *m.*, **–en,** patient
Patro′ne, *f.*, **–n,** cartridge
Paukenbein, *n.*, tympanic bone
Paukenhöhle, *f.*, tympanic cavity
Pause, *f.*, **–n,** pause, interval, stop; **— machen,** to rest
Pavian, *m.*, **–e,** baboon
peinlich, painful; scrupulous
Pelot′te, *f.*, **–n,** cushion, pad
Penetrations′vermögen, *n.*, penetrating ability
penetrieren, to penetrate
Pepsin, *n.*, pepsin
Peptonisie′rung, *f.*, the act of peptonizing
per se, (*Latin*), by itself
per os, (*Latin*), through the mouth
Perforations′stelle, *f.*, place of perforation
perforieren, to perforate
Pergament′, *n.*, parchment; **—papier,** *n.*, parchment paper
Perio′de, *f.*, **–n,** period
perio′disch, periodic
Periost′, *n.*, periosteum
peripher′, peripheral
Peripherie′, *f.*, periphery
peristal′tisch, peristaltic
permanent′, permanent
Person′, *f.*, **–en,** person
persönlich, personal
Perubalsam, *m.*, balsam of Peru
Pfad, *m.*, **–e,** path
Pfanne, *f.*, **–n,** pan; socket
Pfeffer, *m.*, pepper
Pfeife, *f.*, **–n,** pipe, whistle
pfeifen, to whistle
Pfeiler, *m.*, **—,** pile, pier, post, pillar
Pferd, *n.*, **–e,** horse
Pflanze, *f.*, **–n,** plant
Pflanzen: —art, *f.*, **–en,** plant-species; **—bestandteil,** *m.*, **–e,** vegetable constituent; **—dekokt,** *n.*, plant-decoction, juice of vegetables; **—fresser,** *m.*, **—,** herbivorous animal, herbivore; **—körper,** *m.*, body of plant; **—kost,** *f.*, vegetable diet; **—reich,** *n.*, vegetable kingdom; **—stoff,** *m.*, **–e,** plant substance; **—welt,** *f.*, plant world; **—zelle,** *f.*, **–n,** plant cell
pflanzenfressend, herbivorous
pflanzlich, vegetable
Pflaster, *n.*, pavement
Pflege, *f.*, care, attention
pflegen, to attend to; care for; be accustomed to, be wont, usually do
Pflegling, *m.*, **–e,** patient
Pflugscharbein, *n.*, vomer
Pfortader, *f.*, portal vein
Pförtner, *m.*, pylorus
pfropfartig, stopper-like
Phagozyto′se, *f.*, phagocytosis
phantasie′voll, imaginative, fanciful
Phase, *f.*, **–n,** phase, stage
Philologie′, *f.*, philology
philoso′phisch, philosophical
Phlebi′tis, *f.*, phlebitis
Phlegmo′ne, *f.*, phlegmon, cellulitis
Phosphor, *m.*, phosphorus
phosphorsauer, phosphoric
photogra′phisch, photographic
Phylogene′se, *f.*, phylogenesis
phylogene′tisch, phylogenetic
Physik′, *f.*, physics
physika′lisch, physical
Physiker, *m.*, physicist
Physiognomie′, *f.*, physiognomy
Physiologie′, *f.*, physiology

physiolo'gisch, physiological
physisch, physical
Pilz, *m.*, **–e,** fungus, myces; mushroom; **—rasen,** *m.*, layer of fungus filaments
Pinsel, *m.*, **—,** pencil, brush
pinseln, to paint
Pinzet'te, *f.*, **–n,** forceps
Placen'ta, *f.*, placenta
Plan, *m.*, **⸚e,** plan
planmäßig, systematic
Plasma, *n.*, plasma
Plastik, *f.*, plastic operation
plastisch, plastic
platt, flat
Plättchen, *n.*, **—,** little plate, scale
Platte, *f.*, **–n,** plate, slab
plätten, to iron
plattenförmig, plate-like
Plattfuß, *m.*, **⸚e,** flat foot
Platz, *m.*, **⸚e,** place, room
platzen, to burst, crack
plombieren, to fill, plug
plötzlich, sudden
plump, clumsy, awkward, heavy
Pneumonie', *f.*, pneumonia
poetisch, poetic
Pol, *m.*, **–e,** pole; **—zelle,** *f.*, **–n,** polar cell
polarisieren, to polarize
Politik', *f.*, politics
Polster, *n.*, **—,** pad, cushion
Polyp', *m.*, polyp
pompös', pompous, grand
Pore, *f.*, **–n,** pore
porös', porous
postoperativ', postoperative
Postulat', *n.*, **–e,** postulate
potentiell', potential
prädisponieren, to predispose
Präformations'theorie, *f.*, theory of preformation
praktisch, practical
präparieren, to prepare
Präsident', *m.*, **–en,** president
präventiv', preventive
Praxis, *f.*, practise
präzi'se, precisely, exactly
Präzision', *f.*, precision
preisen, to praise
preisgeben, to abandon, expose
pressen, to press, squeeze
Priester, *m.*, **—,** priest
prima intentio, primary intention
primär', primary
primitiv', primitive
Prinzip', *n.*, **–ien,** principle
Probe, *f.*, **–n,** trial, experiment; **—inzision,** *f.*, exploratory incision; **—punktion,** *f.*, exploratory puncture
Problem', *n.*, **–e,** problem
Produkt', *n.*, **–e,** product
Produktion', *f.*, **–en,** production
Profes'sor, *m.*, **–en,** professor
Professur', *f.*, **–en,** professorship, (professor's) chair
Progno'se, *f.*, prognosis
prognos'tisch, prognostic
prophylak'tisch, prophylactic
Protein, *n.*, **–e,** protein
Protoplasma, *n.*, protoplasm; **—masse,** *f.*, mass of protoplasm; **—teilchen,** *n.*, **—,** particle of protoplasm
Protozo'enforscher, *m.*, investigator of protozoa
Protozo'on, *n.*, **–oen,** protozoön
proviso'risch, provisional, temporary
Prozedur', *f.*, procedure
Prozeß', *m.*, **–e,** process
prüfen', to test, examine
Prüfstein, *m.*, touchstone, test
Prüfung, *f.*, **–en,** examination, investigation
Pseudopo'dien, *n. pl.*, pseudopodia
Psychiatrie', *f.*, psychiatry
psychisch, psychical
Puffer, *m.*, **—,** buffer
Puls, *m.*, pulse; **—ader,** *f.*, **–n,** artery; **—ation,** *f.*, **–en,** pulsation; **—beschleunigung,** *f.*, acceleration of pulse; **—frequenz,** *f.*, frequency of the pulse; **—schlag,** *m.*, **⸚e,** pulse-beat, pulsation
pulsieren, to pulsate
Pulver, *n.*, powder; **—gas,** *n.*, **–e,** gun-powder gas; **—ladung,** *f.*, gun-powder charge
Pumpe, *f.*, **–n,** pump; **—werk,** *n.*, pump-work, pump-arrangement

pumpen, to pump
Punkt, *m.*, –e, point; **—auge,** *n.*, –n, ocellus
Pupillar'reflex, *m.*, pupillary reflex
Pupil'le, *f.*, –n, pupil
putrid', putrid
Putzmittel, *n.*, —, cleaning substance
Pyämie', *f.*, pyæmia
pyogen', pyogenic, pus-forming
Pyrami'de, *f.*, –n, pyramid
pyrami'denförmig, pyramidal

Q

qm, Quadrat'meter, *m.*, square meter
Quadrat'bein, *n.*, –e, quadrate (bone)
Qualle, *f.*, –n, jelly-fish
qualvoll, very painful, agonizing, excruciating
Quantum, *n.*, quantity
Quartband, *m.*, ⸗e, quarto volume
Quecksilber, *n.*, quicksilver, mercury; **—bad,** *n.*, quicksilver bath
Quelle, *f.*, –n, source, fountain
quellen, to gush, flow, well; to swell
quer, *adj.*, transverse, oblique; *adv.*, across; **—gestreift,** transversely striated; **—verlaufend,** transversal
Quer: —fortsatz, *m.*, ⸗e, transverse process; **—kanal,** *m.*, ⸗e, transverse canal; **—schnitt,** *m.*, –e, cross section; **—trennung,** *f.*, transverse separation *or* severance; **—wand,** *f.*, ⸗e, transverse wall
quetschen, to crush
Quetschung, *f.*, –en, crushing, contusion
Quetschwunde, *f.*, –n, contused wound

R

Rabenschnabelfortsatz, *m.*, coracoid process
Rabenschnabelknochen, *m.*, coracoid bone
Rachen, *m.*, throat, pharynx; **—höhle,** *f.*, pharyngeal cavity; **—region,** *f.*, throat region; **—raum,** *m.*, pharyngeal space; **—wand,** *f.*, pharyngeal wall
Rad, *n.*, ⸗er, wheel; **—fahrer,** *m.*, —, bicyclist
raffen, to gather up, take up
Rahmen, *m.*, —, frame; domain
Rand, *m.*, ⸗er, edge, border, rim; **—zone,** *f.*, marginal zone
Rang, *m.*, rank, position; **den — ablaufen,** to outrun, beat
rasch, rapid, quick
rasieren, to shave
Rat, *m.*, advice, counsel; **zu —e ziehen,** to consult
raten, to advise
Ratte, *f.*, –n, rat
Raubtier, *n.*, –e, beast of prey, *pl.*, carnivora; **—typus,** *m.*, carniverous type; **—vogel,** *m.*, ⸗, bird of prey
rauchig, smoky
Raum, *m.*, ⸗e, space, room
Raupe, *f.*, –n, caterpillar, worm
räuspern, to hawk, clear one's throat
Reagens'glas, *n.*, ⸗er, test-tube
reagieren, to react
Reaktion', *f.*, –en, reaction; effect
reaktionslos, without reaction
real', real, actual
rechnen, to reckon, count, consider
Rechnung, *f.*, –en, account, calculation
Recht, *n.*, –e, right, justice; **mit —,** justly
recht, right, correct; *adv.*, quite, very; **—eckig,** rectangular; **–s,** at *or* to the right; **—winklig,** right-angled, perpendicular, at right angle; **—zeitig,** opportune, prompt, punctual
rechtfertigen, to justify
Rede, *f.*, –n, speech, talk, question; **wovon die — gewesen ist,** which has been discussed
reden, to speak, talk
Reflex, *m.*, reflex movement *or* action; **—erregbarkeit,** *f.*, reflex excitability
rege, active, brisk
Regel, *f.*, –n, rule; **in der —,** as a rule; **—mäßigkeit,** *f.*, regularity
regelmäßig, regular
regeln, to regulate
Regen, *m.*, rain; **—bogenfarbe,** *f.*, –n, rainbow color; **—bogenhaut,** *f.*,

iris; **—schirm,** *m.*, **–e,** umbrella; **—wurm,** *m.*, **⁻er,** earthworm
Regeneration′, regeneration
regenerativ′, regenerative
Region′, *f.*, **–en,** region
Regulierung, *f.*, **–en,** regulation
Reh, *n.*, –e, roe, deer
Reibung, *f.*, friction
reich, rich, abundant; **—lich,** abundant, profuse, extensive
Reich, *n.*, –e, empire, realm
reichen, to reach, extend, go
Reichtum, *m.*, **⁻er,** riches, wealth
reif, ripe, mature
Reife, *f.*, maturity
reifen, to ripen, mature
reifenartig, ringlike, hooplike
Reifung, *f.*, maturing
Reihe, *f.*, **–n,** row, series, succession
rein, clean, pure; **—lich,** clean
Reinheit, *f.*, purity
reinigen, to cleanse, clean, purify
Reinigung, *f.*, cleansing, cleaning
Reinkultur, *f.*, bacilliculture
Reinlichkeit, *f.*, cleanliness
Reise, *f.*, **–n,** journey, tour
reißen, to tear, pull apart
Reiz, *m.*, **–e,** excitement, irritation, stimulus
reizen, to stimulate, excite, irritate
rektal′, rectal
relativ′, relative
Remission′, *f.*, **–en,** remission
Renaissan′ce, *f.*, renaissance
reponieren, to replace
Reposition,′ *f.*, **–en,** replacement
repräsentieren, to represent
Reproduktion′, *f.*, reproduction
Republik′, *f.*, republic
Resektion′, *f.*, **–en,** resection; excision
Reser′ve, *f.*, **–n,** reserve
reservieren, to reserve
resorbieren, to absorb, reabsorb
Resorption′, *f.*, resorption, absorption
resp., respektiv′, respective, or
Rest, *m.*, **–e,** rest, remains, remainder, remnant
Resultan′te, *f.*, **–n,** resultant
Resultat′, *n.*, **–e,** result
Retention′, *f.*, retention
Retor′te, *f.*, **–n,** retort
retrobulbär, retrobulbar
retten, to save
Reuse, *f.*, **–n,** bow-net
revidieren, to examine
Revision′, *f.*, **–en,** revision, examination
Rhachi′tis, *f.*, rickets
rheinisch, of the Rhine
rhythmisch, rhythmical
richten, to direct, turn; **sich —,** to act, vary; depend upon; **zu Grunde —,** to ruin
richtig, right, correct, proper
Richtung, *f.*, **–en,** direction; course, line
riechbar, smellable, odorous
riechen, to smell
Riech: —kolben, *m.*, **—,** olfactory bulb; **—nerv,** *m.*, **–en,** olfactory nerve; **—werkzeug,** *n.*, **–e,** organ of smell
Riemen, *m.*, **—,** strap, belt
Riese, *m.*, **—n,** giant
rieseln, to purl, ripple, trickle
riesig, gigantic, immense
Rind, *n.*, **–er,** head of cattle, ox
Rinde, *f.*, **–n,** rind, cortex
Rindenschicht, *f.*, cortical layer
Ring, *m.*, **–e,** ring; **—finger,** *m.*, ring-finger
ringförmig, ring-shaped, annular
Rinne, *f.*, **–n,** groove, channel; fossa
Rippe, *f.*, **–n,** rib
Rippen: —ende, *n.*, **–n,** end of a rib; **—fell,** *n.*, costal *or* parietal pleura; **—fellentzündung,** *f.*, costal pleurisy, inflammation of parietal pleura; **—gegend,** *f.*, costal region; **—leiste,** *f.*, **–n,** ridge of the ribs; **—rand,** *m.*, edge of the ribs
riskant′, risky, hazardous
Riß, *m.*, **–e,** tear, hole, slit, crack; **—wunde,** *f.*, **–n,** lacerated wound
Ritter, *m.*, **—,** knight
Robbe, *f.*, **–n,** seal
roh, raw, crude
Rohr, *n.*, **–e,** tube, pipe
Röhrchen, *n.*, **—,** small tube

Röhre, *f.*, **-n,** tube, pipe
Röhren: —knochen, *m.*, **—,** tubular bone; **—leitung,** *f.*, conduit
röhrenartig, röhrenförmig, tubular
Rolle, *f.*, **-n,** roll, roller; rôle, part
rollen, to roll
Rollhügel, *m.*, trochanter
römisch, Roman
Röntgen-bestrahlung, *f.*, irradiation; **—durchleuchtung,** *f.*, rœntgenography; **—tiefenbestrahlung,** *f.*, rœntgenotherapy
rot, red; **—gelblich,** reddish-yellow
röten: sich —, to redden, turn red
rötlich, reddish
Rötung, *f.*, reddening
Rübenabkochung, *f.*, beet decoction
Rück: —bildung, *f.*, involution, retrogressive metamorphosis; **—fluß,** *m.*, reflux, regurgitation; **—gang,** *m.*, return, decline; **—grat,** *n.*, spine; **—kehr,** *f.*, return; **—seite,** *f.*, back, reverse; **—sicht,** *f.*, regard, consideration; **auf etwas Rücksicht nehmen,** to take into consideration, have consideration for; **—stand,** *m.*, residue; **—wand,** *f.*, back wall, rear wall
rückbilden, to undergo involution, degenerate
Rücken, *m.*, back; **—fläche,** *f.*, dorsal surface; **—furche,** *f.*, dorsal furrow; **—gefäß,** *n.*, **-e,** dorsal vessel; **—lage,** *f.*, position of the back, dorsal position, supine position; **—mark,** *n.*, spinal chord; **—marksanästhesie,** *f.*, anæsthesia of the spinal chord; **—marksnerv,** *m.*, **-en,** spinal nerve; **—saite,** *f.*, chorda dorsalis; **—seite,** *f.*, back side, dorsal side; **—wand,** *f.*, back wall, dorsal wall
rücken, to move, draw
rückgängig, retrograde
rückströmend, flowing back
ruckweise, by jerks, intermittently
rudern, to row
rudimentär', rudimentary
Ruf, *m.*, reputation
rufen, to call, cry; **— nach,** cry for
Ruhe, *f.*, rest, quiet, repose; **—pause,** *f.*, **-n,** pause (for rest); **—zustand,** *m.*, state of rest
ruhen, to rest; **—d,** quiet, steady
ruhig, quiet, still, steady, calm
Ruhigstellung, *f.*, setting, fixing
Ruhm, *m.*, fame, glory, honor
rühmen, to praise
Rumpf, *m.*, body, trunk; **—skelett',** *n.*, skeleton of the trunk; **—wirbel,** *m.*, **-n,** vertebra of the trunk
rund, round; **—lich,** roundish
Rundmaul, *n.*, **⸗er,** round-mouth; *pl.*, cyclostomata
Runzel, *f.*, **-n,** wrinkle
runzeln, to wrinkle; **die Stirn —,** to knit one's brows, frown
Russe, *m.*, **-n,** Russian
Rüssel, *m.*, **—,** trunk; **—tiere,** *pl.*, proboscidians
rüsten, to prepare

S

s., sieh, see; **s.o., siehe oben,** see above; **s. unten,** see below
S., Seite, page
Säbel, *m.*, **—,** sabre, broadsword
Sache, *f.*, **-n,** thing, matter, affair
sachkundig, competent, expert
Sachlage, *f.*, state of affairs
Sack, *m.*, **⸗e,** sack
sackartig, cyst-like, pouch-like
sackförmig, sack-like, pouch-like
Saft, *m.*, **⸗e,** sap, juice
Sage, *f.*, **-n,** legend, myth
sagen, to say, tell
Salbe, *f.*, **-n,** salve
Salbenbehandlung, *f.*, salve-treatment
Salmiakgeist, *m.*, liquid ammonia
Salpetersäure, *f.*, nitric acid
salpetrig, nitrous
Salz, *n.*, **-e,** salt: **—säure,** *f.*, hydrochloric acid
salzhaltig, containing salt
salzig, salty
Samen: —faden, *m.*, spermatozoön; **—kern,** *m.*, spermatic nucleus; **—körperchen,** *n.*, body of spermatozoön; **—zelle,** *f.*, sperm-cell

sammeln, to gather, collect
Sammelröhre, *f.*, **–n,** collecting duct, canaliculus
sammetartig, samtartig, velvetlike, velvety
Sammlung, *f.*, **–en,** collection, gathering
samt, together with
sämtlich, all, total
Sanitäts'anstalt, *f.*, **–en,** hygienic institute
Saprämie', *f.*, sapræmia
Sattelnase, *f.*, **–n,** saddlenose
sättigen, to saturate, satisfy; appease one's appetite
Sättigung, *f.*, saturation; appeasing one's appetite
Satz, *m.*, **⸗e,** sentence; statement, principle, proposition; thesis
sauber, clean
Sauberkeit, *f.*, cleanliness
säubern, to cleanse
Säuberung, *f.*, cleansing
sauer, sour, acid
Sauerstoff, *m.*, oxygen; **—bedarf,** *m.*, oxygen requirement
sauerstoff: —arm, poor in oxygen; **—bedürftig,** in need of oxygen; **—reich,** rich in oxygen
Saug: —ader, *f.*, **–n,** lymphatic *or* absorbent vessel; **—füßchen,** *n.*, **—,** sucker-foot; **—napf,** *m.*, **⸗e,** suctorial disc; **—pumpe,** *f.*, **–n,** suction-pump
saugen, to suck
Säuger, *m.*, **—,** mammal
Säugetier, *n.*, **–e,** mammal; **—ei,** *n.*, **–er,** ovum of mammal; **—embryo,** *m.*, **–nen,** embryo of a mammal; **—form,** *f.*, **–en,** mammal form; **—natur,** *f.*, mammal nature
Säule, *f.*, **–n,** column, pillar
Säure, *f.*, **–n,** acid
Schädel, *m.*, **—,** skull; **—basisfraktur,** *f.*, **–en,** fracture of the skull base; **—dach,** *n.*, vault of the cranium; **—decke,** *f.*, skull-cap; **—element,** *n.*, **–e,** element of the skull; **—form,** *f.*, **–en,** skull form; **—haut,** *f.*, scalp; **—höhle,** *f.*, cranial cavity; **—hohlraum,** *m.*, skull cavity; **—innere,** *n.*, interior of the skull; **—kalotte,** *f.*, vault of the cranium; **—kapsel,** *f.*, skull-cap, cranium; **—knochen,** *m.*, **—,** skull-bone; **—naht,** *f.*, **⸗e,** suture of the skull; **—schuß,** *m.*, **⸗e,** skull-shot; **—teil,** *m.*, **–e,** portion of the skull; **—weichteile,** *pl.*, cranial soft parts; **—wunde,** *f.*, **–n,** cranial wound
Schaden, *m.*, **⸗,** injury, damage, harm
schaden, to injure, harm
schadhaft, faulty, damaged
schädigen, to injure
Schädigung, *f.*, damage, injury
schädlich, injurious
Schädlichkeit, *f.*, **–en,** injuriousness, malignancy; noxious agent *or* influence, deleterious principle
Schaf, *n.*, **–e,** sheep
schaffen, to create, make, do, produce, bring
Schale, *f.*, **–n,** shell, skin
Schalenhaut, *f.*, chorion
Schall, *m.*, **–e,** sound; **—fänger,** *m.*, ear-trumpet; **—welle,** *f.*, **–n,** sound wave
Schälwunde, *f.*, **–n,** peeling wound
Scham: —bein, *n.*, os pubis; **—gegend,** *f.*, pubic region
scharf, sharp, clear
Schärfe, *f.*, sharpness, keenness
Scharfsinn, *m.*, acumen, discrimination, judgment
Schatten, *m.*, shade
Schätzung, *f.*, estimate, valuation
schauen, to look
schaumig, foaming, frothy
Scheibchen, *n.*, **—,** little disc
Scheibe, *f.*, **–n,** disc
scheibenförmig, disc-shaped
Scheide, *f.*, **–n,** sheath
scheiden, to divide, separate
Scheidewand, *f.*, **⸗e,** separating wall, partition
Scheidung, *f.*, **–en,** separation
Schein, *m.*, appearance
scheinbar, apparent, seeming
scheinen, to shine; seem, appear
scheintot, seemingly dead
Scheitel, *m.*, crown of the head; **—bein,**

n., –**e**, parietal bone; —**gegend,** *f.*, parietal region; —**höhe,** *f.*, top of the head; —**knochen,** *m.*, —, parietal bone

Schema,, *n.*, –**men,** scheme, sketch

Schere, *f.*, –**n,** scissors

scheuen, to shy at, shun, avoid, fear

scheuern, to scour, cleanse

Schicht, *f.*, –**en,** layer, stratum

Schicksal, *n.*, –**e,** fate, lot, destiny; experience; *pl.*, vicissitudes

schieben, to shove, push

Schieberpinzette, *f.*, –**n,** torsion *or* clamp forceps with sliding catch

Schiefnase, *f.*, –**n,** deformed nose

schielen, to squint, be cross-eyed

Schienbein, *n.*, tibia

schienen, to splint

Schießbaumwolle, *f.*, gun-cotton

Schiffer, *m.*, —, mariner

Schild, *n.*, –**er,** sign; plate, scutcheon

Schilddrüse, *f.*, thyroid gland

Schilddrüsen: —**extrakt,** *m.*, –**e,** thyroid extract; —**präparat′,** *n.*, –**e,** thyroid preparation

schildern, to describe, portray

Schildknorpel, *m.*, thyroid cartilage

schimmern, to glimmer, shine; —**durch,** to show through

Schirm, *m.*, –**e,** shade, screen

Schlachtfeld, *n.*, –**er,** battle field

Schlacke, *f.*, –**n,** slag, dross

Schlaf, *m.*, sleep; —**zimmer,** *n.*, —. bedroom, sleeping-room

schlafähnlich, sleep-like

Schläfe, *f.*, –**n,** temple

Schläfen: —**bein,** *n.*, –**e,** temporal bone; —**gegend,** *f.*, temporal region; —**knochen,** *m.*, temporal bone; —-**schlagader,** *f.*, temporal artery

schlafen, to sleep; — **gehen,** to go to bed, retire

schlaff, loose, soft, limp, relaxed

Schlag, *m.*, ⁼**e,** blow, stroke, beat; **mit einem** —, at a stroke, all at once; —**anfall,** *m.*, stroke (of paralysis)

Schlagader, *f.*, –**n,** artery; —**stamm,** *m.*, ⁼**e,** trunk of artery; —**ventil,** *n.*, –**e,** valve of an artery

schlagen, to strike, beat, kick; fall; **um sich** —, to strike out with hands and feet, struggle; —**d,** striking

Schläger, *m.*, —, rapier

Schlaglicht, *n.*, –**er,** strong light

Schlamm, *m.*, slime, mud

Schlange, *f.*, –**n,** snake, serpent

Schlappe, *f.*, –**n,** defeat

Schlauch, *m.*, ⁼**e,** tube, cylinder

schlauchartig, schlauchförmig, tubular, cylindrical

schlecht, bad, poor, miserable

Schleife, *f.*, –**n,** loop, curve

schleifen, to grind, cut

Schleim, *m.*, slime; mucous; —**haut,** *f.*, mucous membrane; —**hautnaht,** *f.*, mucous suture; —**schicht,** *f.*, mucous layer; —**sekretion,** *f.*, secretion of mucous

schleimig, slimy, mucous

Schlemmkreide, *f.*, prepared chalk

Schleuse, *f.*, –**n,** sluice, lock

schließen, to lock, close, shut; conclude, draw a conclusion, bind; **auf etwas** —, to infer something; **sich** —, to join, be joined

schließlich, final, conclusive, ultimate

Schließmuskel, *m.*, sphincter, constrictor

schlimm, bad

Schluck, *m.*, swallow, mouthful

schlucken, to swallow

Schlund, *m.*, pharynx; —**bogen,** *m.*, ⁼—, pharyngeal arch; —**knochen,** *m.*, —, pharyngeal bone; —**spalt,** *m.*, –**en,** pharyngeal cleft

schlüpfrig, slippery; mucous; — **machen,** to lubricate

Schluß, *m.*, ⁼**e,** close, conclusion, end; —**folgerung,** *f.*, –**en,** conclusion, course of reasoning; —**glied,** *n.*, –**er,** final member, last link; —**satz,** *m.*, ⁼**e,** conclusion

Schlüsselbein, *n.*, –**e,** clavicle; —**blutader,** *f.*, subclavian vein; —**gegend,** *f.*, clavicular region; —**grube,** *f.*, clavicular fossa; —**schlagader,** *f.*, subclavian artery; —**vene,** *f.*, subclavian vein

schmackhaft, savoury, palatable
schmal, narrow, small
Schmalz, *n.*, lard
schmarot′zen, to live as a parasite
Schmarot′zer, *m.*, —, parasite
schmecken, to taste; **es schmeckt uns,** we enjoy our meal
Schmelz, *m.*, enamel; **—platte,** *f.*, **–n,** enamel plate
schmelzlos, without enamel
Schmerz, *m.*, **–en,** pain; **—attacke,** *f.*, **–n,** attack of pain; **—empfindung,** *f.*, **–en,** sensation of pain; **—haftigkeit,** *f.*, painfulness
schmerz: —betäubend, pain-deadening, narcotic; **—haft,** painful; **—los,** painless
schmerzen, to pain
Schmetterling, *m.*, **–e,** butterfly
Schmied, *m.*, **–e,** smith
schmierig, greasy, messy, filthy
Schmutz, *m.*, dirt, filth
schmutzig, dirty, soiled
Schnabel, *m.*, **⸗,** bill; **—tier,** *n.*, duck-bill
schnauben, to snort; **die Nase —,** to blow one's nose
Schnecke, *f.*, **–n,** snail; cochlea
schneiden, to cut
Schneidezahn, *m.*, **⸗e,** cutting tooth, incisor
schnell, fast, quick
Schnelligkeit, *f.*, speed, rapidity
Schnitt, *m.*, **–e,** cut, section; **—wunde,** *f.*, **–n,** cut, flesh wound, gash, slash
Schnupfen, *m.*, cold (in the head), coryza
schnüren, to lace
schon, already, even; indeed
schöngeistig, æsthetic
Schöpfer, *m.*, —, creator
Schöpfung, *f.*, **–en,** creation
Schoßbein, *n.*, os pubis
schraffieren, to hatch
schräg, oblique, slanting, diagonal
schrecklich, terrible
schreiben, to write
schreien, to shout, cry out
schreiten, to step, proceed
Schrift, *f.*, **–en,** writing, work
Schriftsteller, *m.*, **—,** writer, author
Schritt, *m.*, **–e,** step
schubweise, in batches *or* groups; little by little
schuhartig, like a shoe
Schuld, *f.*, **–en,** debt, fault, blame; **an etwas — sein,** to be the cause of, be to blame for; **— an,** due to
Schule, *f.*, **–n,** school
Schultasche, *f.*, **–n,** school bag
Schulter, *f.*, **–n,** shoulder; **—blatt,** *n.*, shoulder blade; **—blattgegend,** *f.*, scapular region; **—gelenk,** *n.*, shoulder joint; **—gürtel,** *m.*, shoulder girdle; **—höhe,** *f.*, acromion; **—knochen,** *m*, **—,** shoulder bone; **—teil,** *m.*, shoulder part
Schuppe, *f.*, **–n,** scale
schuppenförmig, like scales
Schürfung, *f.*, **—en,** scratching, scraping, abrasion
Schuß, *m.*, **⸗e,** shot; **—kanal,** *m.*, **⸗e,** path of bullet; **—verletzung,** *f.*, **–en,** gunshot-wound, bullet-wound; **—wunde,** *f.*, **–n,** gunshot-wound
Schüttelfrost, *m.*, shivers, chill, rigor
schütteln, to shake
Schutz, *m.*, protection, shelter; **—einrichtung,** *f.*, **–en,** protective arrangement; **—hülle,** *f.*, **–n,** protective covering; **—kraft,** *f.*, **⸗e,** protective force; **—mittel,** *n.*, **—,** prophylactic, preventive means of protection; **—organ,** *n.*, **–e,** protective organ; **—schild,** *n.*, protective shield; **—stoff,** *m.*, **–e,** protective material; **—vorrichtung,** *f.*, **–en,** protective arrangement; **—wehr,** *f.*, weapon of defense; **—werkzeug,** *n.*, **–e,** protective organ
schützen, to protect, preserve
schwach, weak, feeble, slight
schwächen, to weaken
schwächlich, weakly, frail, delicate
Schwächung, *f.*, weakening
Schwamm, *m.*, **⸗e,** sponge
schwammig, spongy; **—locker,** spongy and loose

schwanken, to waver, totter; fluctuate
Schwankung, *f.*, **–en,** fluctuation
Schwanz, *m.*, **⸗e,** tail; **—federn,** *f. pl.*, tail-feathers, retrices
schwarz, black; **—gefärbt,** black (colored); **—grünlich,** dark greenish
schweben, to float, hover
Schwefel, *m.*, sulphur; **—blume,** *f.*, **–n,** flowers of sulphur; **—säure,** *f.*, sulphuric acid
Schweiß, *m.*, perspiration; **—ausbruch,** *m.*, outbreak of sweat, profuse perspiration; **—drüse,** *f.*, **–n,** sweat-gland
schweißtreibend, producing perspiration, sudorific
schwellen, to swell
Schwellung, *f.*, **–en,** swelling
schwer, heavy, difficult, severe; *adv.*, with difficulty; **—fällig,** heavy, ponderous
Schwer: **—hörigkeit,** *f.*, defective hearing, deafness; **—punkt,** *m.*, center of gravity, emphasis
Schwere, *f.*, weight, gravity
Schwiele, *f.*, **–n,** horny skin, callosity, callous
schwierig, difficult, hard
Schwierigkeit, *f.*, **–en,** difficulty
schwimmen, to swim
Schwimmer, *m.*, **—,** swimmer
schwimmhautähnlich, web-like
Schwimmwerkzeug, *n.*, **–e,** swimming organ
Schwindel, *m.*, dizziness
schwinden, to disappear, vanish
Schwindsucht, *f.*, consumption
schwindsüchtig, consumptive
Schwingung, *f.*, **–en,** vibration, oscillation; **in — versetzen,** to cause to vibrate, set in oscillating motion
Schwungfedern, *f. pl.*, pinions, remiges
sechs, six; **—t,** sixth; **—eckig,** hexagonal
sechzehnt, sixteenth
See-igel, *m.*, **—,** sea-urchin
Seele, *f.*, **–n,** soul, mind
Seelen: **—leben,** *n.*, inner (mental *or* spiritual) life; **—tätigkeit,** *f.*, inner (mental *or* spiritual) activity
seelisch, psychic
Segel, *n.*, **—,** sail
segelförmig, sail-formed, veliform
Segen, *m.*, blessing
Segment′, *n.*, **–e,** segment
Seh: **—hügel,** *m.*, **—,** optic thalamus; **—loch,** *n.*, **⸗er,** pupil, optic foramen; **—nerv,** *m.*, **–en,** optic nerve; **—organ,** *n.*, **–e,** organ of sight *or* vision; **—störung,** *f.*, **–en,** visual disturbance; **—vermögen,** *n.*, faculty of vision; **—vorgang,** *m.*, process of sight; **—werkzeug,** *n.*, **–e,** organ of sight *or* vision
sehen, to see
Sehne, *f.*, **–n,** sinew, tendon
Sehnen: **—scheide,** *f.*, **–n,** sheath of a tendon; **—verletzung,** *f.*, **–en,** injury to a tendon
sehnig, sinewy, tendinous
sehr, very
Seide, *f.*, silk
Seiden: **—faden,** *m.*, **⸗,** silk thread; **—industrie,** *f.*, silk industry; **—raupe,** *f.*, **–n,** silk-worm; **—raupenseuche,** *f.*, silk-worm epidemic
Seife, *f.*, soap
Seil, *n.*, **–e,** rope, cable
seinerzeit, in its time
seit, since; **—dem,** *adv.*, since then; *conj.*, since
Seite, *f.*, **–n,** side
Seiten: **—rand,** *m.*, **⸗er,** lateral edge; **—teil,** *m.*, **–e,** lateral portion; **—wand,** *f.*, **⸗e,** side wall
seitens, on the part of
seitlich, lateral
seitwärts, sideways, laterally
Sekret′, *n.*, **–e,** **Sekretion′,** *f.*, **–en,** secretion
sekretions′hemmend, restricting secretion
Sektion′, *f.*, **–en,** section, dissection
sekundär′, secondary
Sekundärnaht, *f.*, **⸗e,** secondary suture
selb, same
selbst, self, itself; *adv.*, even; **von —,** of

itself, automatically; --ständig, independent; —verständlich, self-evident, obvious; of course
Selbständigkeit, *f.*, independence
Selbstmord: —**schuß,** *m.*, ⸗e, suicidal shot; —**versuch,** *m.*, –e, suicidal attempt
selten, rare, infrequent; *adv.*, seldom
seltsam, singular, curious
senden, to send
senken, to sink, lower
senkrecht, vertical, perpendicular
sensi′bel, sensible, sensory
Senso′rium, *n.*, sensorium; seat of sensation
Septikämie′, *f.*, septicemia
Septikopyämie′, *f.*, septic pyemia
septisch, septic
serös′, serous
Serum, *n.*, –**ra,** serum; —**therapie,** *f.*, serum therapy
setzen, to set, place, put; set up, make
sezernieren, to break down, secrete, excrete
sezieren, to dissect
S-förmig, S-shaped
sich, self, selves, each other; **für —,** in and of itself, independently
sicher, sure, secure, certain; —**stellen,** to determine
Sicherheit, *f.*, safety, certainty, security
Sicherheitsventil, *n.*, –**e,** safety valve
sichern, to secure, protect
sichtbar, visible
sickern, to trickle, ooze, drip
Siebbein, *n.*, ethmoid bone
siebzehnt, seventeenth
Siechtum, *n.*, lingering malady, protracted suffering
Siedehitze, *f.*, boiling heat
sieden, to boil
Sieg, *m.*, –**e,** victory
siegreich, victorious
Silberdraht, *m.*, silver wire
Silkwormgut, *n.*, silkworm gut
singen, to sing
Singultus, *m.*, singultus, hiccup
sinken, to sink, fall
Sinn, *m.*, –**e,** sense; view
Sinnes: —**eindruck,** *m.*, ⸗**e,** sense impression; —**organ,** *n.*, –**e,** organ of sense; —**werkzeug,** *n.*, –**e,** organ of sense
Situations′naht, *f.*, ⸗**e,** tension suture, stay-suture
Sitz, *m.*, –**e,** seat, place, location; —**bein,** *n.*, –**e,** ischium; —**ung,** *f.*, –**en,** sitting, session
sitzen, to sit; be
Skalp, *m.*, scalp
skalpieren, to scalp
Skalpierung, *f.*, scalping
Skapolamin′, *n.*, scapolamin
Skelett′, *n.*, –**e,** skeleton; —**element,** *n.*, –**e,** element of the skeleton; —**material,** *n.*, skeleton material; —**muskel,** *m.*, –**n,** skeleton muscle; —**stück,** *n.*, –**e,** piece of the skeleton; —**teil,** *m.*, –**e,** portion of the skeleton
skizzieren, to sketch
skrofulös′, scrofulous
s.o., siehe oben, see above
so, so, therefore, then, thus
sobald, as soon as
sodann, then
soeben, just, just now
sofern, in as far as
sofort, immediately, at once; —**ig,** [immediate
sog., sogen., sogenannt, so-called
sogar, even
Sohle, *f.*, –**n,** sole
solange, so long, as long as
solch, such
Soldat′, *m.*, –**en,** soldier
sollen, shall, ought; to be to, be reported to
somit, hence, therefore, thus
Sommer, *m.*, —, summer; —**sprosse,** *f.*, –**n,** freckle; —**tag,** *m.*, –**e,** summer-day
sonach, thence, therefore
sondern, but
sondern, to sunder, separate
sondieren, to sound, probe
Sondierung, *f.*, –**en,** probing
Sonnabend, *m.*, Saturday
Sonne, *f.*, sun
Sonnen: —**licht,** *n.*, sunlight; —**strahl,** *m.*, –**en,** sunbeam

Sonnett′, *n.*, **–e,** sonnet
sonnig, sunny
sonst, otherwise, else; formerly; **—ig,** other
Sorge, *f.*, **–n,** care; **— tragen,** to take care
sorgen, to provide, care, look after
Sorgfalt, *f.*, care
sorgfältig, careful, painstaking
sorgsam, careful, attentive
Sorte, *f.*, **–n,** sort, kind
soweit, so far (as)
sowie, as well (as), as soon as
sowohl: — als, as well as; both . . . and
Spalt, *m.*, **–en,** split, slit, fissure, gap; **—pilz,** *m.*, fission fungus; **—richtung,** *f.*, grain
Spalte, *f.*, **–n,** split, fissure
Spaltung, *f.*, cleavage, splitting up
spannen, to stretch, expand
Spannung, *f.*, tension, stress
spärlich, scarce, sparse
spät, late; **—erhin,** later, subsequently
Spazierstock, *m.*, **⸚e,** walking-stick
Specht, *m.*, **–e,** woodpecker
Speiche, *f.*, radius
Speichel, *m.*, saliva; **—drüse,** *f.*, **–n,** salivary gland; **—sekretion,** *f.*, secretion of saliva; **—tröpfchen,** *n.*, **—,** drop of saliva *or* spittle
Speichen: —bein, *n.*, radius; **—seite,** *f.*, radial side
Speise, *f.*, **–n,** food; **—brei,** *m.*, chyme; **—rest,** *m.*, **–e,** food-particle; **—röhre,** *f.*, **–n,** œsophagus; **—saft,** *m.*, chyle; **—teil,** *m.*, **–e, —teilchen,** *n.*, **—,** food-particle
spenden, to give, distribute
sperrbar, adjustable [lock
Sperrvorrichtung, *f.*, **–en,** catch, stop,
spezialisieren, to specialize
Spezial′merkmal, *n.*, **–e,** special characteristic
speziell′, special, especial, particular
spezi′fisch, specific
Spiegel, *m.*, **—,** mirror; **—bild,** *n.*, **–er,** image (produced by a mirror)
Spiel, *n.*, **–e,** game, play
spielen, to play, perform
spindelförmig, spindle-shaped, fusiform
Spindelmuskel, *m.*, radialis muscle
Spinnwebenhaut, *f.*, arachnoid
spira′lig, spiral
spitz, pointed
Spitze, *f.*, **–n,** point, tip, end, head
spitzen, to point; **die Ohren —,** to prick up one's ears; **den Mund —,** to purse one's lips
Spitzenstoß, *m.*, (cardiac) apex-beat
Splitter, *m.*, **—,** splinter
Splitterung, *f.*, splintering
spontan′, spontaneous
Spore, *f.*, **–n,** spore
Sprache, *f.*, **–n,** speech, language
Sprachgebrauch, *m.*, usage of a language; **nach dem gewöhnlichen —,** in colloquial speech
sprechen, to speak, say, talk
sprengen, to burst, scatter, shatter
Sprengwirkung, *f.*, **–en,** explosive effect
Sprichwort, *n.*, **⸚er,** proverb
springen, to jump
Springer, *m.*, **—,** jumper
spritzen, to spurt, squirt
spröde, brittle
Spruch, *m.*, **⸚e,** motto, maxim
sprühen, to spark, flash
Sprung, *m.*, **⸚e,** jump; split, fissure; **—bein,** *n.*, astragalus
sprunghaft, desultory, by leaps and bounds, sudden
spucken, to spit
Spucknapf, *m.*, **⸚e,** spittoon
spülen, to wash, rinse
Spülung, *f.*, washing, rinsing
Spur, *f.*, **–en,** trace, track
spurlos, trackless, without a trace
Staat, *m.*, **–en,** state
Stab, *m.*, **⸚e,** staff, rod, bar
stab: —artig, stafflike; **—förmig,** rod-shaped
Stäbchen, *n.*, **—,** small rod, bar
Stachel, *f.*, **–n,** spine, quill
Stadium, *n.*, **–ien,** stage
Stadt, *f.*, **⸚e,** city
Staffel, *f.*, **–n,** rung, round, step
Stahl, *m.*, steel

stählen, to steel, harden
Stamm, *m.,* ⸗**e,** stem, trunk; race; —**form,** *f.,* **-en,** ancestral form; —**mutter,** *f.,* ancestress
Stammes: —**entwicklung,** *f.,* development of the race, evolution; —**geschichte,** *f.,* evolutionary history
stammen, to descend from, be derived from, spring from
Stand, *m.,* ⸗**e,** position; **im —e sein,** to be able; **zu —e kommen,** come about; take place
ständig, permanent, constant, continuous
Staphylococ'cus pyogenes aureus, *Latin*
Staphylokok'keninfektion', *f.,* **-en,** staphylococcus infection
Star, *m.,* **-e,** cataract
stark, strong, violent, severe, heavy, great; much, thick; —**wandig,** strongwalled
Stärke, *f.* strength, power, size, extent; starch; —**mehl,** *n.,* starch flour
stärkemehlhaltig, containing starch flour
stärkereich, rich in starch
starr, rigid, inflexible
Starrheit, *f.,* rigidity
Station', *f.,* **-en,** station
statt (anstatt), instead of; —**finden,** to take place, occur; —**gehabt,** previous, past; —**haben,** to take place; —**haft,** admissible; —**lich,** stately, splendid
Staub, *m.,* dust; —**partikelchen,** *n.,* —, dust particle; —**teilchen,** *n.,* —, dust particle
staubig, dusty
stauen, to dam up, stem; **sich —,** to become obstructed *or* congested
Stauung, *f.,* **-en,** obstruction, congestion; stasis
stechen, to stick, pierce, prick, sting, stab
stecken, to stick; be; fix, set
Steckenpferd, *n.,* **-e,** hobby (horse), fad
stehen, to stand, stop; be; **im Begriffe —,** to be about to
Stehenbleiben, *n.,* stopping
steif, stiff, rigid
steifen, to stiffen, make rigid
Steigbügel, *m.,* —, stirrup; stapes
steigen, to rise, ascend; increase
steigern, to increase, raise; **sich —,** to rise, increase
Steigerung, *f.,* **-en,** rise, increase
Stein, *m.,* **-e,** stone, rock; —**chen,** *n.,* —, little stone, pebble; —**platte,** *f.,* **-n,** stone-slab, flagstone; —**wurf,** *m.,* stone's throw
Steißbein, *n.,* coccyx
Stelle, *f.,* **-n,** place, point, position
stellen, to set, place, put; make
Stellung, *f.,* **-en,** place, position
Stelze, *f.,* **-n,** stilt
Stempel, *m.,* —, stamp, mark
Stengel, *m.,* —, stalk, stem
sterben, to die
steril', sterile
Sterilisation', *f.,* sterilization
Sterilisationsmethode, *f.,* **-n,** method of sterilization
sterilisieren, to sterilize
Sterilisierung, *f.,* sterilization
Stern, *m.,* **-e,** star
stet, steady, continuous; —**s,** always, continually
Stich: im —e lassen, to leave in the lurch, abandon; —**flamme,** *f.,* **-n,** sheet of fire, blazing flame; —**kanal,** *m.,* ⸗**e,** puncture channel; —**verletzung,** *f.,* **-en,** injury caused by stab; —**wunde,** *f.,* **-n,** stab-wound
sticken, to embroider
Stickstoff, *m.,* nitrogen; —**bakterien,** *n. pl.,* nitrogen bacteria
stickstoffhaltig, nitrogenous
Stiel, *m.,* **-e,** stem, stalk
stillen, to stop, stanch
Stillstand, *m.,* standstill, stop; suspension
Stimm: —**band,** *n.,* ⸗**er,** vocal cord; —**bildung,** *f.,* voice production, phonation; —**organ,** *n.,* **-e,** vocal organ; —**ritze,** *f.,* rima glottidis; —**werkzeug,** *n.,* **-e,** vocal organ
Stimme, *f.,* **-n,** voice; vote

stinken, to stink
Stirn, *f.*, forehead; **—bein,** *n.*, frontal bone; **—fortsatz,** *m.*, frontal process; **—gegend,** *f.*, frontal region; **—hieb,** *m.*, **–e,** blow with a stick *or* club; **—höhle,** *f.*, **–n,** frontal sinus; **—knochen,** *m.*, **—,** frontal bone; **—muskel,** *m.*, **–n,** frontalis muscle; **—runzeln,** *n.*, frowning
Stock, *m.*, **⸚e,** stick; **—schlag,** *m.*, **⸚e,** blow with a stick *or* club; **—werk,** *n.*, **–e,** story, floor
Stoff, *m.*, **–e,** matter, material, substance; **—wechsel,** *m.*, metabolism; **—wechselprodukt,** *n.*, **–e,** product of metabolism
Stolz, *m.*, pride
Stopfen, *m.*, **—,** stopper
Stör, *m.*, **–e,** sturgeon
stören, to disturb
Störung, *f.*, **–en,** disturbance, interruption, trouble
Stoß, **⸚e,** push, blow, impact; **—verletzung,** *f.*, **–en,** injury caused by stab *or* thrust; **—zahn,** *m.*, **⸚e,** tusk
stoßen, to push, hit, thrust; **— an,** to meet; **aneinander—,** to join; **— auf,** to meet, chance upon
stoßweise, by jerks, intermittent
straff, tight, taut
Strahl, *m.*, **–en,** ray (of light), stream, jet
Strahlen: —blättchen, *n.*, zonule of Zinn; **—körper,** *m.*, ciliary body; **—kranz,** *m.*, corona ciliaris
strahlenförmig, radiated, radiate
Strang, *m.*, **⸚e,** cord, band, strand
Straße, *f.*, **–n,** street
Straßen: —bahn, *f.*, street-railway; **—staub,** *m.*, street dust
sträuben, to ruffle up
streben, to strive
Strebepfeiler, *m.*, **—,** pillar, buttress
Strecke, *f.*, **–n,** stretch, distance
strecken, to stretch, extend
Strecker, *m.*, extensor
Streckmuskel, *m.*, extensor
Streckung, *f.*, **–en,** extension, stretching
streichen, to stroke, rub; pass
Streifen, *m.*, **—,** strip, stripe
streifen, to striate
Streifschuß, *m.*, **⸚e,** glancing *or* grazing shot
Streifung, *f.*, **–en,** striation
Streit, *m.*, **–e,** dispute, quarrel, argument; **—frage,** *f.*, **–n,** controversial question
streiten, to fight, contend
streng, strict
Streptokok′ken, *pl.*, streptococci
Streupulver, *n.*, dusting powder
Strick, *m.*, **–e,** rope
Strom, *m.*, **⸚e,** stream, river
strömen, to stream, flow
Stück, *n.*, **–e,** piece, bit, fragment; **—chen,** *n.*, **—,** small piece, particle, fragment
studieren, to study
Studium, *n.*, **–ien,** study
Stufe, *f.*, **–n,** step, grade, plane
stufenweise, gradual, by steps
Stuhlgang, *m.*, stool, evacuation of bowels
Stuhllehne, *f.*, **–n,** back of a chair
stülpen, to turn (inside out)
stumm, dumb, voiceless
stumpf, blunt
Stunde, *f.*, **–n,** hour
stundenlang, lasting for hours
stürmisch, stormy, turbulent, violent
Stütz: —organ, *n.*, **–e,** supporting organ; **—punkt,** *m.*, **–e,** point of support
Stütze, *f.*, **–n,** support
stützen, to support
subjektiv′, subjective
subkutan′, subcutaneous
Sublimat′, *n.*, sublimate
Submaxilla′risgegend, *f.*, submaxillary region
subnormal′, subnormal
Subskription′, *f.*, subscription
Substanz′, *f.*, **–en,** substance, matter; **—verlust,** *m.*, loss of substance
suchen, to seek; try, endeavor
südlich, southern, south
Suffusion′, *f.*, **–en,** suffusion, extravasation

Sugillation′, *f.*, **–en**, bruise, blood extravasation
Summe, *f.*, **–n**, sum
summen, to hum, buzz
Summie′rung, *f.*, **–en**, addition, summing up, accumulation
Sumpf, *m.*, **⁼e**, swamp
suspendieren, to suspend
süß, sweet
süßlich, sweetish
Süßwasser, *n.*, fresh water
s.w.u., siehe weiter unten, see below
Symbio′se, *f.*, symbiosis, (living together), association
symme′trisch, symmetrical
Symptom′, *n.*, **–e**, symptom
System′, *n.*, **–e**, system
Systole, *f.*, **–n**, systole

T

Tabak, *m.*, tobacco
Tafel, *f.*, **–n**, plate; lamina
Tag, *m.*, **–e**, day
täglich, daily
tagsüber, during the day, in the daytime
Taille, *f.*, **–n**, waist
taktmäßig, well-timed, rhythmical
Talent′, *n.*, **–e**, talent
Talg, *m.*, tallow; **—drüse**, *f.*, **–n**, sebaceous gland; **—masse**, *f.*, **–n**, mass of sebum
Tampon, *n.*, **–s**, tampon
Tampona′de, *f.*, **–n**, tamponade
tamponieren, to apply a tampon
Tartrat′, *n.*, **–e**, tartrate
Tasche, *f.*, **–n**, pocket
taschenartig, pocketlike
Taschentuch, *n.*, **⁼er**, handkerchief
Tast: **—empfindung**, *f.*, tactile sense; **—körperchen**, *n.*, **—**, touch-corpuscle, tactile body; **—organ**, *n.*, **–e**, tactile organ; **—sinn**, *m.*, sense of touch
Taste, *f.*, **–n**, key
tasten, to touch, feel; palpate
Tat, *f.*, **–en**, deed, act; **in der —**, indeed; **—sache**, *f.*, **–n**, fact
Tätigkeit, *f.*, **–en**, activity, action
tatsächlich, actual, real
Tau, *m.*, dew
Tau, *n.*, **–e**, rope, cable
Taubstummer, *m.*, a deaf-mute
tauchen, to dip, immerse
tauglich, fit, appropriate
tausend, thousand; **—fach**, thousandfold
Tech′nik, *f.*, technique
technisch, technical
Tee, *m.*, tea
teigig, doughy
Teil, *m.*, **–e**, part, portion, section; **zum —**, partly; **—chen**, *n.*, **—**, particle; **—ung**, *f.*, **–en**, division, separation; segmentation
teil: **—bar**, divisible; **—nehmen**, to take part, participate in; **—s**, partly, in part; **—weise**, partial; *adv.*, partly
teilen, to divide; **sich in etwas —**, to share a thing
teilhaftig, partaking; **— werden**, to partake of, obtain
Teilnahme, *f.*, interest, sympathy
Teilung, *f.*, **–en**, division
Teilungs: **—produkt**, *n.*, **–e**, product of segmentation; **—prozeß**, *m.*, **–e**, segmentation process
Telegraph′, *m.*, telegraph
Telegraphen: **—apparat′**, *m.*, **–e**, telegraph apparatus; **—draht**, *m.*, **⁼e**, telegraph wire; **—station′**, *f.*, telegraph terminal
Temperament′, *n.*, temperament
Temperatur′, *f.*, temperature; **—höhe**, *f.*, degree of temperature; **—kurve**, *f.*, temperature curve; **—steigerung**, *f.*, rise in temperature
Tempo, *n.*, time, rate
temporär′, temporary
Teppich, *m.*, **–e**, carpet, rug
Terpentin′, *m.*, turpentine
tertiär′, tertiary
Tetanusantitoxin, *n.*, tetanus antitoxin; **—injection**, *f.*, injection of tetanus antitoxin
Tetanusfall, *m.*, **⁼e**, case of tetanus
Thema, *n.*, **–men**, theme, subject

theolo'gisch, theological
theore'tisch, theoretical
Theorie', *f.*, **–en,** theory
theorie'widrig, contrary to theory
therapeu'tisch, therapeutic
Therapie', *f.*, therapeutics
thermisch, thermal
Thrombus, *m.*, **–ben,** thrombus; **—bildung,** *f.*, **–en,** formation of thrombus
Thymolalkohol, *m.*, thymolalcohol
ticken, to tick
tief, deep, low; **—gehend,** deep, profound
Tiefe, *f.*, **–n,** depth, deep
Tier, *n.*, **–e,** animal; **—art,** *f.*, **–en,** animal species; **—chen,** *n.*, **—,** animalcule; **—form,** *f.*, **–en,** animal form; **—gruppe,** *f.*, **–n,** animal group; **—kette,** *f.*, animal chain; **—klasse,** *f.*, **–n,** animal class; **—knochen,** *m.*, **—,** bone of an animal; **—körper,** *m.*, **—,** animal body; **—membran,** *f.*, **–e,** animal membrane; **—reich,** *n.*, animal kingdom; **—serie,** *f.*, **–n,** animal series; **—stamm,** *m.*, **⸚e,** animal race; **—stoff,** *m.*, **–e,** animal substance; **—stufe,** *f.*, **–n,** animal stage; **—typus,** *m.*, **—pen,** animal type; **—welt,** *f.*, animal world
tierisch, animal, of animals
Tisch, *m.*, **–e,** table; **—kante,** *f.*, **–n,** edge of the table
Tochter, *f.*, **⸚,** daughter; **—amöbe,** *f.*, **–n,** daughter amœba; **—chromosomen,** *pl.*, daughter chromosomes
Tod, *m.*, **–e,** death
Todesfall, *m.*, **⸚e,** (case of) death
tödlich, fatal
Toleranz', *f.*, tolerance; **—stadium,** *n.*, stage of toleration
Tollwut, *f.*, madness; **—krankheit,** *f.*, disease of madness
Ton, *m.*, **–e,** tone, note
Tonsil'le, *f.*, **–n,** tonsil
Topf, *m.*, **–e,** pot
Tor, *n.*, **–e,** door, gate
tot, dead
total', total
töten, to kill
Toxin', *n.*, **–e,** toxin
toxisch, toxic
Trachea, *f.*, wind-pipe, trachea
Trachealkanälchen, *n.*, tracheal canal
Tracheotomie', *f.*, tracheotomy
tragen, to carry, bear; wear
Träger, *m.*, **—, Trägerin,** *f.*, **–nen,** carrier, bearer, possessor
Tragweite, *f.*, range, bearing, importance
Träne, *f.*, **–n,** tear
Tränen, *n.*, watering of the eyes
Tränen: —apparat', *m.*, lachrymal apparatus; **—bein,** *n.*, **–e,** lachrymal bone; **—drüse,** *f.*, **–n,** lachrymal gland; **—flüssigkeit,** *f.*, lachrymal fluid; **—nasenkanal,** *m.*, nasal duct; **—punkt,** *m.*, punctum lachrymale
tränken, to water, saturate
Transplantation', *f.*, transplantation
Transplantations'methode, *f.*, **–n,** method of transplantation
transplantieren, to transplant
Transport', *m.*, **–e,** transport
transporta'bel, transportable
traubenförmig, in clusters (like grapes); aciniform, acinose
trauen, to trust
Trauma, *n.*, trauma
trauma'tisch, traumatic
treffen, to strike, meet; decide upon, make; affect; **—d,** striking, fitting, clear
treiben, to drive, impel, force, push
trennbar, separable, divisible
trennen, to separate, divide
Trennung, *f.*, **–en,** separation, division
Trepanation', *f.*, trepanning
Treppe, *f.*, **–n,** stairs, steps; **—steigen,** *n.*, climbing stairs
treten, to tread, step; advance, come, pass; **dazwischen—,** interfere, intervene
treu, faithful
Trichter, *m.*, **—,** funnel; **—rohr,** *n.*, **–e,** funnel tube
trichterförmig, funnel-shaped
trige'minus, trigeminus

Trigeminusneuralgie′, *f.*, neuralgia of trigeminus
Trikotstoff, *m.*, tricot-substance, knitted material
trinken, to drink
Trinker, *m.*, —, drinker
Trinkglas, *n.*, ⸗er, drinking-glass
Triumph′, *m.*, –e, triumph
triumphieren, to triumph, be triumphant
Triumvirat′, *n.*, triumvirate
trivial′, trivial
trocken, dry
trocknen, to dry, desiccate
Trommelfell, *n.*, ear-drum, tympanum
Trommelhöhle, *f.*, tympanic cavity
Trompe′te, *f.*, –**n**, trumpet; Eustachian tube
Tropf: —**flasche**, *f.*, –**n**, dropping-bottle; —**narko′se**, *f.*, drop-method narcosis
Tröpfchen, *n.*, —, little drop
Tropfen, *m.*, —, drop
tropfen, to drop, drip
trotz, in spite of; —**dem**, nevertheless, in spite of the fact
trüb, cloudy, dull, muddy, turbid; sad, unhappy
Trübung, *f.*, cloudiness, turbidity
Tuberkelbazillus, *m.*, —**len**, tubercle bacillus
Tuberkulo′se, *f.*, tuberculosis
Tuch, *n.*, ⸗**er**, cloth
tüchtig, clever, capable, thorough
tun, to do, make, perform
Tun, *n.*, doing(s); — **und Lassen**, commissions and omissions
tupfen, to touch lightly, dab, mop, swab
Tupfer, *m.*, —, tampon, mop, swab
Tür(e), *f.*, –**n**, door
turnen, to do gymnastics, exercise
tütenförmig, cone-shaped
Typhus, *m.*, typhus
typisch, typical
Typus, *m.*, –**pen**, type

U

u.a., **unter anderm**, among other things; **unter anderen**, among others; **und anderes**, and more
u.a.m., **unter anderen mehr**, among others
übel, evil, bad; —**riechend**, ill-smelling
Übel: —**keit**, *f.*, sickly feeling, nausea; —**stand**, *m.*, evil, drawback
üben, to practise, exercise
über, over, above, concerning; —**all**, everywhere; —**aus**, exceedingly; —**dies**, moreover, besides; —**einander**, above one another; —**flüssig**, superfluous; —**haupt**, in general, at all, on the whole, anyway
überanstrengen, to overexert, overwork
Überanstrengung, *f.*, –**en**, overexertion
Überbleibsel, *n.*, —, remnant
Überblick, *m.*, survey
überbrücken, to bridge over
überdecken, to cover over
Überdosierung, *f.*, over-dose
übereinstimmen, to agree (with), correspond to; —**d**, corresponding
Übereinstimmung, *f.*, agreement, conformity, harmony
Überfahrenwerden, *n.*, being run over
Überfluten, *n.*, flooding
überführen, to transfer, change
Übergang, *m.*, ⸗**e**, transition
Übergangsstadium, *n.*, transition stage
übergehen, to go over, pass over, change into
Übergewicht, *n.*, preponderance, predominance
übergießen, to pour over; **mit Wasser** —, to pour water on
Übergießung, *f.*, –**en**, douche, shower-bath
übergreifen, to overlap, affect
überhaupt, on the whole, generally, at all; — **nicht**, not at all
überhäuten, to cover with skin; skin over
überheizt, overheated
überhitzen, to overheat
Überhitzung, *f.*, overheating
Überimpfung, *f.*, inoculation
überkleiden, to clothe, cover
überlagern, to cap, overlie, overlap

überlassen, to leave, abandon
Überlegenheit, *f.*, superiority; preponderance
Überlegung, *f.*, **–en,** consideration, deliberation
Übermaß, *n.*, excess
übermäßig, excessive, immoderate
übermitteln, to transmit, deliver
Übernahme, *f.*, acceptance, assumption
übernehmen, to take, take over; assume
überraschen, to surprise
Überrest, *m.*, **–e,** remnant, residue
überschätzen, to overestimate
Überschuß, *m.*, surplus, excess
überschwemmen, to flood
Überschwemmung, *f.*, **–en,** flood(ing)
übersehen, to overlook
übersetzen, to translate
Übersetzer, *m.*, **—,** translator
Übersicht, *f.*, survey, summary
übersichtig, hypermetropic
Übersichtigkeit, *f.*, hypermetropia
übersiedeln, to move to
überspannen, to span
überstark, too much
übersteigen, to exceed
übertragen, to transmit, transfer
Übertragung, *f.*, transmission
übertreffen, to surpass, excel
Übertreibung, *f.*, **–en,** exaggeration
übertreten, to pass over
überwiegen, to outweigh, preponderate
Überwiegen, *n.*, predominance
überwinden, to overcome, conquer
Überwindung, *f.*, overcoming, victory (over), subjection
überzeugen, to convince
Überzeugung, *f.*, conviction
überziehen, to cover, coat
Überzug, *m.*, covering, coating
üblich, usual, customary
übrig, remaining, other; **—bleiben,** to remain over, be left; **im —en,** as for the rest, moreover, besides; in other respects; **—ens,** moreover
Übung, *f.*, **–en,** exercise, practice
u. dgl., u. dergl., und dergleichen, and the like
u. dgl. m., u. dgl. mehr, und dergleichen mehr, and the like
Uhr, *f.*, **–en,** clock, watch
uhrglasförmig, watchglass-shaped
ultramikrosko'pisch, ultramicroscopic
ulzerös', ulcerous
um, around, about; **— zu,** in order to; **— so mehr,** so much the more; **— so weniger,** so much the less
umbilden, to transform
Umbildung, *f.*, **–en,** transformation
Umfang, *m.*, circumference, size, extent
umfassen, to embrace, clasp, enclose, include; **—d,** comprehensive, extensive
umfließen, to flow around, encircle
umgeben, to surround
Umgebung, *f.*, surroundings, vicinity, environment
umgekehrt, inverse, inverted, converse, reverse, opposite; vice versa
umgestalten, to transform
umherwälzen, to roll about
umhüllen, to cover, envelop
Umhüllung, *f.*, **–en,** covering, enclosure
umkehren, to turn around; invert
umkleidet, surrounded
Umlagerung, *f.*, **–en,** change of position, transposition
Umlauf, *m.*, circulation
ummodeln, to remodel
umrahmen, to frame
umrandet, bordered
Umriß, *m.*, **–e,** outline
Umschlag, *m.*, **⸗e,** poultice, compress
umschließen, to surround, enclose
Umschneidung, *f.*, **–en,** circumcision, cutting
umschnüren, to tie up
Umschnürung, *f.*, **–en,** tying, ligation
umschreiben, to circumscribe; **umschrieben,** circumscribed
umschwirren, to buzz around
umsetzen, to transpose, transform
umspinnen, to spin around, weave about, surround, invest
umspülen, to wash (around)
Umstand, *m.*, **⸗e,** circumstance, condition

umstechen, to ligature around a point
Umstechung, *f.*, **–en,** ligature around a point
Umstechungsligatur, *f.*, **–en,** ligature around a point, acupressure
umstritten, disputed
umwachsen, to grow round, overgrow
Umwälzung, *f.*, **–en,** revolution
umwandeln, to transform
Umwandlung, *f.*, **–en,** transformation
umwickeln, to wrap *or* wind around
unabhängig, independent
unablässig, incessant, continual
unabsichtlich, unintentional
unangenehm, disagreeable
unausbleiblich, inevitable
unbedeckt, uncovered
unbedeutend, insignificant, unimportant, slight
unbedingt, unconditional, absolute
unbegreiflich, incomprehensible
unbegrenzt, unlimited
unbehaart, hairless
unbekannt, unknown
unbelebt, inanimate
Unbelebte, *n.*, inanimate matter
unberechenbar, incalculable
unberücksichtigt, unconsidered, disregarded
unberührt, untouched
unbewacht, unwatched, unguarded
unbewaffnet, unarmed; **—es Auge,** *n.*, naked eye
unbeweglich, immovable
unbrauchbar, useless
undenkbar, inconceivable
undeutlich, indistinct, confused, dim
undurchgängig, impermeable, closed
undurchlässig, impermeable
unempfindlich, insensible, numb, not sensitive
Unempfindlichkeit, *f.*, insensibility, anæsthesia
unendlich, endless, infinite
unentbehrlich, indispensable
unerklärlich, inexplicable
unerläßlich, indispensable
unermüdlich, untiring
unerwähnt, unmentioned
unerwartet, unexpected

Unfähigkeit, *f.*, inability
Unfall, *m.*, **⸚e,** accident, disaster, mishap
unförmig, deformed, disproportionate
unfreiwillig, involuntary
ungeahnt, unsuspected
ungefähr, about, approximately
ungefährlich, not dangerous, harmless, without danger
ungegliedert, unjointed, inarticulate
ungeheuer, immense
ungehindert, unhindered
ungekaut, unchewed
ungemein, uncommon, unusual
ungenügend, insufficient
ungesäumt, immediate; at once
ungeschickt, awkward, clumsy
ungestört, undisturbed
ungeteilt, undivided
ungezügelt, unrestrained, boundless
ungleich, unlike, unequal
Unglück, *n.*, misfortune, disaster
Uuglücksfall, *m.*, **⸚e,** misfortune, accident
ungünstig, unfavorable, disadvantageous
universell′, universal
Universität′, *f.*, **–en,** university
Unkenntlichkeit, *f.*, impossibility of recognition; **bis zur —,** beyond recognition
unklar, not clear, indistinct
unmittelbar, immediate, direct
unmöglich, impossible
unnötig, unnecessary
unorganisch, inorganic
unpaar, not paired, azygous
unparteiisch, impartial
unrecht, wrong
Unrecht, *n.*, wrong, injustice
unregelmäßig, irregular
unrein, unclean
unrichtig, incorrect, false
unsauber, unclean
unschädlich, harmless
unschwer, not difficult, easy
unsicher, uncertain
unsichtbar, invisible
unsinnig, unreasonable, senseless, irrational

Unsitte, *f.*, bad habit *or* custom
unsymmetrisch, unsymmetrical
Untätigkeit, *f.*, inactivity
untauglich, useless, worthless
unten, below, beneath, down; **nach —,** downward; **von — her,** from below
unter, under, among, by, with; **— anderem,** among other things; *adj.*, lower
Unterarm, *m.*, **–e,** forearm; **—knochen,** *m.*, **—,** bone of the forearm
Unterbauch, *m.*, hypogastrium; **—gegend,** *f.*, hypogastric region
unterbinden, to tie up, ligature
Unterbindung, *f.*, **–en,** tying up, ligature
unterbrechen, to interrupt, discontinue
Unterbrechung, *f.*, **–en,** interruption
unterdessen, unterdes, meanwhile
unterdrücken, to suppress
untereinander, among themselves, mutually
Unterende, *n.*, lower end
Unterfläche, *f.*, lower surface, base
Untergang, *m.*, sinking, ruin, extinction
untergehen, to go under, perish, become extinct
unterhalb, below
Unterhalt, *m.*, sustenance, support
unterhalten, to support, maintain
Unterhaltung, *f.*, maintenance
Unterhaut, *f.*, under-skin; **—zellgewebe,** *n.*, subcutaneous connective tissue
Unterkiefer, *m.*, **—,** lower jaw, inferior maxilla, mandible; **—bein,** *n.*, mandibular bone; **—fortsatz,** *m.*, mandibular process; **—gelenk,** *n.*, mandibular joint; **—winkel,** *m.*, submaxillary angle
Unterkleider, *n. pl.*, underclothes
Unterlage, *f.*, **–n,** support, foundation, base
Unterleib, *m.*, abdomen
unterliegen, to succumb
Unterlippe, *f.*, lower lip
Unternagelraum, *m.*, **⸚e,** space under the nail
unternehmen, to undertake, attempt
unterrichten, to inform, instruct
unterscheiden, to distinguish, differentiate; **sich —,** to differ
Unterscheidung, *f.*, distinction
Unterschenkel, *m.*, **—,** leg (below the knee); **—knochen,** *m.*, **—,** bone of the lower leg
Unterschied, *m.*, **–e,** difference, distinction; **zum —e von,** in contradistinction to
Unterschlüsselbeingrube, *f.*, intraclavicular fossa
Unterseite, *f.*, under side
unterstehen, to submit to, be subject to
unterstellen, to place under, commit to
unterstützen, to aid, support
Unterstützung, *f.*, support, assistance
Unterstützungsfläche, *f.*, supporting surface
untersuchen, to investigate, examine
Untersuchung, *f.*, **–en,** investigation, analysis
Untersuchungs: —methode, *f.*, **–n,** method of investigation; **—objekt,** *n.*, **–e,** object of investigation
unterwerfbar, subject, subjectable
unterwerfen, to subject; **unterworfen,** subject
unterziehen, to draw under, subject; **einer Betrachtung —,** to subject to consideration, consider
untrennbar, inseparable
untröstlich, inconsolable, very sorry
unumstößlich, incontestable, irrefutable
ununterbrochen, uninterrupted
unverändert, unchanged
unverbraucht, unconsumed
unverdaulich, indigestible
unverdorben, unspoilt, sound
unverfälscht, genuine, real
unverhüllt, unwrapped
unverkennbar, unmistakable
unverkürzt, uncurtailed, intact
unverletzt, uninjured
unvermeidlich, unavoidable
unverschlossen, not closed
unverständig, unwise, imprudent
unverständlich, unintelligible, incomprehensible

unverzagt, undismayed, undaunted
Unvollkommenheit, *f.*, **–en,** imperfection
unvollständig, incomplete
Unwahrheit, *f.*, **–en,** falseness
unwichtig, unimportant
unwiderleglich, irrefutable
unwillkürlich, involuntary
unwirksam, ineffectual, inefficient; **—machen,** to neutralize
unzählig, countless
unzuträglich, disadvantageous, unwholesome
üppig, luxuriant, rich, strong
Urbildungsstoff, *m.*, protoplasm
Urdarm, *m.*, primary rudiment of intestine, archenteron
Urheber, *m.*, originator, author
Urin′, *m.*, urine
Urmund, *m.*, primitive orifice, blastopore
Urorgan, *n.*, primitive organ
Ursache, *f.*, **–n,** cause, reason
ursächlich, causal
Ursprung, *m.*, origin, source
ursprünglich, originally
Urteil, *n.*, **–e,** opinion, judgment
urteilen, to judge
urteilsreif, competent
Urteilsvermögen, judgment
Urtier, *n.*, **–e,** protozoön; **—kolonie,** *f.*, **–en,** colony of protozoa
Urzeugung, *f.*, heterogenesis, spontaneous generation; **—hypothese,** *f.*, hypothesis of spontaneous generation
usf., und so fort, and so forth
Usur, *f.*, breaking down, atrophy
usw., u.s.w., und so weiter, and so forth

V

Vagus, *m.*, vagus nerve
Vakzin, *n.*, **–e,** vaccine; **—behandlung,** *f.*, vaccine treatment
Variabilität′, *f.*, variability
variieren, to vary
Varixknoten, *m.*, **—,** varicose knot
Varizen, *pl.*, varicose veins
vaskularisiert, vascular
Vater, *m.*, **″—,** father
Vegetabilien, *n. pl.*, vegetables
Vene, *f.*, **–n,** vein
Venen: —gebiet, *n.*, venous region **—thrombus,** *m.*, **—ben,** thrombus in a vein
venös′, venous
Ventil′, *n.*, **–e,** valve
Ventilation′, *f.*, ventilation
Verabreichung, *f.*, giving, application, administration
verächtlich, contemptuous, scornful
verändern, to change, vary
Veränderung, *f.*, **–en,** change, alteration
veranlassen, to cause, occasion, induce
Veranlassung, *f.*, **–en,** cause, occasion; **— geben,** to give rise to
veranschaulichen, to illustrate, demonstrate, make clear
veranstalten, to arrange, organize
Verantwortlichkeitsgefühl, *n.*, feeling of responsibility
verästeln, to branch out
Verätzung, *f.*, erosion, cauterization
Verband, *m.*, **″–e,** union; dressing, bandage; **—schicht,** *f.*, **–en,** bandage layer; **—stoff,** *m.*, **–e,** bandaging material
verbannen, to banish
verbergen, to conceal
verbessern, to improve
Verbesserung, *f.*, **–en,** improvement
verbieten, to forbid
verbinden, to connect, combine, unite; bandage
Verbindung, *f.*, **–en,** connection, union, compound; communication; **in — stehen,** to be in communication; **in — treten,** to form a connection *or* union
Verbindungsmittel, *n.*, **—,** means of connection
verbleiben, to remain, continue
Verbrauch, *m.*, consumption
verbrauchen, to consume, waste, exhaust
verbreiten, to spread, diffuse, distribute, circulate
Verbreitung, *f.*, spreading, diffusion, extension

verbrennen, to burn; be consumed
Verbrennung, *f.*, **–en,** burning, scorching, combustion; burn
Verbrennungsnarbe, *f.*, **–n,** scar from burn
Verdacht, *m.*, suspicion
verdächtig, suspicious, suspected
verdanken, to owe; **was dem Umstande zu —,** which is due to the fact
verdauen, to digest
verdaulich, digestible
Verdauung, *f.*, digestion
Verdauungs: —apparat′, *m.*, digestive apparatus; **—arbeit,** *f.*, digestive process; **—kanal′,** *m.*, digestive canal; **—organ,** *n.*, **–e,** digestive organ; **—saft,** *m.*, **⸚e,** digestive fluid, gastric juice; **—vorgang,** *m.*, digestive process; **—werkzeug,** *n.*, **–e,** digestive organ
verdecken, to conceal, mask
verderben, to spoil; decay
Verderben, *n.*, decay
verdicken, to thicken
Verdickung, *f.*, thickening
verdienen, to earn, deserve
Verdienst, *m.*, **–e,** merit, service; credit, accomplishment
verdoppeln, to double
Verdopplung, *f.*, doubling
verdrängen, to displace, supplant
verdunkeln, to darken
verdünnen, to dilute, attenuate, rarefy
verdunsten, to evaporate
Verdunstung, *f.*, evaporation
Verehrung, *f.*, veneration, devotion
Verein, *m.*, **–e,** union
vereinfachen, to simplify
vereinigen, to unite, combine
Vereinigung, *f.*, **–en,** union, combination; anastomosis
vereinzeln, to isolate
vereiteln, to frustrate
vereitern, to suppurate
Vereiterung, *f.*, suppuration
verengen: sich —, sich verengern, to narrow (down), contract
Vererbung, *f.*, heredity, transmission
Vererbungskraft, *f.*, power of transmission; **—problem,** *n.*, problem of transmission
Verfahren, *n.*, **—,** process, procedure, [method
verfallen, to fall, lapse
Verfärbung, *f.*, discoloration
verfilzen, to become matted
verfließen, to elapse, pass by
verflüssigen, to liquefy
verfolgen, to pursue, follow, trace
Verfolgung, *f.*, following out, pursuance, tracing
verfügbar, available
verfügen (über), to have at one's disposal, dispose of
Verfügung, *f.*, disposal, command; **zur — stehen,** to be at one's disposal
vergänglich, transitory
vergeblich, vain, fruitless
vergehen, to pass, elapse
vergesellschaften, to associate, unite with
Vergiftung, *f.*, **–en,** poisoning
Vergleich, *m.*, **–e,** comparison; **—ung,** *f.*, **–en,** comparison
vergleichen, to compare
vergönnen, to allow, permit
vergrößern, to enlarge, increase
Vergrößerung, *f.*, **–en,** enlargement, increase
Vergrößerungsglas, *n.*, **⸚er,** magnifying glass, microscope; **das zusammengesetzte —,** compound microscope
verhalten: sich —, to act, behave; be in proportion to; be, remain; be suppressed
Verhalten, *n.*, behavior, conduct; action, reaction
Verhältnis, *n.*, **—se,** relation, proportion, condition
verhältnismäßig, comparative, relative
Verhaltungsmaßregel, *f.*, **–n,** instruction, rule, precaution
verhängnisvoll, fatal; disastrous
verhärten, to harden
verhehlen, to conceal
verheilen, to heal up
verhindern, to hinder, prevent
verhornt, horny

Verhornung, *f.*, cornification
verhüten, to prevent, avert [pus
Verjauchung, *f.*, the forming of putrid
verkehren, to come and go
verkleben, to stick together
Verklebung, *f.*, agglutination
verkleinern, to make smaller, diminish
Verkleinerung, *f.*, diminution
verknöchern, to ossify
Verknöcherung, *f.*, ossification
verknüpfen, to connect, join
verkorken, to cork
verkrümmen, to curve; become deformed
Verkrümmung, *f.*, –**en,** curvature
verkrüppeln, to cripple; become deformed
verkümmern, to become stunted, atrophy
verkünden, to announce, proclaim
verkürzen, to shorten, retract
Verkürzung, *f.*, shortening, retraction
Verlagerung, *f.*, shifting, change of position
verlangen, to desire, demand, require
verlängern, to lengthen, extend
Verlängerung, *f.*, elongation
verlassen, to leave, forsake, abandon
verläßlich, reliable
Verlauf, *m.*, course, progress
verlaufen, to proceed, occur, pass, end, run
verleben, to pass, spend
verleihen, to give, confer
verletzen, to injure
verletzlich, easily injured, vulnerable
Verletzung, *f.*, –**en,** injury
verlieren, to lose; **verloren gehen,** to be lost; **verloren gegangen,** lost
Verlust, *m.*, –**e,** loss
vermehren, to increase, multiply
Vermehrung, *f.*, increase, propagation
Vermehrungstendenz, *f.*, tendency to multiply
vermeiden, to avoid, prevent
Vermeidung, *f.*, avoidance
vermeinen, to believe, suppose [ish
vermindern, to lessen, decrease, diminish
Verminderung *f.*, lessening, decrease
vermischen, to mix
vermitteln, to mediate, arrange, send, transmit, bring about; provide
vermittels(t), by means of
Vermittler, *m.*, —, mediator, agent
Vermittlung, *f.*, mediation, agency, help, conveyance; imparting
vermöge, by virtue of
vermögen, to be able, can
Vermögen, *n.*, ability, power; wealth
Vermutung, *f.*, –**en,** supposition, conjecture
vernehmen, to perceive, hear
verneinen, to deny, contradict
vernichten, to destroy
Vernichtung, *f.*, destruction, annihilation
Vernunft, *f.*, intelligence
vernünftig, sensible
veröffentlichen, to publish
Veronal′, *n.*, veronal
verraten, to betray; disclose, reveal
Verrenkung, *f.*, –**en,** dislocation, luxation
verrichten, to perform, do
Verrichtung, *f.*, –**en,** performance; function
versäumen, to neglect
verschaffen, to procure
verschieben, to displace, shift
Verschiebung, *f.*, –**en,** displacement, shifting
verschieden, different, various, diverse; —**artig,** heterogeneous, varied, different
Verschiedenheit, *f.*, –**en,** difference
verschiedentlich, at different times, more than once
verschließbar, capable of being closed
verschließen, to close, enclose, seal
Verschließung, *f.*, closing
Verschlimmerung, *f.*, change for the worse, aggravation
verschlingen: sich —, to interlace, entangle, twist; **verschlungen,** interlaced, twisted
verschlucken, to swallow, swallow the wrong way
Verschluß, *m.*, closing, occlusion

verschmelzen, to melt, blend, fuse; merge
Verschmelzung, *f.*, fusion
verschmutzen, to soil, pollute, infect
Verschmutzung, *f.*, soiling, pollution, infection
verschütten, to cover up, bury
verschwinden, to vanish, disappear
verschwommen, hazy, indistinct
versehen, to provide, equip, supply; attend to
versenken, to sink, submerge
versetzen, to set, place, put; transfer; mix
versiegeln, to seal
versiegen, to dry up, become exhausted
versorgen, to provide, supply, care for
Versorgung, *f.*, providing, supplying, care
versperren, to bar, close
verspüren, to feel, notice
verständig, reasonable, sensible
verständlich, comprehensible, easy to understand [gence
Verständnis, *n.*, understanding, intelli-
verstärken, to strengthen, intensify, increase
Verstauchung, *f.*, **–en,** strain, sprain; semiluxation
verstecken, to conceal, hide
verstehen, to understand; be able
verstopfen, to stop up, choke up; **sich —,** to become stopped up
verstorben, deceased
Verstrichensein, *n.*, disappearance
Versuch, *m.*, **–e,** attempt, effort; experiment
Versuchstier, *n.*, **–e,** animal experimented upon
versuchen, to try, endeavor
Verteidigung, *f.*, defense
Verteidigungswaffe, *f.*, **–n,** weapon of defense [spread
verteilen, to distribute, divide, diffuse,
Verteilung, *f.*, distribution, division
vertiefen, to deepen; depress
Vertiefung, *f.*, **–en,** depression, hollow
vertragen, to bear, endure, sustain; **sich —,** to agree
vertraut, familiar
vertreten, to represent, replace
Vertreter, *m.*, **—,** representative
verunglücken, to meet with an accident
Verunglückte, *m.*, **–n,** victim, injured one
verunreinigt, soiled
Verunreinigung, *f.*, **–en,** contamination, infection, pollution
Verunstaltung, *f.*, **–en,** disfigurement, deformity
verursachen, to cause
vervollkommnen, to perfect
verwachsen, to grow together, interlace; close, heal up
Verwachsung, *f.*, adhesion, growing over
verwandeln, to transform
verwandt, related
Verwandte, *m.*, **–n,** relative
Verwandtschaftsverhältnis, *n.*, **–se,** comparative relationship, condition of relationship
verwechseln: mit etwas —, to mistake a thing for something else, confound
verwehen, to blow away, scatter
verwenden, to use, employ, apply
Verwendung, *f.*, application, use
verwesen, to decay, decompose
verweslich, liable to decay
Verwesung, *f.*, decay, decomposition
verwickeln, to complicate
verwirklichen, to realize
verwischen, to efface, obliterate, blur
verwunden, to wound
Verwundung, *f.*, **–en,** wound, injury
verzehren, to consume, eat up
verzichten (auf), to renounce, forego
Verzug, *m.*, delay; **Gefahr im —,** delay is dangerous
verzweigen: sich —, to ramify, branch out
Verzweigung, *f.*, **–en,** ramification
V-förmig, V-shaped
Vieh, *n.*, cattle
viel, much, many; **—eckig,** multangular; **—fach,** manifold, various; frequent, repeated; excessive; **—ge-**

nannt, much discussed; **—leicht,** perhaps; **—mehr,** rather; **—zellig,** multicellular
vier, four; **—beinig,** four-legged; **—ekkig,** square; **—teilig,** in four parts, quadripartite; **—zehnt,** fourteenth
Vierhügel, *pl.*, corpora quadrigemina
viert, fourth
Viertel, *n.*, —, quarter; **—stunde,** *f.*, –n, quarter of an hour
virulent′, virulent
Virulenz′, *f.*, virulence
Vogel, *m.*, ⸚, bird
Volk, *n.*, ⸚**er,** people
Volks: —abstimmung, *f.*, popular vote; **—gunst,** *f.*, popular favor
volkstümlich, popular
voll, full; entire, whole; **—ausgebildet,** fully developed; **—entwickelt,** fully developed; **—kommen,** complete, perfect; **—ständig,** complete, entire, perfect
Vollbad, *n.*, ⸚**er,** bath of the whole body; plunge-bath
vollenden, to finish, complete; **vollendet,** perfect
völlig, complete
Vollkommenheit, *f.*, perfection
Vollständigkeit, *f.*, completeness
vollziehen: sich —, to complete, consummate, fulfil; take place
Volu′men, *n.*, volume
Volvox, volvox; **—kolonie,** *f.*, volvox colony
von, of, from; **—einander,** from *or* of one another *or* each other; **— seiten,** on the part of; **— vornherein,** from the beginning; **— vorn nach hinten,** from the front to the rear
vonstattengehen, to go on, occur, take place, progress
vor, before, in front of
Vorabend, *m.*, **–e,** previous evening
vorangehen, to precede; **—d,** preceding; **vorangegangen,** preceding
voraus, before; **im —,** beforehand, in advance
vorausgehen, precede
voraussetzen, to suppose, assume, presuppose
Vorbedingung, *f.*, **–en,** preliminary condition, prerequisite
vorbehalten, to reserve
vorbeiführen, to carry by
vorbeiströmen, to pass by
Vorbereitung, *f.*, **–en,** preparation
vorbeugen, to bend forward; prevent
Vorbeugung, *f.*, prevention
Vorbote, *m.*, **–n,** early sign, preliminary symptom
vordem, formerly, before
vorder, anterior, forward
Vorder: —ansicht, *f.*, front view; **—arm,** *m.*, forearm; **—armknochen,** *m.*, —, bone of the forearm; **—ende,** *n.*, anterior end; **—fuß,** *m.*, ⸚**e,** forefoot; **—gliedmaße,** *f.*, **–n,** anterior limb; **—grund,** *m.*, foreground; **—hirn,** *n.*, fore-brain; **—seite,** *f.*, front side; **—wand,** *f.*, anterior wall; **—zahn,** *m.*, ⸚**e,** front tooth, incisor
vordringen, to push on, advance
voreingenommen, biased, prejudiced
Vorfahr, *m.*, **–en,** ancestor, progenitor
Vorfahrenreihe, *f.*, line of ancestors
Vorgang, *m.*, ⸚**e,** process, procedure
Vorgänger, *m.*, —, predecessor
Vorgeschichte, *f.*, previous history, early history
vorgeschoben, advanced
vorhanden, present, existing, to be met with
Vorhandensein, *n.*, presence
Vorhang, *m.*, ⸚**e,** curtain
vorher, previously, before
vorhergehen, to precede; **—d,** preceding
vorherrschen, to prevail, predominate
Vorhof, *m.*, ⸚**e,** auricle, vestibule
vorig, preceding, foregoing
Vorkammer, *f.*, **–n,** auricle, atrium
vorkommen, to occur, happen, be found, appear
Vorkommen, *n.*, occurrence
vorlagern, to be situated in front of
vorläufig, previous; for the present
vorlegen, to lay before, put before
Vorliebe, *f.*, preference
vorliegen, to lie in front of *or* before;

be, be present, exist; be under consideration
Vormarsch, *m.*, advance
vorn, in front, anteriorly; **nach —,** toward the front; **von —,** from the front
vornehmen, to undertake, make
vornehmlich, chiefly, principally
vornherein: von —, from the beginning, at the outset
Vorrichtung, *f.*, **–en,** arrangement; apparatus
vorschieben, to push forward, advance
Vorschub, *m.*, assistance, support; **— leisten,** to assist, promote
Vorsicht, *f.*, foresight, caution, care
vorsichtig, cautious, careful
Vorsichtsmaßregel, *f.*, **–n,** precaution
Vorsorge, *f.*, provision, precaution, care
vorspringen, to project
Vorsprung, *m.*, projection, prominence
vorstehen, to precede; project; **—d,** foregoing, above; projecting
vorstellen, to represent
Vorstellung, *f.*, **–en,** conception, idea
Vorstoß, *m.*, **⸗e,** attack, advance
Vorteil, *m.*, **–e,** advantage, benefit
vorteilhaft, advantageous
vortrefflich, excellent
vorüberfließen, to flow past
vorübergehen, to go by, pass; **—d,** temporary, transitory
vorüberziehen, to pass by
vorwärts, forward
vorwiegend, predominant, prevalent
vorzeitig, premature
vorziehen, to draw *or* pull forward; prefer
Vorzug, *m.*, **⸗e,** merit, advantage; preference
vorzugsweise, preferably, especially

W

wachsen, to grow, increase
Wachstuch, *n.*, oil-cloth
Wachstum, *n.*, growth
Wächter, *m.*, **—,** guard, guardian
Wachtposten, *m.*, **—,** sentinel
Wade, *f.*, **–n,** calf (of leg) **—bein,** *n.*, fibula
Waden: —muskel, *m.*, gastrocenemius, muscle of the calf (of leg)
Waffe, *f.*, **–n,** weapon, arms
Wage, *f.*, **–n,** balance, scales
Wagen, *m.*, **—,** wagon
wägen, to weigh
wagerecht, level, horizontal
wählen, to choose, select
wahr, true, real; veritable; **—nehmbar,** perceptible, noticeable; **—scheinlich,** probable, plausible
währen, to last, continue
während, *prep.*, during; *conj.*, while; **—dessen,** in the meantime
Wahrheit, *f.*, truth
wahrnehmen, to perceive, observe
Wahrnehmung, *f.*, **–en,** perception, observation
wahrscheinlich, likely, probable
Wahrscheinlichkeit, *f.*, probability, plausibility
Wal, *m.*, **–e, Walfisch,** *m.*, **–e,** whale
Wall, *m.*, **⸗e,** wall
walten, to rule, prevail
wälzen, to roll
Wand, *f.*, **⸗e,** wall; **—stärke,** *f.*, wall-strength; **—ung,** *f.*, wall
wandern, to wander, travel (on foot), walk, pass
Wange, *f.*, **–n,** cheek
Wangen: —bein, *n.*, cheek-bone; zygoma; **—gegend,** *f.*, region of the cheek
wann, when
warm, warm; **—blütig,** warm-blooded, hæmatothermal
Warmblüter, *m.*, **—,** warm-blooded animal
Wärme, *f.*, warmth, heat; **—abgabe,** *f.*, loss of heat; **—empfindung,** *f.*, perception of heat; **—erzeugung,** *f.*, production of heat; **—leiter,** *m.*, heat conductor; **—menge,** *f.*, amount of heat; **—regulierung,** *f.*, heat regulation; **—schutz,** *m.*, heat protection
wärmeschützend, heat-protecting
Warmwasserheizung, *f.*, hot water heating
warten, to wait

Wartung, *f.*, attendance, care
warum, why
Wärzchen, *n.*, —, little wart, papilla
warzenförmig, wartlike, papillary
was, what, that which
waschen, to wash
Wäschestück, *n.*, –e, piece of linen
Waschung, *f.*, –en, washing, ablution
Waschwasser, *n.*, water for washing
Wasser, *n.*, water; **—dampf,** *m.*, water vapor, steam; **—flasche,** *f.*, –n, water flask; **—pflanze,** *f.*, –n, aquatic plant; **—stoff,** *m.*, hydrogen; **—stoffsuperoxyd,** *n.*, peroxide of hydrogen; **—tier,** *n.*, –e, aquatic animal; **—tropfen,** *m.*, —, drop of water; **—verlust,** *m.*, loss of water
wasser: —hell, —klar, clear as water
wässerig, watery, aqueous
Watte, *f.*, wadding; cotton-wool; **—bausch,** *m.*, pad of cotton-wool; **—lage,** *f.*, –n, layer of cotton-wool; **—pfropfen,** *m.*, —, plug of cotton-wool
Wechsel, *m.*, —, change, alteration, succession
wechseln, to change, vary
wechselseitig, mutual, reciprocal
Wechseltierchen, *n.*, —, amœba
wechselwarm, poikilothermal
weder . . . noch, neither . . . nor
weg, away, forth
Weg, *m.*, –e, way, road; course; **auf diesem —,** in this way; **—länge,** *f.*, distance
wegen, because of, on account of
wegfallen, to fall away; cease, be omitted
wegführen, to carry off
wegschaffen, to remove, clear away
wegschwemmen, to wash away
wegspülen, to wash away
wehrlos, defenceless
Weibchen, *n.*, —, female
weiblich, feminine, female
weich, soft
Weiche, *f.*, –n, groin
weichen, to yield, give way, move; **auseinander —,** to separate
Weichheit, *f.*, softness, tenderness
Weichteil: —läsion, *f.*, –en, lesion of soft parts; **—wunde,** *f.*, –n, wound of soft parts
Weichteile, *m. pl.*, soft parts
Weichtier, *n.*, –e, mollusk, *pl.*, mollusca
Weidevieh, *n.*, grazing cattle
weil, because
Wein, *m.*, wine; **—geist,** *m.*, alcohol
Weinkrampf, *m.*, paroxysm of weeping, convulsive sobbing
Weise, *f.*, –n, way, manner; **auf diese —,** in this way
weise, wise
Weisheit, *f.*, wisdom
Weisheitszahn, *m.*, ⸗e, wisdom tooth
weiß, white
Weisung, *f.*, –en, direction, instruction
weit, far, wide, large; **bei —em,** by far; **—ab,** far away; **—aus,** by far; **—er,** farther, further; **ohne — eres,** without further ado, forthwith; **—gehend,** far-reaching, extensive; **—läufig,** extensive, minute, detailed; **—sichtig,** far-sighted; **—verzweigt,** widely ramified
Weiterentwicklung, *f.*, further development
weitergeben, to pass on; to continue to give
Weitergreifen, *n.*, (further) spreading
weiterhin, farther, further
welch, who, which, what; **— auch immer,** whoever, whatever
Welt, *f.*, –en, world
wenden: sich —, to turn about; apply, appeal
wenig, little, few; *adv.*, a little, slightly; **—stens,** at least
wenn, if; **—gleich,** although
werden, to become, be
Werden, *n.*, becoming, growth, origin, genesis
werfen, to throw, cast; **zu Boden —,** to throw on the ground *or* floor
Werk, *n.*, –e, work; **—zeug,** *n.*, –e, organ, instrument, tool
Wert, *m.*, –e, worth, value

wert, worth; valuable, worth while; **—los,** worthless; **—voll,** valuable
Wesen, *n.*, **—,** being, existence, nature, essence; creature
wesentlich, essential, vital, material; **im —en,** essentially, in substance
weshalb, why, wherefore, for what reason
Wespe, *f.*, **–n,** wasp
Wettstreit, *m.*, contest
wichtig, weighty, important
Wichtigkeit, *f.*, importance
Widerhalt, *m.*, support
widerlegen, to refute, disprove
widerlich, repulsive, loathsome
Widerspruch, *m.*, **¨e,** contradiction
Widerstand, *m.*, resistance, opposition
widerstandsfähig, able to offer resistance, tough, resistant
Widerstandsfähigkeit, *f.*, capacity of resistance
widerstandslos, offering no resistance
widerstehen, to resist
widerstreben, to oppose
widerstreitend, antagonistic, conflicting
widmen, to devote [though
wie, how, as, like; than; **—wohl,** al-
wieder, again; **—holt,** repeated
Wieder: —ansteigen, *n.*, reascension; **—anstellung,** *f.*, repetition; **—belebung,** *f.*, revival; **—holung,** *f.*, **–en,** repetition; **—käuer,** *m.*, **—,** ruminant; **—vereinigung,** *f.*, reunion
wiederfinden, to find *or* meet again
wiedergeben, to return, restore
wiederherstellen, to restore
wiederholen, to repeat
wiederkäuen, to ruminate
wiederspiegeln, to reflect
wiederum, again
Wildnis, *f.*, wilderness
Wildschwein, *n.*, **–e,** wild boar
Wille, *m.*, **–n,** will, desire
Willensäußerung, *f.*, **–en,** expression of will
willkürlich, arbitrary, voluntary
wimmeln (von), swarm (with)
Wimper, *f.*, **–n,** eye-lash; **—härchen,** *n.*, **—,** eye-lash cilium
Wind, *m.*, **–e,** wind
winden, to wind, twist
Windung, *f.*, **–en,** winding, coil, spiral; convolution [*n.*, hinge-joint
Winkel, *m.*, **—,** angle, corner; **—gelenk,**
Winter, *m.*, **—,** winter; **—kälte,** *f.*, winter cold; **—luft,** *f.*, winter air
winzig, minute, tiny
Wirbel, *m.*, **—,** vertebra; **—bogen,** *m.*, **—,** vertebral arch; **—kanal,** *m.*, vertebral canal; **—körper,** *m.*, **—,** vertebral body; **—loch,** *n.*, **¨er,** vertebral foramen; **—säule,** *f.*, vertebral column, spine; **—säulengegend,** *f.*, spinal region
wirbellos, spineless, invertebrate
Wirbeltier, *n.*, **–e,** vertebrate; **—embryo,** *m.*, **–nen,** embryo of vertebrate; **—klasse,** *f.*, **–n,** vertebrate class; **—ordnung,** *f.*, **–en,** species of vertebrates
wirken, to act, work
wirklich, real, actual
Wirklichkeit, *f.*, reality
wirksam, effective, active
Wirksamkeit, *f.*, effectiveness
Wirkung, *f.*, **–en,** effect, action, result
wischen, to wipe
Wismutpulver, *n.*, bismuth powder
wissen, to know; **Bescheid —,** to be informed
Wissenschaft, *f.*, **–en,** science
wissenschaftlich, scientific
Wissenschaftszweig, *m.*, **–e,** branch of science
Witterungsverhältnisse, *n. pl.*, weather conditions
wo, where; **—bei,** whereby, in which case; **—durch,** whereby, through which, for which reason; **—gegen,** against which; whereas; **—her,** from where, whence; **—hin,** whither, to what place; **—hingegen,** whereas; **—mit,** wherewith, with what; **—möglich,** perhaps, possibly; **—nach,** after which, according to which; **—von,** where of, of which, from which; **—zu,** whereto, to what, to which

Woche, *f.*, **–n,** week
wogen, to wave, surge; **der Streit wogte lange,** the controversy raged a long time
wohl, well, good; indeed, perhaps, probably, of course, then
Wohl, *n.*, welfare, good; **— und Wehe,** weal and woe; **—befinden,** *n.*, well-being, health; **—geschmack,** *m.*, agreeable taste *or* flavor; **—tat,** *f.*, **–en,** benefit
wohl: —abgesetzt, well deposited; **—durchdacht,** well considered
Wohnung, *f.*, **–en,** dwelling
Wohnzimmer, *n.*, **—,** living room
wölben, to arch, vault
wollen, to wish, will, want to
woran, wherein, at which
worauf, whereon, whereupon
woraus, from which
worin, wherein, in which
Wort, *n.*, **⸗er,** *or* **–e,** word
worüber, above which, concerning which
worunter, under which, by which
Wucht, *f.*, weight, force
wulstartig, roll-shaped
wund, wounded, sore
Wund: —behandlung, *f.*, treatment of a wound; **—entzündung,** *f.*, **–en,** inflammation of a wound; **—erkrankung,** *f.*, **–en,** wound infection; **—fläche,** *f.*, **–n,** wound surface; **—höhle,** *f.*, wound cavity; **—infektion,** *f.*, **–en,** wound infection; **—infektionserreger,** *m.*, **—,** exciting cause of wound infection; **—naht,** *f.*, **⸗e,** wound suture; **—produkt,** *n.*, **–e,** wound product; **—rand,** *m.*, **⸗er,** wound edge; **—schmerz,** *m.*, **–en,** pain caused by a wound; **—sekret,** *n.*, wound secretion; **—spalt,** *m.*, **–en, —spalte,** *f.*, **–n,** cleft of a wound
Wunde, *f.*, **–n,** wound
Wunder, *n.*, **—,** wonder, miracle
Wunsch, *m.*, **⸗e,** wish, desire
wünschen, to wish, desire
wünschenswert, desirable
würfelförmig, cubiform
Wurm, *m.*, **⸗er,** worm; **—fortsatz,** *m.*, vermiform process, appendix
wurm: —artig, wormlike; **—förmig,** wormlike, peristaltic
Würze, *f.*, seasoning
Wurzel, *f.*, **–n,** root; radix; **—ende,** *n.*, **–n,** root end
wurzel: —artig, rootlike; **—los,** rootless
Wutkrankheit, *f.*, madness

Z

Zackung, *f.*, notching, serration
zäh, tough, viscous, sticky
Zahl, *f.*, **–en,** number, figure
zählen, to count, reckon
zahlreich, numerous
Zahn, *m.*, **⸗e,** tooth; **—arzt,** *m.*, **⸗e,** dentist; **—bein,** *n.*, dentine; **—ersatzstück,** *n.*, **–e,** artificial tooth; **—fach,** *n.*, **⸗er,** alveolus; **—fleisch,** *n.*, gum; **—höhle,** *f.*, **–n,** pulp cavity; **—kitt,** *m.*, dental cement; **—lücke,** *f.*, **–n,** gap between the teeth; **—nerv,** *m.*, **–en,** dental nerve; **—reihe,** *f.*, row of teeth; **—stocher,** *m.*, **—,** toothpick; **—ung,** *f.*, toothing, indentation; **—wal,** *m.*, **–e,** denticite whale; **—wechsel,** *m.*, changing of the teeth
zahn: —arm, edentate; **—artig,** toothlike; **—los,** toothless
Zange, *f.*, **–n,** (pair of) tongs, pliers
Zäpfchen, *n.*, cone; uvula
zart, tender, delicate
Zartheit, *f.*, tenderness, delicacy, softness
z. B., zum Beispiel, for example
Zehe, *f.*, **–n,** toe; **—beuger,** *m.*, flexor longus digitorum (of foot); **—glied,** *n.*, **–er,** phalanx of a toe; **—knochen,** *m.*, **—,** bone of a toe; **—strecker,** *m.*, extensor longus digitorum (of foot)
zehn, ten
Zeichen, *n.*, **—,** sign, mark, symbol
zeichnen, to draw; sign, subscribe
Zeichnen, *n.*, drawing

Zeichnung, *f.*, **-en,** drawing, sketch
Zeigefinger, *m.*, —, index finger
zeigen, to show, point; **sich —,** appear
Zeit, *f.*, **-en,** time, period; **—angabe,** *f.*, **-n,** date; **—dauer,** *f.*, duration of time; **—genosse,** *m.*, **-n,** contemporary; **—lang,** *f.*, period, while; **—punkt,** *m.*, **-e,** moment
zeit: —ig, early; **—lebens,** for life; **—weise,** at times, occasionally
zeitigen, to ripen, produce
Zell: —bestandteil, *m.*, **-e,** cell-constituent; **—gewebe,** *n.*, cell-tissue; **—haut,** *f.*, cell-membrane; **—individuum,** *n.*, **—uen,** individual cell; **—lage,** *f.*, cell-layer; **—kern,** *m.*, **-e,** cell nucleus; **—körper,** *m.*, cell-body; **—schicht,** *f.*, **-en,** cell-layer; **—schlauch,** *m.*, **⸚e,** cell-tube; **—(en) staat,** *m.*, **-en,** cell-state; **—teilung,** *f.*, **-en,** cell-division; **—teilungsakt,** *m.*, act of cell-segmentation; **—verband,** *m.*, **⸚e,** union of cells; **—wand,** *f.*, **⸚e,** cell-wall
Zelle, *f.*, **-n,** cell
zellig, cellular
Zelluloidzwirn, *m.*, celluloid thread
Zellulose, *f.*, cellulose; **—hülle,** *f.*, cellulose covering; **—membran,** *f.*, cellulose membrane
Zement′, *n.*, cement
Zentimeter, *m.*, centimeter
zentral′, central
Zentral′: —körper, *m.*, —, **—körperchen,** *n.*, —, centrosome; **—nervensystem′,** *n.*, central nervous system; **—organ′,** *n.*, central organ
zentrifugal′, centrifugal
zentripetal′, centripetal
Zentrum, *n.*, **-ren,** center
zerbeißen, to crack *or* break with one's teeth
zerfallen, to fall to pieces, be divided (into several parts)
zerfetzen, to tear to shreds
Zerfetzung, *f.*, tearing, mutilation
zerfleischen, to lacerate, tear to pieces
zerfließen, to dissolve
Zergliederung, *f.*, analysis, dissection
zerkleinern, to break up, pulverize
zerlegen, to divide, take apart, disintegrate
zermahlen, to grind, pulverize
zermalmen, to grind, pulverize
zerquetschen, to crush
zerreißen, to tear (to pieces), rend
Zerreißung, *f.*, **-en,** tearing, laceration
Zerrung, *f.*, tearing
zerrütten, to destroy, shatter, ruin
zerschlissen, slit, split
zerschneiden, to cut up
zersetzen, to decompose
Zersetzung, *f.*, decomposition
Zersetzungs: prozeß, *m.*, process of decomposition; **—stoff,** *m.*, **-e,** product of decomposition
zersplittern, to splinter
zersprengen, to burst
zerstören, to destroy
Zerstörung, *f.*, destruction
Zerstörungswerk, *n.*, work of destruction
zerstreuen, to disperse, scatter
zerteilen, to divide, cut up, break up, decompose
zertrümmern, to demolish, crush
Zeug, *n.*, stuff; **unsinniges —,** nonsense
Zeuge, *m.*, **-n,** witness
Zeugnis, *n.*, evidence, testimony; **— ablegen,** to give evidence
ziehen, to draw, pull, take; move, go, pass; grow; **sich —,** pass, extend; **sich in die Länge —,** to be elongated, drawn out; **nach sich —,** bring on, cause; **zu Rate —,** to consult
Ziel, *n.*, **-e,** aim, object, goal, purpose
zielbewußt, clear-sighted, conclusive
ziemlich, rather
Ziffer, *f.*, **-n,** figure, number
Zigarettendrain, *m.*, cigarette drain
Zimmer, *n.*, —, room
Zimt, *m.*, cinnamon
Zinksalbe, *f.*, zinc salve
Zirkel, *m.*, —, compass
Zirkulation, *f.*, circulation
Zirkulationsstörung, *f.*, **-en,** disturbance of circulation
zitieren, to cite, quote
zivilisiert, civilized
Zoll, *m.*, **-e,** inch

Zone, *f.*, **–n,** zone
Zoolo'ge, *m.*, **–n,** zoölogist
Zoologie', *f.*, zoölogy
zoolo'gisch, zoölogical
Zotte, *f.*, **–n,** villus
z. T., zum Teil, partly, in part
zu, to, at, for; too
Zubereitung, *f.*, preparation
züchten, to cultivate
Zucker, *m.*, sugar; **—lösung,** *f.*, sugar solution
zudem, besides, moreover, in addition
zudrücken, to close by pressing
zueinander, to one another, each other
zuerkennen, to adjudge, award, grant, accord, attribute
zuerst, at first, first
Zufall, *m.*, **⸗e,** chance, accident
zufallen, to fall to one's share, go to; devolve upon; to pertain to
zufällig, accidental, by chance
Zuflucht, *f.*, refuge; **— zu etwas nehmen,** to have recourse to a thing
Zufluß, *m.*, flowing in, influx, afflux
zufolge, in consequence of
Zufuhr, *f.*, supply
zuführen, to introduce, supply, bring
Zug, *m.*, **⸗e,** pull, strain; train, line; feature, trait
Zugabe, *f.*, **–n,** addition
zugänglich, accessible
zugeben, to admit, grant
zugehen, to happen
zugehörig, belonging to, accompanying
Zugehörigkeit, *f.*, membership
Zügel, *m. pl.*, reins
zugleich, at the same time
zugrunde: —gehen, to be lost, perish, die; **—legen,** to take as a basis; **—liegen,** to be at the root of, be the cause of
zugunsten, in favor of
zugutetun: sich —, to glory in something, boast about something
zuhalten, to hold shut
Zuhilfenahme, *f.*, aid, recourse
Zuhörerschaft, *f.*, audience
zukehren, to turn toward; **einander zugekehrt,** turning toward each other; adjacent
zukommen, to come to, belong to, fall to, be to the credit of, be due to
Zukunft, *f.*, future
zukünftig, future
zulaufen, to run
zuleiten, to lead, conduct to
zumal, especially (as)
zumeist, for the most part, in most cases
zunächst, first of all, next
zunehmen, to increase, grow, advance
Zuneigung, *f.*, devotion
Zunge, *f.*, **–n,** tongue
Zungen: —apparat', *m.*, apparatus of the tongue; **—basis,** *f.*, base of the tongue; **—bein,** *n.*, hyoid bone; **—beinhorn,** *n.*, **⸗er,** cornu of the hyoid bone; **—beinkörper,** *m.*, body of the hyoid bone; **—rücken,** *m.*, dorsum linguae; **—spitze,** *f.*, tip of the tongue; **—wurzel,** *f.*, root of the tongue; **—zange,** *f.*, tongue forceps
zurechtschieben, to set right, push in the right position
Zureden, *n.*, advice, persuasion, comforting words
zurück, back
zurückbewegen, to move back
zurückbilden, to undergo involution
zurückbleiben, to remain behind, be left
zurückdrängen, to press back, repress
zurückfließen, to flow back
zurückführen, to lead back, trace back, carry back
zurückgehen, to go back, return, recede, subside
zurückgelangen, to return
zurückhalten, to hold back, retain
zurückkehren, to return
zurückkommen, to come back, return; **— von,** to abandon
zurücklassen, to leave behind
zurücklegen, to pass over, travel, cover (*of distance*)
zurückreichen, to reach back
zurücksinken, to sink back

zurücktreten, to step back, recede, retire, subside, return
zurückwerfen, to reflect
zurückwirken, to react upon
zurzeit, at present, at the time
zusammen, together
zusammenbeißen: die Zähne —, to set one's teeth
zusammendrücken, to press together, compress, close
zusammenfallen, to fall together, collapse; coincide
zusammenfassen, to sum up; **—d,** comprehensive
zusammengehen, to go together
zusammengesetzt, composite, compound, composed
zusammenhalten, to hold together
Zusammenhang, *m.*, **¨e,** connection, relation
zusammenhangen, to stick together, cohere, be connected; **—d,** connected, coherent, continuous
zusammenkneifen, to pinch together, close tightly; compress
zusammenlegbar, foldable, collapsible
zusammenpressen, to compress
zusammenrollen, to roll up, coil up
Zusammenschluß, *m.*, joining, uniting, union
zusammensetzen, to compose; **sich —,** to be composed
Zusammensetzung, *f.*, **–en,** composition
zusammensinken, to collapse
zusammenstellen, to put together, classify
zusammenstoßen, to come together, meet, join
zusammentreffen, to meet
Zusammentreffen, *n.*, coincidence, concurrence, concourse
zusammenwachsen, to grow together
zusammenwirken, to work together, coöperate
zusammenziehen, to draw together, contract
Zusammenziehung, *f.*, **–en,** contraction
Zusatz, *m.*, **¨e,** addition
zuschleifen, to grind, sharpen, point
zuschreiben, to ascribe to
zusehen, to investigate, inspect
zusetzen, to add
zuspitzen, to point, sharpen
zusprechen, to adjudge, grant, ascribe
Zustand, *m.*, **¨e,** condition, state
zustandebringen, to bring about, accomplish
zustandekommen, come about, to take place, occur, result; be formed
Zustandekommen, *n.*, success, realization, occurrence, development
zuströmen, to swirl *or* whirl toward; flow to *or* in
zustrudeln, to whirl *or* swirl toward
zutreffen, to prove true; **—d,** to the purpose, suitable
Zutritt, *m.*, access, admittance; addition
zuvor, before, previously
Zuwachs, *m.*, increase, enlargement
zuwachsen, to close up, grow together
zuwarten, to wait patiently
zuweilen, at times
zuwenden, to turn to *or* toward
zwar, indeed, in fact, to be sure
Zweck, *m.*, **–e,** purpose, object
Zweckmäßigkeit, *f.*, fitness, expediency
zweckmäßig, suitable, practical, advantageous, expedient
zwecks, for the purpose of
zwei, two; **—erlei,** of two kinds; **—prozentig,** of two percent; **—seitig-symmetrisch,** bilaterally symmetrical; **—teilig,** in two parts, bipartite
Zweiblätterstadium, *n.*, two leaved *or* diphyllous stage
Zweifel, *m.*, **—,** doubt
zweifel: —haft, doubtful, questionable; **—los,** doubtless
zweifeln, to doubt
Zweig, *m.*, **–e,** branch, twig
zweit, second; **—ens,** secondly
Zweiteilung, *f.*, division into two, bipartition
Zwerchfell, *n.*, diaphragm
Zwiebel, *f.*, **–n,** onion
zwingen, to force, compel

zwischen, between
Zwischen: **—form,** *f.*, **-en,** intermediate form; **—hirn,** *n.*, midbrain; **—raum,** *m.*, **¨e,** interval; **—substanz,** *f.*, intermediate substance; **—wirbelknorpel,** *m.*, **—,** intervertebral disc; **—zeit,** *f.*, intervening time, interval
zwischenliegend, lying between, interposed
zwölf, twelve
Zwölffingerdarm, *m.*, duodenum
Zyano'se, *f.*, cyanosis
Zylin'der, *m.*, **—,** cylinder, tube
zylin'drisch, cylindrical